Frank Herbert

IMPERADOR DEUS DE DUNA

Série Duna
volume 4

tradução
Christiane Almeida

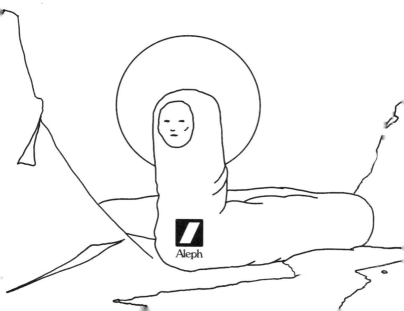

INTRODUÇÃO
por Brian Herbert

No verão de 1980, eu visitava a casa de minha mãe e meu pai em Port Townsend, no estado de Washington. Sobre uma pequena mesa ao lado da cadeira favorita de minha mãe, notei um esboço de *Imperador Deus de Duna*. Ela estava com o manuscrito aberto na página 516, próximo à conclusão do romance. Quando perguntei a meu pai como estava indo, ele respondeu que era uma espécie totalmente nova de história de amor, diferente de qualquer coisa já escrita. Quando finalmente tive a oportunidade de ler a história, pensei que era isso e muito mais.

Para compreender este romance complexo, é importante perceber que *Duna*, *Messias de Duna* e *Filhos de Duna* formam uma trilogia. O quarto volume da série, *Imperador Deus de Duna*, é uma ponte que leva a uma nova trilogia. Antes que Frank Herbert morresse, em 1986, ele escreveu dois livros dessa nova trilogia, *Hereges de Duna* e *Herdeiras de Duna*, e escreveu notas para o terceiro volume, que ele nomeou *Duna 7*. (Em colaboração com Kevin J. Anderson, mais tarde escrevi *Duna 7* em dois romances: *Hunters of Dune* e *Sandworms of Dune*.)

Imperador Deus de Duna também marca a mudança no estilo de narrativa da série. Os primeiros três romances estavam cheios de ações e camadas de mensagens importantes sobre política, filosofia, religião, ecologia, questões femininas, história e a verdadeira natureza da humanidade. Apesar de *Imperador Deus de Duna* começar com ação e terminar da mesma forma, há várias páginas de diálogo inseridas entre elas. Nestas páginas, há muitas discussões sobre assuntos importantes e de grande interesse, muitos deles advindos do Imperador Deus, Leto Atreides II. Os pensamentos são tão brilhantes, da mesma forma que jorravam da cabeça de Frank Herbert, que percebi pouco da diferença do estilo narrativo enquanto lia. Gosto bastante do livro e, da série, é o favorito de minha mãe. Contudo, ele é diferente e marca a mudança no estilo que o autor levou adiante para seus dois livros posteriores, *Hereges de Duna* e *Herdeiras de Duna*.

Pense no estilo de Duna, com sua história de aventura que destaca a jornada do herói clássico, Paul Atreides, assim como tantas mensagens importantes nas entrelinhas. A apresentação é realizada tão habilmente nas páginas, de modo tão homogêneo, que, no momento em que você chega ao fim, dificilmente percebe que aprendeu tanto sobre ecologia e coisas que importam para este planeta e para a humanidade. Você sabe apenas que deseja ler o livro de novo e passar mais tempo com Paul Atreides, Duncan Idaho, Lady Jéssica e outros personagens do incrível universo de Duna. Fragmentos e partes da história se agarram a você depois da leitura, atraindo-o de volta a ela. Então você retorna à primeira página e continua. Dessa vez, você pode querer manter o foco em outros aspectos, outras camadas, coisas que você não tenha percebido antes.

Imperador Deus de Duna é diferente. Quando você termina, percebe que absorveu uma quantidade imensa de dados vindos de uma mente brilhante, tanto que precisa voltar e estudar o material para ver o que o autor pretendia. Perceba, contudo, que neste romance Frank Herbert estava explorando algumas das camadas de *Duna*, *Messias de Duna* e *Filhos de Duna* que ele já havia estabelecido, tomando os perigos do governo e organizando a religião em outros níveis, mesclando-os e extrapolando ao extremo, fornecendo um cenário de como seria se um tirano divino conduzisse a humanidade e se esse déspota não pudesse morrer. Os riscos não poderiam ser mais altos. E que conceito fantástico: combinar a carne humana com elementos sobrenaturais para criar uma divindade. Uma noção assustadora... e ainda mais aterrorizante do que os perigos de seguir um líder carismático sobre o qual Frank Herbert escreveu de forma tão eloquente no segundo e no terceiro livros da série.

Também é interessante destacar que Frank Herbert escrevia frequentemente sobre seres com poderes semelhantes aos dos deuses, entidades que assumiam formas diferentes. Em *Destination: Void* e *The Jesus Incident* (em coautoria com Bill Ranson), a entidade é um supercomputador. Em *Whipping Star*, é um um corpo celestial, uma estrela. Em *Godmakers* e *Duna*, os deuses têm forma humana. Em *Imperador Deus de Duna*, a entidade é parte um verme da areia misterioso, parte humana, uma criatura que contém um vasto depósito de conhecimento.

O Imperador Deus, Leto Atreides II, é um dos personagens mais incomuns dos anais da ficção científica. Ele viveu por mais de 3.500 anos e possuía um saber que abrangia tempo e espaço. Aparentava ser capaz de viver para sempre, de conduzir a humanidade para o futuro eterno. Por milênios, após os eventos do romance *Duna*, Leto impusera a paz, um "Caminho Dourado", sob o qual ele assegurara a existência contínua da espécie humana. Como diz Leto: "O Caminho Dourado [...] é a sobrevivência da humanidade, nada a mais ou a menos".

Frank Herbert, contudo, que via o lado sombrio do herói, também via o lado sombrio da civilização perfeita. Ele chamava esse tipo de pensamento de "destruição de mitos" ou de perceber a "distopia na utopia". Com sua experiência de vários anos como repórter jornalístico, ele com frequência revirava pedras para ver o que sairia de debaixo delas. Na Universidade de Washington, em Seattle, lecionou uma aula de ciências políticas sobre a destruição das estruturas dos mitos nos quais vivemos. Um Sócrates contemporâneo, ele dilacerou o que chamava de "suposições linguísticas e culturais não examinadas".

Meu pai sabia como fazer suas pesquisas. Nos anos 1950, ele foi redator de discursos para um senador e trabalhou em Washington, D.C. Com um certificado de alto nível de segurança (C-9), Frank Herbert teve acesso especial ao Serviço de Referência Legislativa da Biblioteca do Congresso dos Estados Unidos, por meio da qual ele podia acessar praticamente qualquer documento ou livro daquela biblioteca vasta. Só precisava telefonar, pedir o que queria e o material aparecia rapidamente em um carrinho, com indicadores azuis designando as páginas que eram do interesse dele. Notas eram incluídas no material disponível em outras instituições governamentais, incluindo os Arquivos Nacionais e do Corpo de Engenheiros do Exército dos Estados Unidos. Se ele quisesse qualquer material adicional, precisava apenas pedi-lo por meio da Biblioteca do Congresso e rapidamente tudo estava diante de si.

Um homem de energia e entusiasmo sem limites, Frank Herbert tinha um tipo de mente capaz de seguir em cinquenta direções ao mesmo tempo. Estava sempre pensando, lendo sempre que havia a oportunidade, sempre pesquisando algo. Para cada romance que escrevia, primeiro ele se debruçava sobre a maior quantidade de livros que pudesse, de assuntos específicos, depois conversava com cientistas, doutores e outros especialistas. O tempo era vital para ele, que não gostava de desperdiçar nenhum momento. Tanto física quanto mentalmente, ele ia do ponto A ao ponto B de forma muito rápida. Às vezes ele aprendia o que precisava com um telefonema. Para se ter noção de quão fácil é para uma pessoa desequilibrada e perigosa obter os ingredientes e materiais necessários para a pesquisa de DNA recombinante (para o romance *The White Plague*), meu pai fingiu que era um médico e ligou para fornecedores de produtos médicos.

Frank Herbert era um homem cheio de ideias intrigantes, a pessoa mais interessante em qualquer lugar. Sua personalidade, como os personagens que criava em suas histórias, era mais ampla que a própria vida. Usava uma fantástica e densa barba e, com seus olhos cintilantes, ninguém sabia exatamente o que ele iria dizer em seguida. Certa vez, um crítico do *New York Times* brincou que a cabeça de Frank Herbert era tão sobrecarregada de ideias que poderia cair a qualquer hora. Em *Imperador Deus de Duna*, meu pai descreveu Leto II, o qual, por meio de processos genéticos, havia adquirido todas as informações humanas. No conto "Pack Rat Planet" e no livro *Direct*

Descent, ele escreveu sobre uma vasta Biblioteca Galáctica, um depósito contendo toda a sabedoria escrita pela humanidade. Frank Herbert, assim como Leto II e a Biblioteca Galáctica, era um repositório incrível e assombroso de informações. Suas palavras cativavam milhões de pessoas por todo o mundo.

Meu pai respeitava seus leitores. Ele os desafiava usando palavras que talvez os forçasse a consultar o dicionário e os obrigava a continuar a virar as páginas com reviravoltas surpreendentes no enredo e na caracterização. Quem podia imaginar que ele viraria o mito-herói Paul Atreides de ponta-cabeça nos dois primeiros livros da série de Duna e mostraria um caminho escuro no qual a humanidade poderia se encontrar se seguisse um líder carismático? Essa é uma mensagem significante, um alerta social urgente de que governos e líderes mentem.

É apenas uma das várias mensagens provocadoras que Frank Herbert incluía em seus livros nas entrelinhas das aventuras, fazendo com que seus leitores pensassem em questões profundas. Entretanto, nas mãos dele, o material nunca parecia opressivo ou aborrecido, porque ele realizava sua arte de forma muito inteligente, interligando habilmente as mensagens com os desdobramentos da série. Não era pedante, não pregava para seus leitores. Buscava primeiro o entretenimento, enquanto ensinava ao longo do caminho.

Escrevi uma extensa biografia de meu pai, *Dreamer of Dune*, um livro que foi bem-sucedido em capturar a essência de Frank Herbert. Ainda assim, ele era mais do que quaisquer palavras pudessem descrever, inclusive as de um filho que o amava. Quanto mais lutei para compreender esse homem complexo e valoroso (e fiz avanços significantes nessa jornada), mais percebi que ele estava sempre um passo adiante de qualquer tentativa de descrevê-lo, de capturá-lo em qualquer página. Mesmo na morte, ele ainda estava à frente, esquivando-se das descobertas. Penso nele todos os dias e também na minha incrível mãe, Beverly Herbert. Ela o compreendia melhor do que qualquer outra pessoa, e aprendi muito sobre ele por meio dela, assim como pelas minhas observações e conversas que tive com ele. Com frequência, pensando no passado, percebo que ainda posso notar algo novo e intrigante sobre Frank Herbert, algo que eu ainda não havia percebido ou considerado. A respeito da especiaria mélange, ele escreveu em sua *magnum opus*: "É como a vida: apresenta uma face diferente toda vez que a experimentamos". Ele mesmo era assim, diferente a cada vez que você olhasse para ele.

Os romances da série Duna de meu pai também são assim, revelando algo novo sobre o autor em cada passagem pelas páginas. Gosto disso. Quando ainda era vivo, Frank Herbert tinha uma energia tão intensa que jamais caminhava a meu lado da forma costumeira como duas pessoas caminham; estava sempre meio passo à frente, conduzindo o caminho. Dan Lodholm, seu melhor amigo desde a infância, me disse algo similar. Ele se lembrava das caminhadas que fizeram juntos na Península Olympic, no estado de Washington, em 1930 e da forma como estava sempre olhando para a porção posterior da cabeça de Frank Herbert, seguindo-o na trilha.

Agora, em *Imperador Deus de Duna*, somos levados a um olhar intrigante *para dentro* da mente de Frank Herbert: por meio de seu personagem Leto Atreides II. É um romance notável e outra jornada fantástica pelo universo sem paralelos de Duna.

Brian Herbert
Seattle, Washington
8 de maio de 2008

*Para Peggy Rowntree
com amor, admiração
e profunda gratidão.*

EXCERTO DO DISCURSO DE HADI BENOTTO ANUNCIANDO AS
DESCOBERTAS EM DAR-ES-BALAT NO PLANETA DE RAKIS:

É com satisfação que anuncio aos senhores, nesta manhã, nossa descoberta de um depósito maravilhoso contendo, entre outras coisas, uma coleção monumental de manuscritos inscritos em papel de cristal riduliano. Também me orgulho de prover nossos argumentos em prol da autenticidade de nossas descobertas, de dizer aos senhores o porquê de acreditarmos ter descoberto os diários originais de Leto II, o Imperador Deus.

Primeiro, deixe-me lembrá-los do tesouro histórico que todos conhecemos pelo nome de *Os Diários Roubados*, aqueles volumes de sabida antiguidade que, ao longo dos séculos, têm sido tão valiosos para nos ajudar a entender nossos ancestrais. Como todos sabem, *Os Diários Roubados* foram decifrados pela Guilda Espacial, e o método do Código da Guilda foi empregado para traduzir esses volumes recém-descobertos. Ninguém nega a antiguidade do Código da Guilda e ele, *apenas ele*, é capaz de traduzir esses volumes.

Em segundo lugar, esses volumes foram impressos por um sistema ditatel ixiano, fabricado em um passado verdadeiramente longínquo. *Os Diários Roubados* não deixam dúvidas de que esse foi, de fato, o método empregado por Leto II para gravar suas recordações históricas.

Em terceiro lugar, e acreditamos que seja de importância equivalente à própria descoberta, está o depósito em si. O repositório desses *Diários* é, indubitavelmente, um artefato ixiano de construção tão primitiva, mas ainda assim maravilhosa, que por certo lançará uma nova luz sobre o período histórico conhecido como "a Dispersão". Como era de se esperar, o depósito era invisível. Estava enterrado bem mais fundo do que os mitos e a História Oral nos haviam levado a acreditar e emitia e absorvia radiação para simular as características naturais dos arredores, um mimetismo mecânico que, em si, não era inesperado. O que surpreendeu nossos engenheiros, entretanto, foi ele ter sido realizado com técnicas mecânicas das mais rudimentares e primitivas.

Imagino que alguns dos senhores estejam tão entusiasmados com essa descoberta como estamos. Acreditamos que estejamos analisando o primeiro Globo Ixiano, a não sala da qual todos os mecanismos evoluíram. Se não for realmente o primeiro, acreditamos que deva ser *um* dos primeiros e contenha os mesmos princípios do primeiro.

Vou aplacar a curiosidade óbvia de todos aqui presentes garantindo que os levaremos em breve para uma rápida visita ao depósito. Pedimos apenas que mantenham silêncio enquanto estiverem dentro do depósito, porque nossos engenheiros e outros especialistas ainda estão trabalhando para desvendar os mistérios.

Isso me traz ao quarto ponto, esse talvez seja o mais crucial de nossas descobertas. É com emoções difíceis de se descrever que revelo agora outra descoberta nesse lugar: refiro-me a gravações orais verdadeiras, as quais são atribuídas como proferidas por Leto II na voz de seu pai, Paul Muad'Dib. Como as gravações autenticadas do Imperador Deus estão alojadas nos Arquivos Bene Gesserit, enviamos para a Irmandade uma amostra das nossas gravações, todas elas feitas em um sistema antigo de microbolha, com uma requisição formal para que seja conduzido um teste de comparação. Estamos quase certos de que nossas gravações serão autenticadas.

Agora, por favor, voltem sua atenção para os trechos traduzidos que lhes foram entregues quando entraram. Aproveito a oportunidade para me desculpar pelo peso. Ouvi alguns dos senhores brincando sobre isso. Usamos papel comum por uma razão prática: economia. Os volumes originais estão inscritos em símbolos tão pequenos que necessitam ser substancialmente ampliados antes que sejam lidos. De fato, seriam necessários mais de quarenta volumes comuns, do tipo que os senhores agora têm em mãos, para reproduzir o conteúdo de um dos originais em cristal riduliano.

Se o projetor... sim. Agora estamos projetando parte de uma página original na tela à esquerda. Esse é um trecho da primeira página do primeiro volume. Nossa tradução está nas telas à direita. Chamo a atenção de todos para a evidência interna, a vaidade poética das palavras, bem como o significado derivado da tradução. O estilo transmite uma personalidade identificável e consistente. Acreditamos que esse texto só possa ter sido redigido por alguém que houvesse tido experiência direta com memórias ancestrais, por alguém que estivesse se esforçando para compartilhar tal experiência extraordinária de vidas passadas de uma forma possível de ser compreendida por aqueles que não tivessem tal dom.

Observem agora o significado real do conteúdo. Todas as referências estão de acordo com tudo que a história nos conta sobre essa pessoa que acreditamos ser a única que poderia ter escrito tal relato.

Agora temos outra surpresa para os senhores. Tomei a liberdade de convidar a famosa poeta Rebeth Vreeb para dividir a tribuna conosco esta manhã e ler uma curta passagem dessa primeira página de nossa tradução. Observamos que, mesmo com a tradução, estas palavras adquirem características diferentes quando lidas em voz alta. Queremos compartilhar uma qualidade verdadeiramente extraordinária que descobrimos nesses volumes.

Senhoras e senhores, eu lhes apresento Rebeth Vreeb.

— DA LEITURA DE REBETH VREEB:

Eu asseguro a vocês que sou o livro do destino.

Perguntas são minhas inimigas. Porque minhas perguntas explodem! Respostas saltam como um rebanho assustado, obscurecendo o céu das minhas memórias inevitáveis. Nenhuma resposta, nenhuma basta.

Que prismas reluzem quando entro no campo aterrorizante do meu passado. Sou um fragmento de sílex despedaçado fechado em uma caixa. A caixa gira e treme. Sou arremessado para todos os lados, dentro de uma tempestade de mistérios. Quando a caixa se abre, retorno a esta presença como um estranho em uma terra primitiva.

Vagarosamente (vagarosamente, digo), reaprendo meu nome.

Mas isso não é saber quem sou!

Essa pessoa com meu nome, esse Leto que é o segundo com esse nome, encontra outras vozes em sua mente, outros nomes e outros lugares. Oh, prometo (como já prometi) que respondo apenas a um nome. Se você disser "Leto", eu respondo. Tolerância faz com que isso seja verdade, tolerância e algo mais:

Eu controlo as situações!

Todas elas são minhas. Basta que eu pense em um assunto – por exemplo... *homens que tenham morrido por um ferimento de espada* – e os tenho comigo, com todo o seu sangue derramado, cada imagem intacta, cada gemido, cada esgar.

As alegrias da maternidade e as camas de parto são minhas. A série de sorrisos de recém-nascidos e os doces barulhinhos das novas gerações. As primeiras caminhadas dos bebês que começam a andar e as primeiras vitórias dos jovens são trazidas a mim para compartilhar. As situações se tornam umas sobre as outras até que eu não possa ver nada mais do que uniformidade e repetição.

"Mantenha tudo intacto", acautelo a mim mesmo.

Quem pode negar o valor de tais experiências, a importância de aprender com o que vejo a cada novo instante?

Ah, mas é o passado.

Entendem?

É apenas o passado!

ESTA MANHÃ NASCI EM UMA TENDA CIRCULAR, RECOBERTA
DE PELES, À BEIRA DE UMA PLANÍCIE REPLETA DE CAVALOS,
NO PAÍS DE UM PLANETA QUE NÃO MAIS EXISTE. AMANHÃ,
TEREI NASCIDO OUTRA PESSOA EM OUTRO LUGAR. AINDA
NÃO ESCOLHI. ESTA MANHÃ, PORÉM... AHHH, ESTA VIDA!
QUANDO MEUS OLHOS AJUSTARAM O FOCO, FITEI O BRILHO
DO SOL SOBRE A GRAMA PISOTEADA E VI PESSOAS VIGOROSAS
CONVERSANDO SOBRE AS DOCES ATIVIDADES DE SUAS VIDAS.
ONDE... OH, ONDE TODO ESSE VIGOR FOI PARAR?

— Os Diários Roubados

As três pessoas correndo para o norte entre as sombras da lua na Floresta Proibida estavam exauridas, dispersas por cerca de meio quilômetro uma da outra. A última da fila corria a menos de cem metros à frente dos Lobos-D que as perseguiam. Podiam-se ouvir os latidos e grunhidos dos animais, ávidos, da forma como fazem quando a presa está à vista.

Com a Primeira Lua quase diretamente sobre suas cabeças, estava claro na floresta e, apesar de ali haver as maiores altitudes de Arrakis, ainda se fazia presente o calor de um dia de verão. A corrente de ar noturna do Último Deserto de Sareer carregava odores de resina e as exalações levemente molhadas do húmus no solo. Às vezes, uma brisa do Mar Kynes além do Sareer carregava pelas trilhas dos corredores um cheiro de sais e peixes.

Por uma ironia do destino, o último corredor se chamava Ulot, que na língua fremen significa "Querido Desgarrado". Ulot tinha baixa estatura, com uma tendência a engordar que o havia levado a carregar o fardo de uma dieta extra em seu treinamento para esse evento. Mesmo tendo emagrecido para essa corrida desesperada, seu rosto permanecia arredondado, os grandes olhos castanhos vulneráveis sugerindo o excesso de carne no corpo.

Para Ulot, era óbvio que não podia correr muito longe. Ele ofegava e seu peito chiava. De vez em quando cambaleava, mas não chamava pelos companheiros. Sabia que eles não poderiam ajudá-lo. Todos haviam prestado o mesmo juramento, conscientes de que não possuíam outras defesas que não as antigas virtudes e lealdades dos fremen. Essa verdade permanecia, embora tudo que antes havia sido fremen tinha agora uma qualidade museológica... dos recitais cerimoniosos aprendidos com o fremen de museu.

Foi a lealdade dos fremen que manteve Ulot em silêncio durante a completa percepção de ruína. Uma bela demonstração das antigas qualidades, e de certa forma digna de pena, uma vez que nenhum dos demais corredores tinha mais do que mero conhecimento teórico, advindo de livros e lendas da História Oral, sobre as virtudes que imitavam.

Os Lobos-D estavam perto de Ulot, gigantescas figuras cinzentas quase da altura dos ombros de um homem. Eles saltavam e grunhiam de ansiedade, cabeças levantadas, olhos focados na imagem da sua vítima, traída pela lua.

Ulot topou o pé esquerdo em uma raiz e quase caiu. Isso lhe forneceu uma energia renovada. Ele deu uma arrancada, ganhando talvez a distância equivalente ao tamanho de um lobo sobre seus perseguidores. Seus braços alavancavam o progresso. Ele ofegava.

Os Lobos-D não mudaram o ritmo. Eram sombras prateadas que se moviam rapidamente em meio aos gritantes cheiros esverdeados da sua floresta. Sabiam que haviam vencido. A experiência lhes era familiar.

Novamente, Ulot pisou em falso. Recuperou o equilíbrio com a ajuda de uma árvore e continuou sua fuga ofegante, arfando, as pernas tremendo como que rebeladas contra o que se exigia delas. Nenhuma energia restava para outra arrancada.

Um dos Lobos-D, uma grande fêmea, aproximou-se do flanco esquerdo de Ulot. Ela deu uma guinada para dentro e pulou à frente de sua presa. Caninos gigantescos rasgaram o ombro de Ulot e o fizeram cambalear, mas ele não caiu. O odor forte de sangue juntou-se aos cheiros da floresta. Um macho menos corpulento pegou seu quadril direito e por fim Ulot caiu, gritando. A matilha apoderou-se de seu corpo e seus gritos se cortaram em um final abrupto.

Sem parar para o festim, os Lobos-D retomaram a caçada. Farejavam com o nariz o chão da floresta e as contracorrentes errantes do ar, sentindo os vestígios de outros dois humanos correndo.

O próximo corredor na fila chamava-se Kwuteg, um nome antigo e honroso em Arrakis, um nome dos tempos de Duna, de um ancestral que havia servido Sietch Tabr como Mestre das Destilarias Fúnebres. Mas isso tinha sido mais de três mil anos antes, num passado em que muitos já não acreditavam. Kwuteg corria com os passos longos de um corpo alto e esguio, que parecia perfeitamente adequado para aquele esforço. Cabelos longos e negros escorriam para trás de suas feições aquilinas. Assim como seus companheiros, usava um uniforme de corrida de algodão costurado com firmeza. O uniforme revelava o funcionamento das suas nádegas e dos filamentos de suas coxas, o ritmo profundo e constante de sua respiração. Apenas sua velocidade, que estava significativamente baixa para Kwuteg, revelava que ele havia machucado o joelho direito descendo os precipícios artificiais que circundavam a fortaleza da Cidadela do Imperador Deus em Sareer.

Kwuteg ouviu os gritos de Ulot, o silêncio abrupto e potente e depois os ganidos renovados da caçada dos Lobos-D. Ele tentou não deixar sua mente criar a imagem de outro amigo trucidado pelos guardiões monstros de Leto, mas a imaginação exerceu seu feitiço sobre ele. Kwuteg fez a ameaça ao tirano em pensamento, mas não gastou fôlego para proferi-la. Havia uma chance de que pudesse alcançar o santuário do rio Idaho. Kwuteg sabia o que seus amigos pensavam sobre ele – inclusive Siona. Ele sempre fora conhecido como um preservador. Mesmo quando era criança, guardava sua energia até o último instante, parcelando suas reservas como um avarento.

Apesar do joelho ferido, Kwuteg aumentou a velocidade. Sabia que o rio estava próximo. Seu ferimento tinha passado de agonia a uma queimação constante que preenchia sua perna inteira e somava-se à ardência. Ele sabia dos limites de sua persistência. Também sabia que Siona devia estar quase na água. A corredora mais rápida de todos carregava o pacote lacrado e nele as coisas que eles haviam roubado da fortaleza em Sareer. Kwuteg focou seus pensamentos naquele pacote enquanto corria.

Salve-o, Siona! Use-o para destruí-lo!

O ganido ávido dos Lobos-D penetrou a consciência de Kwuteg. Os animais estavam próximos demais. Ele sabia que não ia escapar.

Siona deve escapar!

Ele arriscou uma olhada para trás e viu o movimento de um dos lobos para cercá-lo. O padrão do plano de ataque dos Lobos-D imprimiu-se em sua mente. Quando o lobo que o cercava pulou, Kwuteg também pulou. Fazendo com que uma árvore ficasse entre ele e a matilha, mergulhou por debaixo do lobo que o cercava, segurou uma de suas patas traseiras com ambas as mãos e, sem parar, girou o lobo preso como a um malho, o que dispersou os outros. Percebendo que a criatura não era tão pesada e quase apreciando a mudança de ação, ele golpeou os atacantes com sua clava viva em um rodopio hipnótico que derrubou dois deles com uma batida de crânios. Contudo, não podia guardar todos os lados. Um macho magro o pegou pelas costas, arremessando-o contra uma árvore, e ele perdeu sua clava.

— Vá! — ele gritou.

A matilha se fechou ao seu redor e Kwuteg pegou a garganta do macho magro entre os dentes. Ele mordeu profundamente, com cada grama de seu desespero final. O sangue do lobo jorrou sobre seu rosto, cegando-o. Rolando sem nenhuma ideia de para onde iria, Kwuteg agarrou outro lobo. Parte da matilha se dissolveu em uma turba que rodopiava e uivava, alguns se virando contra os próprios companheiros machucados. Ainda assim, a maioria permaneceu com o objetivo de pegar a vítima. Dentes rasgaram a garganta de Kwuteg em ambos os lados.

Siona também havia escutado o grito de Ulot e depois o silêncio inequívoco seguido pelos uivos da matilha quando os lobos voltaram à caça. Tanta raiva a encheu que ela sentiu que podia explodir. Ulot havia sido incluído nesta empreitada por sua habilidade analítica, sua forma de ver o todo a partir de poucas partes. Fora Ulot que, utilizando a inevitável lupa de seu estojo, examinara os dois volumes estranhos que eles haviam descoberto com os planos da Cidadela.

— Acho que é um criptograma — Ulot havia dito.

Também havia Radi, pobre Radi, o primeiro do grupo a morrer... Radi dissera:

— Não podemos continuar com esse peso extra, jogue-o fora.

— Coisas sem valor não ficam escondidas dessa forma — Ulot discordou.

— Viemos pelos planos da Cidadela e os temos — Kwuteg se aliara a Radi. — Essas coisas são muito pesadas.

Porém, Siona concordara com Ulot:

— Vou carregá-las.

Assim acabara a discussão.

Pobre Ulot.

Todos sabiam que ele era o pior corredor do grupo. Ulot era vagaroso na maioria das coisas, mas a clareza de sua mente não podia ser negada.

Ele era confiável.

Ulot *havia sido* confiável.

Siona controlou sua raiva e usou essa energia para aumentar a própria velocidade. Árvores passavam rapidamente por ela à luz da lua. Ela havia entrado no vácuo atemporal da corrida em que nada existia além de seus próprios movimentos, seu próprio corpo fazendo o que havia sido condicionado a fazer.

Homens a consideravam bonita enquanto corria. Siona sabia disso. Seu longo cabelo escuro estava amarrado firmemente para evitar que chicoteasse com o vento durante sua passagem. Ela havia chamado Kwuteg de tolo quando ele se recusara a copiar seu estilo.

Onde está Kwuteg?

Seu cabelo não era como o de Kwuteg. A cor era aquele castanho profundo que às vezes é confundido com negro, mas não verdadeiramente negro, não como era o de Kwuteg.

De uma forma que os genes por vezes trabalham, seus traços copiavam aqueles de um ancestral morto havia muito tempo: a face delicadamente oval com uma boca generosa, olhos de uma consciência alerta e um nariz pequeno. Seu corpo havia crescido esguio devido aos anos de corrida, mas enviava fortes sinais sexuais aos homens em volta dela.

Onde está Kwuteg?

A matilha estava silenciosa e ela considerou esse fato alarmante. Os lobos haviam feito isso antes de derrubar Radi. O mesmo acontecera quando eles pegaram Setuse.

Ela disse a si mesma que o silêncio podia significar outras coisas. Kwuteg, também, era silencioso... e forte. O ferimento não parecia tê-lo incomodado.

Siona começou a sentir dor no peito, o ofegar que estava por vir, o qual ela conhecia bem dos longos quilômetros de treino. A perspiração ainda escorria pelo seu corpo por debaixo do traje de corrida fino e negro. O estojo estava posicionado no alto de suas costas, com os conteúdos preciosos lacrados e protegidos da passagem pelo rio adiante. Ela pensou nos mapas da Cidadela dobrados lá dentro.

Onde Leto esconde sua reserva de especiaria?

Devia ser em algum lugar dentro da Cidadela. Tinha que ser.

Devia haver alguma pista nos mapas. A especiaria mélange pela qual as Bene Gesserit, a Guilda e todos os outros ansiavam... era um prêmio cujo risco valia a pena correr.

E aqueles dois volumes criptografados. Kwuteg estivera certo em uma coisa. Papel de cristal riduliano era pesado, mas ela compartilhava do entusiasmo de Ulot. Alguma coisa importante se ocultava naquelas linhas cifradas.

Uma vez mais os ganidos de caça dos lobos ecoaram pela floresta atrás dela.

Corra, Kwuteg, corra!

Agora, bem à frente e entre as árvores, ela podia ver a faixa ampla e iluminada que margeava o rio Idaho. Ela vislumbrou o brilho da lua na água além da clareira.

Corra, Kwuteg!

Ela ansiava por um som de Kwuteg, por qualquer som. Apenas os dois permaneciam agora, dos onze que haviam começado a corrida. Nove haviam pagado com a vida por essa empreitada: *Radi, Aline, Ulot, Setuse, Inineg, Onemao, Hutye, Memar e Oala*.

Siona pensou em seus nomes e para cada enviou uma prece silenciosa aos deuses antigos, não para o tirano Leto. Ela rezou especialmente para Shai-hulud.

Rezo para Shai-hulud, que vive nas areias.

De repente, estava fora da floresta e dentro do trecho de solo ceifado iluminado pela lua, ao longo do rio. Em frente, além de uma praia estreita, a água acenava para ela. A praia estava prateada, em contraponto com o fluxo oleado.

Um grito alto vindo de trás das árvores quase a fez parar. Ela reconheceu a voz de Kwuteg sobre os barulhos selvagens dos lobos. Kwuteg clamou sem usar nenhum nome, um grito inconfundível com apenas uma palavra que continha inúmeras conversações... uma mensagem de vida e morte.

— Vá!

O barulho da matilha transformou-se em uma algazarra terrível de uivos frenéticos, mas nada mais foi ouvido de Kwuteg. Ela soube, então, como Kwuteg havia gastado as últimas energias de sua vida.

Atrasando-os para ajudar em minha fuga.

Obedecendo ao grito de Kwuteg, ela correu para a margem do rio e mergulhou de cabeça na água. O rio foi um choque gelado após o calor da corrida. Ela ficou atordoada por um momento e começou a se debater, lutando para nadar e recuperar seu fôlego. O precioso estojo flutuou e colidiu contra a parte de trás de sua cabeça.

O rio Idaho não era largo naquele trecho, não mais que cinquenta metros, uma curva suave e extensa com formações de areia margeadas por raízes e exuberantes bancos de juncos e grama, onde a água se recusava a permanecer na linha reta que os engenheiros de Leto haviam projetado. Siona sentiu-se fortalecida ao saber que os Lobos-D tinham sido condicionados a parar na água. Seus limites territoriais haviam sido estabelecidos, o rio deste lado e a muralha do deserto do outro. Ainda assim, ela nadou os últimos metros debaixo d'água e voltou à tona sob a sombra de um barranco antes de se virar e olhar para trás.

Toda a matilha permanecia enfileirada ao longo do banco, à exceção de um lobo que havia descido até a margem do rio. Ele se inclinava para a frente com as patas dianteiras quase na água. Ela o ouviu ganir.

Siona sabia que o animal a havia visto, não havia dúvida. Lobos-D eram reconhecidos por sua visão aguçada. Havia lebréus na ascendência dos guardiães da floresta de Leto e ele cruzara a raça com lobos para aguçar sua visão. Ela se perguntou se dessa vez os lobos iriam quebrar seu condicionamento. Seu instrumento de caça era principalmente a visão. Se aquela fera à beira do rio entrasse na água, todos o seguiriam. Siona prendeu a respiração. Sentiu o pesar da exaustão. Eles haviam percorrido quase trinta quilômetros, a segunda metade do percurso com os Lobos-D logo atrás.

A besta à margem do rio ganiu uma vez mais e depois saltou de volta para junto de seus companheiros. Devido a algum sinal silencioso, viraram-se e voltaram à floresta.

Siona sabia para onde eles iam. Aos Lobos-D era permitido comer qualquer coisa que abatessem na Floresta Proibida. Todos sabiam disso. Era por isso que esses animais percorriam a floresta – os guardiães de Sareer.

– Você vai pagar por isso, Leto – ela sussurrou. Sua voz era baixa, próxima ao tom calmo do murmúrio da água contra os juncos logo atrás dela. – Você vai pagar por Ulot, por Kwuteg e por todos os outros. Você vai pagar.

Ela alçou o corpo com suavidade para fora e flutuou na corrente até que seus pés encontraram a primeira formação de uma praia estreita. Lentamente, seu corpo exaurido pela fadiga, ela saiu da água e verificou se o conteúdo lacrado do estojo ainda estava seco. O lacre estava fechado. Ela olhou para ele por alguns momentos sob a luz da lua, depois levantou o olhar para a muralha formada pela floresta do outro lado do rio.

O preço que pagamos. Dez amigos queridos.

Lágrimas cintilavam em seus olhos, mas ela ainda tinha algo dos antigos fremen e suas lágrimas eram poucas. A empreitada através do rio, imediatamente depois da floresta enquanto os lobos patrulhavam os limites ao norte, depois pelo Último Deserto de Sareer e por cima das plataformas da Cidadela – tudo isso já assumia as proporções de um sonho em sua mente... mesmo a fuga dos animais que ela havia antecipado, porque existia uma certeza de que a matilha guardiã atravessaria a trilha dos invasores e estaria esperando... tudo um sonho. Era passado.

Escapei.

Ela recolocou o estojo lacrado em seu lugar e o apertou uma vez mais contra as costas.

Infiltrei-me em suas defesas, Leto.

Siona pensou, então, nos volumes criptografados. Ela tinha certeza de que algo escondido naquelas linhas cifradas abriria o caminho para sua vingança.

Vou destruí-lo, Leto!

Nada de *Nós vamos destruí-lo!* Essa não era a forma de Siona agir. Ela o faria sozinha.

Virou-se e caminhou a passos largos pelos pomares além da margem ceifada do rio. Enquanto andava, repetia seu juramento, adicionando, em voz alta, as antigas palavras rituais fremen, que terminavam com seu nome completo.

— Siona Ibn Fuad al-Seyefa Atreides é quem o amaldiçoa, Leto. Você pagará por tudo!

O QUE SE SEGUE É ORIUNDO DA TRADUÇÃO DE HADI
BENOTTO DOS VOLUMES DESCOBERTOS EM DAR-ES-BALAT:

Nasci Leto Atreides II, mais de três mil anos-padrão atrás, contados a partir do momento em que faço com que estas palavras sejam impressas. Meu pai era Paul Muad'Dib. Minha mãe era sua consorte fremen, Chani. Minha avó materna era Faroula, uma herbanária admirada entre os fremen. Minha avó paterna era Jessica, fruto do plano de reprodução das Bene Gesserit, em sua busca por um homem que pudesse dividir os poderes das Reverendas Madres da Irmandade. Meu avô materno era Liet-Kynes, o planetólogo que organizou a transformação ecológica de Arrakis. Meu avô paterno era O Atreides, descendente da Casa de Atreus, diretamente do original grego.

Chega de falar sobre esses ancestrais!

Meu avô paterno morreu da mesma forma que muitos bons Gregos morreram, tentando assassinar seu inimigo mortal, o velho barão Vladimir Harkonnen. Ambos descansam agora desconfortavelmente em minhas memórias ancestrais. Nem meu pai está satisfeito. Fiz o que ele temia e agora sua sombra precisa dividir as consequências.

O Caminho Dourado assim o exige. "E o que é o Caminho Dourado?", você se pergunta. É a sobrevivência da raça humana; nada mais, nada menos. Nós que temos presciência, nós que sabemos das armadilhas em nossos futuros humanos, essa sempre foi nossa responsabilidade.

Sobrevivência.

Os seus sentimentos sobre isso – suas aflições e alegrias mesquinhas, mesmo suas agonias e seus êxtases – raramente nos interessam. Meu pai tinha esse poder. Eu também, ainda mais forte. Por vezes, podemos espreitar entre os véus do Tempo.

Este planeta de Arrakis, a partir do qual comando meu Império multigaláctico, não é mais o que era como nos dias em que era conhecido como Duna. Naqueles dias, o planeta inteiro era um deserto.

Agora, há apenas esse pequeno vestígio, meu Sareer. O gigante verme da areia não vive mais em liberdade, produzindo a especiaria mélange. A especiaria! Duna era digno de nota apenas por ser a fonte de mélange, *a única fonte*. Que substância extraordinária. Nenhum laboratório conseguiu replicá-la e é a substância mais preciosa que a humanidade já encontrou.

Sem mélange para acender a presciência linear dos Navegadores da Guilda, as pessoas atravessam os parsecs do espaço como se se arrastassem feito lesmas. Sem mélange, as Bene Gesserit não podem transmitir os dons das Proclamadoras da Verdade nem das Reverendas Madres. Sem as propriedades geriátricas do mélange, as pessoas vivem e morrem de acordo com as medidas antigas – cerca de cem anos, não mais que isso. Agora, a única especiaria está guardada nos armazéns da Guilda ou das Bene Gesserit, algumas pequenas reservas entre os remanescentes das Casas Maiores e minha reserva gigantesca, a qual todos cobiçam. Como gostariam de me roubar, mas não o ousam! Sabem que eu destruiria tudo antes de me render.

Não. Eles vêm com o chapéu na mão e me imploram por mélange. Distribuo a especiaria como recompensa e a nego como punição. Como eles odeiam!

É meu poder, digo a eles. É meu presente.

Com ele, crio Paz. Eles tiveram mais de três mil anos de Paz de Leto. É uma tranquilidade forçada que a humanidade conheceu apenas por períodos curtos antes de minha ascendência ao poder. Caso você tenha se esquecido, estude A Paz de Leto mais uma vez aqui, em meus diários.

Iniciei esta descrição no primeiro ano de minha administração, nos primeiros estertores de minha metamorfose, quando eu ainda era, na maior parte, humano, inclusive visivelmente mais humano. A pele das trutas da areia que aceitei (e que meu pai recusou), e as quais me deram uma força grandemente amplificada, além de uma virtual imunidade contra ataques convencionais e envelhecimento; esta pele ainda cobre a forma reconhecível de um homem: duas pernas, dois braços, um rosto humano emoldurado nas dobras enroladas das trutas.

Ahhhhh, aquele rosto! Ainda o tenho; a única pele humana que exponho ao universo. Todo o resto de minha carne permanece coberta pelos corpos unidos daqueles pequeninos e profundos vetores da areia que um dia podem se tornar vermes da areia gigantes.

Como eles vão se tornar... um dia.

Penso amiúde sobre minha metamorfose final, *a representação da morte*. Conheço a forma como deverá vir, mas não sei o momento, nem os outros fatores. É algo que não posso saber. Sei apenas se o Caminho Dourado continua ou termina. Enquanto faço com que essas palavras sejam gravadas, o Caminho Dourado continua e isso, pelo menos, me contenta.

Não sinto mais os cílios das trutas penetrando em minha pele, encapsulando a água do meu corpo dentro de suas barreiras placentárias. Agora somos praticamente um único corpo; eles são minha pele e eu, a força que move o todo... na maior parte do tempo.

Durante esta escrita, o *todo* pode ser considerado bastante grosseiro. Sou o que poderia ser chamado de pré-verme. Meu corpo tem cerca de sete metros de comprimento e pouco mais de dois metros de diâmetro, estriado na maior parte de sua extensão, com meu rosto de Atreides posicionado à altura normal de um homem em uma extremidade, os braços e mãos (ainda bastante reconhecíveis como humanos) logo abaixo. Minhas pernas e meus pés? Bem, estão praticamente atrofiados. Na verdade, são meras barbatanas que recuaram ao longo do meu corpo. Meu todo pesa aproximadamente cinco toneladas antigas. Incluo esses fatos porque sei que haverá interesse histórico.

Como carrego todo este peso? Na maior parte do tempo no meu Coche Real, que é de manufatura ixiana. Você está chocado? As pessoas invariavelmente odeiam ou temem os ixianos muito mais do que odeiam ou temem a mim. Melhor o diabo que já se conhece. Quem sabe o que os ixianos podem manufaturar ou inventar? Quem sabe?

Eu, com certeza, não sei. Não tudo.

Porém, tenho certa empatia pelos ixianos. Eles acreditam tanto em sua tecnologia, em sua ciência, em suas máquinas. Porque nós acreditamos (não importa o assunto) que nos entendemos, os ixianos e eu. Eles constroem vários dispositivos para mim e pensam que dessa forma ganham minha gratidão. Estas próprias palavras que você está lendo foram impressas em um dispositivo ixiano chamado ditatel. Se eu lançar meu pensamento em determinado modo, o ditatel é ativado. Apenas penso desse modo e as palavras são impressas para mim em folhas de cristal riduliano com a espessura de uma mera molécula. Às vezes peço cópias impressas em material de menor durabilidade. Foram duas dessas cópias que Siona roubou de mim.

Não é fascinante, a minha Siona? Conforme você começa a compreender a importância dela para mim, pode até questionar se eu realmente devia ter deixado que ela morresse na floresta. Não tenha dúvidas sobre isso. Morte é algo muito pessoal. Interfiro poucas vezes nela. Nunca no caso de alguém que deva ser testado, como Siona requer. Podia tê-la deixado morrer em qualquer etapa. Afinal, eu poderia criar um novo candidato em pouco tempo, como eu meço o tempo.

Contudo, ela fascina até a mim. Eu a assisti lá na floresta. Utilizando meus dispositivos ixianos, eu a assisti, perguntando-me por que não antecipei essa empreitada, mas Siona é... Siona. Foi por isso que não fiz nenhum movimento para parar os lobos. Seria errado fazê-lo. Os Lobos-D são apenas uma extensão do meu propósito e meu propósito é ser o maior predador já conhecido.

— OS DIÁRIOS DE LETO II

O BREVE DIÁLOGO A SEGUIR É CREDITADO A UMA FONTE MANUSCRITA CHAMADA "O FRAGMENTO WELBECK". ATRIBUI-SE A AUTORIA A SIONA ATREIDES. OS PARTICIPANTES SÃO A PRÓPRIA SIONA E SEU PAI, MONEO, QUE ERA (COMO TODAS AS HISTÓRIAS NOS INFORMAM) O SENESCAL E ASSESSOR CHEFE DE LETO II. É DATADO DE UMA ÉPOCA EM QUE SIONA AINDA ESTAVA NA ADOLESCÊNCIA E FOI VISITADA POR SEU PAI EM SEUS ALOJAMENTOS, NA ESCOLA DAS ORADORAS PEIXE, NA CIDADE FESTIVAL DE ONN, UM DOS MAIORES CENTROS POPULACIONAIS DO PLANETA AGORA CONHECIDO COMO RAKIS. DE ACORDO COM OS PAPÉIS DE IDENTIFICAÇÃO DO MANUSCRITO, MONEO HAVIA VISITADO SUA FILHA EM SEGREDO PARA ALERTÁ-LA DE QUE CORRIA O RISCO DE CAUSAR DESTRUIÇÃO.

SIONA: Como você sobreviveu ao lado dele por tanto tempo, pai? Ele mata aqueles que lhe são próximos. Todos sabem disso.

MONEO: Não! Você está errada! Ele não mata ninguém.

SIONA: Você não precisa mentir sobre ele.

MONEO: Insisto. Ele não mata ninguém.

SIONA: Então como você explica as mortes já conhecidas?

MONEO: É o Verme que mata. O Verme é Deus. Leto vive no seio de Deus, mas não mata ninguém.

SIONA: Então como você sobrevive?

MONEO: Sou capaz de reconhecer o Verme. Posso distingui-lo em sua face e em seus movimentos. Sei quando Shai--hulud se aproxima.

SIONA: Ele não é Shai-hulud!

MONEO: Bom, era assim que chamavam o Verme nos tempos dos fremen.

SIONA: Li sobre isso, mas ele não é o Deus do deserto.

MONEO: Fique quieta, sua tola! Você não sabe nada de tais coisas.

SIONA: Sei que o senhor é um covarde.

MONEO: Quão pouco você sabe. Você nunca esteve em meu lugar e o viu nos olhos dele, nos movimentos das suas mãos.
SIONA: O que o senhor faz quando o Verme se aproxima?
MONEO: Saio.
SIONA: Prudente. Sabemos com certeza que ele matou nove Duncan Idaho.
MONEO: Digo que ele não mata ninguém!
SIONA: Qual é a diferença? Leto ou Verme, agora eles são apenas um corpo.
MONEO: São dois seres separados: Leto, o Imperador, e *O Verme que é Deus*.
SIONA: O senhor enlouqueceu!
MONEO: Talvez, mas sirvo a Deus.

SOU O OBSERVADOR DE PESSOAS MAIS FERVOROSO QUE JÁ VIVEU. EU ASSISTO A ELAS DENTRO E FORA DE MIM. PASSADO E PRESENTE SE MISTURAM COM ESTRANHAS IMPOSIÇÕES SOBRE MIM. COMO A METAMORFOSE CONTINUA EM MINHA CARNE, MARAVILHAS ACONTECEM COM MEUS SENTIDOS. É COMO SE EU SENTISSE TUDO DE PERTO. TENHO VISÃO E AUDIÇÃO EXTREMAMENTE AGUÇADAS, ASSOCIADAS A UM OLFATO EXTRAORDINARIAMENTE DISCRIMINADOR. POSSO DETECTAR E IDENTIFICAR FEROMÔNIOS A TRÊS PARTES POR MILHÃO. EU SEI. EU TESTEI. VOCÊS NÃO PODEM ESCONDER MUITO DOS MEUS SENTIDOS. SÓ O QUE DETECTO PELO MEU OLFATO JÁ OS DEIXARIA HORRORIZADOS. SEUS FEROMÔNIOS ME DIZEM O QUE VOCÊS ESTÃO FAZENDO OU O QUE ESTÃO PRESTES A FAZER. TAMBÉM GESTOS E POSTURA! CERTA VEZ, MANTIVE MEU OLHAR DURANTE A METADE DE UM DIA SOBRE UM HOMEM SENTADO EM UM BANCO EM ARRAKINA. ELE ERA DESCENDENTE DE QUINTA GERAÇÃO DE STILGAR, O NAIB, E NEM SEQUER SABIA DISSO. ESTUDEI O ÂNGULO DE SEU PESCOÇO, AS DOBRAS DE PELE ABAIXO DO SEU QUEIXO, OS LÁBIOS RACHADOS E A UMIDADE DE SUAS NARINAS, OS POROS ATRÁS DE SUAS ORELHAS, OS TUFOS DE CABELO BRANCO QUE SE MOSTRAVAM POR DEBAIXO DO CAPUZ DE SEU TRAJESTILADOR ANTIGO. ELE NEM PERCEBEU QUE ESTAVA SENDO OBSERVADO! HAH! STILGAR SABERIA EM UM OU DOIS MINUTOS, MAS ESSE VELHO ESTAVA APENAS ESPERANDO POR ALGUÉM QUE NUNCA CHEGOU. FINALMENTE, ELE SE LEVANTOU E FOI EMBORA CAMBALEANDO. ESTAVA BASTANTE TENSO DEPOIS DE TODO AQUELE TEMPO SENTADO. EU SABIA QUE JAMAIS O VERIA EM CARNE E OSSO DE NOVO. ELE ESTAVA BEM PRÓXIMO DA MORTE E SUA ÁGUA SERIA, COM CERTEZA, DESPERDIÇADA. BEM, ISSO NÃO IMPORTAVA MAIS.

— Os Diários Roubados

Leto o achava o lugar mais interessante do universo, o local onde ele esperava pela chegada do atual Duncan Idaho. Pelos padrões da maioria dos humanos, era um espaço gigantesco, o núcleo de uma elaborada série de catacumbas abaixo de sua Cidadela. Câmaras irradiadoras com trinta metros de altura e vinte metros de largura se dispunham como raios do eixo onde ele esperava. Seu coche estava posicionado no centro do eixo em uma câmara circular abobadada com quatrocentos metros de diâmetro e cem metros de altura, com o ponto mais alto sobre ele.

Ele considerava tais dimensões reconfortantes.

Era o começo da tarde na Cidadela, mas a única luz em sua câmara vinha do flutuar aleatório de alguns luciglobos carregados por suspensores ajustados em um fraco tom alaranjado. A luz não penetrava muito nos raios, mas a memória de Leto o informava a posição exata de tudo que estava ali – a água, os ossos, o pó de seus ancestrais e dos Atreides que haviam vivido e morrido desde os tempos de Duna. Todos eles estavam ali, mais alguns recipientes de mélange, para gerar a ilusão de que aquela era toda a sua reserva, caso as coisas chegassem a um extremo.

Leto sabia por que o Duncan vinha. Idaho havia tomado ciência de que os Tleilaxu estavam construindo outro Duncan, outro ghola criado de acordo com as especificações do Imperador Deus. Esse Duncan temia ser substituído após quase sessenta anos de trabalho. Era sempre algo dessa natureza que despertava a subversão dos Duncan. Um enviado da Guilda havia visitado Leto mais cedo para preveni-lo de que os ixianos tinham entregado uma armalês a esse Duncan.

Leto soltou um riso breve. A Guilda permanecia extremamente sensível a qualquer coisa que pudesse ameaçar seu parco suprimento de especiaria. Estavam apavorados com a ideia de que Leto seria o último elo com os vermes da areia, os quais produziam os estoques originais de mélange.

Se eu morrer longe da água, não haverá mais especiaria – nunca mais.

Era o que a Guilda temia. Seus historiadores contadores asseguravam que Leto estava sentado sobre o maior estoque de mélange do universo. Tal conhecimento tornava a Guilda uma aliada quase confiável.

Enquanto esperava, Leto fez os exercícios para mãos e dedos de sua herança Bene Gesserit. As mãos eram o seu orgulho. Abaixo de uma membrana cinza de pele de larva, seus dedos longos e polegares opositores podiam ser usados da mesma forma que os de qualquer mão humana. As barbatanas quase inúteis que um dia haviam sido seus pés e pernas eram mais uma inconveniência do que algo de que se ter vergonha. Era capaz de se arrastar, rolar e lançar seu corpo com uma velocidade assombrosa, mas às vezes ele caía sobre as barbatanas e doía.

O que estava atrasando Duncan?

Leto imaginou o homem vacilando, olhando o horizonte fluido do Sareer pela janela. O ar estava vivo com o calor daquele dia. Antes de descer à cripta, Leto havia visto uma miragem ao sudoeste. O espelho de calor se inclinou e reluziu uma imagem através da areia, mostrando a ele um grupo de fremen de museu avançando por um modelo de sietch para a instrução de turistas.

Estava fresco na cripta, sempre fresco, a iluminação sempre baixa. Os túneis raios eram buracos escuros inclinados para cima e para baixo em rampas suaves para acomodar o Coche Real. Alguns túneis se estendiam para além das paredes falsas por vários quilômetros, passagens que Leto havia criado para si mesmo com instrumentos ixianos; túneis de alimentação e caminhos secretos.

Enquanto esperava o encontro que logo aconteceria, uma sensação de nervosismo começou a crescer em Leto. Ele a considerou uma emoção interessante, uma que ele era conhecido por apreciar. Leto sabia que tinha se tornado razoavelmente apegado ao Duncan atual. Havia uma reserva de esperança em Leto de que o homem sobrevivesse ao encontro por vir. Às vezes eles o conseguiam. Existia pouca possibilidade de que o Duncan se apresentasse como um perigo mortal, apesar de isso ser deixado ao acaso. Leto havia tentado explicar tal fato a um dos Duncan anteriores... exatamente naquela sala.

— Você vai achar estranho que eu, com meus poderes, possa falar de sorte e acaso — Leto dissera.

O Duncan se enraiveceu:

— O senhor nunca deixa nada para o acaso! Eu o conheço!

— Tão ingênuo. O acaso é a natureza do nosso universo.

— Não o acaso! Ardis! O senhor é um criador de intrigas!

— Ótimo, Duncan! Intriga é um prazer dos mais profundos. É pela forma como lidamos com a intriga que aguçamos nossa criatividade.

— O senhor nem é mais humano! — Oh, quão repleto de raiva o Duncan havia se tornado.

Leto havia considerado sua acusação irritante, como um grão de areia em um olho. Ele se apoiou nas reminiscências de sua consciência de quando era humano com uma ferocidade que não podia ser negada, apesar de irritação ser o mais próximo que ele conseguia chegar da raiva.

— Sua vida tem se tornado um clichê — Leto acusou.

Diante disso, o Duncan retirou um pequeno explosivo das dobras de seu manto do uniforme. Que surpresa!

Leto amava surpresas, mesmo as ruins.

Algo que não previ!, dissera ele ao Duncan, que havia ficado parado lá estranhamente indeciso, agora que a decisão dependia totalmente dele.

— Isso aqui o mataria — o Duncan falara.

— Desculpe, Duncan. Faria um pequeno estrago, nada mais.

— O senhor disse que não previu! — A voz do Duncan tinha se tornado estridente.

— Duncan, Duncan, é a previsão absoluta que representa a morte para mim. Quão indizivelmente aborrecida é a morte.

No último instante, o Duncan havia tentado jogar o explosivo para um dos lados, mas o material se tornara instável e explodiu muito rápido. O Duncan morreu. Ahhh, bem... os Tleilaxu sempre tinham outro nos tanques axolotles.

Um dos luciglobos flutuantes sobre Leto começou a piscar. A empolgação o dominou. O sinal de Moneo! O fiel Moneo alertava seu Imperador Deus de que o Duncan estava descendo até a cripta.

A porta para o elevador de seres humanos entre duas passagens raios no arco a noroeste do eixo se abriu. O Duncan caminhou para a frente, um vulto pequeno àquela distância, mas os olhos de Leto discerniam até mesmo os menores detalhes: um amassado no cotovelo do uniforme, que indicava que o homem havia se apoiado em algum lugar, com o queixo na mão. Sim, ainda havia marcas da mão em seu queixo. O odor do Duncan o precedia: sua adrenalina estava alta.

Leto permaneceu em silêncio enquanto o Duncan se aproximava, observando detalhes. O Duncan ainda caminhava com a energia da juventude, apesar de estar havia tanto tempo a seu serviço, graças a uma ínfima ingestão de mélange. Vestia o antigo uniforme dos Atreides, preto com um gavião dourado no peito esquerdo. Uma afirmação interessante, aquela: "Sirvo à honra dos *velhos* Atreides". Seu cabelo ainda estava no quepe preto de *karakul*, as feições assentadas em uma nitidez inflexível com as maças do rosto altas.

Os Tleilaxu fazem bem seus gholas, pensou Leto.

O Duncan carregava uma pasta fina, tecida com fibras de cor marrom-escura, a mesma que vinha carregando por muitos anos. Ela geralmente continha o material sobre o qual ele baseava seus relatórios, mas hoje estava alargada com um peso maior.

A armalês ixiana.

Idaho manteve a atenção no rosto de Leto enquanto caminhava. A face do Imperador Deus continuava desconcertantemente Atreides, traços delicados com olhos de um azul total que os mais nervosos consideravam uma intrusão física. Eles espreitavam de maneira profunda por dentro de um capuz cinza de pele de truta da areia, que Idaho sabia, podia rolar para a frente como proteção em um reflexo rápido – um piscar da face em vez de um piscar dos olhos. A pele era rosa dentro da moldura cinza. Era difícil evitar o pensamento de que o rosto de Leto era uma obscenidade, um pedaço perdido de humanidade preso em algo alienígena.

Parando a apenas seis passos do Coche Real, Idaho não tentou ocultar sua determinação raivosa. Ele nem pensou se Leto sabia da armalês. Aquele Império havia se afastado muito da moralidade dos antigos Atreides, transformando-se numa idolatria impessoal que esmagava todos os inocentes em seu caminho. Devia ser encerrado!

– Vim falar com o senhor sobre Siona e outros assuntos – disse Idaho. Ele colocou a pasta em uma posição de onde pudesse sacar facilmente a armalês.

– Muito bem. – A voz de Leto soava aborrecida.

– Siona foi a única que escapou, mas ela ainda possui uma base de companheiros rebeldes.

– Você acha que não sei disso?

– Sei sobre sua tolerância perigosa acerca dos rebeldes! O que não sei é o conteúdo do pacote que ela roubou.

– Ah, aquilo. Ela tem os mapas completos da Cidadela.

Por apenas um instante, Idaho era o comandante da guarda de Leto, profundamente chocado com tal falha na segurança.

– O senhor a deixou escapar com os mapas?

– Não, você deixou.

Idaho recuou diante da acusação. Com lentidão, o assassino recém-decidido nele recuperou a supremacia.

– Foi só o que ela levou? – Idaho perguntou.

– Eu tinha dois volumes, cópias do meu diário, com os mapas. Ela roubou as cópias.

Idaho estudou o rosto impassível de Leto.

– O que há nesses diários? Às vezes o senhor diz que é uma agenda, às vezes uma história.

– Um pouco de ambos. Pode-se até chamá-lo de compêndio.

— O senhor se incomoda que ela tenha levado esses volumes?

Leto se permitiu um breve sorriso, que Idaho considerou uma resposta negativa. Uma tensão momentânea passou pelo corpo de Leto enquanto Idaho vasculhava o conteúdo de sua pasta fina. Seria a arma ou os relatórios? Apesar do núcleo de seu corpo ter uma poderosa resistência ao calor, Leto sabia que parte de sua carne era vulnerável a armaleses, especialmente o rosto.

Idaho tirou um relatório de sua pasta e, mesmo antes que ele começasse a ler, os sinais eram óbvios para Leto. Idaho estava procurando respostas, não provendo informações. Idaho queria justificativas para um curso de ação já escolhido.

— Descobrimos um Culto de Alia em Giedi Primo — disse Idaho.

Leto permaneceu em silêncio enquanto Idaho se alongava nos detalhes. *Que aborrecido.* Leto deixou seus pensamentos viajarem. Os adoradores da irmã de seu pai, morta havia muito tempo, serviam atualmente apenas para fornecer diversão casual. Os Duncan, previsivelmente, encaravam tal atividade como ameaça clandestina.

Idaho encerrou a leitura. Seus agentes eram minuciosos, sem dúvida. Aborrecidamente minuciosos.

— Isso não passa de uma volta a Isis — retrucou Leto. — Meus sacerdotes e sacerdotisas vão se divertir acabando com esse culto e seus seguidores.

Idaho balançou a cabeça como se respondendo a uma voz interior.

— As Bene Gesserit sabiam sobre o culto — retrucou.

Agora *aquilo* interessava a Leto.

— A Irmandade nunca me perdoou por tirar o plano de reprodução das mãos delas — disse.

— Não tem nada a ver com reprodução.

Leto ocultou um entretenimento leve. Os Duncan eram sempre muito sensíveis quanto ao assunto reprodução, embora alguns deles às vezes servissem como doadores.

— Compreendo — Leto respondeu. — Bom, as Bene Gesserit são todas um pouco mais que insanas, mas a loucura representa uma reserva caótica de surpresas. Algumas surpresas são valiosas.

— Não vejo nenhum valor nisso.

— Você acha que a Irmandade está por trás desse culto? — perguntou Leto.

— Acho.

— Elabore.

— Eles possuíam um santuário e o chamavam de "O Santuário da Dagacris".

— É mesmo?

— E a principal sacerdotisa era chamada "A Guardiã da Luz de Jéssica". Isso lhe sugere algo?

— É fascinante! — Leto nem tentou esconder seu deleite.

— O que há de fascinante nisso?

— Eles juntam minha avó e minha tia em uma única deidade.

Idaho balançou a cabeça lentamente de um lado para o outro, sem compreender.

Leto permitiu a si próprio uma pequena pausa interna, menor que uma piscada. A avó-interior, em particular, não apreciava esse culto em Giedi Primo. Ele fora obrigado a bloquear as memórias e a identidade dela.

— Qual você presume que seja o propósito desse culto? — perguntou Leto.

— É óbvio. Uma religião concorrente para debilitar sua autoridade.

— Essa explicação é muito simples. As Bene Gesserit podem ser muitas coisas, mas não são simplórias.

Idaho esperou por uma explicação.

— Elas querem mais especiaria! — disse Leto. — Mais Reverendas Madres.

— Então elas vão perturbá-lo até que o senhor pague o preço?

— Você me desaponta, Duncan.

Idaho apenas olhou para Leto, que forjou um suspiro, um gesto complicado que já não era intrínseco a sua nova forma. Os Duncan eram geralmente mais inteligentes, mas Leto presumiu que a conspiração deste havia turvado sua percepção.

— Escolheram Giedi Primo como seu lar — prosseguiu Leto. — O que isso lhe sugere?

— Era um reduto dos Harkonnen, mas isso é passado.

— Sua irmã morreu lá, vítima dos Harkonnen. É certo que os Harkonnen e Giedi Primo estejam relacionados em seus pensamentos. Por que não mencionou isso antes?

— Não considerei importante.

Leto comprimiu a boca em uma linha apertada. A referência à irmã dele havia incomodado o Duncan. O homem sabia *intelectualmente* que era apenas o último de uma longa linha de corpos renascidos, todos produtos de tanques axolotles feitos pelos Tleilaxu e tirados das células originais que lá estavam. O Duncan não podia escapar de suas memórias revividas. Ele sabia que os Atreides o haviam resgatado da servidão Harkonnen.

Apesar de todo o resto que eu possa ser, pensou Leto, *ainda sou um Atreides*.

— O que o senhor está querendo dizer? — Idaho indagou.

Leto decidiu que um grito era necessário. Deixou sair um bem alto:

— Os Harkonnen eram acumuladores de especiarias!

Idaho deu um passo para trás.

Leto continuou em voz mais baixa:

— Existe uma reserva de mélange não descoberta em Giedi Primo. A Irmandade estava tentando extraí-la usando seus truques religiosos como fachada.

Idaho ficou envergonhado. Uma vez dita, a resposta parecia óbvia. *E eu não percebi*, ele pensou.

O grito de Leto levou o Duncan de volta a seu papel como comandante da guarda real. Idaho sabia sobre a economia do Império, simplificada ao extremo: juros não eram permitidos, dinheiro vivo controlado. A única moeda exibia uma semelhança com o rosto encapuzado de Leto: o Imperador Deus. Mas era tudo baseado na especiaria, uma substância cujo preço, apesar de altíssimo, continuava crescendo. Um homem poderia carregar o valor de um planeta inteiro na sua bagagem de mão.

Controlem a moeda e os tribunais: e que a ralé fique com o resto, pensou Leto. O velho Jacob Broom o havia dito e Leto era capaz de escutar o velho rindo dentro de si. *As coisas não mudaram tanto assim, Jacob.*

Idaho respirou fundo.

— O Gabinete da Fé deve ser notificado imediatamente.

Leto permaneceu em silêncio.

Interpretando o silêncio como uma deixa para continuar, Idaho seguiu com seus relatórios, mas Leto o ouviu com apenas uma fração da sua consciência. Era como um circuito de monitoramento que apenas gravava as palavras e ações de Idaho, mas com uma intensificação ocasional que permitia um comentário interno:

E *agora* ele quer falar sobre os Tleilaxu.

É um terreno perigoso para você, Duncan.

Porém, isso abriu um novo caminho para as reflexões de Leto.

Os Tleilaxu, astutos, ainda produzem meus Duncan a partir das células originais. Fazem algo religiosamente proibido e ambos sabemos. Não permito a manipulação artificial da genética humana, mas os Tleilaxu aprenderam o quanto valorizo os Duncan como comandantes da minha guarda. Acho que eles não suspeitam do valor de entretenimento que existe nisso. Entretenho-me com a noção de que um rio, o qual carrega o nome de Idaho, ocupa o espaço onde antes havia uma montanha. A montanha não existe mais. Nós a derrubamos para conseguir material para a alta muralha que cerca meu Sareer.

Naturalmente, os Tleilaxu sabem que às vezes eu cruzo os Duncan em meu próprio plano de reprodução. Os Duncan representam uma força híbrida... e muito mais. Todo fogo deve ter seu abafador.

Era minha intenção cruzar este com Siona, mas isso pode não ser possível agora.

Hah! Ele diz que quer que eu adote "medidas duras" contra os Tleilaxu. Por que ele não me pergunta diretamente? "Você está se preparando para me substituir?"

Estou tentado a informá-lo.

Uma vez mais, a mão de Idaho entrou na bolsa delicada. O monitoramento introspectivo de Leto não perdeu um movimento.

A armalês ou mais relatórios? Mais relatórios.

O Duncan continua cauteloso. Ele não quer apenas a segurança de que ignoro suas intenções, também busca mais "provas" de que sou indigno de sua lealdade. Ele hesita de forma prolongada. Sempre o fez. Eu disse a ele muitas vezes que não usaria minha presciência para adivinhar o momento da minha saída dessa forma antiga, mas ele duvida. Sempre foi cético.

Essa câmara cavernosa suga a sua voz e, não fosse por minha sensibilidade, a umidade teria mascarado a evidência química dos seus medos. Abstraio sua voz de minha consciência imediata. Que maçante esse Duncan se tornou. Ele está recontando a história, a história da rebelião de Siona, sem dúvida até chegar a reprimendas pessoais sobre sua última escapada.

— Não é uma simples rebelião — ele diz.

A frase me traz de volta! Tolo. Todas as rebeliões são simples e um aborrecimento consumado. São cópias do mesmo padrão, uma parecida com a outra. A força que as dirige é o vício em adrenalina e o desejo de ganhar poder pessoal. Todos os rebeldes são autocratas em potencial. É por isso que consigo convertê-los tão facilmente.

Por que os Duncan nunca me ouvem realmente quando digo isso a eles? Tive essa discussão com esse mesmo Duncan. Foi um dos primeiros confrontos e aqui mesmo, nesta cripta.

— A arte de governar requer nunca ceder a iniciativa aos elementos radicais — ele falou.

Que arrogante. Radicais crescem em cada geração e ninguém deve tentar evitar isso. É o que ele quer dizer com "ceder a iniciativa". Ele quer destruí-los, suprimi-los, controlá-los, evitá-los. Ele é a prova viva de que existe pouca diferença entre a mente policial e a mente militar.

— *Radicais devem ser temidos apenas quando se tenta suprimi-los* — eu disse a ele. — *Você deve demonstrar que vai usar o melhor que eles tenham a oferecer.*

— *Eles são perigosos. São perigosos!* — *Ele pensa que vai criar a verdade pela repetição.*

Lentamente, passo a passo, eu o conduzo através de meu método e ele até dá a impressão de que está escutando.

— *Essa é a fraqueza deles, Duncan. Radicais sempre veem problemas em termos muito simples: preto e branco, bom e mau, nós e eles. Abordando questões complexas dessa forma, eles rasgam uma passagem para o caos. A arte de governar, como você a chama, consiste no domínio do caos.*

— *Ninguém pode lidar com todas as surpresas.*

— *Surpresa? Quem falou em surpresa? Caos não é surpresa. Possui características previsíveis. Por um lado, arrebata a ordem e fortalece os extremos.*

— *Não é isso que os radicais estão tentando fazer? Não estão tentando agitar as coisas para que possam tomar o controle?*

— *É o que eles pensam que estão fazendo. É verdade, estão criando novos extremistas, novos radicais e continuando o processo antigo.*

— *E o radical que vê as complexidades e o ataca dessa forma?*

— *Esse não é um radical. É um rival para a liderança.*

— *Então o que o senhor faz?*

— *Você o coopta ou o mata. Foi assim que a luta pela liderança se originou, desde que começaram os grunhidos.*

— *Sim, mas e o caso dos messias?*

— *Como meu pai?*

O Duncan não gosta dessa pergunta. Ele sabe que, de uma forma bastante especial, sou o meu pai. Sabe que posso falar com a voz e a per-

sona *do meu pai, que as memórias são precisas, jamais editadas e inevitáveis.*

Relutantemente, ele diz:

— Bem... se o senhor quiser colocar desta forma.

— Duncan, sou todos eles e você sabe. Nunca houve um rebelde verdadeiramente altruísta, apenas hipócritas... hipócritas conscientes ou inconscientes, é tudo a mesma coisa.

Isso atiça um pequeno ninho de marimbondos entre minhas memórias ancestrais. Alguns deles nunca abandonaram a crença de que eles, e somente eles, possuem a chave para resolver todos os problemas da humanidade. Bem, nesse quesito, são como eu. Tenho empatia por eles, mesmo quando os informo de que seu fracasso é prova suficiente.

Apesar disso, sou forçado a bloqueá-los. Não há sentido em demorar-me com eles. Eles não são mais do que lembranças pungentes... enquanto esse Duncan parado na minha frente com sua armalés...

Pelos deuses magníficos das profundezas! Ele me pegou distraído. Está com a armalés na mão apontada para o meu rosto.

— Você, Duncan? Você também me traiu?

Et tu, Brute?

Toda a fibra da percepção de Leto entrou em alerta total. Ele podia sentir seu corpo se contorcer. A carne do verme tinha vontade própria.

Idaho escarneceu:

— Diga-me, Leto: quantas vezes devo pagar o débito da lealdade?

Leto reconheceu a pergunta implícita: *Quantos de mim já existiram?* Os Duncan sempre queriam sabê-lo. Todo Duncan perguntou e nenhuma resposta foi satisfatória. Eles duvidavam.

Em sua voz mais triste de Muad'Dib, Leto perguntou:

— Você não tem orgulho da minha admiração, Duncan? Você nunca se perguntou o que existe em você que me faz desejá-lo como companhia constante pelos séculos?

— Você me toma pelo tolo definitivo.

— Duncan!

A voz de um Muad'Dib irritado podia sempre ser usada para abalar Idaho. Apesar de Idaho saber que nenhuma Bene Gesserit controlava os poderes da Voz como Leto os controlava, era previsível que ele dançaria ao som dessa voz. A armalês em sua mão oscilou.

Foi o suficiente. Leto estava fora do coche, como um cilindro disparado. Idaho nunca o havia visto sair do coche desse jeito, nem suspeitava que isso pudesse acontecer. Para Leto, havia apenas dois requisitos: uma ameaça real que o corpo-verme pudesse sentir e a libertação daquele corpo. O resto era automático e a velocidade sempre admirava, inclusive a Leto.

A armalês era sua maior preocupação. Podia arranhá-lo gravemente, mas poucos compreendiam as habilidades do corpo pré-verme para lidar com o calor.

Leto golpeou Idaho enquanto rolava e a armalês foi derrubada enquanto disparava. Uma das barbatanas inúteis que eram as pernas e pés de Leto enviou uma explosão chocante de sensações para a sua consciência. Por um instante, havia apenas dor, mas o corpo-verme estava livre para agir e os reflexos despertaram um violento acesso de contrações involuntárias. Leto ouviu ossos se quebrando. A armalês foi jogada longe pelo chão da cripta por um movimento espasmódico da mão de Idaho.

Rolando para sair de cima de Idaho, Leto se preparou para um novo ataque, mas viu que não havia necessidade. A barbatana ferida ainda enviava sinais de dor e ele sentiu que a ponta havia sido carbonizada. A pele de larva já tinha selado o ferimento. A dor se transformara em um latejar desagradável.

Idaho se moveu. Havia poucas dúvidas de que estivesse mortalmente ferido. Seu peito estava visivelmente esmagado. A agonia era óbvia quando ele tentava respirar, mas ele abriu os olhos e fitou Leto.

A persistência dessas possessões mortais!, Leto pensou.

— Siona — suspirou Idaho.

Leto assistiu à vida deixá-lo.

Interessante, pensou Leto. *Será possível que esse Duncan e Siona... Não! Esse Duncan sempre desdenhou com escárnio das tolices de Siona.*

Leto subiu no Coche Real. Essa tinha sido por pouco. Havia pouca dúvida de que o Duncan estivesse mirando seu *cérebro*. Leto sempre fora consciente de que suas mãos e pés eram vulneráveis, mas nunca havia permitido a ninguém saber que seu cérebro não estava mais diretamente associado ao seu rosto. Não era mais um cérebro de dimensões humanas; ele se espalhara em conglomerados nodais ao longo do seu corpo. Não havia revelado isso a ninguém, exceto a seus diários.

> OH, AS PAISAGENS QUE VI! E AS PESSOAS! AS LONGÍNQUAS PEREGRINAÇÕES DOS FREMEN E TODO O RESTO. ATÉ MESMO VOLTEI AOS MITOS DA TERRA. OH, AS LIÇÕES DE ASTRONOMIA E INTRIGA, AS MIGRAÇÕES, AS FUGAS DESORDENADAS, AS CORRIDAS QUE CAUSAM DOR NAS PERNAS E NOS PULMÕES ATRAVÉS DE TANTAS NOITES NAQUELAS PARTÍCULAS CÓSMICAS ONDE DEFENDEMOS NOSSAS POSSESSÕES TRANSITÓRIAS. DIGO A VOCÊS QUE SOMOS UMA MARAVILHA E MINHAS MEMÓRIAS NÃO DEIXAM NENHUMA DÚVIDA DISSO.
>
> – Os Diários Roubados

A mulher trabalhando na pequena escrivaninha de parede era muito grande para a cadeira estreita na qual se empoleirava. Lá fora, era o meio da manhã, mas naquele aposento sem janelas nos recônditos da cidade de Onn havia apenas um pequeno luciglobo no alto, em um canto. Havia sido ajustado para um amarelo quente, mas a luz não dispersava o tom cinzento da pequena sala. Paredes e teto estavam cobertos por painéis retangulares idênticos, de um tedioso metal cinza.

Havia apenas outra peça de mobília; uma cama estreita com um colchão fino e um ordinário cobertor cinza. Era óbvio que nada ali havia sido desenhado para a ocupante.

Ela vestia um pijama de peça única, azul-escuro, que cobria de maneira apertada seus ombros largos enquanto se curvava sobre a mesa. O luciglobo ressaltava seu cabelo louro cortado bem curto e o lado direito do rosto, dando ênfase ao bloco quadrado do seu queixo. O maxilar se moveu enunciando palavras silenciosas enquanto seus dedos grossos pressionavam cuidadosamente as teclas de um fino teclado sobre a mesa. Ela manuseava a máquina com uma deferência que havia se originado com espanto e evoluído relutantemente para uma temerosa excitação. A longa familiaridade com a máquina não havia eliminado ambas as emoções.

Conforme ela escrevia, palavras apareciam em uma tela oculta dentro do retângulo da parede, exposta pela dobra descendente da escrivaninha.

"Siona continua a agir, o que indica um ataque violento contra Sua Sagrada Pessoa", ela escreveu. "Siona continua inabalável em seu objetivo juramentado. Ela me contou hoje que vai entregar cópias dos livros roubados a grupos cuja lealdade ao Senhor não pode ser confiada. Os destinatários apontados são as Bene Gesserit, a Guilda e os ixianos. Ela diz que os livros contêm Suas palavras cifradas e, por meio desse presente, procura ajuda para traduzir Suas Sagradas Palavras."

"Senhor, não sei que grandes revelações possam estar escondidas nessas palavras, mas, se elas contêm algo que representem ameaça a Sua Sagrada Pessoa, eu imploro, livre-me do voto de obediência a Siona. Não entendo por que o Senhor me fez assumir esse voto, mas temo por ele."

"Permaneço Sua serva devota, Nayla."

A cadeira rangeu quando Nayla se recostou e pensou por alguns momentos em suas próprias palavras. A sala caiu em um isolamento quase inaudível, causado pelo denso revestimento. Havia apenas a respiração fraca de Nayla e o vibrar de uma maquinaria distante, sentida mais no chão do que no ar.

Nayla olhou para sua mensagem na tela. Destinada apenas aos olhos do Imperador Deus, requeria mais que veracidade sagrada. Demandava uma candura profunda que ela achava exaustiva. Em seguida, assentiu e pressionou a tecla que codificaria e prepararia as palavras para transmissão. Curvando a cabeça, ela rezou em silêncio antes de ocultar a escrivaninha dentro da parede. Essas ações, ela sabia, transmitiam a mensagem. O próprio Deus havia implantado um dispositivo físico dentro de sua cabeça, extraindo dela um juramento de que guardaria segredo e alertando-a de que chegaria a hora em que ele lhe falaria por meio daquela coisa em seu crânio. Ele nunca o fizera. Nayla suspeitava de que os ixianos haviam confeccionado o dispositivo. Tinha a *aparência* de algo deles, mas Deus havia feito isso e ela não podia ignorar a suspeita de que pudesse haver um *computador* nele, de que ele pudesse ser proibido pela Grande Convenção.

– Não criarás uma máquina à semelhança da mente!

Nayla estremeceu. Levantou-se e retornou a cadeira para sua posição de costume, ao lado da cama. Seu corpo pesado e musculoso estava tenso contra o fino traje azul. Havia uma deliberação contínua sobre ela, as ações de alguém que se ajustava constantemente a uma grande força física. Ela se virou para a cama e estudou o local onde a escrivaninha estivera. Havia apenas um painel cinza retangular, como todos os outros. Nenhum fiapo de algodão, nenhum fio de cabelo, nada que pudesse revelar o segredo do painel.

Nayla respirou profundamente, recompondo-se, e saiu pela única porta da sala para uma passagem cinza, mal iluminada por luciglobos brancos colocados em intervalos regulares. Os sons do maquinário eram mais altos ali. Ela virou-se para a esquerda e poucos minutos depois estava com Siona em um cômodo um pouco maior, com uma mesa ao centro, sobre a qual as coisas roubadas da Cidadela haviam sido dispostas. Dois luciglobos prateados iluminavam a cena; Siona estava sentada à mesa com um assistente chamado Topri em pé, a seu lado.

Nayla nutria uma admiração relutante por Siona, mas Topri, esse era um homem que nada merecia, exceto uma aversão profunda. Era gordo e irritadiço, com olhos verdes esbugalhados, nariz chato e lábios finos sobre um queixo encovado. Topri guinchava quando falava.

– Veja, Nayla! Veja o que Siona achou preso entre as páginas desses dois livros.

Nayla fechou e trancou a única porta da sala.

– Você fala demais, Topri – disse Nayla. – Você fala sem pensar. Como poderia saber se eu estava sozinha na passagem?

Topri empalideceu. Uma expressão de raiva se estabeleceu em sua face.

— Temo que ela esteja certa — concordou Siona. — O que faz você pensar que era minha intenção que Nayla soubesse da minha descoberta?

— Você confia tudo a ela!

Siona dirigiu sua atenção para Nayla.

— Sabe por que confio em você, Nayla? — A pergunta foi feita em uma voz calma e sem emoção.

Nayla suprimiu uma súbita onda de temor. Teria Siona descoberto seu segredo?

Falhei, milorde?

— Você não tem resposta para a minha pergunta? — questionou Siona.

— Alguma vez fiz algo que provasse o contrário? — rebateu Nayla.

— Isso não é motivo suficiente para ser digna de confiança — disse Siona. — Não existe essa perfeição... nem no homem, nem na máquina.

— Então *por que* acredita em mim?

— Suas palavras e ações sempre estão em concordância. É uma qualidade maravilhosa. Por exemplo, você não gosta de Topri e nunca tenta esconder sua aversão.

Nayla olhou para Topri, que pigarreou.

— Não confio nele — disse Nayla.

As palavras brotaram em sua mente e saíram por sua boca sem reflexão. Apenas depois de falar Nayla percebeu o verdadeiro motivo de sua aversão: Topri trairia qualquer um para seu ganho pessoal.

Será que ele descobriu tudo sobre mim?

Ainda com a cara amarrada, Topri disse:

— Não vou ficar aqui e aceitar esse desplante. — Ele se preparou para sair quando Siona levantou a mão em sinal de que ele parasse. Topri hesitou.

— Apesar de usarmos as palavras do antigo idioma fremen e jurar nossa lealdade uns aos outros, não é isso que nos mantém unidos — afirmou Siona. — Tudo está baseado no desempenho. É tudo que meço. Vocês entendem, ambos vocês?

Topri assentiu de maneira automática, mas Nayla meneou a cabeça de um lado para o outro.

Siona sorriu para ela:

— Você nem sempre concorda com minhas decisões, não é, Nayla?

— Não. — A palavra saiu forçada dela.

— E você nunca tentou esconder sua divergência, mas sempre me obedece. Por quê?

— Foi o que jurei fazer.

— Eu disse que isso não bastava.

Nayla sabia que estava transpirando, sabia que isso era revelador, mas não conseguia se mover. *O que vou fazer? Jurei a Deus que obedeceria a Siona, mas não posso contar a ela.*

— Você tem que responder à minha pergunta — Siona insistiu. — Eu ordeno.

Nayla prendeu a respiração. Esse era o dilema que ela mais temia. Não havia saída. Ela fez uma prece silenciosa e falou em voz baixa.

— Jurei a Deus que lhe obedeceria.

Siona bateu palmas de alegria e riu.

— Eu sabia!

Topri soltou uma risadinha.

— Cale a boca, Topri — Siona falou. — Estou tentando ensinar uma lição *a você*. Você não acredita em ninguém, nem em você mesmo.

— Mas eu...

— Fique quieto, já falei! Nayla acredita. Eu acredito. Isto é o que nos mantém unidas. Acreditar.

Topri estava atônito.

— Acreditar? Você acredita no...

— Não no Imperador Deus, seu tolo! Nós acreditamos que um poder maior vai acertar as contas com aquele verme tirano. Nós somos esse poder maior.

Nayla respirou tremendo.

— Está tudo bem, Nayla — continuou Siona. — Não me importo de onde você tira suas forças, desde que você acredite.

Nayla conseguiu sorrir, depois escancarou um sorriso. Ela nunca havia sido tão profundamente tocada pela sabedoria de seu Senhor. *Posso falar a verdade e ela servirá apenas para meu Deus.*

— Deixe-me mostrar a você o que achei nesses livros — Siona prosseguiu. Ela indicou algumas páginas de papel comum em sua mesa. — Escondido entre as páginas.

Nayla deu a volta na mesa e olhou para baixo.

— Primeiro, isso. — Siona levantou um objeto que Nayla não havia percebido. Era um cordão fino de alguma coisa... e parecia ser uma...

— Uma flor? — perguntou Nayla.

— Isso estava entre duas páginas de papel. No papel estava escrito isto.

Siona se debruçou sobre a mesa e leu:

— Um fio do cabelo de Ghanima com uma florestrela desabrochada que um dia ela trouxe para mim.

Olhando para Nayla, Siona disse:

— Nosso Imperador Deus se revela um sentimental. Essa é uma fraqueza que eu jamais esperaria.

— Ghanima? — perguntou Nayla.

— A irmã dele! Lembre-se da História Oral.

— Oh... oh, sim. A Prece a Ghanima.

— Agora, ouça isso. — Siona pegou outra folha de papel e a leu.

"A praia de areia tão cinza quanto uma cútis morta,
Um fluxo de maré reflete nuvens onduladas;
Eu permaneço à beira úmida e escura.
Espuma fria purifica meus dedos dos pés...
Sinto o odor da fumaça de destroços."

Mais uma vez, Siona olhou para Nayla:

— Está identificado como "Palavras que escrevi quando soube da morte de Ghani". O que você acha disso?

— Ele... ele amava a irmã.

— Sim! Ele é *capaz* de amar. Ah, sim! Agora nós o pegamos.

> ÀS VEZES ME PERMITO FAZER EXPEDIÇÕES QUE NENHUM OUTRO SER PODE REALIZAR. PARTO PARA MEU INTERIOR, PELO EIXO DAS MINHAS MEMÓRIAS. COMO UMA CRIANÇA NA ESCOLA ESCREVENDO SOBRE UMA VIAGEM DE FÉRIAS, ESCOLHO MEU ASSUNTO. DEIXE-ME VER... MULHERES INTELECTUAIS! RETROCEDO NO OCEANO QUE SÃO MEUS ANCESTRAIS. SOU UM PEIXE GRANDE E VELOZ NAS PROFUNDEZAS. A BOCA DA MINHA PERCEPÇÃO SE ABRE E EU AS CAPTURO! ÀS VEZES... ÀS VEZES CAÇO PESSOAS ESPECÍFICAS GRAVADAS EM NOSSAS HISTÓRIAS. QUE DELEITE PRIVADO É REVIVER A VIDA DE ALGUÉM ENQUANTO ZOMBO DAS PRETENSÕES ACADÊMICAS QUE SUPOSTAMENTE FORMAM UMA BIOGRAFIA.
>
> — Os Diários Roubados

Moneo desceu à cripta com triste resignação. Não havia escapatória para os deveres que agora eram requeridos dele. O Imperador Deus demandava um pouco de tempo para lamentar a perda de outro Duncan... e então a vida seguiria... e seguiria... e seguiria...

O elevador deslizava para baixo em silêncio com a incomparável confiabilidade ixiana. Uma vez, apenas uma vez, o Imperador Deus havia gritado com seu senescal:

— Moneo! Às vezes acho que você foi feito pelos ixianos!

Moneo sentiu o elevador parar. A porta se abriu e ele viu através da cripta o volume sombrio no Coche Real. Não havia indicação de que Leto tivesse percebido sua chegada. Moneo suspirou e iniciou a longa caminhada pela melancolia que ecoava na sala. Havia um corpo no chão próximo à carreta. Não havia a necessidade de um *déjà-vu*. Era simplesmente corriqueiro.

Uma vez, nos primeiros dias de Moneo a seu serviço, Leto havia dito:

— Você não gosta deste lugar, Moneo. Consigo perceber.

— Não, Senhor.

Com apenas um pequeno estímulo de memória, Moneo conseguia ouvir sua própria voz naquele passado ingênuo e a voz do Imperador Deus respondendo:

— Você não acha que um mausoléu seja um lugar confortável, Moneo. Eu o considero uma fonte de força infinita.

Moneo lembrou-se de que estava ansioso para mudar de assunto.

— Sim, Senhor.

Leto persistiu:

— Existem apenas alguns dos meus ancestrais aqui. A água de Muad'Dib está aqui. Ghani e Harq al-Ada estão aqui, é claro, mas eles não são *meus* ancestrais. Não; se existe alguma cripta verdadeira dos *meus* ancestrais, *eu* sou essa cripta. Esta é principalmente para os Duncan e os produtos do meu plano de reprodução. Você estará aqui um dia.

Moneo considerou que essas memórias estavam retardando seu ritmo. Suspirou e andou um pouco mais rápido. Leto podia às vezes ser de uma impaciência violenta, mas ainda não havia nenhum sinal vindo dele. Moneo não considerou que isso significava que sua chegada tivesse passado despercebida.

Leto estava parado com os olhos fechados e apenas seus outros sentidos gravavam o progresso de Moneo pela cripta. Pensamentos sobre Siona ocupavam a atenção de Leto.

Siona é minha inimiga mais ardente, ele pensou. *Não preciso das palavras de Nayla para confirmá-lo. Siona é uma mulher de ação. Ela vive na superfície das enormes energias que me enchem de fantasias de prazer. Não consigo contemplar essas energias vivas sem um sentimento de êxtase. Elas são minha razão para existir, a justificativa para tudo que já fiz... mesmo para o cadáver desse tolo Duncan a minha frente neste exato momento.*

Os ouvidos de Leto o informaram de que Moneo ainda não havia atravessado metade da distância até o Coche Real. O homem se movia cada vez mais devagar, depois retomou o passo.

Que dádiva Moneo me deu na forma de sua filha, pensou Leto. *Siona tem frescor e preciosidade. Ela é o novo enquanto eu sou uma coleção do obsoleto, uma relíquia dos condenados, perdidos e desviados. Sou os pedaços retidos de história que afundaram para longe das vistas de todos os nossos passados. Tal acumulação de refugos nunca foi imaginada antes.*

Leto, então, desfilou o passado dentro de si para deixá-los observar o que havia acontecido na cripta.

Os detalhes são meus!

Siona, contudo... Siona era como uma tábua em branco sobre a qual coisas grandiosas ainda seriam escritas.

Guardo essa tábua com cuidado infinito. Eu a estou preparando, eu a estou purificando.

O que o Duncan quis dizer quando chamou seu nome?

Moneo se aproximou do coche timidamente e com muito cuidado. Leto, certamente, não dormia.

Leto abriu os olhos e olhou para baixo quando Moneo parou próximo ao cadáver. Naquele momento, Leto achou que o senescal era ótimo para ser observado. Moneo vestia um uniforme Atreides branco sem insígnia, que tinha um significado sutil. Seu rosto, quase tão conhecido quanto o de Leto, era toda a insígnia de que ele precisava. Moneo aguardava pacientemente. Não havia mudança de expressão em sua feição imperturbada e impassível. Seu cabelo espesso, cor de areia, estava repartido de maneira igualada e elegante. Dentro de seus olhos cinza havia aquela maneira de observar com franqueza que vinha com o conhecimento de um grande poder pessoal. Era um olhar que ele modificava apenas na presença do Imperador Deus; às vezes, nem assim. Não lançou o olhar sobre o corpo no chão da cripta nenhuma vez.

Enquanto Leto continuava em silêncio, Moneo pigarreou e murmurou:

— Estou condoído, Senhor.

Extraordinário!, pensou Leto. *Ele sabe que sinto remorso verdadeiro pelos Duncan. Moneo viu seus registros e os viu mortos o suficiente. Ele sabe que apenas dezenove Duncan morreram do que as pessoas geralmente chamam de mortes naturais.*

— Ele estava com uma armalês ixiana — disse Leto.

O olhar de Moneo foi diretamente para a arma no chão da cripta, a sua esquerda, demonstrando que ele já a havia visto. Retornou sua atenção para Leto e percorreu com o olhar todo o comprimento de seu imenso corpo.

— O Senhor está ferido?

— Sem consequências.

— Ele o feriu.

— Essas barbatanas são inúteis para mim. Terão desaparecido por completo dentro de duzentos anos.

— Vou remover o corpo do Duncan pessoalmente, Senhor – disse Moneo. – Há algo...

— O pedaço de mim que ele queimou se transformou em cinzas. Vamos soprá-las. Esse é um lugar adequado para cinzas.

— Como meu Senhor preferir.

— Antes que você remova o corpo, desarme a armalês e guarde-a para que eu possa presenteá-la ao embaixador ixiano. Quanto ao homem da Guilda que nos alertou, dê a ele dez gramas de especiaria como presente *pessoal*. Ah, e nossas sacerdotisas em Giedi Primo devem ser alertadas de que existe uma reserva escondida de mélange por lá, provavelmente antigo contrabando dos Harkonnen.

— O que o senhor deseja que seja feito quando a especiaria for encontrada, Senhor?

— Use um pouco para pagar aos Tleilaxu pelo novo ghola. O resto pode ir para nossos depósitos aqui na cripta.

— Senhor. — Moneo aceitou as ordens com um aceno de cabeça, um gesto que não era exatamente uma reverência. Seu olhar encontrou o de Leto.

Leto sorriu. Pensou: *Ambos sabemos que Moneo não sairá sem falar diretamente sobre o assunto que mais nos preocupa.*

— Vi o relatório sobre Siona — disse Moneo.

O sorriso de Leto se expandiu. Moneo era um deleite nesses momentos. Suas palavras carregavam muitas coisas que não necessitavam de discussões abertas entre eles. Suas palavras e ações estavam em alinhamento perfeito, carregadas pela percepção mútua de que ele, naturalmente, espionava tudo. Agora, havia uma preocupação natural por sua filha, mas ele desejava deixar entendido que a preocupação que tinha com o Imperador Deus permanecia soberana. De sua própria passagem por uma evolução similar, Moneo sabia com precisão a natureza delicada da sorte atual de Siona.

— Eu não a criei, Moneo? — perguntou Leto. — Não controlei as condições de sua ancestralidade e de sua educação?

— Ela é minha única filha, minha única criança, Senhor.

— De certa forma, ela me lembra Harq al-Ada — disse Leto. — Não parece haver muito de Ghani, embora devesse haver. Talvez ela remonte a nossos ancestrais do plano de reprodução da Irmandade.

— Por que diz isso, Senhor?

Leto refletiu. Havia necessidade de que Moneo soubesse desse detalhe peculiar sobre sua filha? Por vezes, Siona podia desaparecer gradualmente da visão presciente. O Caminho Dourado continuava, mas Siona desvanecia. Contudo... ela não era presciente. Ela era um fenômeno único... e se ela sobrevivesse... Leto decidiu que não perturbaria a eficiência de Moneo com informações desnecessárias.

— Lembre-se do seu próprio passado — retrucou Leto.

— De fato, Senhor! Ela tem tanto potencial, muito mais do que eu tinha, mas isso a torna perigosa.

— Ela não vai obedecê-lo — Leto acrescentou.

— Não, mas tenho um agente em sua rebelião.

Deve ser Topri, pensou Leto.

Não era necessário presciência para saber que Moneo tinha um agente infiltrado. Desde a morte da mãe de Siona, Leto sabia com cada vez mais certeza do curso das ações de Moneo. As suspeitas de Nayla apontavam para Topri e, agora, Moneo desfilava seus medos e ações, oferecendo-os como o preço da segurança contínua de sua filha.

Que pena ele ter sido pai de apenas uma criança com aquela mulher.

— Recorde-se de como o tratei em circunstâncias similares — Leto falou. — Você conhece os requisitos do Caminho Dourado tão bem quanto eu.

— Eu era jovem e tolo, Senhor.

— Jovem e impetuoso, jamais tolo.

Moneo esboçou um sorriso contido diante desse elogio, seus pensamentos dirigidos mais e mais em direção à crença de que ele agora havia entendido as intenções de Leto. *Ainda assim, os perigos!*

Alimentando essa convicção, Leto prosseguiu:

— Você sabe o quanto gosto de surpresas.

Isso é verdade, pensou Leto. *Moneo de fato sabe disso. Ainda assim, mesmo quando Siona me surpreende, ela me faz lembrar daquilo que mais temo: a mesmice e o tédio que poderiam interromper o Caminho Dourado. Veja como o tédio me deixou temporariamente sob o poder do Duncan! Siona é o contraste pelo qual identifico meus medos mais profundos. A preocupação de Moneo a meu respeito é bem fundamentada.*

— Meu agente continuará observando os novos companheiros dela, Senhor — disse Moneo. — Não gosto deles.

— Companheiros dela? Eu mesmo tive esses companheiros muito tempo atrás.

— Rebeldes? O Senhor? — Moneo estava genuinamente surpreso.

— Não me provei um amigo da rebelião?

— Mas, Senhor...

— As aberrações do nosso passado são mais numerosas do que você pode imaginar!

— Sim, Senhor. — Moneo sentiu-se envergonhado, mas ainda assim curioso. Ele sabia que o Imperador Deus às vezes exagerava na loquacidade depois da morte de um Duncan. — O Senhor deve ter assistido a inúmeras rebeliões.

Involuntariamente, os pensamentos de Leto afundaram em suas memórias, despertadas por tais palavras.

– Ahhh, Moneo – ele murmurou. – Minhas viagens pelos labirintos ancestrais memorizaram lugares incontáveis e eventos que eu não desejaria jamais ver repetidos.

– Consigo imaginar suas viagens interiores, Senhor.

– Não, você não consegue. Vi tantas pessoas e planetas que eles perdem o significado até na imaginação. Oh, as paisagens pelas quais passei. A caligrafia de estradas alienígenas vislumbradas a partir do espaço e impressas sobre minha visão mais íntima. Desfiladeiros e penhascos e galáxias, todos esculpidos pela erosão, imprimiram sobre mim certo conhecimento de que sou uma partícula.

– Não o Senhor. Certamente não o Senhor.

– Menos que uma partícula! Vi pessoas e suas sociedades infrutíferas em posturas tão repetitivas que suas tolices me enchem de tédio, você está me ouvindo?

– Não quis deixá-lo com raiva, Senhor – Moneo falou com suavidade.

– Você não me deixa com raiva. Às vezes você me irrita, é o máximo que acontece. Não consegue imaginar o que já vi... califas e mjeeds rakahs, rajás e bashares, reis e imperadores, primitos e presidentes. Já vi todos. Chefes feudais, todos. Cada um deles um pequeno faraó.

– Perdoe a minha presunção, Senhor.

– Malditos romanos! – gritou Leto.

Então, conversando internamente com seus ancestrais:

– *Malditos romanos*!

As risadas deles o expulsaram para fora da arena interior.

– Não entendo, Senhor – Moneo arriscou.

– É verdade. Você não entende. Os romanos difundiram a doença faraônica como cultivadores de grãos espalhando as sementes da próxima colheita: césares, kaiseres, czares, imperadores, caseri... palatos... malditos faraós!

— Meu conhecimento não abrange todos esses títulos, Senhor.
— Posso ser o último da linhagem, Moneo. Reze por isso.
— Como meu Senhor ordena.

Leto olhou para baixo em direção ao homem.

— Somos exterminadores de mitos, você e eu, Moneo. Esse é o sonho que dividimos. Asseguro a você de um pódio divino no Olimpo que o governo é um mito compartilhado. Quando o mito morrer, o governo morrerá.

— Assim o Senhor me ensinou.

— Aquele homem-máquina, o exército, criou nosso sonho atual, meu amigo.

Moneo pigarreou.

Leto reconheceu os pequenos sinais de impaciência do senescal.

Moneo entende de exércitos. Ele sabe que seria o sonho de um tolo que os exércitos fossem o instrumento básico da governança.

Enquanto Leto permanecia em silêncio, Moneo atravessou até a armalês e a retirou do chão frio da cripta. Ele começou a desarmá-la.

Leto o observou, pensando em como aquela pequena cena encapsulava a essência do mito do exército. O exército incentivava a tecnologia porque o poder das máquinas parecia muito óbvio aos míopes.

Aquela armalês não era mais do que uma máquina, mas todas as máquinas falham ou são superadas. Ainda assim, o exército venera o santuário dessas coisas... fascinado e, ao mesmo tempo, temeroso. Veja como as pessoas temem os ixianos! Em suas entranhas, o exército sabe que é um aprendiz de feiticeiro. Ele disponibiliza tecnologia e nunca mais consegue recuperar a mágica para dentro da lâmpada.

Eu lhes ensinarei outra mágica.

Leto conversou com as hordas dentro dele:

— *Viram? Moneo desarmou o instrumento letal. Uma conexão quebrada aqui, uma cápsula pequena esmagada ali.*

Leto inalou. Cheirou os ésteres de um óleo conservante escorrendo pelo mau cheiro da transpiração de Moneo.

Ainda conversando dentro de si, Leto disse:

– Ainda assim, o gênio não está morto. Tecnologia cria anarquia. Ela distribui essas ferramentas de forma aleatória e com elas segue a incitação à violência. A habilidade de produzir e usar destruidores selvagens cai inevitavelmente nas mãos de grupos cada vez menores até que, por fim, o grupo seja um único indivíduo.

Moneo retornou a um ponto abaixo de Leto, segurando a armalês desativada em sua mão direita, sem preocupação.

– Ouviu-se uma conversa em Parella e nos planetas de Dan sobre outro jihad contra coisas como esta.

Moneo levantou a armalês e sorriu, deixando claro que conhecia o paradoxo em tais sonhos vazios.

Leto fechou os olhos. As hordas dentro dele queriam discutir, mas ele os calou, pensando: *Jihads criam exércitos. O Jihad Butleriano tentou abolir do nosso universo as máquinas que estimulavam a mente dos homens. Os Butlerianos deixaram exércitos em seu despertar e os ixianos ainda constroem dispositivos questionáveis... pelos quais eu os agradeço. O que é anátema? A motivação para destruir, não interessam os instrumentos.*

– Aconteceu – ele murmurou.

– Senhor?

Leto abriu os olhos:

– Vou a minha torre – disse ele. – Preciso de mais tempo para velar meu Duncan.

– O novo já está a caminho – disse Moneo.

VOCÊ, A PRIMEIRA PESSOA A ENCONTRAR MINHAS CRÔNICAS EM PELO MENOS QUATRO MIL ANOS, TENHA CAUTELA. NÃO SE SINTA HONRADO PELA SUA PRIMAZIA NA LEITURA DAS REVELAÇÕES DE MEU DEPÓSITO IXIANO. VOCÊ ENCONTRARÁ MUITA DOR NELE. MAIS DO QUE ALGUNS RELANCES NECESSÁRIOS PARA ME ASSEGURAR DE QUE O CAMINHO DOURADO CONTINUOU, NUNCA QUIS PERSCRUTAR ALÉM DESSES QUATRO MILÊNIOS. PORTANTO, NÃO ESTOU CERTO DO QUE OS EVENTOS EM MEUS DIÁRIOS POSSAM SIGNIFICAR EM SEU TEMPO. SEI APENAS QUE MEUS DIÁRIOS SOBREVIVERAM AO ESQUECIMENTO E QUE OS EVENTOS QUE RECONTO FORAM, SEM DÚVIDA, SUBMETIDOS A DISTORÇÕES HISTÓRICAS DURANTE MILÊNIOS. ASSEGURO QUE A HABILIDADE DE PREVER NOSSO FUTURO PODE SE TORNAR UM TÉDIO. MESMO SENDO CONSIDERADO UM DEUS, COMO EU CERTAMENTE ERA, PODE SE TORNAR EXTREMAMENTE TEDIOSO. OCORREU-ME MAIS DE UMA VEZ QUE O TÉDIO SAGRADO É UMA RAZÃO BOA O SUFICIENTE PARA A INVENÇÃO DO LIVRE-ARBÍTRIO.

— Inscrição no depósito de Dar-es-Balat

Sou Duncan Idaho.

Era só isso que ele queria de fato saber. Não gostava das explicações dos Tleilaxu, de suas *histórias*. Mas, pensando bem, os Tleilaxu sempre haviam sido temidos. Desacreditados e temidos.

Eles o haviam trazido para o planeta em uma pequena nave da Guilda, chegando à linha do crepúsculo com um reflexo verde da coroa do sol ao longo do horizonte conforme mergulhavam na sombra. O espaçoporto não se parecia com nada de que ele se lembrasse. Era maior e cercado por um anel de construções estranhas.

— Tem certeza de que isso é Duna? — ele havia perguntado.

— Arrakis — seu acompanhante tleilaxu o corrigira.

Eles o despacharam em um carro terrestre lacrado até aquele prédio, em algum lugar dentro de uma cidade que eles chamavam de

Onn, dando ao som do "n" uma estranha inflexão nasal crescente. A sala na qual eles o deixaram tinha três metros quadrados, realmente um cubo. Não havia sinal de luciglobos, mas o lugar estava cheio de uma luz quente e amarela.

Sou um ghola, disse a si mesmo.

Era um choque, mas ele precisava acreditar. Descobrir-se vivo, sabendo que morrera, era prova suficiente. Os Tleilaxu haviam recolhido células de sua carne morta e cultivado um embrião em um de seus tanques axolotles. Aquele embrião havia se tornado seu corpo em um processo que o fez se sentir, logo no início, um alienígena em sua própria carne.

Olhou para seu corpo abaixo. Estava vestido com calças marrom-escuras e um casaco de tecido áspero que irritava sua pele. Sandálias protegiam seus pés. Exceto pelo corpo, isso era tudo que havia sido dado a ele, uma parcimônia que dizia algo sobre o verdadeiro caráter dos Tleilaxu.

Não existia mobília no quarto. Fizeram-no entrar pela única porta, que não possuía maçaneta por dentro. Da porta, ele fitou o teto e as paredes. Apesar do caráter inofensivo do cômodo, ele se sentiu como se estivesse sendo vigiado.

— Mulheres da Guarda Imperial virão buscá-lo — eles haviam dito. Depois foram embora, sorrindo maliciosamente entre si.

Mulheres *da Guarda Imperial?*

Os acompanhantes tleilaxu tinham um prazer sádico em expor suas habilidades de mudar de forma. Ele não conseguia adivinhar que nova forma o fluir plástico de sua pele ia apresentar de um minuto para o outro.

Malditos Dançarinos Faciais!

Eles sabiam tudo sobre ele, claro, sabiam o quanto os Metamorfos o enojavam.

Como ele podia acreditar em algo vindo de Dançarinos Faciais? Muito pouco. Alguma coisa que eles diziam podia ser acreditada?

Meu nome. Sei meu nome.

Ele tinha suas memórias. Eles haviam incubado sua identidade de volta dentro dele. Em teoria, os ghola eram incapazes de recuperar sua identidade original. Mas os Tleilaxu haviam conseguido e ele fora forçado a acreditar, porque entendeu aquilo que tinha sido feito.

No começo, ele sabia, existiram gholas desenvolvidos em sua plenitude, carne adulta sem nome nem memórias; um palimpsesto sobre o qual os Tleilaxu podiam escrever quase qualquer coisa que desejassem.

– Você é Ghola – eles disseram. Esse havia sido seu nome por muito tempo. Ghola fora criado como uma criança maleável e condicionado a matar um homem em particular; alguém tão parecido com o Paul Muad'Dib original, que ele havia servido e adorado, que Idaho agora suspeitava que devia ter sido outro ghola. Mas, se isso fosse verdade, onde eles teriam obtido as células originais?

Algo nas células de Idaho tinham se rebelado contra matar um Atreides. Ele se viu imóvel com uma faca em uma das mãos, a forma próxima de um falso Paul olhando para ele com temor furioso.

Memórias jorravam em sua percepção. Ele se lembrou de Ghola e se lembrou de Duncan Idaho.

Sou Duncan Idaho, mestre-espadachim dos Atreides.

Ele se agarrou a essa memória enquanto permanecia no cômodo amarelo.

Morri defendendo Paul e sua mãe em uma caverna-sietch sob as areias de Duna. Fui levado de volta àquele planeta, mas Duna não existe mais. Agora é apenas Arrakis.

Ele havia lido a história truncada que os Tleilaxu proveram, mas não acreditou. Mais de 3.500 anos? Quem seria capaz de acreditar que essa carne poderia existir depois de tanto tempo? A não ser que... com os Tleilaxu isso fosse possível. Ele tinha que acreditar em seus próprios sentidos.

– Houve vários de você – seus instrutores disseram.
– Quantos?

– O Senhor Leto lhe fornecerá essa informação.

O Senhor Leto?

A história tleilaxu dizia que o Senhor Leto era Leto II, neto do Leto a quem Idaho servira com devoção fanática, mas esse segundo Leto (como dizia a história) tinha se tornado algo... algo tão estranho que Idaho desistiu de entender a transformação.

Como podia um homem se transformar aos poucos em um verme da areia? Como qualquer criatura pensante era capaz de viver mais de três mil anos? Nem as projeções mais absurdas da especiaria geriátrica permitiam tanto tempo de vida.

Leto II, o Imperador Deus?

A história dos Tleilaxu não devia ser acreditada!

Idaho lembrou-se de uma criança estranha... gêmeos, na verdade: Leto e Ghanima, filhos de Paul, os filhos de Chani, que morreu no parto. A história tleilaxu contava que Ghanima havia morrido depois de uma vida relativamente normal, mas o Imperador Deus Leto viveu mais e mais e mais...

– Ele é um tirano – os instrutores de Idaho haviam dito. – Ele ordenou que produzíssemos você a partir de nossos tanques axolotles e o mandássemos para servi-lo. Não sabemos o que aconteceu a seu antecessor.

E aqui estou eu.

Mais uma vez, Idaho percorreu com os olhos as paredes e o teto inexpressivos.

O som fraco de vozes se intrometeu em sua consciência. Olhou para a porta. As vozes emudeceram, mas pelo menos uma delas parecera feminina.

Mulheres da Guarda Imperial?

A porta se abriu para dentro sobre dobradiças silenciosas. Duas mulheres entraram. A primeira coisa a chamar sua atenção foi o fato de que uma delas usava uma máscara, um capuz cibus, amorfo e de cor negra, capaz de sugar luz. Ele sabia que a mulher podia vê-lo claramente por aquele capuz, mas as características dela jamais se revelariam, nem pelos instrumentos de perscrutação mais sutis. O capuz lhe dizia que os ixianos, ou seus herdeiros, ainda estavam trabalhando no Império. Ambas vestiam uniformes de peça única em um azul profundo com o gavião Atreides em vermelho bordado no peitilho esquerdo.

Idaho estudou-as enquanto fechavam a porta e olhavam para ele.

A mulher mascarada tinha um corpo forte que se assemelhava a um bloco. Ela se movia com o cuidado enganoso de uma profissional fanática por fisiculturismo. A outra mulher era graciosa e esguia, com olhos amendoados em feições pronunciadas com ossatura saliente. Idaho sentia que já a conhecia de algum lugar, mas não conseguia localizar a memória. Ambas carregavam facas-agulha em bainhas na altura dos quadris. Algo sobre aqueles movimentos informou a Idaho que essas mulheres eram extremamente competentes com tais armas.

A mais esguia falou primeiro.

— Meu nome é Luli. Permita-me ser a primeira a chamá-lo de comandante. Minha companheira deve permanecer anônima. Nosso Senhor Leto assim o ordenou. O senhor pode chamá-la de Amiga.

— Comandante? — ele questionou.

— É o desejo do Senhor Leto que o senhor comande sua guarda real — disse Luli.

— É mesmo? Vamos conversar com ele a esse respeito.

— Oh, não! — Luli estava visivelmente chocada. — O Senhor Leto vai convocá-lo quando chegar a hora. Por agora, ele deseja que nós o deixemos confortável e feliz.

— Devo obedecer?

Luli simplesmente balançou sua cabeça de um lado para o outro, em perplexidade.

— Sou um escravo?

Luli relaxou e sorriu.

— De jeito nenhum. O fato é que o Senhor Leto tem várias preocupações que demandam Sua atenção pessoal. Ele precisa acomodar um tempo para o senhor. Ele nos enviou porque estava preocupado com seu Duncan Idaho. O senhor ficou bastante tempo nas mãos dos Tleilaxu imundos.

Tleilaxu imundos, pensou Idaho.

Isso, pelo menos, não havia mudado.

Ele estava preocupado, contudo, com uma referência específica na explicação de Luli.

— *Seu* Duncan Idaho?

— O senhor não é um guerreiro Atreides? — perguntou Luli.

Ela o pegou ali. Idaho concordou, virando levemente a cabeça para fitar a enigmática mulher mascarada.

— Por que você usa máscara?

— Não se deve saber que sirvo ao Senhor Leto — disse ela. Sua voz era um contralto agradável, mas Idaho suspeitou que isso também fosse mascarado pelo capuz cibus.

— Então por que você está aqui?

— O Senhor Leto confia que eu seja capaz de determinar se o senhor foi adulterado pelos Tleilaxu imundos.

Idaho tentou engolir, a garganta repentinamente seca. Esse pensamento lhe ocorrera várias vezes a bordo do transporte da Guilda. Se os Tleilaxu pudessem condicionar um ghola a tentar o assassinato de um amigo querido, o que mais eles tentariam plantar na psique da carne renascida?

— Percebo que o senhor pensou sobre isso — disse a mulher mascarada.

— Você é Mentat? — indagou Idaho.

— Oh, não! — interrompeu Luli. — O Senhor Leto não permite o treinamento de Mentats.

Idaho lançou rapidamente o olhar para Luli, depois retornou sua atenção à mulher mascarada. *Sem Mentats.* A história dos Tleilaxu não mencionou esse fato interessante. Por que Leto proibiria Mentats? Certamente, a mente humana treinada com as super-habilidades da computação ainda tinha suas utilidades. Os Tleilaxu haviam dado certeza a ele de que a Grande Convenção permanecia em vigor e que os computadores mecânicos ainda eram um anátema. Certamente, essas mulheres saberiam que os próprios Atreides haviam se utilizado de Mentats.

— Qual a sua opinião? — a mulher mascarada perguntou. — Os Tleilaxu imundos alteraram sua psique?

— Creio que... não.

— O senhor não tem certeza?

— Não.

— Não tema, Comandante Idaho — ela disse. — Temos maneiras de assegurar e formas de lidar com esses problemas, caso apareçam. Os Tleilaxu imundos tentaram isso apenas uma vez, e pagaram caro por tal erro.

— Isso é reconfortante. O Senhor Leto me mandou alguma mensagem?

— Ele nos disse para assegurá-lo de que ainda o ama como os Atreides o amavam — Luli respondeu. Ela estava obviamente impressionada com as próprias palavras.

Idaho relaxou um pouco. Como auxiliar experiente dos Atreides, soberbamente treinado por eles, achou fácil deduzir várias coisas desse encontro. As duas haviam sido condicionadas profundamente a uma obediência fanática. Se uma máscara cibus podia esconder a identidade daquela mulher, deviam existir várias outras cujos corpos eram similares. Tudo isso revelava que perigos circundavam Leto, os quais ainda exigiam os serviços antigos e sutis de espiões e um arsenal criativo de armas.

Luli olhou para sua companheira.

— O que você diz, Amiga?

— Ele pode ser levado para a Cidadela — disse a mulher mascarada. — Este não é um bom lugar. Os Tleilaxu estiveram aqui.

— Um banho morno e uma muda de roupas seriam agradáveis — Idaho disse.

Luli continuava a olhar para sua Amiga.

— Tem certeza?

— A sabedoria do Senhor não pode ser questionada — respondeu a mulher mascarada.

Idaho não gostou do tom fanático na voz dessa *Amiga*, mas sentiu-se seguro na integridade dos Atreides. Eles podiam parecer cínicos e cruéis para desconhecidos e inimigos, mas com seu próprio povo eles eram justos e leais. Sobretudo, os Atreides eram leais para com os seus.

Sou um deles, pensou Idaho. *Mas o que aconteceu com o eu que estou substituindo?* Ele sentiu fortemente que as duas não responderiam a essa pergunta.

Contudo, Leto responderá.

— Vamos? — perguntou ele. — Estou ansioso para lavar o mau cheiro dos Tleilaxu imundos de mim.

Luli sorriu para ele de uma forma irônica.

— Venha. Eu mesma lhe darei um banho.

> INIMIGOS AUMENTAM SUA FORÇA.
> ALIADOS ENFRAQUECEM.
> DIGO ISSO NA ESPERANÇA DE AJUDAR VOCÊS A ENTENDER
> POR QUE AGI DA FORMA COMO AGI, COM PLENO
> CONHECIMENTO DE QUE GRANDES FORÇAS SE ACUMULAM EM
> MEU IMPÉRIO COM APENAS UM DESEJO: O DESEJO DE ME
> DESTRUIR. VOCÊS, QUE LEEM ESTAS PALAVRAS, PODEM SABER
> MUITO BEM O QUE REALMENTE ACONTECEU; MAS DUVIDO
> QUE ENTENDAM.
>
> – Os Diários Roubados

Para Siona, a cerimônia de "Exibição" pela qual os rebeldes começaram seus encontros arrastava-se interminavelmente. Estava sentada na primeira fileira e olhava para todos os lados, exceto para Topri, que estava conduzindo a cerimônia apenas alguns passos adiante. Essa sala nos túneis de serviço abaixo de Onn jamais havia sido usada por eles antes, mas era tão semelhante a todos os outros lugares de encontro que podia ser usada como modelo padrão.

Sala de encontro dos rebeldes – classe B, ela pensou.

Era oficialmente designada como uma câmara de armazenamento e os luciglobos fixos não podiam ser reajustados do seu ofuscante branco pálido. A sala tinha pouco menos de dez metros de profundidade e era ainda menor em sua largura. Podia ser alcançada somente através de uma série labiríntica de câmaras similares, uma das quais possuía um conveniente estoque de rígidas cadeiras dobráveis, destinadas às pequenas câmaras de dormir do pessoal de serviço. Naquela ocasião, dezenove dos colegas rebeldes de Siona ocupavam essas cadeiras ao redor dela, com algumas vazias para os atrasados que ainda poderiam chegar ao encontro.

O horário havia sido estabelecido entre a meia-noite e os plantões matinais para disfarçar o fluxo extra de pessoas nos túneis de serviço.

A maioria dos rebeldes vestia disfarces de trabalhadores do setor de energia: calças e casacos cinza, finos e descartáveis. Alguns, inclusive Siona, estavam vestidos com o verde dos inspetores de maquinaria.

A voz de Topri era uma monotonia insistente na sala. Ele não guinchava enquanto conduzia a cerimônia. De fato, Siona tinha que admitir que ele era muito bom nisso, especialmente com os novos recrutas. Desde a cândida afirmação de Nayla de que ela não confiava no homem, porém, Siona passou a enxergar Topri de uma forma diferente. Nayla podia falar com uma franqueza cortante que derrubava máscaras e existiam coisas que Siona havia descoberto sobre Topri desde aquele confronto.

Siona finalmente se virou e olhou para o homem. A fria luz prateada não favorecia a pele pálida de Topri. Ele usava a cópia de uma dagacris na cerimônia, uma cópia contrabandeada, comprada do fremen de museu. Siona recordou a transação enquanto fitava a lâmina nas mãos do orador. Tinha sido ideia de Topri e ela considerara uma boa ideia à época. Ele a levara a um encontro em uma cabana na periferia, saindo de Onn assim que a noite caiu. Eles esperaram bastante, noite adentro, até que a escuridão pudesse esconder a vinda do fremen de museu. Os fremen não tinham permissão para deixar seus alojamentos sietch sem uma dispensa especial do Imperador Deus.

Ela havia quase desistido dele quando o fremen chegara, surgindo a partir da noite, seu acompanhante deixado para trás a fim de guardar a porta. Topri e Siona tinham esperado em um banco desconfortável contra a parede úmida de uma sala absolutamente simples. A única luz vinha de uma tocha amarela fraca apoiada em um galho enfiado na dilapidada parede de lama.

As primeiras palavras do fremen encheram Siona de apreensão.

— Vocês trouxeram o dinheiro?

Topri e Siona se levantaram ao mesmo tempo que o homem fez sua entrada. Topri não parecia abalado com a pergunta. Ele balançou a bolsa por debaixo de suas vestes, fazendo as moedas retinirem.

— Estou com o dinheiro aqui.

O fremen era uma criatura mirrada, desagradável e curvada, vestindo uma réplica das antigas vestes fremen e um traje reluzente por baixo, provavelmente a versão de um trajestilador. Seu capuz estava puxado para a frente, encobrindo suas feições. A luz da tocha fazia com que sombras dançassem pelo rosto do homem.

Ele primeiro olhara para Topri e depois para Siona antes de remover um objeto embrulhado em tecido de debaixo de suas vestes.

— É uma cópia verdadeira, mas feita de plástico — ele explicara. — Não vai cortar gordura fria.

Ele puxara a lâmina de seu embrulho e a segurava.

Siona, que havia visto dagacrises apenas em museus e nas raras gravações visuais dos arquivos de sua família, achou-se estranhamente tomada pela visão da lâmina naquele cenário. Ela sentira um atavismo se movendo dentro dela e imaginou esse pobre fremen de museu com sua dagacris de plástico como se fosse um verdadeiro fremen dos antigos tempos. O objeto que ele segurava era, repentinamente, uma dagacris com a lâmina prateada, cintilando nas sombras amarelas.

— Garanto a autenticidade da lâmina da qual a copiamos — assegurara o fremen. Ele falara em uma voz baixa, de alguma forma feita ameaçadora pela falta de ênfase.

Siona ouvira, então, a forma como ele carregava seu veneno em um invólucro de vogais suaves e entrara imediatamente em alerta.

— Tente nos trair e nós o caçaremos como a um rato — ela falara.

Topri lançara um olhar assustado sobre ela.

O fremen de museu parecera murchar, encolhendo-se sobre si mesmo. A lâmina tremeu em sua mão, mas seus dedos de gnomo ainda se fechavam sobre ela como se estivesse esganando uma garganta.

— Traição, senhora? Oh, não, mas nos ocorreu que pedimos muito pouco por essa cópia. Mesmo sendo singela, apenas o fato de fazê-la e vendê-la nos coloca em um perigo terrível.

Siona olhara fixamente para ele pensando nas antigas palavras fremen da História Oral: *Uma vez que você adquira uma alma vendida, o suk é a totalidade da existência.*

— Quanto você quer? — ela perguntou.

Ele nomeara uma soma duas vezes maior que o preço original. Topri ofegou.

Siona olhara em direção a Topri:

— Você tem toda essa quantia?

— Não toda, mas nós havíamos concordado em...

— Dê a ele tudo o que você tiver — interrompera Siona.

— Tudo?

— Não foi o que eu disse? Cada moeda desta bolsa. — Ela encarara o fremen de museu. — Você aceitará esse pagamento. — Não era uma pergunta e o velho a entendera corretamente. Ele embrulhara a lâmina em seu tecido e entregara a ela.

Topri entregara a bolsa de moedas, resmungando em voz baixa.

Siona se dirigira ao fremen de museu.

— Sabemos seu nome. Você é Teishar, ajudante de Garun de Tuono. Você tem uma mentalidade *suk* e me faz estremecer ao ver o que os fremen se tornaram.

— Senhora, nós todos temos que viver — protestara ele.

— Você não está vivo — ela dissera. — Suma!

Teishar tinha se virado e corrido, apertando o saco de dinheiro próximo ao peito.

A memória daquela noite não se assentava bem na mente de Siona enquanto ela assistia a Topri balançar a cópia da dagacris durante a cerimônia rebelde. *Não somos melhores que Teishar,* pensou ela. *Uma cópia é pior do que nada*. Topri brandiu a lâmina estúpida sobre sua cabeça enquanto se encaminhava para a conclusão da cerimônia

Siona tirou os olhos dele e fitou Nayla sentada à sua esquerda. Nayla estava olhando primeiro para uma direção e depois para outra. Ela dispensou uma atenção especial ao novo núcleo de recrutas, n fundo da sala. Nayla não concedia sua confiança com facilidade. Siona torceu o nariz quando uma corrente de ar trouxe um odor de lubrificantes. As profundezas de Onn sempre tinham um cheiro perigosamente *mecânico*! Ela fungou. Esta sala! Ela não gostava do lugar de encontros. Poderia facilmente ser uma armadilha. Guardas poderiam selar os corredores externos e enviar buscadores armados. Esse podia muito bem ser o lugar onde a rebelião terminaria. Siona ficou ainda mais inquieta pelo fato de essa sala ter sido escolha de Topri.

Um dos poucos erros de Ulot, ela pensou. O pobre Ulot, que estava morto, tinha aprovado a admissão de Topri à rebelião.

— Ele é um funcionário menor nos serviços da cidade — Ulot explicara. — Topri pode encontrar vários lugares úteis para nos encontrarmos e nos armarmos.

Topri havia quase chegado ao fim de sua cerimônia. Guardou a faca em um estojo ornado e colocou-o no chão, ao seu lado.

— Meu rosto é meu voto — ele proclamou. Virou seu perfil para a sala, primeiro para um lado, depois para o outro. — Mostro meu rosto para que vocês me reconheçam em qualquer lugar e saibam que sou um de vocês.

Cerimônia estúpida, Siona pensou.

Contudo, ela não ousou quebrar o padrão e, quando Topri puxou uma máscara negra de gaze de dentro de um bolso e colocou-a sobre sua cabeça, ela tirou sua própria máscara e fez o mesmo. Todos na sala imitaram o gesto. Houve então uma agitação pela sala. A maioria das pessoas presentes tinha sido alertada que Topri trouxera um visitante especial. Siona prendeu o nó de sua máscara atrás de seu pescoço. Estava ansiosa para ver o visitante.

Topri foi até a única porta da sala. Houve um clamor estrepitoso enquanto todos se levantavam e as cadeiras foram dobradas e empilhadas contra a parede oposta à porta. A um sinal de Siona, Topri bateu três vezes no painel da porta, esperou, contando até dois, e então bateu quatro vezes.

A porta se abriu e um homem alto, vestindo uma peça única oficial, marrom-escura e sem mangas, deslizou para a sala. Ele não usava máscara, seu rosto aberto para que todos o vissem: magro e imperioso, com uma boca estreita, um nariz que parecia uma lâmina delgada, olhos castanho-escuros profundamente encovados abaixo de sobrancelhas grossas. Era um rosto reconhecido pela maioria dos ocupantes da sala.

— Meus amigos — disse Topri. — Apresento Iyo Kobat, embaixador de Ix.

— Ex-embaixador — corrigiu Kobat. Sua voz era gutural e firmemente controlada. Postou-se de costas para a parede, virado para as pessoas mascaradas na sala. — Hoje recebi ordens do Imperador Deus para que eu deixe Arrakis em desgraça.

— Por quê?

Siona dirigiu a pergunta a ele sem qualquer formalidade.

Kobat girou a cabeça com um movimento rápido, fixando seu olhar no rosto mascarado dela.

— Houve um atentado contra a vida do Imperador Deus. Ele rastreou a arma até chegar a mim.

Os companheiros de Siona abriram o caminho entre ela e o ex-embaixador, deixando claro que se submetiam a ela.

— Então por que ele não o matou? — ela perguntou.

— Acho que está tentando me dizer que não sou digno de ser morto. Há também o fato de que agora ele está me usando para levar uma mensagem a Ix.

— Que mensagem? — Siona caminhou pelo espaço aberto e parou a dois passos de Kobat. Ela reconheceu o estado de alerta sexual da parte dele enquanto o homem estudava seu corpo.

— Você é filha de Moneo — ele declarou.

Uma tensão muda explodiu através da sala. Por que ele revelou que a tinha reconhecido? Quem mais ele reconheceu? Kobat não parecia tolo. Por que teria feito isso?

— Seu corpo, sua voz e suas maneiras são bem conhecidos aqui em Onn – ele disse. – Essa máscara é uma tolice.

Ela arrancou a máscara de sua cabeça e sorriu para ele.

— Concordo. Agora responda à minha pergunta.

Ela ouviu Nayla se aproximar pela sua esquerda; dois outros ajudantes escolhidos por Nayla vieram com ela.

Siona viu o momento em que a percepção veio a Kobat: sua morte, caso falhasse em satisfazer as exigências. A voz dele não perdeu seu rígido controle, mas ele falou mais devagar, escolhendo as palavras com mais cuidado.

— O Imperador Deus me contou que tem conhecimento de um acordo entre Ix e a Guilda. Estamos tentando construir um amplificador mecânico dos... talentos de navegação da Guilda que, até o presente momento, dependem de mélange.

— Nesta sala, nós o chamamos de Verme – disse Siona. – O que essa sua máquina ixiana faria?

— Você está ciente de que os Navegadores da Guilda necessitam da especiaria antes que possam *ver* o caminho seguro para cruzar?

— Vocês substituiriam os navegadores por uma máquina?

— Pode ser possível.

— Qual mensagem você leva a seu povo acerca dessa máquina?

— Tenho que dizer a meu povo que eles devem continuar o projeto apenas se encaminharem a ele relatórios diários sobre os progressos obtidos.

Ela balançou a cabeça.

— Ele não precisa de tais relatórios! É uma mensagem estúpida.

Kobat engoliu em seco, sem conseguir mais esconder seu nervosismo.

— A Guilda e a Irmandade estão empolgadas com nosso projeto – disse ele. – Estão participando.

Siona assentiu uma vez.

— E elas dividem sua especiaria com Ix como forma de pagamento por tal participação?

Kobat olhou fixamente para ela.

— É trabalho caro e precisamos de especiaria para testes comparativos para os Navegadores da Guilda.

— É uma mentira e uma enganação — disse ela. — Seu dispositivo nunca vai funcionar e o Verme sabe disso.

— Como você ousa nos acusar de...

— Cale-se! Acabei de lhe dizer a verdadeira mensagem. O Verme está ordenando que vocês, ixianos, continuem a enganar a Guilda e as Bene Gesserit. Isso o diverte.

— Poderia funcionar! — insistiu Kobat.

Ela simplesmente sorriu para ele.

— Quem tentou matar o Verme?

— Duncan Idaho.

Nayla ofegou. Houve outros sinais pequenos de surpresa pela sala, o franzir de sobrancelhas, uma respiração entrecortada.

— Idaho está morto? — perguntou Siona.

— Presumo que sim, mas o... ahhh, o Verme se recusa a confirmar.

— Por que você presume que ele esteja morto?

— Os Tleilaxu enviaram outro ghola Idaho.

— Compreendo.

Siona se virou e fez um sinal para Nayla, que foi para o lado da sala e retornou com um pacote fino envolvido em papel suk cor-de-rosa, o tipo de papel que os lojistas usam para embrulhar compras pequenas. Nayla entregou o pacote a Siona.

— Esse é o preço do nosso silêncio — falou, estendendo o pacote para Kobat. — Isso explica por que Topri foi autorizado a trazê-lo aqui esta noite.

Kobat pegou o pacote sem tirar a atenção do rosto dela.

— Silêncio? — perguntou ele.

— Nós nos comprometemos a não informar a Guilda e a Irmandade de que vocês as estão enganando.

— Não estamos enganan...

— Não seja tolo!

Kobat tentou engolir em seco. O significado tinha se tornado claro para ele: verdade ou não, se a rebelião espalhasse tal história, acreditariam nela. Era "senso comum", como Topri costumava dizer.

Siona olhou para Topri, que permanecia exatamente atrás de Kobat. Ninguém ingressava na rebelião por razões de "senso comum". Será que Topri não entendeu que seu "senso comum" era capaz de traí-lo? Ela voltou a atenção para Kobat.

— O que há neste pacote? — ele perguntou.

Algo na forma como Kobat fez a pergunta revelou a Siona que ele já sabia.

— É algo que envio para Ix. Você o levará para mim. São cópias de dois volumes que tiramos da fortaleza do Verme.

Kobat fitou o pacote em suas mãos. Era óbvio que ele queria largá-lo, que sua empreitada na rebelião o havia encarregado de um fardo mais mortal do que ele esperava. Lançou um olhar irritado para Topri como se perguntasse: *Por que você não me avisou?*

— O que... — Ele trouxe o olhar de volta para Siona, pigarreou. — O que há nesses... volumes?

— Seu povo talvez saiba dizer. Achamos que são as próprias palavras do Verme, escritas em um criptograma que não conseguimos ler.

— O que faz você pensar que nós...

— Vocês, ixianos, são versados nessas coisas.

— E se nós não conseguirmos?

— Não vamos culpá-los por isso — ela deu de ombros. — Entretanto, caso vocês usem esses volumes para qualquer outro propósito ou deixem de relatar uma descoberta total...

— Como alguém pode estar seguro de que nós...

— Não estamos contando apenas com vocês. Outros receberão cópias. Acho que a Irmandade e a Guilda não hesitarão em tentar decifrar esses volumes.

Kobat deslizou o pacote para debaixo de seu braço e o pressionou contra o corpo.

— O que a faz pensar que o... o Verme não sabe sobre suas intenções... e mesmo sobre esse encontro?

— Penso que ele saiba muitas dessas coisas, até mesmo quem pegou os volumes. Meu pai acredita que ele seja verdadeiramente presciente.

— Seu pai acredita na História Oral!

— Todos nesta sala acreditam. A História Oral não está em desacordo com a História Formal em temas importantes.

— Então por que o Verme não age contra você?

Ela apontou para o pacote debaixo do braço de Kobat.

— Talvez a resposta esteja aí.

— Ou você e esses volumes criptografados não representem ameaça real para ele! — Kobat não escondia sua fúria. Não gostava de ser forçado a tomar decisões.

— Talvez. Diga-me por que você mencionou a História Oral.

Mais uma vez, Kobat sentiu a ameaça.

— Ela diz que o Verme é incapaz de sentir emoções humanas.

— Não foi essa a razão — disse ela. — Você tem mais uma chance de me contar a razão.

Nayla se aproximou dois passos de Kobat.

— Eu... eu fui alertado a estudar a História Oral antes de vir para cá, que o seu povo... — Ele deu de ombros.

— Que nós a entoamos como cântico?

— Sim.

— Quem lhe disse isso?

Kobat engoliu em seco, lançou um olhar assustado para Topri, depois voltou-se para Siona.

— Topri? — Siona perguntou.

— Pensei que fosse ajudá-lo a nos compreender — Topri argumentou.

— E você disse a ele o nome de seu líder — Siona acusou.

— Ele já sabia! — Topri voltara a guinchar.

— Que partes específicas da História Oral você foi aconselhado a estudar? — Siona questionou.

— A... a linhagem Atreides.

— Agora você acha que sabe por que as pessoas se juntam a mim na rebelião.

— A História Oral conta exatamente como ele trata a todos na linhagem Atreides! — disse Kobat.

— Ele nos dá um pouco de corda e depois nos aprisiona com ela? — perguntou Siona. Sua voz estava enganosamente calma.

— Foi o que ele fez com o seu pai — Kobat exclamou.

— E agora ele permite que *eu* atue na rebelião?

— Sou apenas um mensageiro — disse Kobat. — Se vocês me matarem, quem levará a mensagem?

— Ou a mensagem do Verme — Siona rebateu.

Kobat permaneceu em silêncio.

— Acho que você não entende a História Oral — Siona continuou. — Também acho que você não entende muito bem o Verme, nem suas mensagens.

O rosto de Kobat ficou rubro de raiva.

— O que vai impedir que você acabe como todos os outros Atreides, uma bela e obediente parte do... — Kobat parou, consciente repentinamente do que a raiva o havia feito expressar.

— Apenas outro recruta do alto escalão do Verme — completou Siona. — Assim como os Duncan Idaho?

Ela se virou e olhou para Nayla. Os dois ajudantes, Anouk e Taw, entraram em alerta, mas Nayla permaneceu impassível.

Siona acenou uma vez para Nayla.

Como haviam jurado fazer, Anouk e Taw se posicionaram de modo a bloquear a porta. Nayla deu a volta e parou ao lado do ombro de Topri.

— O que... o que está acontecendo? — indagou Topri.

— Queremos saber tudo de importante que o ex-embaixador possa compartilhar conosco — Siona explicou. — Queremos a mensagem completa.

Topri começou a tremer. A testa de Kobat começou a transpirar. Ele lançou o olhar uma vez para Topri, depois voltou sua atenção para Siona. Aquele olhar foi como um véu aberto para que Siona percebesse a relação entre os dois.

Ela sorriu. Apenas confirmava o que já sabia.

Kobat ficou totalmente imóvel.

— Você pode começar — disse Siona.

— Eu... o que você...

— O Verme passou uma mensagem privada para seus mestres. Vou ouvi-la.

— Ele... ele quer uma extensão para seu coche. — Então ele ainda espera crescer. O que mais?

— Devemos enviar a ele um suprimento grande de papel de cristal riduliano.

— Com que propósito?

— Ele nunca explica seus pedidos.

— Isso cheira a algo que ele proíbe aos outros — disse ela.

— Ele nunca proíbe nada a si mesmo! — Kobat falou em um tom amargo.

— Vocês fizeram artigos proibidos para ele?

— Não sei.

Ele mente, pensou Siona, mas preferiu não seguir por esse caminho. Era suficiente saber da existência de outra falha na armadura do Verme.

— Quem vai substituí-lo? — perguntou Siona.

— Estão enviando uma sobrinha de Malky — respondeu Kobat. — Você deve se lembrar de que ele...

— Nós nos lembramos de Malky — ela retrucou. — Por que uma sobrinha de Malky vai se tornar a nova embaixadora?

— Não sei, mas assim foi ordenado mesmo antes de o Imperad... o Verme me demitir.

— O nome dela?

— Hwi Noree.

— Vamos nos dedicar a Hwi Noree – disse Siona. – Você nunca foi digno de tal dedicação. Essa Hwi Noree pode ser um caso diferente. Quando você retorna para Ix?

— Imediatamente após o Festival, na primeira nave da Guilda.

— O que você dirá a seus mestres?

— Sobre o quê?

— Minha mensagem!

— Eles farão o que você pede.

— Eu sei. Você pode ir, ex-embaixador Kobat.

Kobat quase colidiu com os guardas na porta em sua pressa para sair. Topri fez menção de segui-lo, mas Nayla o pegou e o segurou pelo braço. Topri relanceou o corpo musculoso de Nayla com medo, depois olhou para Siona, que esperava que a porta se fechasse atrás de Kobat antes de falar.

— Essa mensagem não foi dirigida somente aos ixianos, mas também a nós – ela deduziu. – O Verme nos desafia e nos dita as regras do combate.

Topri tentava libertar seu braço da mão de Nayla.

— O que você...

— Topri! – exclamou Siona. – Também sou capaz de enviar uma mensagem. Diga a meu pai que informe ao Verme que aceitamos.

Nayla soltou o braço de Topri. Ele massageou o local que ela havia agarrado.

— Certamente você não...

— Saia enquanto pode e não volte nunca mais – Siona ordenou.

— Você não pode estar insinuando que sus...

— Já disse para sair! Você é inepto, Topri. Frequentei as escolas das Oradoras Peixe durante a maior parte da minha vida. Elas me ensinaram a reconhecer inépcia.

— Kobat estava indo embora. Que mal havia em...

— Ele não sabia apenas quem eu sou, mas também sabia o que roubei da Cidadela! Contudo, o que ele *não* sabia era que eu ia mandar esse pacote para Ix por meio dele. Suas ações me mostraram que o Verme quer que eu mande esses volumes para Ix!

Topri se afastou de Siona, recuando em direção à porta. Anouk e Taw liberaram a passagem, abrindo bem a porta. Siona prosseguiu, falando em sua direção:

— Não tente negar que foi o Verme que falou sobre mim e meu pacote para Kobat! O Verme não manda mensagens ineptas. Diga a ele que falei isso!

ALGUNS DIZEM QUE NÃO TENHO CONSCIÊNCIA. COMO SÃO FALSOS, INCLUSIVE PARA COM ELES MESMOS. SOU A ÚNICA CONSCIÊNCIA QUE JÁ EXISTIU. ASSIM COMO O VINHO RETÉM O AROMA DE SEU BARRIL, RETENHO A ESSÊNCIA DA MINHA GÊNESE MAIS ANTIGA, E ESSA É A SEMENTE DA MINHA CONSCIÊNCIA. ISSO É O QUE ME TORNA SAGRADO. SOU DEUS PORQUE SOU O ÚNICO QUE REALMENTE CONHECE SUA HEREDITARIEDADE!

— Os Diários Roubados

Os inquisidores de Ix, ao se reunirem em assembleia no Grand Palais com a candidata a embaixadora à Corte do Senhor Leto, gravaram as seguintes perguntas e respostas:

INQUISIDOR: A senhora indica que deseja falar conosco acerca dos motivos do Senhor Leto. Fale.
HWI NOREE: Sua Análise Formal não satisfaz as questões que eu levantaria.
INQUISIDOR: Quais questões?
HWI NOREE: Pergunto-me o que motiva o Senhor Leto a aceitar essa transformação hedionda, esse corpo-verme, essa perda de sua humanidade. O senhor sugere, apenas, que ele o fez pelo poder e pela vida prolongada.
INQUISIDOR: Não é o suficiente?
HWI NOREE: Perguntem a si próprios se algum dos senhores pagaria tal preço por um retorno tão irrisório.
INQUISIDOR: Com sua sabedoria infinita, então, diga-nos por que o Senhor Leto escolheu se transformar em verme.

HWI NOREE: Algum dos senhores aqui duvida da habilidade dele de prever o futuro?

INQUISIDOR: Ora essa! Não é pagamento suficiente pela transformação?

HWI NOREE: Ele já possuía a habilidade presciente, como seu pai antes dele. Não! Sugiro que ele tenha incorrido nessa escolha desesperada porque viu em seu futuro algo que apenas este sacrifício seria capaz de prevenir.

INQUISIDOR: Qual foi esse detalhe peculiar que apenas ele viu em nosso futuro?

HWI NOREE: Não sei, mas é o que me proponho a descobrir.

INQUISIDOR: A senhora faz o tirano parecer um servo altruísta do povo!

HWI NOREE: Não era essa uma característica proeminente da família Atreides?

INQUISIDOR: É nisso que as histórias oficiais querem que acreditemos.

HWI NOREE: A História Oral o afirma.

INQUISIDOR: Que outra boa característica a senhora daria ao Verme tirano?

HWI NOREE: Boa característica, meu senhor?

INQUISIDOR: Característica, então.

HWI NOREE: Meu tio Malky repetiu várias vezes que o Senhor Leto era dado a ímpetos de demasiada tolerância para com certos companheiros.

INQUISIDOR: Outros companheiros ele executa sem razão aparente.

HWI NOREE: Acho que existem motivos e meu tio Malky deduziu alguns deles.

INQUISIDOR: Conte-nos uma dessas deduções.

HWI NOREE: Ameaças ineptas a sua pessoa.

INQUISIDOR: De fato, ineptas!
HWI NOREE: Ele não tolera pretensões. Recordem-se da execução dos historiadores e da destruição de seus trabalhos.
INQUISIDOR: Ele não quer que a verdade seja conhecida!
HWI NOREE: Ele disse a meu tio Malky que os historiadores mentiam sobre o passado. Vejam bem! Quem poderia saber do passado melhor do que ele? Todos sabemos acerca da sua introversão.
INQUISIDOR: Que prova temos de que todos os seus ancestrais vivem dentro dele?
HWI NOREE: Não vou entrar nessa discussão infrutífera. Apenas direi que acredito com base na opinião de meu tio Malky e em seus motivos para tal.
INQUISIDOR: Lemos o relatório de seu tio e o interpretamos de outra forma. Malky tinha demasiado apreço pelo Verme.
HWI NOREE: Meu tio o descrevia como o diplomata mais supremamente capaz do Império, um mestre da conversação e conhecedor de qualquer assunto que possa ser elencado.
INQUISIDOR: Seu tio não falou da brutalidade do Verme?
HWI NOREE: Meu tio o julgava, em última análise, civilizado.
INQUISIDOR: Perguntei sobre brutalidade.
HWI NOREE: Capaz de brutalidade, sim.
INQUISIDOR: Seu tio o temia.
HWI NOREE: Ao Senhor Leto falta qualquer traço de inocência e ingenuidade. Ele deve ser temido apenas quando finge possuir tais características. Era o que meu tio dizia.
INQUISIDOR: Sim, eram essas suas palavras.

HWI NOREE: Mais que isso! Malky dizia: "O Senhor Leto se encanta com a genialidade e a diversidade surpreendentes da humanidade. Ele é minha companhia predileta".

INQUISIDOR: Concedendo-nos o benefício de sua sabedoria suprema, como a senhora interpreta essas palavras do seu tio?

HWI NOREE: Não me ridicularize!

INQUISIDOR: Não ridicularizamos. Buscamos o esclarecimento.

HWI NOREE: Essas palavras de Malky, bem como muitas outras que ele escreveu diretamente para mim, sugerem que o Senhor Leto sempre busca novidade e originalidade, mas ele é atento ao potencial destrutivo dessas coisas. Assim acreditava meu tio.

INQUISIDOR: Existe algo mais que a senhora deseje acrescentar a essas opiniões que partilha com seu tio?

HWI NOREE: Não vejo razão para acrescentar nada ao que já falei. Desculpe-me por desperdiçar o tempo dos inquisidores.

INQUISIDOR A senhora não desperdiçou nosso tempo. Está confirmada como embaixadora da Corte do Senhor Leto, o Imperador Deus do universo conhecido.

> VOCÊS DEVEM SE LEMBRAR DE QUE TENHO À MINHA DISPOSIÇÃO INTERNA TODAS AS ESPECIALIDADES CONHECIDAS DE NOSSA HISTÓRIA. ESSA É A RESERVA DE ENERGIA A QUAL UTILIZO QUANDO ME DIRIJO À MENTALIDADE DA GUERRA. SE VOCÊ NUNCA OUVIU OS GRITOS LAMURIOSOS DOS FERIDOS E DOS MORIBUNDOS, NÃO CONHECE A GUERRA. OUVI ESSES LAMENTOS TANTAS VEZES QUE ELES ME PERSEGUEM. EU MESMO JÁ GRITEI DEPOIS DE UMA BATALHA. SOFRI FERIMENTOS EM TODAS AS ÉPOCAS: FERIMENTOS DE SOCOS E DE CLAVAS E DE PEDRAS; DE ARMAS CRAVEJADAS E ESPADAS DE BRONZE; DE MAÇAS E CANHÕES; DE FLECHAS E ARMALESES E DO SILENCIOSO SUFOCAR DA POEIRA ATÔMICA; DE INVASÕES BIOLÓGICAS QUE ESCURECEM A LÍNGUA E AFOGAM OS PULMÕES; DA REPENTINA ERUPÇÃO DE CHAMAS E DO SILENCIOSO TRABALHO DOS VENENOS QUE FAZEM EFEITO LENTAMENTE... E TANTOS OUTROS QUE NÃO VOU RECONTAR! VI E SENTI TODOS ELES. PARA AQUELES QUE OUSAM PERGUNTAR POR QUE ME COMPORTO DE DETERMINADA MANEIRA, DIGO: COM MINHAS MEMÓRIAS, NÃO POSSO FAZER NENHUMA OUTRA COISA. NÃO SOU UM COVARDE E UM DIA FUI HUMANO.
>
> — Os Diários Roubados

Durante a estação quente, quando os controladores dos satélites meteorológicos eram forçados a lutar contra os ventos que cruzavam os mares grandes, muitas vezes a noite assistia às chuvas nos limites do Sareer. Moneo, chegando de uma de suas inspeções periódicas dos perímetros da Cidadela, foi pego por uma chuva repentina. A noite caiu antes que ele alcançasse um abrigo. Uma guarda Oradora Peixe o ajudou a tirar sua capa molhada no portal sul. Ela era corpulenta e atarracada, um tipo que Leto apreciava para ser sua guardiã.

— Aqueles malditos controladores meteorológicos deviam levar um corretivo — disse ela enquanto lhe devolvia a capa molhada.

Moneo lhe devolveu um aceno curto com a cabeça antes de começar a subida para seus aposentos. Todas as guardas Oradoras Peixe sabiam da aversão do Imperador Deus à umidade, mas nenhuma delas o distinguia de Moneo.

É o Verme que detesta água, pensou Moneo. *Shai-hulud anseia por Duna.*

Em seus aposentos, Moneo se enxugou e vestiu roupas secas antes de descer até a cripta. Não havia motivo para incitar o antagonismo do Verme. Conversar com Leto sem ser interrompido era necessário naquele momento, uma conversa simples sobre a iminente peregrinação ao Festival da Cidade de Onn.

Apoiando-se contra uma parede no elevador que descia, Moneo fechou os olhos. De imediato, a fadiga se apoderou dele. Sabia que havia dias que não dormia o suficiente e que não existia descanso à frente. Ele invejou a liberdade aparente da necessidade de dormir de Leto. Algumas horas de semirrepouso por mês eram suficientes para o Imperador Deus.

O odor da cripta e a parada do elevador despertaram Moneo de sua soneca. Ele abriu os olhos e olhou para o Imperador Deus em seu coche, ao centro da câmara ampla. Moneo se recompôs e andou por aquele longo e familiar caminho em direção à terrível presença. Como esperado, Leto parecia alerta. Isso, pelo menos, era um bom sinal.

Leto escutara a aproximação do elevador e viu Moneo despertar. O homem parecia cansado e isso era compreensível. A peregrinação a Onn ocorreria simultaneamente ao trabalho cansativo dos visitantes de fora do planeta, o ritual com as Oradoras Peixe, os novos embaixadores, a mudança da Guarda Imperial, as aposentadorias e nomeações, e agora ajustar um novo ghola Duncan Idaho ao trabalho ininterrupto do aparato Imperial. Moneo estava ocupado com inúmeros detalhes e estava começando a demonstrar a idade.

Deixe-me ver, pensou Leto. *Moneo vai completar 118 anos na semana após seu retorno de Onn.*

O homem poderia viver muito mais do que isso se ingerisse a especiaria, mas ele se recusava. Leto não tinha dúvidas quanto ao motivo. Moneo havia entrado naquele peculiar estado humano em que desejava a morte. Ele sobrevivia agora apenas para ver Siona instalada no Serviço Real, a próxima diretora da Sociedade Imperial das Oradoras Peixe.

Minhas huris, como Malky costumava chamá-las.

Moneo sabia que era intenção de Leto fazer com que Siona e um Duncan procriassem. Era a hora.

Moneo parou a dois passos do coche e olhou para Leto. Algo em seus olhos fez Leto se lembrar da expressão no rosto de um sacerdote pagão nos tempos terranos, uma súplica ardilosa no templo familiar.

– O Senhor passou várias horas observando o novo Duncan – disse Moneo. – Os Tleilaxu alteraram as células ou a psique dele?

– Ele está imaculado.

Um suspiro longo balançou Moneo. Não havia prazer nele.

– Você tem alguma objeção a seu uso como garanhão? – perguntou Leto.

– Penso que seja peculiar considerá-lo tanto como ancestral e pai dos meus descendentes.

– Ele me dá acesso a um cruzamento de primeira geração entre uma forma humana antiga e os produtos atuais do meu plano de reprodução. Siona está 21 gerações afastada de tal união.

– Não consigo ver o propósito. Os Duncan são mais lentos e menos alertas do que qualquer um na sua Guarda.

– Não busco uma boa prole segregante, Moneo. Você acha que não tenho consciência da progressão geométrica ditada pelas leis que governam meu plano de reprodução?

– Vi seu livro de linhagens, Senhor.

– Então você sabe que acompanho os recessivos e os remove da equação. Os genes-chave dominantes são minha preocupação.

– E as mutações, Senhor? – Uma mudança dissimulada na voz de Moneo fez com que Leto estudasse atentamente o homem.

— Não discutiremos esse assunto, Moneo.

Leto viu Moneo se recolher de volta em seu casco de cautela.

Quão extremamente sensível ele é a minhas mudanças de humor, pensou Leto. *Acredito que tenha algumas de minhas habilidades nesse aspecto, apesar de elas operarem em um nível inconsciente. Sua pergunta sugere que ele suspeita do que alcançamos com Siona.*

Para testar isso, Leto declarou:

— Está claro para mim que você ainda não entende o que tento alcançar com meu plano de reprodução.

Moneo se animou.

— Meu Senhor sabe que tento compreender as regras do plano.

— Leis tendem a ser temporárias a longo prazo, Moneo. Não existe tal coisa como uma criatividade governada por regras.

— Mas o Senhor mesmo fala das leis que regem seu plano de reprodução.

— O que acabei de dizer a você, Moneo? Tentar encontrar regras para criação é como separar a mente do corpo.

— Algo está evoluindo, Senhor. Posso perceber em mim mesmo!

Ele pode perceber em si próprio! Caro Moneo. Ele está tão perto.

— Por que você sempre procura por traduções completamente derivativas, Moneo?

— Ouvi o Senhor falar de *evolução transformacional*. É o rótulo em seu livro de linhagens, mas com que surpresa...

— Moneo! Regras mudam a cada surpresa.

— O Senhor não tem em mente o aperfeiçoamento da linhagem humana?

Leto o fitou, pensando: *Se eu usar a palavra-chave agora, ele entenderá? Talvez...*

— Sou um predador, Moneo.

— Pred... — Moneo parou de falar e balançou a cabeça. Ele sabia o significado da palavra, pensou, mas a palavra em si o chocou. O Imperador Deus estava brincando?

— Predador, Senhor?

— O predador melhora a linhagem.

— Como pode ser? O Senhor não nos odeia.

— Você me desaponta, Moneo. O predador não odeia sua presa.

— Predadores matam, Senhor.

— Mato, mas não odeio. A presa sacia a fome. A presa é boa.

Moneo perscrutou o rosto de Leto em seu capuz cinza.

Não percebi a chegada do Verme?, perguntou-se Moneo.

Temeroso, Moneo procurou pelos sinais. Não havia tremores no corpo gigante, os olhos não estavam embaçados, as barbatanas inúteis não estavam se retorcendo.

— O Senhor tem fome de quê? — Moneo se aventurou.

— De uma humanidade que possa de fato tomar decisões a longo prazo. Você sabe qual é a chave para essa habilidade, Moneo?

— O Senhor disse várias vezes. É a habilidade de mudar de ideia.

— Mudar, sim. Você sabe o que quero dizer com longo prazo?

— Para o Senhor, deve ser medido em milênios.

— Moneo, mesmo meus milhares de anos não são mais que uma partícula insignificante em relação ao Infinito.

— Sua perspectiva deve ser diferente da minha, Senhor.

— Na visão do Infinito, qualquer longo prazo que seja definido é curto prazo.

— Então não existem regras, Senhor? — A voz de Moneo carregava um leve tom de histeria.

Leto sorriu para acalmar as tensões do homem.

— Talvez uma. Decisões de curto prazo tendem a falhar no longo prazo.

Moneo balançou a cabeça em frustração.

— Senhor, sua perspectiva é...

— O tempo se esgota para qualquer observador finito. Não há sistemas fechados. Mesmo eu apenas estendo a matriz finita.

Moneo desviou sua atenção do rosto de Leto e olhou para as profundezas dos corredores do mausoléu. *Estarei aqui um dia. O Caminho*

Dourado continuará, mas eu terminarei. Isso não tinha importância, é claro. Apenas o Caminho Dourado, que ele podia sentir em uma continuação ininterrupta, apenas *aquilo* importava. Ele voltou sua atenção para Leto, mas não para seus olhos totalmente azuis. Será que realmente havia um predador escondido naquele corpo repugnante?

– Você não entende a função de um predador – disse Leto.

As palavras abalaram Moneo, porque aquilo parecia leitura de mente. Ele levantou a cabeça e fitou os olhos de Leto.

– Você sabe *intelectualmente* que até mesmo eu, algum dia, sofrerei uma espécie de morte – Leto falou. – Só que você não acredita nisso.

– Como posso acreditar no que nunca verei?

Moneo jamais havia sentido tanta solidão e medo. O que o Imperador Deus estava fazendo? *Desci aqui para discutir os problemas da peregrinação... e para descobrir suas intenções a respeito de Siona. Ele está brincando comigo?*

– Falemos sobre Siona – Leto prosseguiu.

Leitura de mente mais uma vez!

– Quando o Senhor vai testá-la? – A pergunta parecia estar esperando à beira de sua percepção o tempo todo, mas, agora que ele a havia proferido, Moneo teve medo.

– Em breve.

– Perdoe-me, mas certamente o Senhor sabe o quanto temo pelo bem-estar de minha única filha.

– Outros sobreviveram ao teste, Moneo. Você sobreviveu.

Moneo engoliu em seco, lembrando-se de como havia se sensibilizado ao Caminho Dourado.

– Minha mãe me preparou. Siona não tem mãe.

– Ela tem as Oradoras Peixe. Ela tem você.

– Acidentes acontecem, Senhor.

Lágrimas brotaram nos olhos de Moneo.

Leto desviou o olhar dele, pensando: *Está dividido pela sua lealdade por mim e seu amor por Siona. Quão pungente é essa preocupação com a prole. Ele não consegue ver que toda a humanidade é* minha *única filha?*

Retornando sua atenção a Moneo, Leto disse:

— Você está certo em observar que acidentes acontecem, mesmo em meu universo. Isso não lhe ensina nada?

— Senhor, apenas desta vez, não poderia...

— Moneo! Certamente você não está me pedindo para delegar minha autoridade a um administrador fraco.

Moneo recuou um passo.

— Não, Senhor. Claro que não.

— Então confie na força de Siona.

Moneo alinhou os ombros.

— Farei o que for necessário.

— Siona deve ser despertada para seus afazeres como uma Atreides.

— Sim, é claro, Senhor.

— Não é esse nosso compromisso, Moneo?

— Não o nego, Senhor. Quando o Senhor vai apresentá-la ao novo Duncan?

— O teste vem primeiro.

Moneo olhou para o chão frio da cripta.

Ele fita o chão tantas vezes, pensou Leto. *O que possivelmente vê aí? Serão os rastros milenares de meu coche? Ahhh, não... ele olha para as profundezas, para os domínios de preciosidades e mistérios nos quais logo espera entrar.*

Uma vez mais, Moneo levantou o olhar para o rosto de Leto, e comentou:

— Espero que ela goste da companhia do Duncan, Senhor.

— Esteja certo disso. Os Tleilaxu o trouxeram até mim com uma imagem inalterada.

— Isso é tranquilizador, Senhor.

— Sem dúvida você deve ter notado que o genótipo dele é marcadamente atrativo para as mulheres.

— Já percebi, Senhor.

— Há algo naqueles olhos gentis e observadores, naquelas características fortes, naquele cabelo negro espesso como o de um cabrito que desarma por completo a alma feminina.

— Como o Senhor assim o diz.

— Você sabe que ele está agora com as Oradoras Peixe?

— Fui informado, Senhor.

Leto sorria. Claro que Moneo havia sido informado.

— Ele será trazido até mim logo, para sua primeira visão do Imperador Deus.

— Inspecionei pessoalmente a sala de audiências, Senhor. Está tudo pronto.

— Às vezes penso que você deseja me enfraquecer, Moneo. Deixe alguns desses detalhes para mim.

Moneo tentou esconder uma onda de medo. Curvou-se e recuou.

— Sim, Senhor, mas existem coisas as quais devo fazer.

Virando-se, ele apertou o passo. Foi apenas depois que o elevador começou a subir que Moneo percebeu que havia saído sem ter sido dispensado.

Ele deve saber quanto estou cansado. Ele perdoará.

SEU SENHOR SABE MUITO BEM O QUE ESTÁ EM SEU CORAÇÃO.
NESTE DIA, SUA ALMA É ACUSAÇÃO SUFICIENTE. NÃO
PRECISO DE OUTRAS TESTEMUNHAS. VOCÊ NÃO OUVE SUA
ALMA, MAS, EM VEZ DELA, OUVE A SUA RAIVA E FÚRIA.

– Senhor Leto a um penitente, da História Oral

A seguinte avaliação do estado do Império no ano 3508 do reinado do Senhor Leto é tirada do Breviário Welbeck. O original está nos Arquivos da Casa Capitular da Ordem das Bene Gesserit. Uma comparação revela que as supressões não afetaram a precisão essencial deste relato.

Em nome de nossa Sagrada Ordem e de sua inquebrantável Irmandade, esse relato foi julgado confiável e merecedor de entrar nas Crônicas da Casa Capitular.

As irmãs Chenoeh e Tawsuoko retornaram a salvo de Arrakis para relatar a confirmação da execução longamente suspeita de nove historiadores que desapareceram da Cidadela no ano 2116 do reinado do Senhor Leto. As irmãs relataram que os nove foram deixados inconscientes, depois queimados nas piras de seus próprios trabalhos publicados. Tal relato corresponde com exatidão às histórias que se espalharam pelo Império à época. As descrições daqueles tempos foram consideradas originadas pelo próprio Senhor Leto.

As irmãs Chenoeh e Tawsuoko trazem os registros manuscritos de uma testemunha ocular, a qual diz que, quando o Senhor Leto recebeu uma petição de outros historiadores em busca de informações sobre seus colegas, o Senhor Leto declarou:

– Foram destruídos porque mentiram pretensiosamente. Não temam que minha ira recaia sobre vocês devido a seus erros inocentes. Não obtenho prazer em criar mártires. Mártires tendem a estabelecer eventos dramáticos que vagam a esmo pelos assuntos humanos.

Drama é um dos alvos da minha predação. Tremam apenas se construírem descrições falsas e continuarem a defendê-las orgulhosamente. Saiam agora e não falem sobre isso.

Evidência interna do registro manuscrito identifica o autor como Ikonicre, senescal do Senhor Leto no ano 2116.

Atenção é devida ao uso da palavra *predação* pelo Senhor Leto. Isso é altamente sugestivo, tendo em vista as teorias avançadas da Reverenda Madre Syaksa de que o Imperador Deus se veja como um predador no sentido *natural*.

A irmã Chenoeh foi convidada a viajar com as Oradoras Peixe em uma comitiva que acompanha uma das infrequentes peregrinações de Leto. Em um trecho ela foi convidada a marchar ao lado do Coche Real e conversar com o próprio Senhor Leto. Ela relata a conversa da forma a seguir:

— Aqui, na Estrada Real, às vezes me sinto como se estivesse no alto de muralhas, protegendo-me contra invasores — dissera o Senhor Leto.

— Ninguém o ataca aqui, Senhor — a irmã Chenoeh retrucara.

— Você, Bene Gesserit, me assalta por todos os lados — argumentara Leto. — Inclusive, neste momento, você tenta subornar minhas Oradoras Peixe.

A irmã Chenoeh conta que se preparou para a morte, mas o Imperador Deus simplesmente refreara seu coche e olhara além da mulher, na direção de sua comitiva. Ela diz que outros pararam e esperaram na estrada em uma submissão bem treinada, todos a uma distância respeitável.

— Essa é minha pequena multidão e eles me contam tudo. Não negue minha acusação — dissera o Senhor Leto.

— Não a nego — concedera a irmã Chenoeh.

O Senhor Leto voltara os olhos para ela então e falara:

— Não tema por sua pessoa. É meu desejo que você relate minhas palavras em sua Casa Capitular.

A irmã Chenoeh disse que pôde perceber que o Senhor Leto sabia tudo sobre ela, sobre sua missão, seu treinamento especial como gravadora oral, tudo.

— Ele era como uma Reverenda Madre — ela contou. — Eu não era capaz de esconder nada dele.

O Senhor Leto então ordenara a ela:

— Olhe na direção da minha Cidade Festival e diga-me o que vê.

Irmã Chenoeh virara-se para Onn e descrevera:

— Vejo a Cidade a distância. É bonita sob a luz da manhã. Eis sua floresta à direita. Há tantos tons de verde nela que eu poderia passar o dia descrevendo-os. À esquerda e ao redor da Cidade estão as casas e os jardins de seus serviçais. Alguns deles parecem muito ricos e outros parecem muito pobres.

— Nós atulhamos essa paisagem! — exclamara o Senhor Leto. — Árvores são um atulho. Casas, jardins... não se pode exultar novos mistérios com tal paisagem.

A irmã Chenoeh, encorajada pela garantia do Senhor Leto, perguntara:

— O Senhor de fato quer mistérios?

— Não há liberdade espiritual exterior nesta paisagem — respondera o Senhor Leto. — Você não consegue ver? Não existe aqui um universo aberto para ser compartilhado. Tudo está fechado: portas, trincos, cadeados!

— A humanidade não precisa mais de privacidade nem de proteção? — questionara a irmã Chenoeh.

— Quando a senhora retornar, diga a suas irmãs que restaurarei a visão exterior — falara o Senhor Leto. — Uma paisagem como essa leva ao interior, na busca de qualquer liberdade que seus espíritos possam encontrar lá dentro. A maioria dos humanos não é forte o suficiente para encontrar a liberdade interior.

— Relatarei suas palavras de forma precisa, Senhor — aquiescera a irmã Chenoeh.

— Trate de fazê-lo — o Senhor Leto ordenara. — Diga a suas irmãs também que, de todas as pessoas, as Bene Gesserit devem saber dos perigos da reprodução por uma característica particular, de buscar um objetivo genético definido.

A irmã Chenoeh conta que essa foi uma óbvia referência ao pai do Senhor Leto, Paul Atreides. Note-se que nosso plano de reprodução alcançou o Kwisatz Haderach uma geração antes. Ao se tornar Muad'Dib, o líder dos fremen, Paul Atreides escapou ao nosso controle. Não há dúvida de que ele era um homem com os poderes de uma Reverenda Madre e muitos outros, pelos quais a humanidade ainda está pagando um preço alto. Como dissera o Senhor Leto:

— Vocês conseguiram o inesperado. Tiveram a mim, um curinga. E eu obtive Siona.

O Senhor Leto se recusou a elaborar sobre essa referência à filha de seu senescal, Moneo. A questão está sendo investigada.

Em outros assuntos de interesse da Casa Capitular, nossas investigadoras nos supriram com informações sobre:

AS ORADORAS PEIXE

As legiões femininas do Senhor Leto elegeram suas representantes para participar do Festival Decenal de Arrakis. Três representantes de cada tropa planetária vão participar. (*Veja a lista das escolhidas anexa.*) Como sempre, nenhum adulto do sexo masculino participará, nem mesmo consortes das oficiais Oradoras Peixe. A lista de consortes mudou muito pouco nesse relatório periódico. Acrescentamos os novos nomes com informação genealógica, quando disponível. Note-se que apenas dois nomes podem ser marcados como descendentes dos gholas Duncan Idaho. Não podemos adicionar nada de novo acerca de nossas especulações sobre o uso de gholas no plano de reprodução de Leto.

Nenhum de nossos esforços para formar uma aliança entre as Oradoras Peixe e as Bene Gesserit obteve sucesso durante esse período. O Senhor Leto continua a aumentar o tamanho de certas guarnições. Ele também continua enfatizando as missões alternativas das Oradoras Peixe, diminuindo a ênfase em suas missões militares. Isso teve o resultado esperado de aumentar a admiração, o respeito e a *gratidão* locais pela presença das guarnições das Oradoras Peixe. (*Veja, anexa, a lista de guarnições que aumentaram de tamanho. Nota do Editor: As únicas tropas pertinentes eram aquelas nos planetas originais das Bene Gesserit, ixianos e dos Tleilaxu. Os monitores da Guilda Espacial não aumentaram.*)

SACERDÓCIO

Exceto pelas poucas mortes naturais e substituições listadas nos anexos, não houve mudanças significativas. Tais consortes e oficiais delegados para atuar nos trabalhos rituais permanecem limitados, seus poderes abreviados pela necessidade das contínuas consultas com Arrakis antes da tomada de qualquer medida importante. É opinião da Reverenda Madre Syaksa e de algumas outras que o caráter religioso das Oradoras Peixe está sofrendo uma lenta involução.

PLANO DE REPRODUÇÃO

Além da inexplicável referência a Siona e o nosso fracasso com o pai dele, não temos nada de significativo a adicionar ao nosso persistente monitoramento do plano de reprodução do Senhor Leto. Há evidência de certa aleatoriedade em seu plano, a qual é reforçada pela declaração do Senhor Leto sobre *objetivos genéticos*, mas não podemos estar certas de que ele estava sendo sincero com a Irmã Chenoeh. Chamamos a atenção para as diversas ocasiões em que ele mentiu ou mudou de direção dramaticamente e sem nenhum aviso.

O Senhor Leto continua a proibir nossa participação em seu plano de reprodução. Suas monitoras de nossa guarnição de Oradoras Peixe permanecem inflexíveis em desarraigar aqueles nascimentos dentre nossos números, os quais elas consideram como "ervas daninhas". Apenas com os controles mais restritivos conseguimos manter o nível de Reverendas Madres durante este relatório periódico. Nossos protestos são ignorados. Em resposta a um questionamento direto da irmã Chenoeh, o Senhor Leto declarou:

– Agradeçam por aquilo que possuem.

Esse alerta é devidamente marcado aqui. Transmitimos uma graciosa carta de agradecimento ao Senhor Leto.

ECONOMIA

A Casa Capitular continua a manter-se solvente, mas as medidas conservadoras não podem ser aliviadas. Aliás, como precaução, algumas novas medidas serão instituídas até o próximo relatório. Elas incluem uma redução nos usos rituais do mélange e um aumento nas taxas cobradas por nossos serviços habituais. Esperamos dobrar o preço para a educação das mulheres das Casas Maiores no decorrer dos quatro próximos relatórios. As senhoras ficam, então, incumbidas de começar a preparação de seus argumentos em defesa dessa decisão.

O Senhor Leto negou nossa petição para um aumento em nosso lote de mélange. Nenhuma razão foi dada.

Nossa relação com o Consórcio Honnête Ober Advancer Mercantiles permanece em bases sólidas. A Companhia CHOAM realizou, no período precedente, um cartel regional em Joias Estelares, um projeto com o qual ganhamos um retorno substancial por nossas funções de assessoria e negociação. Os lucros advindos desse acordo devem mais do que compensar nossas perdas em Giedi Primo. O investimento em Giedi Primo foi cancelado.

CASAS MAIORES

Trinta e uma das antigas Casas Maiores sofreram um desastre econômico no período deste relatório. Apenas seis conseguiram manter o status de Casa Menor. (*Veja a lista anexa.*) Esse fato dá continuidade à tendência geral observada nos últimos mil anos, quando as outrora Casas Maiores se desfizeram lentamente em segundo plano. Deve ser notado que as seis que evitaram o desastre total eram todas investidoras pesadas na CHOAM e que cinco delas estavam envolvidas profundamente com o projeto Joia Estelar. A única exceção tinha um portfólio diversificado, incluindo um investimento substancial em antigas peles de baleia de Caladan.

(*Nossas reservas de arroz ponji quase dobraram neste período à custa de nossos fundos em pele de baleia. As razões para essa decisão serão comentadas no próximo período.*)

VIDA FAMILIAR

Como foi observado por nossas investigadoras durante os dois mil anos anteriores, a homogeneização da vida familiar continua inalterada. As exceções são as esperadas: a Guilda, as Oradoras Peixe, os Cortesões Reais, os Dançarinos Faciais metamorfos de Tleilaxu (que ainda são mulos, apesar de todos os nossos esforços para mudar essa condição) e nossa própria situação, naturalmente.

Deve ser notado que as condições familiares tornam-se cada vez mais similares, sem distinção do planeta de residência, uma circunstância que não pode ser atribuída ao acaso. Aqui vemos emergir uma parcela do grande projeto do Senhor Leto. Mesmo as famílias mais pobres estão bem alimentadas, mas as circunstâncias da vida diária ficam cada vez mais estáticas.

Lembramos às senhoras de uma declaração do Senhor Leto a qual foi aqui relatada quase oito gerações atrás:

– Sou o único espetáculo restante no Império.

A Reverenda Madre Syaksa propôs uma explicação teórica para essa tendência, uma teoria a qual muitas de nós estão começando a compartilhar. A RM Syaksa atribui ao Senhor Leto uma motivação baseada no conceito do despotismo hidráulico. Como as senhoras sabem, o despotismo hidráulico é possível apenas quando uma substância, ou condição da qual a vida dependa completamente, pode ser controlada por uma força relativamente pequena e centralizada. O conceito de despotismo hidráulico teve sua origem quando o fluxo de água de irrigação aumentou as populações locais a um nível de demanda de absoluta dependência. Quando a água foi desligada, pessoas morreram em grande número.

Esse fenômeno se repetiu várias vezes na história da humanidade, com água e produtos de terras aráveis, com combustíveis de hidrocarbono tais como o petróleo e o carvão, que eram controlados por dutos tubulares e outras redes de distribuição. Certa vez, quando a distribuição de eletricidade era formada apenas por labirintos complicados de fios pendurados ao redor da paisagem, até mesmo essa fonte de energia fez as vezes de despotismo hidráulico.

A RM Syaksa propõe que o Senhor Leto esteja construindo o Império em direção a uma dependência ainda maior de mélange. Ressalta-se que o processo de envelhecimento poderia ser considerado uma doença para a qual o mélange seja o tratamento específico, apesar de não ser a cura. A RM Syaksa afirma que o Senhor Leto pode, inclusive, chegar a ponto de introduzir uma nova doença que só possa ser suprimida pelo mélange. Apesar de a hipótese parecer absurda, não deve ser descartada de imediato. Coisas mais estranhas já aconteceram e não podemos negligenciar o papel da sífilis nos primórdios da história humana.

TRANSPORTE/GUILDA

O sistema de transporte de modo triplo, outrora restrito a Arrakis (quer dizer, a pé com cargas pesadas, relegadas a estrados erguidos por suspensores; pelo ar via ornitóptero; ou fora do planeta pelo transporte da Guilda), está dominando cada vez mais os planetas do Império. Ix é a principal exceção.

Atribuímos isso em parte à involução planetária ao estilo de vida sedentário e estático; e em parte é a tentativa de copiar o padrão de Arrakis. A aversão generalizada aos padrões ixianos ocupa uma parte importante dessa tendência. Há também o fato de as Oradoras Peixe promoverem esse padrão como forma de reduzir seu trabalho de manter a ordem.

Sobre a participação da Guilda nessa tendência está a absoluta dependência dos Navegadores por mélange. Estamos, portanto, mantendo uma vigilância estreita sobre o esforço conjunto entre a Guilda e Ix para desenvolver um substituto mecânico para os talentos de predição dos Navegadores. Sem o mélange ou outros meios de projetar o curso de um paquete, toda viagem transluz da Guilda corre o risco de acabar em desastre. Apesar de não estarmos muito otimistas quanto a esse projeto Guilda-Ixiano, existe sempre uma possibilidade e o incluiremos no relatório conforme as condições se delinearem.

O IMPERADOR DEUS

Além de pequenos aumentos no crescimento, notamos poucas mudanças nas características corporais do Senhor Leto. Uma suposta aversão à agua não foi confirmada, embora o uso da água como barreira contra os vermes da areia de Duna esteja bem documentado em nossos relatórios, como está a *morte-por-água*, pela qual os fremen matavam pequenos vermes para produzir a essência de especiaria empregada em suas orgias.

Existem evidências consideráveis para crer que o Senhor Leto aumentou sua vigilância sobre Ix, possivelmente devido ao projeto Guilda-Ixiano. Certamente, o sucesso desse projeto reduziria seu controle sobre o Império.

Ele continua a comerciar com Ix, solicitando partes de reposição para seu Coche Real.

Os Tleilaxu enviaram um novo ghola Duncan Idaho para o Senhor Leto. Isso certamente indica que o ghola anterior está morto, ainda que o modo como foi morto seja desconhecido. Chamamos a atenção das senhoras para indicações anteriores de que o próprio Senhor Leto tenha matado alguns de seus gholas.

Há evidências crescentes de que o Senhor Leto usa computadores. Se ele estiver, de fato, desafiando suas próprias proibições e as proscrições do Jihad Butleriano, a posse de provas por nossa parte poderia aumentar nossa influência sobre ele, possivelmente até a extensão de certos consórcios que temos há muito contemplado. O controle soberano de nosso plano de reprodução ainda é uma preocupação primordial. Vamos continuar nossa investigação, no entanto, com a seguinte ressalva:

Da mesma forma que cada relatório precedente a este, precisamos tratar da presciência do Senhor Leto. Não há dúvida de que sua habilidade de prever eventos futuros, uma habilidade oracular muito mais poderosa do que a de quaisquer de seus ancestrais, ainda é o pilar do seu controle político.

Não a desafiamos!

Acreditamos que ele conheça cada ação importante que tomamos, muito antes que o evento aconteça. Nós nos guiamos, consequentemente, pela regra de que não vamos ameaçar nem sua pessoa nem seu grande projeto conforme o discernimos. Nossas diretivas em relação a ele continuam a ser:

— Conte-nos se o estivermos ameaçando de modo que possamos desistir.

E:

— Conte-nos de seu grande projeto para que possamos ajudá-lo.

Ele não nos concedeu novas respostas para nenhuma de nossas perguntas durante esse período.

OS IXIANOS

Além do projeto Guilda-Ixiano, há pouco de significativo para reportar. Ix está enviando uma nova embaixadora à Corte do Senhor Leto, uma Hwi Noree, sobrinha de Malky, o qual certa vez foi reconhecido como um amigo íntimo do Imperador Deus. A razão para a escolha dessa substituta não é conhecida, apesar de existir um pequeno conjunto de evidências de que esta Hwi Noree foi criada com um propósito específico, possivelmente como a representante ixiana na Corte. Temos razões para acreditar que Malky também foi desenvolvido geneticamente levando em consideração esse contexto oficial.

Continuaremos a investigação.

OS FREMEN DE MUSEU

Essas relíquias degeneradas daqueles que no passado foram guerreiros orgulhosos continuam sendo nossa maior fonte de informação confiável sobre o que ocorre em Arrakis. Representam um dos maiores itens orçamentários em nosso próximo período de relatório porque suas custas estão aumentando e nós não ousamos antagonizá-los.

É interessante ressaltar que, apesar de a vida deles possuir pouca semelhança com aquela de seus ancestrais, sua execução dos rituais fremen e sua habilidade de imitar as maneiras dos fremen continuam sem falhas. Atribuímos isso à influência das Oradoras Peixe no treinamento dos fremen.

OS TLEILAXU

Não esperamos que o novo ghola Duncan Idaho nos proporcione surpresas. Os Tleilaxu continuam sofrendo represálias pela reação do Senhor Leto a sua única tentativa de mudar a natureza celular e a psique do original.

Um enviado recente dos Tleilaxu renovou suas tentativas em atrair-nos para um consórcio, com o propósito declarado de produzir uma sociedade totalmente feminina, sem necessidade de homens. Por todas as razões óbvias, incluindo nossa desconfiança inerente dos Tleilaxu, nossa costumeira e polida negativa. Nossa embaixada junto ao Festival Decenal do Senhor Leto fará um relatório completo sobre esse assunto para ele.

Subscrevemo-nos respeitosamente:

As Reverendas Madres Syaksa, Yitob, Mamulut, Eknekosk e Akeli.

POR MAIS ESTRANHO QUE POSSA PARECER, GRANDES LUTAS COMO AS QUE VOCÊ PODE VER EMERGINDO DOS MEUS DIÁRIOS NEM SEMPRE SÃO VISÍVEIS AOS PARTICIPANTES. MUITO DEPENDE DO QUE AS PESSOAS SONHAM NOS RECÔNDITOS DE SEUS CORAÇÕES. SEMPRE ME PREOCUPEI TANTO COM A FORMAÇÃO DOS SONHOS QUANTO COM A FORMAÇÃO DAS AÇÕES. NAS ENTRELINHAS DE MEUS DIÁRIOS ESTÁ A LUTA COM A VISÃO QUE A HUMANIDADE TEM DE SI MESMA: UMA DISPUTA FATIGANTE EM UM CAMPO ONDE MOTIVOS DO NOSSO PASSADO SOMBRIO PODEM SER REPRESADOS A PARTIR DE UMA RESERVA INCONSCIENTE E SE TORNAR EVENTOS COM OS QUAIS NÃO APENAS TEREMOS DE VIVER, MAS COMBATER. É O MONSTRO COM CABEÇAS DE HIDRA, QUE SEMPRE ATACA O SEU PONTO CEGO. REZO, PORTANTO, PARA QUE, QUANDO VOCÊS TIVEREM ATRAVESSADO MEU TRECHO DO CAMINHO DOURADO, NÃO SEJAM MAIS CRIANÇAS INOCENTES DANÇANDO AO SOM DE UMA MÚSICA QUE NÃO SÃO CAPAZES DE ESCUTAR.

— Os Diários Roubados

Nayla se movia a passos ritmados e lentos conforme subia as escadas circulares até a sala de audiências do Imperador Deus, no topo da torre sul da Cidadela. Cada vez que atravessava o arco sudoeste da torre, as janelas estreitas desenhavam linhas douradas definidas pela poeira através de seu caminho. Ela sabia que a parede central ao seu lado continha um elevador de fabricação ixiana grande o bastante para carregar o corpanzil de seu Senhor até a câmara acima, certamente grande o bastante para levar seu próprio corpo, relativamente menor, mas ela não se ressentia do fato de ser obrigada a usar as escadas.

A brisa através das aberturas estreitas trazia a ela o cheiro abrasado de pederneira da areia soprada pelo vento. O sol baixo acendia a luz de flocos minerais vermelhos na parede interna, como se rubis ali brilhassem. De vez em quando ela lançava um olhar às dunas, através do corte das janelas. Nunca antes havia parado para admirar as coisas ao seu redor.

– Você tem uma paciência heroica, Nayla – o Senhor Leto certa vez lhe dissera.

A lembrança dessas palavras agora confortava Nayla.

No alto da torre, Leto seguia o progresso de Nayla pela escada longa e circular que espiralava ao redor do tubo ixiano. O progresso dela era transmitido a ele por um dispositivo ixiano que projetava sua imagem se aproximando, com um quarto do tamanho em espaço de foco tridimensional diretamente em frente aos olhos dele.

Como ela se move com precisão, pensou ele.

A precisão, ele sabia, vinha de uma simplicidade apaixonada.

Ela vestia o azul das Oradoras Peixe e uma capa-manto sem o gavião no peitilho. Uma vez passado o posto da guarda ao pé da torre, ela colocou novamente a máscara cibus que ele ordenava que fosse usada nas visitas pessoais. Seu corpo musculoso e maciço era como aquele de muitas outras de suas guardiãs, mas seu rosto era diferente de qualquer um em toda a memória do Imperador Deus: quase quadrado, com uma boca tão larga que parecia se estender pelas bochechas, uma ilusão causada pelos vincos profundos nos cantos. Seus olhos eram de um verde pálido, o cabelo cortado rente era como marfim velho. Sua testa aumentava o efeito quadrado, quase plana com sobrancelhas pálidas que, com frequência, passavam despercebidas devido aos olhos instigantes. O nariz era uma linha reta, baixa, que terminava próximo à boca de lábios finos.

Quando Nayla falava, suas grandes mandíbulas se abriam e se fechavam como as de um animal primitivo. Sua força, conhecida por poucos fora da corporação das Oradoras Peixe, era lendária por lá. Leto a havia visto levantar um homem de cem quilos com apenas uma mão. Sua presença em Arrakis havia sido planejada originalmente sem a intervenção de Moneo, apesar de o senescal saber que Leto empregava suas Oradoras Peixe como agentes secretas.

Leto virou sua cabeça para além da imagem que caminhava lentamente e olhou para a larga abertura ao lado dele, que mostrava o deserto ao Sul. As cores das rochas distantes dançavam em sua percepção: marrom, dourado, um âmbar profundo. Havia uma linha em rosa em um penhasco distante com o matiz exato das penas de uma garça. Garças não existiam mais, a não ser nas memórias de Leto, mas ele podia colocar aquela fileira de rocha de um tom pastel pálido contra um olho interior e era como se o pássaro extinto voasse em frente dele.

A subida, ele sabia, devia ter começado a cansar até mesmo Nayla. Ela fez uma pausa para descansar ao final, parando em um ponto dois degraus acima da marca dos três-quartos, o exato lugar onde descansava todas as vezes. Era parte de sua precisão, uma das razões pelas quais ele a havia trazido de volta da distante guarnição de Seprek.

Um gavião de Duna flutuou além da abertura ao lado de Leto, a uma distância da parede da torre pouco menor que o comprimento de sua asa. Sua atenção estava focada nas sombras da base da Cidadela. Leto sabia que, por vezes, pequenos animais ali emergiam. Além da trajetória do gavião, ele podia ver uma linha de nuvens indistintas no horizonte.

Que estranho era isto para os velhos fremen dentro dele: nuvens em Arrakis e chuva e água a céu aberto.

Leto lembrou às vozes interiores: *Exceto por esse último deserto, meu Sareer, a remodelação de Duna na Arrakis verdejante transcorreu sem remorsos desde os primeiros dias do meu governo.*

A influência da geografia na história era quase irreconhecível, pensou Leto. Humanos tendem a olhar mais para a influência da história na geografia.

Quem é o dono dessa passagem de rio? Desse vale verdejante? Dessa península? Desse planeta?

Nenhum de nós.

Nayla recomeçara a subida, seu olhar fixado para cima, sobre os degraus que ela devia atravessar. Os pensamentos de Leto se prenderam a ela.

De várias formas, ela é a assistente mais útil que já tive. Sou seu Deus. Ela me venera sem questionamentos. Mesmo quando ataco jocosamente sua fé, ela considera apenas como se a estivesse testando. Ela se sabe superior a qualquer teste.

Quando ele a enviara à rebelião e ordenara que ela obedecesse a Siona em todos os assuntos, ela não questionou. Quando Nayla duvidava, mesmo quando formulava suas dúvidas usando de palavras, seus próprios pensamentos eram suficientes para restaurar a fé... ou tinham sido suficientes. Mensagens recentes, contudo, deixavam claro que Nayla precisava da Presença Sagrada para reconstruir sua força interior.

Leto recordou sua primeira conversa com Nayla, a mulher tremendo em seu afã por agradar.

— Mesmo que Siona a envie para me matar, você deve obedecê-la. Ela nunca pode saber que você serve a mim.

— Ninguém pode matá-lo, Senhor.

— Você tem que obedecer Siona.

— Claro, Senhor. Essa é sua ordem.

— Você deve obedecê-la em tudo.

— Assim o farei, Senhor.

Outro teste. Nayla não questiona meus testes. Ela os trata como mordidas de pulgas. Seu Senhor ordena? Nayla obedece. Não posso deixar que nada mude essa relação.

Ela podia ter sido uma exímia shadout nos tempos antigos, pensou Leto. Era uma das razões pela qual ele havia dado a Nayla uma dagacris, uma verdadeira, preservada de Sietch Tabr. Pertencera a uma das esposas de Stilgar. Nayla a carregava em uma bainha oculta debaixo de suas vestes, mais como talismã do que como arma. Ele lhe havia dado o objeto utilizando-se do ritual original, uma cerimônia que o surpreendera por evocar emoções que ele considerava enterradas para sempre.

— Esse é o dente de Shai-hulud.

Ele havia lhe estendido a lâmina com suas mãos de pele prateada.

— Aceite-a e você fará parte do passado e do futuro. Desonre-a e o passado não lhe dará futuro.

Nayla aceitara a lâmina, depois a bainha.

— Tire sangue de um dedo – Leto havia ordenado.

Nayla obedecera.

— Embainhe a lâmina. Nunca a remova sem tirar sangue.

Novamente, Nayla obedeceu.

Enquanto Leto assistia à imagem tridimensional da aproximação de Nayla, suas reflexões sobre aquela cerimônia antiga foram tocadas pela tristeza. A não ser que permanecesse guardada do antigo modo fremen, a lâmina se tornaria cada vez mais frágil e inútil. Manteria seu formato de dagacris durante a vida de Nayla, mas pouco mais do que isso.

Joguei fora um pedaço do passado.

Como era triste que as shadout do passado tivessem tido de se tornar as Oradoras Peixe do presente e que uma verdadeira dagacris houvesse sido usada para unir mais fortemente uma serva a seu mestre. Ele sabia que alguns pensavam que as Oradoras Peixe eram sacerdotisas reais... a resposta de Leto às Bene Gesserit.

— *Ele cria outra religião* – as Bene Gesserit disseram.

Tolice! Não criei uma religião. Eu sou *a religião!*

Nayla entrou no santuário da torre e parou a três passos do coche de Leto, seu olhar direcionado ao chão em subserviência apropriada.

Ainda imerso em suas memórias, Leto ordenou:

— Olhe para mim, mulher!

Ela obedeceu.

— Criei uma obscenidade sagrada! – ele disse. – Essa religião construída ao redor da minha pessoa me enoja!

— Sim, Senhor.

Os olhos verdes repousavam sobre as almofadas douradas que eram as bochechas de Nayla e o fitavam sem questionar, sem compreender, sem precisar de qualquer resposta.

Se eu mandá-la apanhar as estrelas, ela irá e tentará. Ela pensa que eu a estou testando novamente. Acredito que ela possa me irritar.

— Esta maldita religião deveria acabar junto comigo! — gritou Leto. — Por que eu iria querer derramar uma religião sobre meu povo? Religiões destroem por dentro: tanto impérios como indivíduos! É tudo o mesmo.

— Sim, Senhor.

— Religiões criam radicais e fanáticos como você!

— Obrigada, Senhor.

A pseudofúria de curta duração afundou de volta para as profundezas de suas memórias. Nada arranhou a superfície dura da fé de Nayla.

— Topri me encaminhou um relatório por Moneo — disse Leto. — Fale-me sobre esse Topri.

— Topri é um verme.

— Não é assim que você *me* chama quando está entre os rebeldes?

— Obedeço ao meu Senhor em tudo.

Touché!

— Topri não é digno de ser cultivado? — perguntou Leto.

— Siona o avaliou corretamente. Ele é inepto. Ele diz coisas que outros vão repetir, expondo, portanto, sua intromissão no assunto. Segundos depois de Kobat começar a falar, Siona tinha a confirmação de que Topri era um espião.

Todos concordam, até Moneo, pensou Leto. *Topri não é um bom espião.*

A concordância divertiu Leto. As maquinações mesquinhas turvavam águas que permaneciam completamente transparentes para ele. As pessoas, entretanto, ainda se adequavam a seus desígnios.

— Siona suspeita de você? — perguntou Leto.

— Não sou inepta.

— Você sabe por que a convoquei?

— Para testar minha fé.

Ah, Nayla. Quão pouco você sabe sobre testes.

— Quero sua avaliação sobre Siona. Quero ver em seu rosto e em seus movimentos e ouvir de sua voz – disse Leto. – Ela está pronta?

— As Oradoras Peixe precisam dela, Senhor. Por que o Senhor se arrisca a perdê-la?

— Forçar essa questão é a forma mais certa de perder o que mais prezo nela – comentou Leto. – Ela deve vir até mim com todas as suas forças intactas.

Nayla abaixou o olhar.

— Como meu Senhor ordena.

Leto reconheceu a resposta. Era a reação de Nayla para tudo aquilo que ela não era capaz de entender.

— Ela vai sobreviver ao teste, Nayla?

— Como meu Senhor descreve o teste... – Nayla levantou o olhar até a face de Leto e deu de ombros. – Não sei, Senhor. Ela é forte, certamente. Ela foi a única a sobreviver aos lobos, mas ela é governada pelo ódio.

— Como é natural. Diga-me, Nayla, o que ela vai fazer com os objetos que roubou de mim?

— Topri não o informou sobre os livros que eles dizem conter Suas Palavras Sagradas?

Estranho como ela consegue colocar as palavras em maiúsculo apenas com a voz, pensou Leto. Ele falou secamente.

— Sim, sim. Os ixianos têm uma cópia e logo a Guilda e também a Irmandade estarão trabalhando duro em cima delas.

— Que livros são esses, Senhor?

— São minhas palavras para meu povo. Quero que sejam lidas. O que desejo saber é o que Siona disse sobre os mapas da Cidadela que ela levou.

— Ela diz que existe uma grande reserva de mélange embaixo de Sua Cidadela, Senhor, e que os mapas vão revelá-la.

— Os mapas não vão revelar. Ela escavará um túnel?

— Ela busca ferramentas ixianas para isso.

— Ix não vai concedê-las.

— Tal reserva de especiaria existe, Senhor?

— Sim.

— Há um boato sobre como Sua reserva é defendida, Senhor. Que o próprio planeta de Arrakis seria destruído se alguém tentasse roubar Sua especiaria. É verdade?

— Sim, e isso destruiria o Império. Nada sobreviveria: nem a Guilda, nem a Irmandade, nem Ix ou Tleilaxu, nem mesmo as Oradoras Peixe.

Ela então estremeceu e declarou:

— Não vou permitir que Siona tente pegar Sua especiaria.

— Nayla! Ordenei a você que obedecesse Siona em tudo. É assim que você me serve?

— Senhor? — Ela ficou com medo da raiva dele, o mais próximo da perda da fé que ele já havia visto nela. Era a crise que ele havia criado, sabendo como devia acabar. Lentamente, Nayla relaxou. Ele podia ver a forma do pensamento dela como se ela o tivesse apresentado com palavras iluminadas.

O teste definitivo!

— Você retornará para Siona e guardará a vida dela como se fosse a sua — Leto ordenou. — Essa é a tarefa que estabeleço para você e que você aceitou. Foi a razão de você ter sido escolhida. É por isso que você carrega uma lâmina da Casa Stilgar.

A mão direita dela foi para a dagacris oculta debaixo de sua veste.

Quão certo é, pensou Leto, *que uma arma possa confinar uma pessoa em um padrão previsível de comportamento.*

Ele fitou com fascinação o corpo rígido de Nayla. Seus olhos estavam vazios de qualquer coisa que não fosse adoração.

O despotismo retórico definitivo... e eu o desprezo!
– Vá logo! – vociferou ele.
Nayla se virou e deixou a Presença Sagrada.
Isso compensa?, indagou-se Leto.
Contudo, Nayla lhe havia dito o que ele precisava saber. Nayla havia renovado sua fé e revelado com acuidade aquilo que Leto não conseguia encontrar na imagem de Siona que se dissipava. Era preciso confiar nos instintos de Nayla.
Siona havia alcançado aquele momento explosivo do qual necessito.

OS DUNCAN SEMPRE ACHARAM CURIOSO QUE EU ESCOLHESSE MULHERES PARA COMPOR MINHA FORÇA DE COMBATE, MAS MINHAS ORADORAS PEIXE SÃO UM EXÉRCITO TEMPORÁRIO EM TODOS OS SENTIDOS. APESAR DE PODEREM SER VIOLENTAS E PERVERSAS, MULHERES SÃO PROFUNDAMENTE DIFERENTES DOS HOMENS EM SUA DEDICAÇÃO À BATALHA. A FONTE DA GÊNESE TORNA-AS PREDISPOSTAS A UM COMPORTAMENTO MAIS PROTETOR EM RELAÇÃO À VIDA. ELAS SE PROVARAM AS MELHORES GUARDIÃS DO CAMINHO DOURADO. EU REFORÇO ISSO EM MEU PROJETO PARA O TREINAMENTO DELAS. POR ALGUM TEMPO, SÃO COLOCADAS DE LADO DAS ROTINAS NORMAIS. DOU A ELAS BENEFÍCIOS ESPECIAIS, OS QUAIS PODEM REMEMORAR COM PRAZER PELO RESTO DA VIDA. ELAS AMADURECEM NA COMPANHIA DE SUAS IRMÃS EM PREPARAÇÃO PARA EVENTOS MAIS SIGNIFICATIVOS. AQUILO QUE SE COMPARTILHA EM TAL COMPANHEIRISMO SEMPRE O PREPARA PARA COISAS MAIORES. A BRUMA DA NOSTALGIA RECOBRE ESSES DIAS ENTRE SUAS IRMÃS, FAZENDO QUE ELES SEJAM DIFERENTES DO QUE FORAM. ESSA É A FORMA COMO O PRESENTE MUDA A HISTÓRIA. TODOS OS CONTEMPORÂNEOS NÃO HABITAM O MESMO TEMPO. O PASSADO ESTÁ SEMPRE MUDANDO, MAS POUCOS PERCEBEM.

— Os Diários Roubados

Depois de mandar o aviso às Oradoras Peixe, Leto desceu até a cripta, tarde da noite. Ele havia descoberto que era melhor começar a primeira entrevista com um novo Duncan Idaho em um cômodo escurecido, onde o ghola pudesse ouvir Leto se descrever antes de realmente contemplar o corpo pré-verme. Adjacente à rotunda central da cripta havia uma saleta lateral, esculpida em rochas negras, a qual atendia esse requisito. A câmara era grande o suficiente para acomodar Leto em seu coche, mas o teto era baixo. A iluminação vinha de luciglobos ocultos, controlados por Leto. Continha apenas uma porta, com, no entanto, dois segmentos: uma que se abria largamente para admitir a passagem do Coche Real; a outra, um portal pequeno com dimensões humanas.

Leto conduziu o Coche Real para a câmara, selou o portal maior e abriu o pequeno. Em seguida, se recompôs para o ordálio.

O tédio era um problema crescente. O padrão dos gholas tleilaxu havia se tornado tediosamente repetitivo. Certa vez, Leto havia alertado os Tleilaxu para não enviarem mais nenhum Duncan, mas eles achavam que podiam desobedecê-lo nessa questão.

Às vezes, penso que eles fazem isso só para manter a desobediência viva!

Os Tleilaxu confiavam em algo importante, o qual sabiam que os protegia em outros assuntos.

A presença de um Duncan alegra o Paul Atreides em mim.

Como Leto havia explicado a Moneo nos primeiros dias do senescal na Cidadela:

— Os Duncan devem vir até a mim com muito mais do que a preparação tleilaxu. Você deve atentar para que minhas *huris* abrandem os Duncan e que as mulheres respondam *a algumas* de suas perguntas.

— A que perguntas elas devem responder?

— Elas sabem.

Moneo, é claro, tinha aprendido tudo sobre esse procedimento ao longo dos anos.

Leto ouviu a voz de Moneo do lado de fora da sala mal iluminada e, em seguida, o som da escolta Oradora Peixe e os passos nítidos e hesitantes do novo ghola.

— Através daquela porta — apontou Moneo. — Estará escuro por dentro e a fecharemos atrás de você. Pare assim que entrar e espere que o Senhor Leto fale.

— Por que a escuridão? — A voz do Duncan soava cheia de dúvidas agressivas.

— Ele vai explicar.

Idaho foi empurrado para o interior da sala e a porta atrás dele foi trancada.

Leto sabia o que o ghola estava vendo: apenas sombras entre sombras e uma escuridão onde nem mesmo a origem de uma voz podia ser localizada. Como sempre, Leto trouxe a voz de Paul Muad'Dib à cena.

— Que agradável revê-lo, Duncan.

— Não consigo vê-lo!

Idaho era um guerreiro e guerreiros atacam. Isso reassegurou Leto de que o ghola era um original completamente restaurado. O teatro moral pelo qual os Tleilaxu reavivavam as memórias pré-morte de um ghola quase sempre deixavam algumas incertezas em suas mentes. Alguns Duncan acreditavam que haviam ameaçado um Paul Muad'Dib real. Este carregava tais ilusões.

— Ouço a voz de Paul, mas não consigo vê-lo — disse Idaho. Ele não tentou ocultar a frustração; deixou que ela transparecesse em sua voz.

Por que um Atreides estaria fazendo esse jogo idiota? Paul havia morrido muito tempo atrás e este era Leto, o portador das memórias ressuscitadas de Paul... e das memórias de tantos outros! Isso se as histórias dos Tleilaxu mereciam algum crédito.

— Você foi avisado de que é apenas o último de uma linhagem extensa de cópias — disse Leto.

— Não carrego nenhuma dessas memórias.

Leto reconheceu a histeria no Duncan, mal disfarçada pelas bravatas do guerreiro. As malditas táticas de restauração pós-tanque dos Tleilaxu haviam produzido o caos mental de costume. Esse Duncan havia chegado quase em estado de choque, com fortes suspeitas de que estivesse louco. Leto sabia que os poderes mais sutis de reafirmação seriam necessários agora para acalmar o pobre sujeito. O procedimento seria emocionalmente esgotante para ambos.

— Aconteceram inúmeras mudanças, Duncan — Leto explicou. — Uma coisa, porém, não muda. Ainda sou Atreides.

— Eles disseram que seu corpo é...

— Sim, ele mudou.

— Malditos Tleilaxu! Tentaram me fazer matar alguém que eu... bem, ele se parecia com o senhor. De repente me lembrei de quem eu era e havia um... um ghola Muad'Dib seria passível de existência?

— Um mímico Dançarino Facial, garanto.

— Ele parecia e falava tão igual... O senhor tem certeza?

— Um ator, nada mais. Ele sobreviveu?

— Claro! Foi assim que despertaram minhas memórias. Eles me explicaram tudo. É verdade?

— É verdade, Duncan. Detesto o que fazem, mas o permito pelo prazer da sua companhia.

As vítimas em potencial sempre sobrevivem, pensou Leto. *Pelo menos para os Duncan, pelo que vejo. Houve alguns deslizes, o Paul falso é assassinado e o Duncan é inutilizado, mas sempre existem mais células do original, cuidadosamente preservadas.*

— O que houve com seu corpo? — perguntou Idaho.

Muad'Dib podia se retirar agora; Leto reassumiu a própria voz.

— Aceitei as trutas da areia como minha pele. Desde então, elas vêm me modificando.

— Por quê?

— Explicarei quando for apropriado.

— Os Tleilaxu me contaram que o senhor se parece com um verme da areia.

— O que minhas Oradoras Peixe disseram?

— Disseram que o senhor é Deus. Por que o senhor as chama de Oradoras Peixe?

— Uma antiga extravagância. As primeiras sacerdotisas falavam com peixes em seus sonhos. Elas aprenderam coisas valiosas dessa forma.

— Como o senhor sabe?

— Eu *sou* essas mulheres... e tudo que veio antes e depois delas.

Leto ouviu a garganta do Idaho engolindo em seco e logo depois:

— Entendo o porquê da escuridão. O senhor está me dando um tempo para que eu me ajuste.

— Você sempre foi sagaz, Duncan.

Exceto quando você era moroso.

— Há quanto tempo o senhor está mudando?

— Mais de 3.500 anos.

— Então o que os Tleilaxu me contaram é verdade.

— Eles ousam mentir muito pouco hoje em dia.

— É um longo tempo.

— Muito longo.

— Os Tleilaxu já... me copiaram quantas vezes?

— Inúmeras.

É a hora de você me perguntar quantos, Duncan.

— Quantos de mim?

— Deixarei que você mesmo tenha acesso a seus registros.

É assim que começa, pensou Leto.

Essa conversa sempre parecia satisfazer os Duncan, mas não havia como fugir da essência da pergunta.

— *Quantos de mim?*

Os Duncan não faziam distinções entre os corpos, embora nenhuma memória mútua passasse entre gholas da mesma linhagem.

— Lembro-me de minha morte — disse Idaho. — Lâminas dos Harkonnen, várias delas tentando alcançar o senhor e Jéssica.

Leto recuperou a voz de Muad'Dib, para um jogo rápido:

— Eu estava lá, Duncan.

— Sou uma reposição, é isso?

— É isso — confirmou Leto.

— Como o outro... eu... digo, como ele morreu?

— Toda carne se desgasta, Duncan. Está nos registros.

Leto aguardou com paciência, perguntando-se quanto tempo demoraria para que essa história insípida deixasse de satisfazer este Duncan.

— Com o que o senhor realmente se parece? – perguntou Idaho. – Como é esse corpo de verme da areia que os Tleilaxu descreveram?

— Ele se transformará em uma espécie de verme da areia. Está bem avançado no caminho da metamorfose.

— O que o senhor quer dizer com *uma espécie de verme?*

— Terá mais gânglios. Será consciente.

— Pode acender algumas luzes? Gostaria de vê-lo.

Leto ligou os holofotes. Uma iluminação brilhante encheu o quarto. As paredes negras e a luz haviam sido planejadas de forma a convergirem para Leto, todos os detalhes visíveis revelados.

Idaho percorreu o olhar pelo corpo multifacetado de cor cinza-prateado, reparando no início da formação das secções nervosas, nas curvas sinuosas... as protuberâncias pequenas onde uma vez tinham existido pés e pernas, uma delas um pouco mais curta que a outra. Ele voltou a atenção para os braços e mãos bem definidos e finalmente ergueu a atenção para o rosto que parecia estar encapuzado, com a pele rosada quase perdida na imensidão, uma protuberância ridícula naquele corpo.

— Bem, Duncan – disse Leto. – Você foi avisado.

Idaho gesticulou silenciosamente na direção do corpo pré-verme.

Leto formulou a pergunta por ele:

— Por quê?

Idaho assentiu.

— Ainda sou Atreides, Duncan, e asseguro a você com toda a honra desse nome que houve razões convincentes.

— O que poderia ser...?

— Você saberá no devido tempo.

Idaho simplesmente balançou a cabeça de um lado para o outro.

— Não é uma revelação agradável – emendou Leto. – Requer que você saiba de outras coisas antes. Acredite na palavra de um Atreides.

Ao longo dos séculos, Leto descobrira que essa invocação das lealdades profundas de Idaho a tudo que era relacionado aos Atreides refreava o imediato manancial de questões pessoais. Mais uma vez, a fórmula funcionou.

— Então devo servir aos Atreides de novo — disse Idaho. — Isso soa familiar, não é?

— De várias formas, velho amigo.

— Velho para o senhor, talvez, mas não para mim. Qual será minha serventia?

— Minhas Oradoras Peixe não lhe contaram?

— Elas disseram que eu comandaria sua Guarda de elite, uma força escolhida dentre aquelas de sua ordem. Não entendi... Um exército de *mulheres*?

— Preciso de um parceiro confiável que possa comandar minha Guarda. Você tem alguma objeção?

— Por que mulheres?

— Existem diferenças comportamentais entre os sexos, as quais tornam as mulheres extremamente valiosas neste papel.

— O senhor não respondeu à minha pergunta.

— Você as considera inadequadas?

— Algumas delas pareciam bem vigorosas, mas...

— Outras foram *afáveis* com você?

Idaho enrubesceu.

Leto considerou isso uma reação charmosa. Os Duncan estavam entre os poucos humanos desses tempos que podiam enrubescer. Era compreensível, um produto do treinamento inicial dos Duncan, uma percepção de honra pessoal... muito cavalheiresco.

— Não vejo por que o senhor confia sua proteção a mulheres — Idaho comentou. O sangue diminuiu vagarosamente de suas bochechas. Ele olhou para Leto.

— Sempre confiei nelas como confio em você... com minha vida.

— Do que nós o protegemos?

— Moneo e minhas Oradoras Peixe o informarão.

Idaho trocava o pé de apoio, seu corpo se movendo com o ritmo dos batimentos cardíacos. Ele olhou ao redor da saleta, sem focar nada. Com a brusquidão de uma decisão repentina, voltou sua atenção para Leto.

— Como devo chamá-lo?

Era o sinal de aceitação pelo qual Leto aguardava.

— Senhor Leto, pode ser?

— Sim... meu Senhor. — Idaho encarou diretamente os olhos azul-fremen de Leto. — É verdade o que suas Oradoras Peixe dizem? O senhor tem... memórias de...

— Estamos todos aqui, Duncan — Leto falou com a voz de seu avô paterno, e em seguida continuou:

— Até as mulheres estão aqui, Duncan. — Era a voz de Jéssica, a avó paterna de Leto.

— Você os conhecia bem — disse Leto. — E eles o conhecem.

Idaho inalou de maneira longa e trêmula.

— Vou levar um tempo para me acostumar.

— Foi a mesma reação inicial que tive — Leto murmurou.

Uma gargalhada explosiva sacudiu Idaho e Leto a considerou mais forte do que a piada fraca merecia, mas ficou quieto.

Logo depois, Idaho disse:

— Suas Oradoras Peixe foram *instruídas* a me deixar de bom humor, não é?

— Elas foram bem-sucedidas?

Idaho estudou o rosto de Leto, reconhecendo as características típicas dos Atreides.

— Vocês, Atreides, sempre me conheceram bem demais — respondeu Idaho.

— Melhor assim — retrucou Leto. — Você começa a aceitar que não sou apenas um Atreides. Sou todos eles.

— Paul disse isso certa vez.

— Eu disse mesmo! — Já que a personalidade original podia ser transmitida pelo tom e pelo sotaque, era Muad'Dib quem havia falado.

Idaho engoliu em seco e olhou para a porta da sala.

— O senhor nos tirou algo — ele observou. — Posso sentir. Aquelas mulheres... Moneo.

Nós contra vocês, pensou Leto. *Os Duncan sempre escolhem o lado humano.*

Idaho voltou sua atenção para o rosto de Leto.

— O que o senhor nos deu em troca?

— A Paz de Leto, em todo o Império!

— Vejo que estão todos maravilhosamente felizes! É por isso que o senhor precisa de uma guarda pessoal.

— Minha paz é, na verdade, tranquilidade imposta — Leto sorriu. — Humanos carregam uma longa história de reagir contra a tranquilidade.

— Logo, o senhor nos deu as Oradoras Peixe.

— E uma hierarquia que se pode identificar sem cometer equívocos.

— Um exército feminino — resmungou Idaho.

— A força derradeira para a sedução dos homens — disse Leto. — Sexo sempre foi uma forma de subjugar os machos agressivos.

— É isso que elas fazem?

— Elas previnem ou aperfeiçoam excessos que podem levar a violências mais dolorosas.

— O senhor as deixa acreditar que é um deus. Não sei se concordo com isso.

— A maldição da deificação é tão ofensiva para mim quanto para você!

Idaho franziu as sobrancelhas. Não era a resposta que ele esperava.

— Que tipo de jogo está disputando, *Senhor* Leto?

— Um muito antigo, mas com regras novas.

— Suas regras!

— Você prefere que eu devolva tudo para a CHOAM e o Landsraad e as Grandes Casas?

— Os Tleilaxu dizem que o Landsraad não existe mais. O senhor não permite nenhum tipo de governo autônomo.

— Pois bem, eu podia me afastar em favor das Bene Gesserit. Ou talvez os ixianos ou os Tleilaxu? Você gostaria que eu encontrasse outro barão Harkonnen que assumisse o poder do Império? Diga que é isso que você quer, Duncan, e eu abdicarei!

Debaixo dessa avalanche de significâncias, Idaho mais uma vez balançou a cabeça de um lado para o outro.

— Nas mãos erradas — Leto falou —, o poder monolítico centralizado é um instrumento perigoso e volátil.

— Suas mãos são as certas?

— Não tenho certeza sobre minhas mãos, mas afirmo, Duncan: tenho certeza sobre as mãos dos outros que vieram antes de mim. Eu as *conheço*.

Idaho deu as costas para Leto.

Que gesto fascinante, fundamentalmente humano, pensou Leto. *Rejeição combinada à aceitação da sua própria vulnerabilidade.*

Leto falou com Idaho, que continuava de costas.

— Você reprova, acertadamente, que eu use pessoas sem que elas saibam de tudo nem que consintam com isso.

Idaho virou seu perfil para Leto, depois virou a cabeça para fitar o rosto encapuzado, inclinando a cabeça um pouco à frente para perscrutar dentro dos olhos azul-total.

Ele está me estudando, pensou Leto, *mas tem somente a face para me avaliar.*

Os Atreides ensinaram seu séquito a reconhecer os sinais sutis do rosto e do corpo e Idaho era bom nisso, mas se podia notar o que ele acabava de perceber: Leto estava além de sua capacidade.

Idaho pigarreou e questionou:

— Qual seria a pior coisa que o senhor me pediria?

Essa pergunta é tão Duncan!, pensou Leto. Essa era um clássico. Idaho daria sua lealdade a um Atreides, ao guardião de seu juramento, mas sinalizou que não iria além dos limites pessoais de sua própria moralidade.

— Você será solicitado que guarde a mim por todos os meios disponíveis e será exigido que você guarde meu segredo.

— Que segredo?

— Que sou vulnerável.

— Que o senhor não é Deus?

— Não no sentido máximo da palavra.

— Suas Oradoras Peixe falam sobre rebeldes.

— Eles existem.

— Por quê?

— São jovens e não os convenci de que do meu jeito é melhor. É muito difícil convencer os jovens de qualquer coisa que seja. Eles nascem sabendo tantas coisas.

— Nunca tinha ouvido um Atreides escarnecer dos jovens dessa maneira antes.

— Talvez porque eu seja muito mais velho... composto por velhos. Além disso, minha tarefa fica mais difícil a cada geração.

— Qual é a sua tarefa?

— Você a entenderá enquanto percorrermos o caminho juntos.

— O que acontecerá se eu falhar? Suas mulheres vão me eliminar?

— Tento não sobrecarregar minhas Oradoras Peixe com culpa.

— Mas o senhor me sobrecarregaria?

— Se você aceitar.

— Se eu achar que é pior que os Harkonnen, vou me virar contra o senhor.

Como ele era Duncan. Eles medem toda a maldade pelos Harkonnen. Quão pouco eles sabem sobre maldade.

— O barão devorou planetas inteiros, Duncan — Leto declarou. — O que pode ser pior do que isso?

— Devorar o Império.

— Estou gestando o meu Império. Morrerei dando à luz.

— Se eu pudesse acreditar que...?

— Você comandará minha Guarda?

— Por que eu?

— Você é o melhor.

— Trabalho perigoso, imagino. Foi assim que meus antecessores morreram, fazendo esse trabalho perigoso?

— Alguns deles.

— Gostaria de ter as memórias dos meus antecessores!

— Você não poderia tê-las e continuar original.

— Ainda assim, quero aprender sobre eles.

— Você aprenderá.

— Então os Atreides ainda precisam de uma faca afiada?

— Nós temos problemas que só um Duncan Idaho pode resolver.

— O Senhor disse... nós. — Idaho engoliu em seco, olhou para a porta e depois para o rosto de Leto.

Leto falou com ele como se fosse Muad'Dib, mas ainda com a voz de Leto.

— Quando escalamos para Sietch Tabr juntos pela última vez, você tinha minha lealdade e eu a sua. Nada disso mudou.

— Esse era seu pai.

— Esse era eu! — A voz de comando de Paul Muad'Dib emanada da corpulência de Leto sempre chocava os gholas.

Idaho sussurrou:

— Todos vocês... nesse único... corpo. — Ele parou.

Leto permaneceu em silêncio. Esse era o momento decisivo.

Logo, Idaho se permitiu aquele sorriso despreocupado pelo qual era tão bem conhecido.

— Então vou falar com o primeiro Leto e com Paul, aquele que me conhece melhor. Use-me bem, porque eu os amava verdadeiramente.

Leto fechou os olhos. Aquelas palavras sempre o angustiavam. Ele sabia que o amor era o que o deixava mais vulnerável.

Moneo, que estava escutando, veio ao seu resgate. Ele entrou e disse:

— Senhor, devo levar Duncan Idaho à guarda que ele comandará?
— Sim. — Essa única palavra foi o que Leto conseguiu pronunciar.

Moneo pegou Idaho pelo braço e o conduziu para fora.

Bom Moneo, pensou Leto. *Tão bom. Ele me conhece bem, mas me desespero ao imaginar se um dia ele me compreenderá.*

CONHEÇO A MALDADE DE MEUS ANCESTRAIS PORQUE SOU MEUS ANCESTRAIS. O EQUILÍBRIO É DELICADO NOS EXTREMOS. SEI QUE POUCOS DE VOCÊS QUE LEEM MINHAS PALAVRAS ALGUMA VEZ PENSARAM EM SEUS ANCESTRAIS DESSA MANEIRA. NÃO LHES OCORREU QUE SEUS ANCESTRAIS ERAM SOBREVIVENTES E QUE A SOBREVIVÊNCIA POR SI ENVOLVE DECISÕES SELVAGENS, UM TIPO DE BRUTALIDADE DESREGRADA QUE A HUMANIDADE CIVILIZADA TRABALHA MUITO DURO PARA SUPRIMIR. QUE PREÇO VOCÊ PAGARÁ POR ESSA SUPRESSÃO? VOCÊ ACEITARÁ SUA PRÓPRIA EXTINÇÃO?

— Os Diários Roubados

Enquanto se vestia para sua primeira manhã no comando das Oradoras Peixe, Idaho tentava se livrar de um pesadelo. O mau sonho o acordara duas vezes e em ambas ele fora até a varanda para mirar as estrelas, o pesadelo ainda ressoando em sua cabeça.

Mulheres... mulheres desarmadas trajando armaduras negras... correndo até ele com os gritos insensatos e roucos de uma turba... acenando com mãos banhadas em sangue vermelho... e enquanto elas pulavam sobre ele, suas bocas se abriam e mostravam presas terríveis!

Naquele momento, ele acordava.

A luz da manhã pouco adiantou para dissipar os efeitos do pesadelo.

Haviam disponibilizado a ele um quarto na torre norte. A varanda mostrava um panorama que ia desde as dunas até um penhasco distante, com o que parecia ser uma aldeia de cabanas de barro em sua base.

Idaho abotoou sua túnica, enquanto fitava o cenário.

Por que Leto usa apenas mulheres em seu exército?

Várias Oradoras Peixe graciosas se ofereceram para passar a noite com seu novo comandante, mas Idaho as rejeitou.

Não era algo característico dos Atreides usar sexo como persuasão!

Ele olhou para suas roupas: um uniforme negro com filetes dourados, um gavião vermelho no peitilho esquerdo. Isso, pelo menos, era familiar. Nenhuma insígnia de posto.

— Elas conhecem o seu rosto — Moneo havia dito.

Homenzinho estranho, aquele Moneo.

Esse pensamento o trouxe de volta à realidade. A ponderação disse a ele que Moneo não era um homenzinho. *Bem controlado, sim, mas não mais baixo do que eu.* Moneo parecia mergulhado em si mesmo, mas... imperturbável.

Idaho percorreu o olhar pelo seu quarto, sibarítico no que dizia respeito ao conforto: almofadas macias, utensílios ocultos atrás de painéis de madeira polida marrom. O banheiro era uma exibição ornada de azulejos azul pastel, com uma combinação de banheira e chuveiro na qual seis pessoas, pelo menos, podiam tomar banho ao mesmo tempo. O lugar inteiro convidava à satisfação dos próprios desejos. Havia espaços onde era possível deixar os sentidos se satisfazerem com a lembrança de prazeres.

— Esperto — sussurrou Idaho.

A uma batida suave na porta seguiu-se uma voz feminina dizendo:

— Comandante? Moneo está aqui.

Idaho olhou para as cores queimadas pelo sol no penhasco distante.

— Comandante? — A voz veio um pouco mais alta.

— Pode entrar — chamou Idaho.

Moneo entrou e fechou a porta. Ele vestia uma túnica e calças de cor branco-giz, que forçavam os olhos a se concentrarem em seu rosto. Moneo percorreu o quarto com o olhar.

— Então foi aqui que o colocaram. Aquelas mulheres amaldiçoadas! Suponho que elas pensaram que estavam sendo gentis, mas deviam discernir melhor e não ter cometido esse equívoco.

— Como você sabe do que eu gosto? — perguntou Idaho. Assim que a fez, percebeu que era uma pergunta tola.

Não sou o primeiro Duncan Idaho que Moneo já viu.

Moneo simplesmente sorriu e deu de ombros.

— Não queria ofendê-lo, Comandante. Ainda assim, o senhor vai manter esses alojamentos?

— Gosto da vista.

— Mas não da mobília. — Era uma afirmação.

— Ela pode ser mudada — disse Idaho.

— Providenciarei isso.

— Suponho que você esteja aqui para me explicar meus deveres.

— Tanto quanto eu for capaz. Sei quão estranho tudo parece para o senhor, a princípio. Esta civilização é profundamente diferente daquela que o senhor conheceu.

— Já percebi isso. Como meu... antecessor morreu?

Moneo deu de ombros. Seu gesto parecia ser padrão, mas não havia nada de despretensioso nele.

— Ele não foi rápido o suficiente para escapar das consequências de uma decisão que ele próprio havia tomado.

— Seja específico.

Moneo suspirou. Os Duncan eram sempre assim... tão exigentes.

— A rebelião o matou. O senhor quer os detalhes?

— Seriam de alguma utilidade para mim?

— Não.

— Quero um relatório completo hoje sobre essa rebelião, mas primeiro: por que não há homens na guarda de Leto?

— Ele tem o senhor.

— Você entendeu o que eu quis dizer.

— Ele tem uma teoria curiosa sobre exércitos. Discuti sobre essa teoria com ele em diversas ocasiões, mas o senhor não prefere o desjejum antes que eu explique?

— Não podemos fazer as duas coisas ao mesmo tempo?

Moneo se virou para a porta e proferiu uma única palavra:

— Agora!

O efeito foi imediato e fascinante para Idaho. Uma tropa de jovens Oradoras Peixe invadiu o quarto. Duas delas pegaram uma mesa dobrável atrás de um painel e a colocaram na varanda. Outras arrumaram a mesa para duas pessoas. As demais trouxeram comida: frutas frescas, pães quentes e uma bebida fumegante que cheirava fracamente a especiaria e cafeína. Foi tudo executado com uma eficiência tão rápida e silenciosa que evidenciava longos exercícios de prática. Elas saíram como chegaram, sem dizer uma palavra.

Idaho se viu sentado à frente de Moneo na mesa um minuto depois do início desse desempenho curioso.

— Todas as manhãs são assim?

— Somente se o senhor assim desejar.

Idaho experimentou a bebida: café com mélange. Reconheceu a fruta, um macio melão de Caladan chamado *paradan*.

Meu predileto.

— Você me conhece muito bem — disse Idaho.

Moneo sorriu.

— Temos certa prática. Agora voltemos a sua pergunta.

— E à teoria curiosa de Leto.

— Sim. Ele diz que um exército totalmente masculino seria muito perigoso para sua base de apoio civil.

— Isso é loucura! Sem o exército, não teria havido...

— Conheço o argumento. Ainda assim ele considera que o exército masculino é um resquício da tarefa de triagem delegada ao bando de machos não reprodutores dos bandos pré-históricos. Ele sempre diz que o fato de serem os machos mais velhos que enviavam os mais novos para a batalha é curiosamente consistente.

— O que significa *tarefa de triagem*?

— Aqueles que estavam sempre no perímetro perigoso protegendo o centro que continha os machos reprodutores, as fêmeas e os jovens. Os primeiros a encontrar o predador.

— Como isso seria perigoso para os... civis?

Idaho comeu um pedaço do melão e o achou maduro ao ponto da perfeição.

— O Senhor Leto diz que, quando não existia um inimigo exterior, a guarda masculina sempre se voltava contra sua própria população. Sempre.

— Competindo pelas fêmeas?

— Talvez. Ele, obviamente, não acredita que fosse assim *tão* simples.

— Não considero que essa teoria seja curiosa.

— Você ainda não ouviu o resto.

— Tem mais?

— Ah, sim. Ele diz que uma guarda totalmente masculina possui uma tendência curiosa a atividades homossexuais.

Idaho olhou para Moneo por cima da mesa.

— Eu nunca...

— Claro que não. Ele fala a respeito de sublimação, sobre energias desviadas e o resto.

— Que resto? — Idaho estava irritado com o que encarou como um ataque a sua autoimagem masculina.

— Atitudes adolescentes, grupos de rapazes juntos, piadas contadas somente para infligir dor, lealdade apenas entre os membros do mesmo grupo... coisas desse gênero.

Idaho perguntou friamente:

— Qual é sua opinião?

— Eu mesmo me lembro de algo que ele disse — Moneo se virou e falou enquanto olhava para a vista — e que tenho certeza de que é verdade. Ele é todos os soldados na história humana. Ele se ofereceu para exibir a mim uma série de exemplos: militares famosos que pareciam congelados na adolescência. Recusei a oferta. Tinha lido minhas lições de história com cuidado e eu mesmo havia reconhecido essa característica.

Moneo tornou a se virar e olhou diretamente dentro dos olhos de Idaho:

— Reflita sobre isso, Comandante.

Idaho se orgulhava da sua auto-honestidade e aquele comentário o abalou. Ritos de juventude e adolescência preservados entre os militares? Havia um toque de verdade nisso. Existiam exemplos em sua própria experiência.

Moneo assentiu:

— O homossexual, latente ou não, que mantém essa condição por razões que podem ser chamadas de puramente psicológicas, tende a sucumbir a um comportamento que cause dor, buscando-o para si mesmo e infligindo-o aos outros. O Senhor Leto diz que isso remonta aos testes de comportamento nos grupos pré-históricos.

— Você acredita nele?

— Acredito.

Idaho comeu outro pedaço do melão. A fruta havia perdido seu sabor doce. Ele engoliu e deitou a colher sobre a mesa.

— Terei que pensar sobre isso — disse Idaho.

— Naturalmente.

— Você não está comendo — observou Idaho.

— Acordei antes do amanhecer e já comi. — Moneo gesticulou para seu prato. — As mulheres tentam me seduzir o tempo todo.

— Elas conseguem?

— Algumas vezes.

— Você está certo. Acho essa teoria do Senhor Leto curiosa. Há mais sobre ela?

— Ele diz que quando acabam as restrições da fase homossexual adolescente, o exército masculino é essencialmente estuprador. O estupro é muitas vezes mortífero e não é um comportamento de sobrevivência.

Idaho franziu as sobrancelhas.

Um sorriso apertado passou pela boca de Moneo:

— O Senhor Leto diz que apenas a disciplina e as restrições morais Atreides previnem alguns dos piores excessos em seu tempo.

Um suspiro profundo sacudiu o corpo de Idaho.

Moneo recostou-se, pensando em algo que o Imperador Deus havia dito certa vez:

— *Não importa quanto perguntemos pela verdade, a autoconsciência é, na maioria das vezes, desagradável. Não sentimos bondade em relação ao Proclamador da Verdade.*

— Aqueles Atreides amaldiçoados! — Idaho exclamou.

— Eu sou Atreides — respondeu Moneo.

— O quê? — Idaho estava chocado.

— Do plano de reprodução dele — explicou Moneo. — Estou certo de que os Tleilaxu o mencionaram. Descendo diretamente do acasalamento da irmã de Leto com Harq al-Ada.

Idaho se inclinou na direção de Moneo:

— Então me diga, Atreides, como mulheres são melhores soldados que homens?

— É mais fácil, para elas, amadurecer.

Idaho balançou a cabeça, perplexo.

— Elas possuem uma forma física que pressiona a mudança da adolescência para a maturidade — prosseguiu Moneo. — Como diz o Senhor Leto: carregue dentro de si um bebê por nove meses e isso o mudará.

Idaho recostou-se:

— O que ele sabe sobre isso?

Moneo simplesmente o encarou até que Idaho se lembrasse da multidão em Leto: tanto homens quanto mulheres. A percepção desabou sobre Idaho. Moneo notou, recordando um comentário do Imperador Deus:

— *Suas palavras o moldam com a forma que você quer que ele adote.*

Como o silêncio continuava, Moneo pigarreou. Logo, ele continuou:

— A imensidão das memórias do Senhor Leto é conhecida por me fazer calar, também.

— Ele está sendo honesto conosco? — perguntou Idaho.

— Eu acredito nele.

— Mas ele faz tantas... quero dizer, veja esse plano de reprodução. Há quanto tempo vem acontecendo?

— Desde o começo. Desde o dia em que ele o tirou das Bene Gesserit.

— O que ele quer tirar disso?

— Eu gostaria de saber.

— Mas você é...

— Um Atreides e seu assessor-chefe, sim.

— Você não me convenceu de que um exército feminino é melhor.

— Elas perpetuam a espécie.

Por fim, a frustração e a raiva de Idaho tinham um objetivo:

— Era isso que eu estava fazendo com elas naquela noite? Reproduzindo?

— Possivelmente. As Oradoras Peixe não usam precaução contra gravidez.

— Maldito! Não sou um animal que ele possa mover de baia em baia como um... como um...

— Como um garanhão?

— Sim!

— Mas o Senhor Leto se recusa a seguir o padrão dos Tleilaxu de cirurgia genética e inseminação artificial.

— O que os Tleilaxu têm a ver...

— Eles são o melhor exemplo prático. Até eu consigo perceber. Os Dançarinos Faciais são mulos, mais uma colônia de organismo do que humanos.

— Aqueles outros de... mim... algum deles foi reprodutor?

— Alguns. O senhor tem descendentes.

— Quem?

— Eu sou um deles.

Idaho fitou os olhos de Moneo, perdendo-se rapidamente em um emaranhado de relações. Idaho achou as relações impossíveis de entender. Moneo obviamente era muito mais velho do que... *Mas eu sou...* Qual deles era verdadeiramente o mais velho? Qual antecessor e qual descendente?

– Às vezes eu mesmo tenho problemas com isso – comentou Moneo. – Se serve de alguma ajuda, o Senhor Leto me assegura que o senhor não é meu descendente, não no sentido usual. Entretanto, o senhor pode muito bem gerar algum dos meus descendentes.

Idaho balançou a cabeça de um lado para o outro.

– Às vezes, acho que apenas o Imperador Deus é capaz de entender essas coisas – disse Moneo.

– Esse é outro ponto! – disse Idaho – Essa conversa de deus.

– O Senhor Leto afirma que criou uma obscenidade sagrada.

Essa não era a resposta que Idaho esperava. *O que eu esperava? Uma defesa do Senhor Leto?*

– Obscenidade sagrada – repetiu Moneo. As palavras saíram de sua boca com um estranho som de escárnio.

Idaho lançou um olhar penetrante para Moneo. *Ele odeia seu Imperador Deus! Não... ele o teme. Mas não é costumeiro odiar o que tememos?*

– Por que você acredita nele? – perguntou Idaho.

– O senhor pergunta se eu tomo parte na religião popular?

– Não! Ele toma?

– Creio que sim.

– Por quê? Por que você crê que sim?

– Porque ele diz que não deseja criar mais Dançarinos Faciais. Ele insiste que sua linhagem humana, uma vez dividida em casais, se reproduz da forma que sempre se reproduziu.

– Que raios uma coisa tem a ver com a outra?

– O senhor me perguntou no que ele acreditava. Creio que ele acredite em possibilidades. Acho que esse é seu deus.

– Isso é superstição!

– Considerando as circunstâncias do Império, uma superstição bastante audaciosa.

Idaho olhou para Moneo e resmungou:

– Malditos Atreides! Vocês se atrevem ao máximo!

Moneo percebeu que existia aversão misturada com admiração na voz de Idaho.

Os Duncan sempre começam assim.

QUAL A DIFERENÇA MAIS PROFUNDA ENTRE NÓS, ENTRE MIM E VOCÊ? VOCÊ JÁ SABE. SÃO ESSAS MEMÓRIAS ANCESTRAIS. AS MINHAS VÊM ATÉ MIM EM UM CLARÃO PLENO DE PERCEPÇÃO. AS SUAS TRABALHAM A PARTIR DO SEU PONTO CEGO. ALGUNS AS CHAMAM DE INSTINTO OU DESTINO. AS MEMÓRIAS APLICAM SUAS INFLUÊNCIAS SOBRE CADA UM DE NÓS, SOBRE O QUE PENSAMOS E SOBRE O QUE FAZEMOS. VOCÊ PENSA QUE ESTÁ IMUNE A ESSAS INFLUÊNCIAS? SOU GALILEU. DAQUI, POSSO LHE DIZER: "AINDA ASSIM, ELA SE MOVE". AQUILO QUE SE MOVE PODE EMPREGAR SUA FORÇA DE MANEIRAS QUE NENHUM PODER MORTAL JAMAIS OUSOU CONTER. ESTOU AQUI PARA OUSAR TAL FEITO.

– Os Diários Roubados

— Quando criança, ela me observava, lembra-se? Quando ela pensava que eu não estava percebendo, Siona me observava como o gavião do deserto, que circula sobre a toca da sua presa. Você mesmo mencionou esse fato.

Leto revirou um quarto de seu corpo em seu coche enquanto falava. Esse movimento fez com que seu rosto emoldurado ficasse perto de Moneo, que caminhava rápido ao lado do coche.

Era quase amanhecer na estrada deserta que seguia a alta cordilheira artificial da Cidadela no Sareer até a Cidade Festival. A estrada do deserto corria reta como um feixe de laser até alcançar o ponto onde estavam, onde fazia uma curva larga e mergulhava nos desfiladeiros pavimentados antes de atravessar o rio Idaho. O ar estava tomado por um denso nevoeiro que vinha do rio, que fluía a distância com um clamor, mas Leto abriu a bolha de proteção que selava seu coche. A umidade fez seu eu-verme formigar com uma vaga aflição, mas havia o odor doce da vegetação do deserto na névoa e suas narinas humanas o saboreavam. Ele ordenou ao cortejo que parasse.

— Por que paramos, Senhor? — perguntou Moneo.

Leto não respondeu. O coche rangeu conforme ele levantava vagarosamente seu dorso em um arco, o qual erguia sua cabeça e permitia que ele visse por sobre a Floresta Proibida até o Mar de Kynes, cintilando em prateado à direita, bem ao longe. Ele se virou para a esquerda e ali estavam os restos da Muralha-Escudo, uma sombra baixa e sinuosa à luz da manhã. A cordilheira ali havia sido aumentada quase dois mil metros para abarcar o Sareer e limitar a umidade trazida pelo ar. Em posição vantajosa, Leto podia ver o estreito distante onde havia determinado que a Cidade Festival de Onn fosse construída.

— É um capricho que me detém – disse Leto.

— Não devíamos atravessar a ponte antes de descansar? – Moneo indagou.

— Não estou descansando.

Leto olhou para a frente. Depois de uma série de contornos que pareciam uma sombra retorcida a partir daquele ponto, a estrada atravessava o rio por uma ponte, subia por uma contenção na encosta e, em seguida, descia para a cidade, a qual se apresentava como um cenário composto de espirais brilhantes a distância.

— As ações do Duncan abrandaram – disse Leto. – Você teve sua longa conversa com ele?

— Precisamente, como o Senhor ordenou.

— Bem, só se passaram quatro dias – Leto falou. – Geralmente eles levam mais tempo para se recuperar.

— Eles têm estado ocupados com a sua Guarda, Senhor. Estavam do lado de fora até tarde de novo ontem à noite.

— Os Duncan não gostam de andar ao ar livre. Eles pensam sobre as coisas que podem ser usadas para nos atacar.

— Eu sei, Senhor.

Leto se virou e olhou diretamente para Moneo. O senescal vestia uma capa verde sobre o uniforme branco. Estava de pé ao lado da abertura da bolha de proteção, na precisa localização onde era exigido que ele parasse durante essas excursões.

— Você cumpre bem suas obrigações, Moneo — observou Leto.

— Obrigado, Senhor.

Guardas e membros da Corte se mantiveram a uma distância respeitosa, bem atrás do Coche Real. A maioria deles tentava evitar qualquer aparência de que estivessem escutando Leto e Moneo. Mas não Idaho. Ele havia distribuído algumas guardas Oradoras Peixe em ambos os lados da Estrada Real. Naquele momento, ele permanecia olhando para o coche. Idaho vestia um uniforme negro debruado de branco, um presente das Oradoras Peixe, havia dito Moneo.

— Elas gostam muito deste. Ele é bom no que faz.

— O que ele faz, Moneo?

— Ora, guardar sua pessoa, Senhor.

Todas as mulheres da Guarda usavam uniformes verdes apertados, cada uma com seu gavião vermelho dos Atreides no peitilho esquerdo.

— Elas o observam de perto — comentou Leto.

— Sim. Ele está ensinando a elas os sinais com as mãos. Disse que é o modo Atreides.

— Correto. Pergunto-me por que o antecessor não o fez.

— Se o Senhor não sabe...

— Foi um gracejo, Moneo. O Duncan anterior não se sentiu ameaçado até que fosse tarde demais. Este aceitou nossas explicações?

— Assim me foi dito, Senhor. Ele começou a servi-lo muito bem.

— Por que carrega somente aquela faca na bainha?

— As mulheres o convenceram de que apenas aqueles que recebessem treinamento especializado poderiam carregar armaleses.

— Sua preocupação é infundada, Moneo. Diga às mulheres que ainda é muito cedo para temer este.

— Assim como milorde comanda.

Era óbvio para Leto que seu novo Comandante da Guarda não apreciava a presença da Corte. Ele se manteve bem longe dela. A maioria dos cortesãos, ele havia sido informado, eram funcionários públicos civis. Estavam vestidos e ornados da forma mais brilhante e com o maior apuro para esse dia, quando podiam desfilar todo o seu poder e na presença do Imperador Deus. Leto notava quão tolos os cortesãos deviam parecer a Idaho, mas se lembrava de vestuários bem mais tolos e berrantes e pensou que a ostentação daquele dia poderia até ser uma melhora.

— Você o apresentou a Siona? — perguntou Leto.

À menção de Siona, as sobrancelhas de Moneo se congelaram em um franzir.

— Acalme-se — disse Leto. — Mesmo enquanto ela me espionava, eu a queria bem.

— Pressinto o perigo nela, Senhor. Às vezes creio que ela consegue penetrar em meus pensamentos mais secretos.

— O filho inteligente conhece seu pai.

— Não estou brincando, Senhor.

— Sim, posso perceber. Você notou que o Duncan está ficando impaciente?

— Eles patrulharam a estrada quase até a ponte — Moneo informou.

— O que encontraram?

— O mesmo que encontrei: um novo fremen de museu.

— Outro suplicante?

— Não fique irritado, Senhor.

Mais uma vez, Leto olhou adiante. Essa exposição necessária ao ar livre, a jornada longa e pomposa com todos os requisitos rituais para reassegurar as Oradoras Peixe, tudo isso perturbava Leto. E agora, outro suplicante!

Idaho caminhou a passos largos até parar diretamente atrás de Moneo.

Havia uma sensação de ameaça nos movimentos de Idaho. *Certamente não tão rápido assim*, pensou Leto.

— Por que paramos, milorde? — perguntou Idaho.

— Geralmente paro aqui — respondeu Leto.

Era verdade. Ele se virava e olhava para a ponte. O caminho se retorcia para baixo, afastando-se dos altos desfiladeiros em direção à

Floresta Proibida e, de lá, por campos que margeavam o rio. Leto havia parado ali várias vezes para observar o nascer do sol. Mas algo acontecia naquela manhã, o sol refletindo admirável pelo panorama familiar... algo que agitava velhas memórias.

Os campos das Plantações Reais se estendiam para além da floresta e, quando o sol se levantava sobre a curva de terra ao longe, ele fulgurava como ouro através dos grãos que balançavam nos campos. Os grãos faziam com que Leto se lembrasse da areia, das dunas ondulantes que serpenteavam aquele mesmo chão.

E serpentearão mais uma vez.

Os grãos não eram da mesma sílica brilhosa cor de âmbar do deserto de que ele se lembrava. Leto olhou para trás, para as distâncias encravadas nos penhascos que formavam seu Sareer, seu santuário do passado. A diferença entre cores era muito distinta. Ainda assim, quando ele voltava a olhar para a Cidade Festival, sentia dor onde seus inúmeros corações mais uma vez reposicionavam-se em seu vagaroso processo de transformação em algo profundamente alienígena.

O que acontece nesta manhã que me faz pensar sobre minha humanidade perdida?, Leto se indagou.

De toda a comitiva real olhando para aquela cena familiar da plantação de grãos e a floresta, Leto sabia que apenas ele ainda pensava no cenário magnífico como o *bahr bela ma*, o oceano sem água.

— Duncan — chamou Leto. — Consegue ver aquilo na direção da cidade? Era o Tanzerouft.

— A Terra do Terror? — Idaho revelou sua surpresa ao vislumbrar rápido em direção a Onn e ao retornar o olhar em direção a Leto.

— *O bahr bela ma* — Leto falou. — Foi ocultado debaixo de um tapete de plantas por mais de três mil anos. De todos os que hoje vivem em Arrakis, apenas nós dois conhecemos o deserto original.

Idaho olhou na direção de Onn e perguntou:

— Onde está a Muralha-Escudo?

— A Fenda de Muad'Dib está bem ali, onde construímos a Cidade.

— Aquela fila de pequenas colinas era a Muralha-Escudo? O que aconteceu com ela?

— Você está pisando nela.

Idaho olhou para Leto, depois baixou o olhar para o caminho e tudo ao redor.

— Senhor, podemos prosseguir? — indagou Moneo.

Moneo, com aquele relógio batendo em seu peito, é o espinho que instiga os outros a cumprir os deveres, pensou Leto. Havia visitantes de grande importância para encontrar e outras questões cruciais. O tempo o pressionava e ele não gostava quando seu Imperador Deus começava uma conversa sobre os velhos tempos com os Duncan.

Subitamente, Leto se deu conta de que jamais havia feito uma pausa tão longa. A corte e a guarda sentiam frio depois de correr sob o ar da manhã. Alguns haviam escolhido sua roupa mais para se exibir do que para proteção.

Por outro lado, pensou Leto, *talvez exibir-se seja uma forma de proteção*.

— Havia dunas — Idaho comentou.

— Que se estendiam por milhares de quilômetros — concordou Leto.

Os pensamentos de Moneo se reviraram. Ele estava acostumado com o temperamento reflexivo do Imperador Deus, mas havia naquele dia um tom de tristeza. Talvez a morte recente de um Duncan. Às vezes Leto deixava informações importantes passarem despercebidas quando estava triste. Nunca se podiam questionar os humores e caprichos do Imperador Deus, mas às vezes eles podiam ser usados.

Siona deve ser avisada, pensou Moneo. *Se aquela tola me escutar!*

Ela estava mais rebelde do que nunca. Muito mais. Leto havia domesticado seu Moneo, sensibilizado-o em relação ao Caminho Dourado e às funções legítimas para as quais tinha sido gerado, mas os métodos usados em um Moneo não funcionariam com uma Siona. Levando isso em conta, Moneo aprendera coisas sobre seu próprio treinamento das quais Leto jamais tinha suspeitado.

— Não identifico nenhum ponto de referência — disse Idaho.

— Bem ali — apontou Leto. — Onde a floresta termina. Esse era o caminho para a Pedra Lascada.

Moneo parou de ouvir a conversa. *Foi o derradeiro fascínio sobre o Imperador Deus que finalmente havia me deixado de joelhos.* Leto nunca parava de surpreender e maravilhar. Não era possível predizer suas atitudes com certo grau de confiança. Moneo fitou o perfil do Imperador Deus. *Em que ele havia se transformado?*

Como parte dos seus primeiros trabalhos, Moneo havia lido os registros privados da Cidadela, os relatos históricos da transformação de Leto, mas a simbiose com as trutas da areia permanecia um mistério que nem mesmo as palavras de Leto podiam esclarecer. Se fosse possível acreditar nas explicações históricas, as trutas da areia haviam transformado seu corpo em algo quase invulnerável ao tempo e à violência. O núcleo do corpanzil anelado seria capaz até mesmo de absorver rajadas de armaleses!

Primeiro as trutas da areia, depois o verme; tudo parte de um grande ciclo que havia produzido mélange. Tal ciclo se alojava dentro do Imperador Deus... marcando o tempo!

— Prossigamos — ordenou Leto.

Moneo percebeu que havia perdido algo. Voltou de sua divagação e olhou para um sorridente Duncan Idaho.

— Costumávamos chamar isso de devaneio — disse Leto.

— Perdão, Senhor — respondeu Moneo. — Estava...

— Você estava devaneando, mas não tem problema.

O temperamento dele melhorou, pensou Moneo. Creio que eu deva agradecer ao Duncan por isso.

Leto ajustou sua posição no coche, fechou parte da sua bolha de proteção e deixou apenas a cabeça do lado de fora. O coche esmagava as pequenas rochas no leito da estrada enquanto Leto o conduzia.

Idaho tomou sua posição ao lado do ombro de Moneo e caminhou junto a ele.

— Há bulbos de flutuação debaixo do coche, mas ele usa as rodas — constatou Idaho. — Por quê?

— É do agrado do Senhor Leto usar rodas no lugar de antigravidade.

— O que faz essa coisa andar? Como ele a manobra?

— Você não perguntou?

— Não tive a oportunidade.

— O Coche Real é de fabricação ixiana.

— E o que isso significa?

— Diz-se que o Senhor Leto ativa e manobra seu coche utilizando-se exclusivamente de seu pensamento.

— Você não tem certeza?

— Perguntas como essa não o agradam.

Até para os íntimos, pensou Moneo, *o Imperador Deus ainda é um mistério.*

— Moneo! — chamou Leto.

— É melhor você voltar para suas guardas — falou Moneo, gesticulando para que Idaho retrocedesse.

— Prefiro ficar na frente com os outros — respondeu Idaho.

— O Senhor Leto não quer! Agora, volte!

Moneo se posicionou próximo ao rosto de Leto, reparando que Idaho traçava seu caminho de volta por entre os cortesãos em direção à última fileira das tropas.

Leto olhou para Moneo:

— Acho que você foi bastante hábil, Moneo.

— Obrigado, Senhor.

— Você sabe o porquê de o Duncan querer ficar na frente?

— Sim, Senhor. É onde sua Guarda deveria estar.

— E esse pressente o perigo.

— Não o compreendo, Senhor. Não consigo entender por que o Senhor faz essas coisas.

— Isso é verdade, Moneo.

O SENTIDO FEMININO DE COMPARTILHAMENTO SE ORIGINOU GRAÇAS À PARTILHA FAMILIAR – DO CUIDADO COM OS JOVENS, DA COLETA E PREPARAÇÃO DE ALIMENTOS, DA DIVISÃO DE ALEGRIAS, AMOR E MÁGOAS. O LAMENTO FUNERAL SE ORIGINOU COM AS MULHERES. A RELIGIÃO SE INICIOU COMO UM MONOPÓLIO FEMININO, QUE FOI RETIRADO DELAS ASSIM QUE SEU PODER SOCIAL SE TORNOU MUITO DOMINANTE. AS MULHERES FORAM AS PRIMEIRAS PESQUISADORAS DE MEDICINA E TAMBÉM AS PRIMEIRAS A EXERCÊ-LA. NUNCA HOUVE UM EQUILÍBRIO CLARO ENTRE OS SEXOS PORQUE O PODER SE ALIA A CERTOS PAPÉIS BEM COMO SE ALIA AO CONHECIMENTO.

– Os Diários Roubados

Para a Reverenda Madre Tertius Eileen Anteac, aquela havia sido uma manhã desastrosa. Ela chegara a Arrakis com sua companheira Proclamadora da Verdade, Marcus Claire Luyseyal, ambas acompanhadas pela sua comitiva, cerca de três horas antes, a bordo do primeiro paquete de transporte da Guilda, pairando em órbita estacionária. Primeiro, elas descobriram que seus quartos estavam localizados em uma das extremidades mais distantes do alojamento da Embaixada da Cidade Festival. Os quartos eram pequenos e não particularmente limpos.

– Só mais um pouquinho para fora e estaríamos acampando na rua – observara Luyseyal.

Em seguida, foram-lhes negadas instalações para comunicação. Todas as telas permaneciam apagadas, não importava quantos interruptores fossem pressionados e discadores de mão fossem girados.

A própria Anteac reclamara à oficial corpulenta que comandava a escolta das Oradoras Peixe, uma mulher carrancuda com sobrancelhas baixas e os músculos de um trabalhador braçal.

– Desejo fazer uma reclamação para sua comandante!

— Reclamações não são permitidas durante o Festival! — a mulher aguerrida havia vociferado.

Anteac encarara a oficial, lançando um olhar que, em sua face velha e enrugada, era conhecido por fazer até suas companheiras Reverendas Madres hesitarem.

A mulher aguerrida havia apenas sorrido e dito:

— Tenho uma mensagem. Devo informá-la que sua audiência com o Imperador Deus foi mudada para a última posição.

A maioria das comitivas Bene Gesserit já ouvira isso e mesmo a mais reles assistente-postulante havia compreendido o significado. Todas as cotas da especiaria já teriam sido fixadas ou (*que os deuses nos protejam!*) acabado àquele ponto.

— Devíamos ser as terceiras — Anteac havia dito, sua voz até suave, dadas as circunstâncias.

— São as ordens do Imperador Deus!

Anteac sabia o que significava aquele tom de voz de uma Oradora Peixe. Desafiá-lo significava incorrer em violência.

Uma manhã desastrosa e agora essa!

Anteac ocupava uma banqueta apoiada contra a parede em um pequeno quarto, quase vazio, próximo ao centro dos alojamentos inadequados. Ao lado dela havia um catre baixo, que mal poderia ser indicado para uma acólita! As paredes eram de um escabroso verde-pálido e havia apenas um antigo luciglobo tão defeituoso que não era capaz de mudar a tonalidade amarela. O quarto mostrava sinais de haver sido uma pequena despensa. Cheirava a mofo. Chanfros e arranhões desfiguravam o plástico negro do piso.

Alisando sua aba negra na altura dos joelhos, Anteac se inclinou próximo à mensageira postulante, que se ajoelhou, cabeça baixa em deferência, diretamente em frente à Reverenda Madre. A mensageira era uma moça loira com olhos grandes, que transpirava de medo e agitação em sua face e em seu pescoço. Ela vestia um manto empoeirado, de um tom marrom-amarelado, com a sujeira das ruas ao longo da bainha

— Você tem certeza, certeza absoluta? — Anteac perguntou em voz mansa para acalmar a pobre moça, que ainda tremia com a gravidade da mensagem transmitida.

— Sim, Reverenda Madre. — Ela manteve o olhar para baixo.

— Recite-a mais uma vez — ordenou Anteac, pensando: *estou ganhando tempo. Eu a ouvi muito bem.*

A mensageira levantou o olhar para Anteac e fitou diretamente seus olhos totalmente azuis, como todas as postulantes e acólitas eram ensinadas a fazer.

— Assim como me foi ordenado, entrei em contato com os ixianos em sua Embaixada e apresentei seus cumprimentos. Depois perguntei se havia alguma mensagem que eu devesse trazer de volta.

— Sim, sim, menina! Já sei. Vá direto ao assunto.

A mensageira engoliu em seco e prosseguiu:

— O porta-voz se identificou como Othwi Yake, encarregado temporário da Embaixada e assistente do antigo embaixador.

— Tem certeza de que ele não era um Dançarino Facial substituto?

— Nenhum dos sinais era perceptível, Reverenda Madre.

— Muito bem. Conhecemos esse Yake. Pode continuar.

— Yake contou que eles aguardavam a chegada da nova...

— Hwi Noree, a nova embaixadora, sim. Ela deve chegar hoje.

A mensageira umedeceu os lábios com a língua.

Anteac tomou uma nota mental para retornar aquele pobre ser a uma rotina de treinamento mais simples. Mensageiras deviam ter mais autocontrole, ainda que certa tolerância fosse necessária, em razão da seriedade da mensagem.

— Então ele me pediu para esperar — disse a mensageira. — Saiu do quarto e retornou pouco depois, acompanhado de um Tleilaxu, um Dançarino Facial, tenho certeza. Havia certos sinais de...

— Estou certa de que você tem razão, menina — interrompeu Anteac. — Agora vá direto ao... — Naquele momento, Anteac parou de falar conforme Luyseyal entrava no cômodo.

— O que é isso acerca de mensagens dos ixianos e dos Tleilaxu? — Luyseyal indagou.

— A moça está repetindo agora — respondeu Anteac.

— Por que não fui convocada?

Anteac olhou para sua colega Proclamadora da Verdade. Luyseyal podia ser uma das melhores praticantes da *arte*, mas dava importância excessiva à hierarquia. Em contrapartida, ela era jovem, com características sensuais e ovaladas, do tipo-Jéssica, e tais genes tendiam a carregar uma natureza de grande teimosia.

Anteac respondeu com voz mansa:

— Sua acólita disse que você estava meditando.

Luyseyal assentiu, sentou-se no catre e ordenou à mensageira:

— Continue.

— O Dançarino Facial disse que ele tinha uma mensagem para as Reverendas Madres. Ele usou o plural — completou a mensageira.

— Ele soube que havia duas de nós aqui desta vez — disse Anteac.

— Todos sabem disso — retrucou Luyseyal.

Anteac voltou sua atenção para a mensageira e insistiu:

— Você podia entrar em transe de memória agora, menina, e nos recitar *verbatim* as palavras do Dançarino Facial?

A mensageira assentiu, sentou-se sobre os calcanhares e apertou as mãos no colo. Ela respirou profundamente três vezes, fechou os olhos e relaxou os ombros. Quando falou, sua voz saiu em um tom estridente e anasalado.

— Diga às Reverendas Madres que esta noite o Império ficará livre do Imperador Deus. Vamos atacá-lo hoje antes que ele alcance Onn. Não podemos falhar.

Um suspiro profundo atingiu a mensageira. Seus olhos se abriram e ela olhou para Anteac.

— Yake, o ixiano, avisou-me para ter pressa com essa mensagem. Depois ele tocou atrás da minha mão esquerda daquela forma peculiar, o que ajudou a me convencer de que ele não...

— Yake é um de nós — explicou Anteac. — Explique a Luyseyal a mensagem dos dedos.

A mensageira olhou para Luyseyal e declarou:

— Fomos invadidos pelos Dançarinos Faciais e não podemos nos mover.

Assim que Luyseyal se sobressaltou e começou a se levantar do catre, Anteac avisou:

— Já tomei as medidas apropriadas para guardar nossas portas. — Anteac olhou para a mensageira e emendou: — Pode ir agora, menina, seu desempenho foi adequado à tarefa.

— Sim, Reverenda Madre.

A mensageira levantou seu corpo ágil exibindo certa graciosidade, mas não havia dúvida em seus movimentos de que ela compreendera o significado das palavras da Reverenda Madre. *Adequado* não era o mesmo que *bem executado*.

Quando a mensageira saiu, Luyseyal acrescentou:

— Ela devia ter inventado alguma desculpa para estudar a Embaixada e descobrir quantos ixianos foram substituídos.

— Melhor não — disse Anteac. — No que diz respeito a esse assunto, ela agiu bem. Não, mas teria sido melhor se ela tivesse conseguido uma forma de obter um relatório mais detalhado de Yake. Temo que o perdemos.

— A razão de os Tleilaxu nos terem enviado essa mensagem é óbvia, claro — disse Luyseyal.

— Eles realmente vão atacá-lo — completou Anteac.

— Claro. Isso é o que os *tolos* fariam, mas me pergunto o porquê de eles nos terem enviado essa mensagem.

— Pensam que não temos outra chance além de nos unirmos a eles — Anteac respondeu.

— Se tentarmos avisar o Senhor Leto, os Tleilaxu vão descobrir nossas mensageiras e seus contatos.

— E se os Tleilaxu forem bem-sucedidos? — perguntou Anteac.

— Não é provável.

— Não sabemos qual é o plano, sabemos mais ou menos quando vai ocorrer.

— E se essa moça, essa Siona, fizer parte disso? — indagou Luyseyal.

— Perguntei-me o mesmo; você ouviu o relatório completo da Guilda?

— Apenas o resumo. É o suficiente?

— Sim, com alta probabilidade.

— A senhora devia tomar cuidado com termos como *alta probabilidade* — disse Luyseyal. — Não queremos que ninguém pense que a senhora é uma Mentat.

O tom de voz de Anteac foi seco quando falou:

— Presumo que você não vá me entregar.

— A senhora acha que a Guilda está certa sobre Siona? — indagou Luyseyal.

— Não tenho informações suficientes. Se a Guilda estiver certa, ela é algo extraordinário.

— Assim como o pai do Senhor Leto era extraordinário?

— Um navegador da Guilda podia se esconder da visão oracular do pai do Senhor Leto.

— Mas não do Senhor Leto.

— Li todo o relatório da Guilda com cuidado. Ela não é capaz de esconder a si mesma e às ações ao seu redor, mas sim...

— Ela desvanece, dizem eles. Desvanece da *visão* deles.

— Ela sozinha — disse Anteac.

— E também da visão do Senhor Leto?

— Eles não sabem.

— Devemos nos atrever a entrar em contato com ela?

— Devemos não nos atrever? — retrucou Anteac.

— Isso tudo pode ser discutível se os Tleilaxu... Anteac, devíamos pelo menos tentar avisá-lo.

— Não temos dispositivos de comunicação e agora há guardas Oradoras Peixe na porta. Elas permitem que nosso povo entre mas não que saia.

— Será que deveríamos falar com elas?

— Já pensei sobre isso. Podemos dizer que estamos com medo de que elas sejam substitutos Dançarinos Faciais.

— Guardas na porta — Luyseyal murmurou. — Será possível que ele saiba?

— Tudo é possível.

— No que diz respeito ao Senhor Leto, essa é a única coisa de que podemos ter certeza — acrescentou Luyseyal.

Anteac se permitiu um pequeno suspiro enquanto se levantava do banco.

— Tenho muitas saudades dos tempos antigos, quando podíamos contar em ter toda a especiaria de que precisávamos, para sempre.

— *Sempre* era apenas outra ilusão — disse Luyseyal. — Espero que tenhamos aprendido nossa lição, não interessa o que os Tleilaxu aprontem hoje.

— Eles o farão de maneira inepta, qualquer que seja o resultado — resmungou Anteac. — Pelos Deuses! Não há mais nem assassinos confiáveis hoje em dia!

— Temos sempre os ghola Idaho — afirmou Luyseyal.

— O que você disse? — Anteac encarou a companheira.

— Temos sempre os...

— Sim!

— Os ghola têm corpos muito lentos — disse Luyseyal.

— Mas não a cabeça.

— O que você anda pensando?

— É possível que os Tleilaxu... não, nem mesmo eles poderiam ser tão...

— Um Idaho Dançarino Facial? — Luyseyal sussurrou.

Anteac assentiu.

— Tire isso da cabeça — disse Luyseyal. — Eles não podem ser tão burros.

– Esse é um julgamento perigoso sobre os Tleilaxu – respondeu Anteac. – Vamos nos preparar para o pior. Chame uma daquelas guardas Oradoras Peixe aqui!

> UM ESTADO DE GUERRA PERPÉTUO DÁ ORIGEM A SUAS PRÓPRIAS CONDIÇÕES SOCIAIS, AS QUAIS SÃO SIMILARES EM QUALQUER PERÍODO HISTÓRICO. O POVO ENTRA EM ESTADO DE ALERTA PERMANENTE PARA REPELIR ATAQUES. NOTA-SE O GOVERNO ABSOLUTO DO AUTOCRATA. TUDO QUE É NOVO SE TRANSFORMA EM DISTRITOS FRONTEIRIÇOS PERIGOSOS: NOVOS PLANETAS, NOVAS ÁREAS ECONÔMICAS A SEREM EXPLORADAS, NOVAS IDEIAS OU NOVOS DISPOSITIVOS, TURISTAS... TUDO É SUSPEITO. O FEUDALISMO VIGORA COM FIRMEZA, ÀS VEZES DISFARÇADO DE POLITBURO OU OUTRA ESTRUTURA PARECIDA, MAS SEMPRE PRESENTE. A SUCESSÃO HEREDITÁRIA SEGUE AS LINHAS DO PODER. O SANGUE DOS PODEROSOS DOMINA. OS VICE-REGENTES DO PARAÍSO OU SEUS EQUIVALENTES PARTILHAM A RIQUEZA. E ELES SABEM QUE DEVEM CONTROLAR HERANÇAS OU DEIXAR QUE O PODER SE DISSOLVA LENTAMENTE. PORTANTO, VOCÊ ENTENDE A PAZ DE LETO?
>
> — Os Diários Roubados

— As Bene Gesserit foram informadas da nova agenda? — perguntou Leto.

Sua comitiva havia entrado no primeiro trecho raso, que serpenteava próximo à chegada da ponte sobre o rio Idaho. O sol ainda estava no primeiro quarto da manhã e alguns cortesãos tiravam suas capas. Idaho flanqueava pelo lado esquerdo com uma pequena tropa de Oradoras Peixe, seu uniforme começando a mostrar indícios de poeira e perspiração. Caminhar e se apressar na velocidade de uma peregrinação real era trabalho pesado.

Moneo tropeçou, mas conseguiu se segurar, dizendo:

— Foram informadas, Senhor.

A mudança na programação não havia sido fácil, mas Moneo tinha aprendido a esperar desvios erráticos durante o Festival. Ele mantinha planos de contingência sempre a postos.

— Elas ainda estão peticionando por uma Embaixada permanente em Arrakis? — perguntou Leto.

— Sim, Senhor. Dei a elas a resposta de sempre.

— Um simples "não" seria suficiente — disse Leto. — Elas não precisam mais ser lembradas de que eu abomino suas pretensões religiosas.

— Sim, Senhor. — Moneo se manteve dentro da distância estabelecida, ao lado do coche de Leto. O Verme estava bastante presente nesta manhã, os sinais corporais bastante aparentes aos olhos de Moneo. Era efeito da umidade do ar, sem dúvida. Ela parecia sempre fazer emergir o Verme.

— A religião sempre leva ao despotismo retórico — disse Leto. — Antes das Bene Gesserit, os Jesuítas eram os melhores nesse ramo.

— Jesuítas, Senhor?

— Com certeza você deparou com eles enquanto se dedicava ao estudo das histórias.

— Não estou tão certo, Senhor. De que época eles eram?

— Não importa. Aprende-se o suficiente sobre despotismo retórico ao se estudar as Bene Gesserit. Claramente, elas não foram as primeiras a se iludir com isso.

As Reverendas Madres vão enfrentar tempos ruins, Moneo disse a si mesmo. *Ele vai pregar para elas. Elas detestam isso. Poderia causar sérios problemas.*

— Qual foi a reação delas? — perguntou Leto.

— Fui informado de que ficaram desapontadas, mas não insistiram nesta questão.

Moneo pensou: é melhor que eu as prepare para mais desapontamento. E elas também devem ser mantidas longe das delegações de Ix e Tleilaxu.

Moneo balançou a cabeça. Isso poderia levar a conspirações realmente sórdidas. Era melhor avisar o Duncan.

— Isso leva a profecias autorrealizáveis e justificativas para todos os tipos de obscenidades — observou Leto.

— Esse... despotismo retórico, Senhor?

— Sim! Ele protege o mal dentro de paredes construídas com presunção virtuosa, à prova de todos os argumentos contrários ao mal.

Moneo olhou de maneira cautelosa para o corpo de Leto, reparando na forma como suas mãos se contorciam, em movimento quase randômico, a contração dos grandes segmentos anelados. *O que farei se o Verme emergir aqui?* O suor começou a surgir na testa de Moneo.

— Ele se alimenta deliberadamente de significados distorcidos para desacreditar a oposição.

— Tudo isso, Senhor?

— Os Jesuítas o chamavam de "garantir a base de poder". Leva diretamente à hipocrisia, que é sempre traída pelo hiato entre ações e explicações. Elas nunca concordam.

— Tenho que estudar o assunto com mais atenção, Senhor.

— Em última análise, governa por meio da culpa, porque a hipocrisia atrai a caça às bruxas e a necessidade de bodes expiatórios.

— Chocante, Senhor.

O cortejo dobrou uma curva onde a rocha havia sido aberta para relancear a ponte mais ao longe.

— Moneo, você está prestando bastante atenção no que digo?

— Sim, Senhor. Com certeza.

— Descrevo uma ferramenta da base de poder religiosa.

— Reconheço, Senhor.

— Então por que está com tanto medo?

— Conversas sobre o poder religioso sempre me deixam apreensivo, Senhor.

— Porque você e as Oradoras Peixe o empunham em meu nome?

— Claro, Senhor.

— Bases de poder são muito perigosas, porque atraem pessoas que são totalmente insanas, pessoas que buscam o poder pelo poder em si. Você compreende?

— Sim, Senhor. É a razão pela qual é tão raro o Senhor conceder petições para encontros durante o seu governo.

— Excelente, Moneo!

— Obrigado, Senhor.

— À sombra de todas as religiões se esconde um Torquemada — disse Leto. — Você nunca leu esse nome. Sei porque mandei expurgá-lo de todos os arquivos.

— Por quê, Senhor?

— Ele era uma obscenidade. Ele transformou em tochas vivas as pessoas que discordavam dele.

Moneo baixou o tom de voz e indagou:

— Como os historiadores que o desagradaram, Senhor?

— Você questiona meus atos, Moneo?

— Não, Senhor.

— Bom. Os historiadores morreram em paz. Ninguém sentiu o fogo. Torquemada, em contrapartida, deleitava-se em entregar a seu deus cada grito agonizante de suas vítimas em chamas.

— Que horrível, Senhor.

O cortejo percorreu outra curva com uma vista para a ponte. A travessia não parecia estar mais próxima.

Uma vez mais, Moneo estudou seu Imperador Deus. O Verme não parecia ter se aproximado. Contudo, ainda estava muito perto. Moneo sentia a ameaça daquele ser imprevisível, a Presença Sagrada que podia matar a qualquer momento.

Moneo deu de ombros.

Qual era o sentido daquele estranho... sermão? Moneo sabia que poucos haviam escutado o Imperador Deus falar daquela forma. Era um privilégio e um fardo. Era parte do preço pago pela Paz de Leto. Geração após geração marchava de forma ordenada de acordo com os ditames daquela paz. Apenas os integrantes do círculo exclusivo da Cidadela sabiam das quebras infrequentes daquela paz: os *incidentes* em que as Oradoras Peixe eram enviadas em antecipação ao começo da violência.

Antecipação!

Moneo olhou rapidamente para Leto, que se calara. Os olhos do Imperador Deus estavam fechados e um ar de tristeza tomava conta de seu rosto. Esse era outro dos indícios do Verme... um indício bastante ruim. Moneo tremeu.

Será que Leto antecipara até seus próprios momentos de violência selvagem? Era a antecipação da violência que causava tremores de espanto e medo pelo Império. Leto sabia onde seus guardas deveriam estar posicionados para reprimir uma rebelião temporária. Ele sabia antes que o evento acontecesse.

Só de pensar nessas questões, o senescal sentia sua boca se ressecar. Havia ocasiões, Moneo acreditara, em que o Imperador Deus era capaz de ler qualquer mente. Oh, Leto empregava espiões. Às vezes, uma figura envolta em um manto passava pelas Oradoras Peixe para ascender ao topo da torre de Leto ou descia para a cripta. Espiões, sem dúvida, mas Moneo suspeitava que estavam sendo usados apenas para confirmar o que Leto já sabia.

Como que para confirmar os temores na mente de Moneo, Leto o interrompeu:

— Não tente forçar uma compreensão de meus modos, Moneo. Deixe que a compreensão venha por si mesma.

— Tentarei, Senhor.

— Não, *não* tente. Diga-me, em vez disso, se você já anunciou que não haverá mudanças na distribuição da especiaria.

— Ainda não, Senhor.

— Atrase o anúncio. Estou mudando de ideia. Você sabe, por exemplo, que haverá novas ofertas de suborno.

Moneo suspirou. As somas oferecidas a ele como suborno haviam alcançado alturas inacreditáveis. Leto, contudo, parecia se divertir com a escalada dos valores.

— Deixe que eles se insinuem – ele havia dito antes. – Veja quão alto eles vão. Dê a eles a ilusão de que você, no final, pode ser subornado.

Agora, enquanto eles viravam outra esquina com vista para a ponte, Leto perguntou:

— A Casa Corrino lhe ofereceu suborno?

— Sim, Senhor.

— Você conhece a lenda que diz que a Casa Corrino será restaurada ao seu antigo poderio?

— Ouvi falar, Senhor.

— Faça com que os Corrino sejam mortos. É tarefa para o Duncan. Vamos testá-lo.

— Tão rápido, Senhor?

— É sabido que o mélange prolonga a vida humana. Deixe também que todos saibam que a especiaria pode encurtar a vida.

— Será como ordena, Senhor.

Moneo conhecia essa resposta em seu âmago. Era a forma que usava quando não podia expressar a objeção profunda que sentia. Ele também sabia que o Senhor Leto entendia tal uso e se divertia com ele. Essa diversão era irritante.

— Tente não ser impaciente comigo, Moneo — completou Leto.

Moneo reprimiu seu sentimento de amargura. Amargura trazia perigo. Rebeldes eram amargos. Os Duncan se amarguravam antes de morrer.

— O tempo tem um significado diferente para o Senhor do que tem para mim — disse Moneo. — Quem dera eu pudesse saber esse significado.

— Você poderia, mas não vai.

Moneo captou a reprimenda nas palavras e ficou em silêncio. Mudou a direção de seus pensamentos para os problemas do mélange. Não era sempre que o Senhor Leto falava sobre a especiaria e, quando o fazia, geralmente era para alocar ou retirar cotas, para distribuir recompensas ou enviar às Oradoras Peixe atrás de algum novo depósito descoberto. A maior reserva remanescente de especiaria, Moneo sabia, estava em algum lugar conhecido apenas pelo Imperador Deus. Nos seus primeiros dias de serviço real, haviam colocado um capuz em Moneo e ele fora conduzido pelo próprio Senhor Leto ao lugar secreto, entre passagens contorcidas as quais Moneo sentiu que ficavam debaixo da terra.

Quando removi o capuz, estávamos no subsolo.

O lugar deixara Moneo estupefato. Grandes tonéis de mélange estavam dispostos em um aposento gigantesco cortado na rocha nativa. Eram iluminados por luciglobos de um modelo antigo, com arabescos elaborados em metal sobre eles. A especiaria brilhava em um azul radiante na suave luz prateada e seu odor era de um canela amargo inequívoco. Havia água pingando em algum lugar por perto. Suas vozes ecoavam contra a rocha.

— Um dia isso tudo não existirá mais — o Senhor Leto dissera.

Chocado, Moneo perguntara:

— O que a Guilda e as Bene Gesserit farão?

— O mesmo que fazem agora, só que de maneira mais violenta.

Olhando fixamente para aquele aposento gigantesco com sua enorme reserva de mélange, Moneo conseguira apenas pensar no que acontecia no Império naquele momento: assassinatos sangrentos, piratas invasores, espionagem e intriga. O Imperador Deus ocultava as piores histórias, mas o que restava já era ruim o suficiente.

— A tentação — sussurrara Moneo.

— A tentação, sem dúvida.

— Nunca mais haverá mélange, Senhor?

— Um dia, voltarei para a areia. Eu serei a fonte de especiaria.

— O Senhor?

— Produzirei algo tão maravilhoso quanto a especiaria: mais trutas da areia. Um híbrido e um reprodutor prolífico.

Trêmulo diante dessa revelação, Moneo encarara a figura sombria do Imperador Deus que falava de tantas maravilhas.

— As trutas da areia se unirão em grandes bolhas vivas e encerrarão a água deste planeta no mais profundo subsolo — dissera o Senhor. — Exatamente como era nos tempos de Duna.

— Toda a água, Senhor?

— A maior parte dela. Em trezentos anos, as trutas da areia reinarão mais uma vez aqui. Será uma nova espécie de trutas da areia, eu prometo.

— Como assim, Senhor?

— Terão percepção animal e uma astúcia inédita. A especiaria será mais perigosa para se encontrar e ainda mais perigosa para se manter.

Moneo olhara para o teto rochoso da caverna, sua imaginação sondando através da rocha até a superfície.

— Tudo deserto de novo, Senhor?

— Cursos d'água se encherão de areia. As colheitas serão asfixiadas e mortas. Árvores serão cobertas por grandes dunas movediças. A areia mortal se alastrará até... até que, de súbito, um sinal sutil seja ouvido nas terras estéreis.

— Que sinal, Senhor?

— O sinal para o novo ciclo, a vinda do Criador, a vinda de Shai-hulud.

— Será o Senhor?

— Sim! O grande verme da areia de Duna se erguerá uma vez mais a partir das profundezas. Esta terra ficará de novo sob o domínio da areia e dos vermes.

— Mas o que será das pessoas, Senhor? Todas as pessoas?

— Muitas morrerão. As plantas frutíferas e a vegetação abundante desta terra serão estorricadas. Sem sustento, os animais de abate também vão morrer.

— Todos passarão fome, Senhor?

— A subnutrição e as doenças antigas vão assolar as terras, enquanto apenas os mais fortes sobreviverão... os mais fortes e os mais violentos.

— É assim que tem que ser, Senhor?

— As alternativas são piores.

— Conte-me quais são as alternativas, Senhor.

— Você as saberá, no tempo certo.

Enquanto marchava ao lado do Imperador Deus sob a luz da manhã, durante a peregrinação para Onn, Moneo tinha de admitir que havia, de fato, aprendido sobre as alternativas piores.

Para a maioria dos dóceis cidadãos do Império, Moneo sabia, o conhecimento estrito que ele mantinha em sua própria cabeça jazia oculto na História Oral, nos mitos e nas histórias desvairadas contadas pelos raros e loucos profetas, que surgiam neste ou naquele planeta para juntar seguidores por um período que não durava muito.

Contudo, eu sei o que as Oradoras Peixe fazem.

Ele sabia, inclusive, sobre homens cruéis que se sentavam à mesa e se empanturravam de iguarias finas, enquanto assistiam à tortura de outros homens.

Até que as Oradoras Peixe vieram e o sangue derramado apagou tais cenas.

— Gostei da forma como sua filha me observava — disse Leto. — Ela nem percebeu que eu sabia.

— Senhor, temo por ela! Ela é meu sangue, minha...

— Meu também, Moneo. Não sou um Atreides? Você seria mais bem empregado se temesse por si mesmo.

Moneo lançou um rápido olhar sobre o corpo do Imperador Deus. Os sinais do Verme continuavam próximos demais. Moneo virou-se para o cortejo que os seguia, depois para a estrada à frente. Agora, eles estavam em uma descida íngreme, os contornos curtos e talhados nos muros altos das rochas assentadas por humanos que compunham o penhasco que cercava o Sareer.

— Siona não me ofende, Moneo.

— Mas ela...

— Moneo! Aqui, em sua cápsula misteriosa, está um dos maiores segredos da vida. Ser *surpreendido,* que algo novo aconteça, *isso* é o que eu mais desejo.

— Senhor, eu...

— Novo! Não é uma palavra radiante, *maravilhosa?*

— Se o Senhor assim o diz.

Leto foi forçado a lembrar a si mesmo: *Moneo é minha criação, eu o criei*.

— Sua filha vale praticamente qualquer preço para mim, Moneo. Você deprecia os companheiros dela, mas pode ser que haja um entre eles que ela amará.

Moneo voltou os olhos para trás de maneira involuntária, observando o Duncan marchando com as guardas. Idaho mirava para a frente, como se tentasse sondar cada curva na estrada antes que o cortejo a alcançasse. Ele não gostava daquele lugar de escarpas altas, circundando os pontos de onde poderia vir um ataque. Idaho havia mandado escoltas lá para cima à noite e Moneo sabia que algumas delas ainda estavam de ronda nas alturas, mas também existiam ravinas à frente, antes que os peregrinos chegassem até o rio. Não havia guarda suficiente para todos os postos necessários.

— Vamos confiar nos fremen — Moneo assegurara.

— Fremen? — Idaho não gostava do que tinha escutado sobre os fremen de museu.

— Pelo menos eles podem soar um alarme contra invasores — Moneo dissera.

— Você os viu e pediu a eles que fizessem isso?

— Claro.

Moneo não ousara trazer a questão de Siona à conversa com Idaho. Haveria tempo suficiente para isso depois, mas agora o Imperador Deus tinha dito algo perturbador. Teria ocorrido mudança nos planos?

Moneo voltou sua atenção para o Imperador Deus e falou em um tom de voz baixo:

— Amar um companheiro, Senhor? O Senhor mencionou que o Duncan...

— Disse *amar*, não *reproduzir com!*

Moneo tremeu, pensando em como seu próprio coito havia sido realizado, a separação de...

Não! Melhor não seguir o caminho dessas memórias!

Houvera afeição, até mesmo um amor verdadeiro... mais tarde, porque nos primeiros dias...

— Você está devaneando de novo, Moneo.

— Perdoe-me, Senhor, mas quando o Senhor fala de amor...

— Você acha que não tenho pensamentos de ternura?

— Não é isso, Senhor, mas...

— Então você acha que eu não tenho memórias de amor e de reprodução?

O coche virou-se em direção a Moneo, forçando-o a desviar-se para longe, apavorado com a ameaça refletida no rosto do Senhor Leto.

— Senhor, eu imploro...

— Esse *corpo* pode nunca ter conhecido tais ternuras, mas *todas* as memórias são minhas!

Moneo podia ver os sinais do Verme tornando-se cada vez mais dominantes no corpo do Imperador Deus, e não havia fuga conhecida diante desse estado de espírito.

Corro um grave perigo. Todos nós corremos.

Moneo tornou-se ainda mais consciente dos sons ao redor dele, o rangido do Coche Real, as tosses e as conversas em tom baixo da comitiva, os pés na estrada. Podia ser sentida uma exalação de canela vinda do Imperador Deus. O ar entre os muros de pedra ao redor ainda conservava o frio da manhã e a umidade do rio estava presente.

Será que foi a umidade que despertou o Verme?

— Ouça-me, Moneo, como se sua vida dependesse do que direi.

— Sim, Senhor — Moneo sussurrou e sabia que sua vida de fato dependia do cuidado que ele tomasse agora, tanto em ouvi-lo como em observá-lo.

— Parte de mim habita para sempre os subterrâneos sem pensamento — continuou Leto. — Esta parte reage. Ela faz coisas sem se importar com o conhecimento ou com a lógica.

Moneo assentiu, sua atenção voltada para o rosto do Imperador Deus. Os olhos estavam ficando vidrados?

— Sou forçado a ficar de fora e assistir a tais cenas, nada mais — disse Leto. — Uma reação dessas pode causar sua morte. A escolha não é minha. Você prestou atenção?

— Prestei, Senhor — murmurou Moneo.

— Não há algo parecido com *escolha* em um evento como esse! Você o aceita, apenas o aceita. Você jamais o entenderá ou o conhecerá. O que tem a dizer sobre isso?

— Temo o desconhecido, Senhor.

— Mas eu, não. Diga-me o porquê!

Moneo havia esperado uma crise como essa e, agora que ela havia chegado, quase a considerou bem-vinda. Ele sabia que sua vida dependia da resposta. Fixou o olhar no seu Imperador Deus, a mente em polvorosa.

— É em razão de todas as suas memórias, Senhor.

— O que mais?

Uma resposta incompleta, portanto. Moneo buscava as palavras.

— O Senhor vê tudo aquilo que sabemos... tudo como já foi um dia: desconhecido! Uma surpresa para o Senhor... uma surpresa deve ser meramente algo novo para o Senhor conhecer? — Enquanto falava, Moneo percebeu que havia deixado implícito um ponto de interrogação defensivo em algo que deveria ter sido uma declaração firme, mas o Imperador Deus sorriu.

— Devido à tamanha sabedoria, concedo-lhe uma dádiva, Moneo. Qual é o seu desejo?

O alívio imediato abriu caminho para outros medos emergirem.

— Poderia eu trazer Siona de volta à Cidadela?

— Isso fará com que eu a teste mais cedo do que antes.

— Ela tem que se separar de seus companheiros, Senhor.

— Muito bem.

— Meu Senhor é benevolente.

— Sou egoísta.

O Imperador Deus se afastou de Moneo e ficou em silêncio.

Olhando para o corpo segmentado, Moneo observou que os sinais do Verme haviam diminuído um pouco. No final, tudo havia corrido bem. Ele então pensou nos fremen com sua petição e o medo voltou.

Foi um erro. Vai apenas atiçá-Lo de novo. Por que eu disse que eles podiam apresentar a petição?

Os fremen estariam esperando mais adiante, alinhados deste lado do rio, com seus papéis tolos ondulando nas mãos.

Moneo marchou em silêncio, sua apreensão crescendo a cada passo.

AQUI A AREIA SOPRA; LÁ A AREIA SOPRA. LÁ UM HOMEM RICO ESPERA; AQUI EU ESPERO.

— A Voz de Shai-hulud, da História Oral

Depoimento da irmã Chenoeh, encontrado entre seus documentos após sua morte:

Obedeço tanto a meus princípios de Bene Gesserit quanto aos comandos do Imperador Deus ao sonegar essas palavras de meus registros, enquanto as oculto para que possam ser encontradas depois de minha morte. Pois o Senhor Leto me disse:

— A senhora retornará a suas Superioras com minha mensagem, mas mantenha em segredo, por ora, estas palavras. Minha fúria se voltará sobre sua Irmandade se a senhora falhar.

Como a Reverenda Madre Syaksa me avisara antes que eu partisse:

— Não faça nada que possa trazer a ira dele sobre nós.

Enquanto eu corria ao lado do Senhor Leto naquela curta peregrinação à qual já me referi, pensei em perguntar a ele sobre sua semelhança com a Reverenda Madre. Na ocasião, eu disse:

— Senhor, sei como uma Reverenda Madre adquire as memórias de suas ancestrais e de outrem. Como aconteceu com o Senhor?

— Foi um arranjo da nossa história genética combinada com os efeitos da especiaria. Minha irmã gêmea, Ghanima, e eu fomos acordados no útero, despertos antes do nascimento, na presença de nossas memórias ancestrais.

— Senhor... minha Irmandade chama isso de Abominação.

— Acertadamente — concordara o Senhor Leto. — A quantidade de ancestrais pode ser opressiva. E quem sabe, antes do acontecimento, que força vai comandar essa horda? Boa ou má?

— Senhor, como superou tanta força?

— Não superei — admitira o Senhor Leto. — Mas a persistência do modelo faraônico salvou a Ghani e a mim. Conhece esse modelo, Irmã Chenoeh?

— Nós da Irmandade somos bem versadas em história, Senhor.

— Sim, mas você não pensa sobre isso como eu — o Senhor Leto dissera. — Falo de uma doença de governo que os gregos contraíram, transmitindo-a aos romanos, que, por sua vez, distribuíram-na de maneira tão extensa que ela nunca morreu completamente.

— Fala por charadas, meu Senhor?

— Sem charadas. Odeio essa coisa, mas foi ela quem nos salvou. Ghani e eu formamos poderosas alianças internas com ancestrais que seguiram o modelo faraônico. Eles nos ajudaram a formar uma identidade combinada com aquela turba já há tanto tempo adormecida.

— Acho isso perturbador, Senhor.

— E devia achar mesmo.

— Por que está me contando isso agora? O Senhor nunca respondeu a nenhuma de nós dessa forma, não até onde eu saiba.

— Porque a senhora é uma boa ouvinte, Irmã Chenoeh. Porque a senhora vai me obedecer e porque eu jamais a verei de novo.

O Senhor Leto dissera essas estranhas palavras para mim e depois perguntara:

— Por que não me perguntou sobre o que sua Irmandade chama de minha *tirania insana?*

Animada com suas atitudes, arrisquei-me a dizer:

— Senhor, sabemos de suas execuções sanguinárias. Elas nos perturbam.

O Senhor Leto então fizera algo muito estranho. Ele fechara os olhos e, conforme prosseguíamos, murmurou:

— Porque sei que as senhoras foram treinadas para se lembrar, de forma acurada, de quaisquer palavras que ouçam, falarei agora com a senhora, Irmã Chenoeh, como se fosse uma página em um dos meus diários. Guarde bem essas palavras, pois não quero que elas sejam perdidas.

Asseguro a minha Irmandade que as palavras que se seguem são, exatamente como foram proferidas, aquelas do Senhor Leto.

– Tenho pleno conhecimento de que, quando não estiver conscientemente aqui entre vocês, quando estiver aqui apenas como uma temível criatura do deserto, muitas pessoas olharão para o passado e me verão como um tirano. É justo. Fui tirânico. Um tirano... não inteiramente humano, nem louco, meramente tirano. Contudo, até os tiranos mais comuns têm motivações e sentimentos que vão além daqueles atribuídos a eles por historiadores simplórios, e eles pensarão em mim como um *grande* tirano. Logo, meus sentimentos e minhas motivações são um legado que eu mesmo preservo, para que a história não os distorça muito. A história tem tendência a realçar algumas características e desprezar outras...

... As pessoas tentarão me entender e fazer com que eu me encaixe em suas palavras. Elas buscarão a verdade. Mas a verdade sempre carrega a ambiguidade das palavras usadas para expressá-la...

... A senhora não me entenderá. Quanto mais o tentar, mais remoto ficarei, até que, finalmente, desapareça como um eterno mito: um Deus Vivo, por fim!...

... É isso, compreende? Não sou um líder nem mesmo um guia. Um deus. Lembre-se disso. Sou bem diferente de líderes e guias. Deuses não precisam tomar responsabilidade sobre qualquer coisa a não ser sobre o Gênesis. Deuses aceitam tudo e, portanto, aceitam nada. Deuses devem ser identificáveis e, ainda assim, permanecer anônimos. Deuses não precisam de um mundo espiritual. Meus espíritos habitam em meu corpo, respondendo aos meus chamados mais simples. Partilho isso com a senhora porque me agrada fazê-lo, o que aprendi sobre eles e por meio deles. Eles são *minha* verdade...

... Cuidado com *a* verdade, gentil Irmã. Apesar de muito procurada, a verdade pode ser perigosa para quem a procura. Mitos e mentiras reconfortantes são muito mais fáceis de se encontrar e de se acreditar. Se a senhora encontrar uma verdade, mesmo uma que seja temporária, ela pode demandar que a senhora efetue mudanças dolorosas. Oculte sua verdade dentro das palavras. Dessa forma, a ambiguidade natural a protegerá. Palavras são muito mais fáceis de se absorver do que as agudas punhaladas délficas de um augúrio sem palavras. Com palavras, a senhora pode gritar bem alto com o coro: "Por que ninguém me avisou?"...

... Mas eu a avisei. Avisei com exemplos, não com palavras...

... Existem, inevitavelmente, mais palavras do que o necessário. A senhora as grava em sua memória maravilhosa neste exato momento. Um dia, meus diários serão descobertos... mais palavras. Eu o advirto de que você lê minhas palavras por sua conta e risco. O movimento sem palavras de terríveis eventos jaz logo abaixo da superfície. Seja surdo! Não precisa ouvir ou, tendo ouvido, não precisa se lembrar. Quão tranquilizador é esquecer. E quão perigoso!...

... Palavras como as minhas têm sido, ao longo do tempo, reconhecidas por seu poder misterioso. Aqui, existe um conhecimento secreto que pode ser usado para governar aqueles que esquecem. Minhas verdades são o material dos mitos e mentiras com os quais os tiranos sempre contaram para manobrar as massas para seus projetos egoístas...

... Você entende? Divido tudo isso, inclusive o grande mistério de todos os tempos, o mistério pelo qual eu componho minha vida. Revelo-o a ti por meio de palavras: "O único passado que perdura jaz sem palavras dentro de si".

O Imperador Deus caíra em silêncio então. Ousei perguntar:

— São essas todas as palavras que meu Senhor deseja que eu preserve?

— Essas são as palavras — disse o Imperador Deus, e pensei que ele soava cansado, desalentado. Soara como alguém que proferia um testamento final. Relembrei que ele havia dito que jamais me veria novamente e senti medo, mas louvei minhas professoras, pois o medo não emergira em minha voz.

— Senhor Leto — eu dissera —, esses diários dos quais o Senhor fala, para quem eles são escritos?

— Para a posteridade, depois de um período de milênios. Personifico esses leitores distantes, Irmã Chenoeh. Penso neles como primos distantes cheios de curiosidades sobre a família. Eles se dedicam a desvendar os dramas que só eu sou capaz de recontar. Eles querem fazer as conexões pessoais com a própria vida. Eles querem os significados, a *verdade*!

— Contudo, o Senhor nos adverte sobre a verdade! — dissera eu.

— De fato! Toda a história é um instrumento maleável em minhas mãos. Oh, acumulei todos esses passados e possuo cada *fato*... ainda assim, os fatos são meus para usar como eu quiser e, mesmo os usando de forma verdadeira, eu os modifico. O que estou dizendo a você neste exato momento? O que é um diário? Apenas palavras.

Mais uma vez, o Senhor Leto ficara em silêncio. Ponderei sobre os presságios que ele acabara de proferir, sopesei-os com a admoestação da Reverenda Madre Syaksa e com o que ele havia me dito antes. Ele dissera que eu era sua mensageira; sendo assim, estava sob sua proteção e podia ousar mais do que qualquer outra pessoa. Portanto, isto foi o que falei:

— Senhor, havia dito que não me verá de novo. Significa que o Senhor está próximo da morte?

Juro aqui em meus registros sobre esse evento, o Senhor Leto gargalhou! Depois disse:

— Não, gentil Irmã, é a senhora quem vai morrer. A senhora não viverá para ser uma Reverenda Madre. Não se entristeça por isso pois, ao levar minha mensagem de volta à sua Irmandade, e também por preservar minhas palavras secretas, a senhora atingirá um posto bem mais elevado. Aqui você se torna parte integral do meu mito. Nossos primos distantes rezarão para que a senhora interceda por mim!

O Senhor Leto gargalhou de novo, mas era uma gargalhada gentil e ele sorriu em minha direção de forma calorosa. Acho muito difícil registrar aqui com a precisão que sou incumbida a empregar em todo relato como este, mas, no momento em que o Senhor Leto falou essas palavras terríveis para mim, senti uma profunda ligação de amizade com ele, como se algo físico tivesse saltado entre nós, nos unindo de forma que as palavras não conseguem descrever por completo. Somente naquele momento da experiência, entendi o que ele queria dizer com *verdade sem palavras*. Aconteceu, contudo não sou capaz de descrever.

NOTA DO ARQUIVISTA

Em razão de eventos intervenientes, a descoberta dos registros privados é agora pouco mais do que uma nota de rodapé da história; interessante, porque contém uma das primeiras referências aos diários secretos do Imperador Deus. Para aqueles que desejam explorar mais a fundo esse relato, a referência pode ser feita nos Registros do Arquivo, subtítulos: *Chenoeh, Santa Irmã Quintinius Violet: Registros de Chenoeh, Os* e *Mélange, Aspectos Médicos da Rejeição a.*

(Nota de rodapé: Irmã Quintinius Violet Chenoeh faleceu em seu quinquagésimo terceiro ano de Irmandade, a causa relatada como incompatibilidade com mélange durante sua tentativa de atingir o posto de Reverenda Madre.)

NOSSO ANCESTRAL, ASSUR-NASIR-APLI, QUE ERA CONHECIDO COMO O MAIS CRUEL DOS CRUÉIS, TOMOU O TRONO DEPOIS DE ASSASSINAR O PRÓPRIO PAI E INSTITUIR O REINO DA ESPADA. SUAS CONQUISTAS INCLUÍRAM A REGIÃO DO LAGO URUMIA, O QUE LEVOU A COMMAGENE E KHABUR. SEU FILHO RECEBEU TRIBUTOS DOS SHUITES, DE TIRO, SIDON, GEBEL E ATÉ DE JEHU, FILHO DE OMRI, CUJO PRÓPRIO NOME INSTILAVA TERROR EM MILHARES DE PESSOAS. AS CONQUISTAS QUE COMEÇARAM COM ASSUR-NASIR-APLI LEVARAM ÀS GUERRAS EM MÉDIA E MAIS TARDE EM ISRAEL, DAMASCO, EDOM, ARPAD, BABILÔNIA E UMLIAS. ATUALMENTE, ALGUÉM SE LEMBRA DESSES NOMES E LUGARES? FORNECI PISTAS SUFICIENTES: TENTE DETERMINAR O NOME DO PLANETA.

— Os Diários Roubados

O ar estava parado nas profundezas da Estrada Real, entalhada nas rochas, que levava até o acesso plano da ponte sobre o rio Idako. O caminho virava à direita para fora da imensidão feita pelas mãos dos homens, usando pedras e terra. Moneo, caminhando ao lado do Coche Real, viu o fitilho pavimentado que cruzava o topo estreito de uma cordilheira até um laçarote de açoplás que formava a ponte, a quase um quilômetro de distância.

O rio, ainda em um abismo bem fundo, se virava para dentro em direção a ele à sua direita, e depois corria reto através de cascatas múltiplas até o ponto mais afastado da Floresta Proibida, onde os muros delimitadores se abaixavam quase até o nível da água. Ali, na periferia de Onn, jaziam os jardins e pomares que ajudavam a alimentar a cidade.

Moneo, olhando para a extensão distante do rio, visível a partir de onde ele caminhava, notou que o topo do desfiladeiro estava banhado pela luz do sol, enquanto a água ainda fluía nas sombras, interrompidas apenas pelo fraco tom prateado das cascatas.

Logo à frente de Moneo, a estrada para a ponte brilhava à luz do sol; as sombras escuras das ravinas erodidas em ambos os lados indicavam, como setas, o caminho certo. O sol nascente já havia tornado a estrada quente. O ar tremulava sobre ela, como um aviso do dia a vir.

Estaremos a salvo na cidade antes da pior parte do calor, pensou Moneo.

Ele caminhou a passos rápidos com a paciência desgastada que sempre o dominava àquele ponto, seu olhar fixado adiante, à espera da petição dos fremen de museu. Moneo sabia que eles viriam a partir de qualquer uma das ravinas erodidas. De algum lugar deste lado da ponte. Esse havia sido o acordo que ele havia feito com os suplicantes. Não havia como interrompê-los agora, àquela altura. E o Imperador Deus ainda mostrava sinais do Verme.

Leto ouviu os fremen antes de qualquer sentinela.

— Ouçam! — ele ordenou.

Moneo entrou em alerta total.

Leto rolou seu corpo no coche, arqueou sua parte dianteira por sobre a bolha de proteção e espreitou mais além.

Moneo conhecia muito bem isso. Os sentidos do Imperador Deus, muito mais aguçados do que os de qualquer outra pessoa ao redor, haviam detectado um distúrbio adiante. Os fremen estavam começando a se mover em direção à estrada. Moneo permitiu-se dar um passo para trás até o limite de sua devida posição. Então, ele próprio ouviu.

Era o som de cascalho rolando.

Os primeiros fremen apareceram saindo por dentre as pedras de ambos os lados da estrada, não mais que cem metros à frente da comitiva real.

Duncan Idaho correu para a frente e diminuiu o passo para um caminhar ao lado de Moneo.

— São eles os fremen?

— Sim. — Moneo confirmou, com sua atenção no Imperador Deus, que havia baixado o volume de seu corpo de volta ao coche.

Os fremen de museu se reagruparam na estrada, deixaram cair as capas que os cobriam, revelando mantos em vermelho e púrpura. Moneo engasgou. Os fremen se trajavam como peregrinos, com um tipo de tecido negro por debaixo dos mantos coloridos. Os que estavam em primeiro plano acenavam com rolos de papel, enquanto todo o grupo começou a cantar e dançar em direção ao cortejo real.

— Uma petição, Senhor — os líderes gritaram. — Ouça nossa petição!

— Duncan! — gritou Leto. — Tire-os daqui!

Oradoras Peixe correram para a vanguarda, em meio aos cortesãos, no momento em que seu Senhor gritou. Idaho acenou para a frente e iniciou a investida em direção à turba que se aproximava. As guardas formaram uma falange, com Idaho na ponta.

Leto cerrou com força a bolha de proteção de seu coche, aumentou a velocidade e clamou em um bramido amplificado:

— Abram caminho! Abram caminho!

Os fremen de museu, vendo as guardas avançando em sua direção, o coche ganhando velocidade conforme Leto gritava, reagiram como se fossem abrir um caminho no centro da estrada. Moneo, forçado a manter-se ao lado do coche e com sua atenção voltada por alguns momentos para os passos dos cortesãos atrás de si, viu a primeira mudança inesperada de programa pela parte dos fremen.

Como se fosse uma só pessoa, a multidão que cantava se livrou das roupas de peregrinos, revelando uniformes negros idênticos aos vestidos por Idaho.

O que eles estão fazendo?, perguntou-se Moneo.

No exato momento em que formulava a questão, Moneo viu a carne dos rostos que se aproximavam se transmutar na imitação dos Dançarinos Faciais, cada rosto se tornando uma réplica de Duncan Idaho.

— Dançarinos Faciais! — alguém gritou.

Da mesma forma, Leto também estava distraído pela confusão dos eventos, os sons de vários pés correndo na estrada, as ordens gritadas enquanto as Oradoras Peixe formavam sua falange. Ele aplicou mais velocidade a seu coche, diminuindo a distância entre si e sua guarda, começando então a tocar um sinal de alerta e a soar a buzina de distorção do coche. O barulho contínuo desorientou até algumas das Oradoras Peixe, que eram condicionadas a ele.

Naquele instante, os suplicantes descartaram suas roupas de peregrinos e iniciaram a manobra de transformação, seus rostos se tornando réplicas de Duncan Idaho. Leto ouvira o grito: "Dançarinos Faciais!". Identificou a fonte: um assistente de escriturário da Contabilidade Real.

A reação inicial de Leto foi de quem estava entretido.

Guardas e Dançarinos Faciais se chocaram. Gritos e berros substituíram o canto dos suplicantes. Leto reconheceu comandos de batalha dos Tleilaxu. Um aglomerado de Oradoras Peixe se formou ao redor da figura em negro de seu próprio Duncan. As guardas obedeciam à instrução de Leto, repetida à exaustão, para que protegessem seu comandante-ghola.

Como elas vão distingui-lo dos outros?

Leto diminuiu a velocidade do coche até quase pará-lo. Ele podia ver as Oradoras Peixe à esquerda brandindo suas clavas de concussão. A luz do sol se refletia nas facas. Depois veio o zumbido de armaleses, um som que a avó de Leto descrevera como "o mais terrível do nosso universo". Mais gritos roucos e berros irromperam da vanguarda.

Leto reagiu ao primeiro som das armaleses. Ele virou o Coche Real para fora da estrada, à direita, trocou as rodas por suspensores e conduziu o veículo de volta como um aríete em um grupo de Dançarinos Faciais que tentava penetrar no combate a partir daquele lado. Fazendo uma curva fechada, ele atingiu mais dos agressores do lado oposto, sentindo o impacto esmagador de carne contra açoplás, um borrifão vermelho de sangue e, em seguida, estava fora da estrada, em uma ravina erodida. O marrom serrilhado das encostas das ravinas passava por ele. Ele se lançou para cima e precipitou-se por sobre o desfiladeiro do rio até alcançar um ponto alto e cercado de rochas, ao lado da Estrada Real. Ali, ele parou e se virou, fora do alcance das armaleses de mão.

Mas que surpresa!

Uma gargalhada sacudiu seu corpo gigantesco em convulsões trêmulas e ruidosas. Vagarosamente, a sensação de entretenimento se esvaiu.

Daquela posição vantajosa, Leto podia ver a ponte e a área de combate. Corpos jaziam em desordem por todos os lados e nas ravinas laterais. Ele reconheceu peças do vestuário dos cortesãos, uniformes das Oradoras Peixe, os disfarces negros e ensanguentados dos Dançarinos Faciais. Cortesãos sobreviventes se agruparam na retaguarda enquanto as Oradoras Peixe avançavam entre os caídos, certificando-se de que os atacantes estavam mortos, dando um rápido golpe de faca em cada um dos corpos.

Leto varreu a cena com o olhar, buscando o uniforme negro de seu Duncan. Não havia ninguém de pé com tal vestimenta. Ninguém! Leto sentiu uma frustração súbita, mas logo notou um grupo de guardas Oradoras Peixe em meio aos cortesãos e... e, entre elas, alguém nu.

Nu!

Era Duncan! *Nu! Claro!* O Duncan Idaho *sem* uniforme não era um Dançarino Facial.

Outra vez, uma gargalhada o sacudiu. Surpresas de ambos os lados. Que choque não teria sido para os atacantes. Obviamente, eles não haviam se preparado para tal resposta.

Leto conduziu o coche de volta à estrada, baixou as rodas em sua posição e rolou em direção à ponte, logo abaixo. Atravessou a ponte com uma sensação de *déjà-vu*, consciente das inúmeras pontes em suas memórias, as passagens para ver as consequências das batalhas. Conforme chegava do outro lado da ponte, Idaho se desvencilhou do grupo de guardas e correu em sua direção, saltando e evitando os corpos. Leto parou o coche e encarou o corredor desnudo. O Duncan era como um guerreiro-mensageiro grego, arrancando na direção do seu comandante para relatar o resultado do combate. A condensação de tanta história atordoou as memórias de Leto.

Idaho derrapou até parar ao lado do coche. Leto abriu a bolha de proteção.

— Dançarinos Faciais, cada um desses malditos! — Idaho ofegou.

Sem tentar esconder quão entretido estava, Leto perguntou:

— De quem foi a ideia de tirar seu uniforme?

— Minha! Mas elas não me deixaram lutar!

Moneo veio correndo com um grupo de guardas. Uma das Oradoras Peixe lançou um manto azul, usado pela guarda, na direção de Idaho, avisando:

— Estamos tentando recuperar um uniforme completo dos corpos.

— Rasguei o meu — explicou Idaho.

— Algum dos Dançarinos Faciais escapou? — Moneo questionou.

— Nenhum — respondeu Idaho. — Admito que suas mulheres são boas lutadoras, mas por que elas não me deixaram entrar...

— Porque suas instruções são para protegê-lo — respondeu Leto — Elas sempre protegem os mais valiosos...

— Quatro delas morreram me tirando de lá! — redarguiu Idaho.

— Ao todo, perdemos mais de trinta pessoas, Senhor — informou Moneo. — Ainda estamos contando.

— Quantos Dançarinos Faciais? — indagou Leto.

— Parece que havia exatamente cinquenta deles, Senhor — respondeu Moneo. Ele falou baixo, um olhar entristecido em seu rosto.

Leto soltou uma gargalhada contida.

— Por que o Senhor está rindo? — Idaho perguntou. — Mais de trinta dos nossos...

— Mas os Tleilaxu foram tão ineptos — disse Leto. — Você não percebe que quinhentos anos atrás eles teriam sido bem mais eficientes, bem mais perigosos? Pense na audácia de usar aqueles disfarces tolos e nem antecipar sua resposta brilhante!

— Eles tinham armaleses — contrapôs Idaho.

Leto virou seu volumoso segmento dianteiro e apontou para um buraco no dossel, quase na porção central do coche. Uma matéria fundida e derretida circundava o buraco.

— Também atingiram vários lugares na parte de baixo — disse Leto. — Por sorte não danificaram nenhum suspensor nem as rodas.

Idaho fitou o buraco no toldo e notou que ele se alinhava com o corpo de Leto.

— Não o atingiu? — o ghola perguntou.

— Atingiu, sim — respondeu Leto.

— O Senhor está ferido?

— Sou imune a armaleses — mentiu Leto. — Quando tivermos tempo, demonstrarei.

— Bom, eu não sou imune — respondeu Idaho. — Bem como as suas guardas. Cada um de nós devia usar cinturões-escudos.

— Escudos são banidos por todo o Império — explicou Leto. — É crime capital possuir um escudo.

— A questão dos escudos — Moneo arriscou.

Idaho pensou que Moneo estava pedindo uma explicação sobre os escudos e disse:

— Os cinturões formam um campo de força que repele qualquer objeto tentando entrar a uma velocidade perigosa. Têm uma grande desvantagem: caso um campo de força intercepte um feixe de armalês, a explosão resultante é similar àquela de uma grande bomba de fusão. Atacante e atacado morrem juntos.

Moneo apenas fitou Idaho, que assentiu.

— Compreendo o porquê de terem sido proibidos — prosseguiu Idaho. — Presumo que a Grande Convenção contra o uso de armas atômicas ainda esteja em vigor e funcionando bem.

— Funcionando ainda melhor desde que fizemos uma busca por todas as armas atômicas das Grandes Casas e as recolhemos para um lugar seguro — Leto respondeu. — Mas não temos tempo para discutir esse assunto aqui.

— Podemos discutir uma coisa – disse Idaho. – Caminhar aqui, por uma trilha em aberto, é muito perigoso. Deveríamos...

— É a tradição e vamos mantê-la – insistiu Leto.

Moneo se encostou próximo ao ouvido de Idaho.

— Você está perturbando o Senhor Leto – ele sussurrou.

— Mas...

— Você por acaso considerou que é muito mais fácil controlar uma população *em marcha*? – perguntou Moneo.

Idaho virou-se e fitou os olhos de Moneo, a compreensão vindo com rapidez.

Leto aproveitou a oportunidade para começar a emitir ordens:

— Moneo, providencie para que não restem sinais de ataque neste local, nenhuma mancha de sangue nem pedaços de tecido. Nada.

— Sim, Senhor.

Idaho se virou com o som das pessoas se juntando ao redor deles, notando que todos os sobreviventes, até os feridos usando bandagens de emergência, tinham se aproximado para ouvir.

— Todos vocês – Leto se dirigiu à multidão que se aglomerava ao redor do coche. – Não digam nem uma palavra sobre isso. Deixem que os Tleilaxu se preocupem. – Olhando para Idaho, emendou: – Duncan, como os Dançarinos Faciais entraram em uma região onde só meus fremen de museu podem andar livremente?

Idaho olhou involuntariamente para Moneo.

— É minha culpa, Senhor – o senescal assumiu. – Eu combinei com os fremen para que eles apresentassem sua petição aqui. Inclusive eu havia avisado Duncan Idaho sobre eles.

— Recordo-me de que você mencionou a petição – disse Leto.

— Pensei que iria entretê-lo, Senhor.

— Petições não me entretêm, elas me irritam. Especificamente, fico irritado com petições de pessoas cujo único propósito em meu esquema das coisas é o de preservar antigos rituais.

— É que o Senhor falou tantas vezes sobre o tédio dessas peregrinações para...

— Mas não estou aqui para diminuir o tédio dos outros!

— Senhor?

— Os fremen de museu não compreendem nada sobre os costumes antigos. Eles servem apenas para desempenhar as moções. Naturalmente, isso os entedia e suas petições procuram sempre introduzir mudanças. É *isso* que me irrita. Não permitirei mudanças. Diga-me agora: como soube dessa suposta petição?

— Dos próprios fremen — Moneo respondeu. — Uma delega... — ele interrompeu, franzindo as sobrancelhas.

— Você conhece os membros dessa delegação?

— Claro, Senhor. Caso contrário eu teria...

— Estão mortos — Idaho sentenciou.

Moneo olhou para ele, sem compreender.

— As pessoas que você conheceu foram mortas e substituídas por Dançarinos Faciais — completou Idaho.

— Fui negligente — continuou Leto. — Devia ter ensinado a todos como detectar um Dançarino Facial. Agora isso será corrigido, uma vez que eles se tornaram tolos atrevidos.

— Por que são tão atrevidos? — perguntou Idaho.

— Talvez para nos distrair de outra coisa — respondeu Moneo

Leto sorriu para Moneo. Sob o estresse da ameaça pessoal, a cabeça do senescal funcionava muito bem. Ele falhara com seu Senhor ao confundir Dançarinos Faciais com fremen conhecidos. Agora, Moneo sentia que a continuidade de seus serviços dependia daquelas qualidades pelas quais o Imperador Deus originalmente o havia escolhido.

— E agora temos tempo para nos preparar — disse Leto.

— Eles queriam nos distrair de quê? — Idaho questionou.

— De algum outro plano do qual participem — respondeu Leto. — Eles acham que vou puni-los severamente por isso, mas o núcleo dos Tleilaxu permanecerá a salvo por sua causa, Duncan.

— Eles não tinham a intenção de falhar aqui – disse Idaho.

— Contudo, era uma contingência para a qual eles estavam bem preparados – considerou Moneo.

— Acreditam que não vou destruí-los porque eles têm em sua posse as células originais do meu Duncan Idaho – disse Leto. – Você compreende, Duncan?

— Por acaso eles estão certos? – demandou Idaho.

— A abordagem está errada – disse Leto. Ele voltou sua atenção para Moneo e ordenou: – Nenhum sinal desse acontecimento pode ir conosco até Onn. Uniformes novos, novas guardas para substituir as mortas e feridas... tudo como estava antes.

— Há mortos entre seus cortesãos, Senhor – avisou Moneo.

— Substitua-os!

— Sim, Senhor – Moneo disse, fazendo uma reverência.

— E mande vir outro dossel para o meu coche!

— Será como ordena, Senhor.

Leto retrocedeu o coche alguns passos, virou-o e se dirigiu à ponte, chamando Idaho:

— Duncan, você vai me acompanhar.

A princípio lentamente, a relutância transparecendo em cada movimento, Idaho deixou Moneo e os outros, então começou a aumentar o passo, chegou até o lado da bolha aberta do coche e caminhou, fitando Leto.

— O que o incomoda, Duncan? – Leto indagou.

— O Senhor realmente me considera *seu* Duncan?

— Claro, assim como você me considera o *seu* Leto.

— Por que o Senhor *não sabia* que esse ataque viria?

— Por meio da minha tão alardeada presciência?

— Exato!

— Os Dançarinos Faciais não têm atraído minha atenção há algum tempo – respondeu Leto.

— Presumo que isso agora tenha mudado?

— Não de maneira considerável.

— Por que não?

— Porque Moneo está certo. Não vou permitir que me distraiam.

— Eles de fato podiam tê-lo matado no ataque?

— Uma possibilidade distinta. Você entende, Duncan? Poucos compreendem o desastre que seria caso minha vida chegasse ao fim.

— O que os Tleilaxu estão maquinando?

— Uma cilada, penso eu. Uma cilada adorável. Eles me enviaram um sinal, Duncan.

— Que sinal?

— Há um novo tipo de escalada nos motivos desesperados que conduzem alguns dos meus súditos.

Eles deixaram a ponte e começaram a subir para o ponto de observação de Leto. Idaho mergulhou em um silêncio fermentante.

No topo, Leto levou seu olhar por cima dos penhascos ao longe e fixou-o na desolação do Sareer.

Os lamentos dos integrantes da comitiva que haviam perdido entes queridos persistiam no local do combate. Com sua audição acurada, Leto podia distinguir a voz de Moneo avisando que o período de luto teria de ser curto. Eles tinham outros entes queridos na Cidadela e todos conheciam muito bem a ira do Imperador Deus.

Suas lágrimas cessarão e sorrisos estarão estampados em seus rostos quando chegarmos a Onn, pensou Leto. *Eles pensam que os desdenho! Que importa? Esse é um transtorno momentâneo que atinge os que têm uma vida restrita e pensamento restrito.*

A visão do deserto o acalmou. Ele não conseguia ver o rio no desfiladeiro daquele ponto sem realizar uma volta completa e olhar em direção à Cidade Festival. O Duncan permaneceu misericordiosamente em silêncio ao lado do coche. Virando o olhar um pouco para a esquerda, Leto conseguia ver uma nesga da Floresta Proibida. Contra essa olhada de um cenário verdejante, sua memória logo comprimiu o Sareer em uma pequena e débil reminiscência de um deserto que compreendera todo o planeta, o qual, um dia, fora tão poderoso que todos os homens o temiam, mesmo os fremen ariscos que por ali vagavam.

É o rio, pensou Leto. *Se eu me virar, verei aquilo que eu fiz.*

O abismo construído com o trabalho braçal dos homens, pelo qual o rio Idaho descia, era apenas uma extensão da fenda a qual Paul Muad'Dib explodira na elevada Muralha-Escudo, para que suas legiões montadas em Vermes passassem. Onde agora fluía água, Muad'Dib conduzira seus fremen para fora das areias de uma tempestade de Coriolis para entrar na história... e chegar a isso.

Leto escutou os passos familiares de Moneo, os sons do senescal subindo de maneira laboriosa até o ponto de observação. Moneo parou ao lado de Idaho e pausou por um momento para recuperar o fôlego.

— Quanto tempo levará até podermos retomar? — perguntou Idaho.

Moneo acenou para que ele se calasse e se dirigiu a Leto:

— Senhor, temos uma mensagem de Onn. As Bene Gesserit notificaram que os Tleilaxu vão atacá-lo antes que alcance a ponte.

— Não estão um pouco atrasadas? — Idaho resmungou.

— Não é culpa delas — respondeu Moneo. — A capitã da Guarda das Oradoras Peixe não queria acreditar nelas.

Alguns membros da comitiva de Leto começaram a subir em direção ao ponto de observação. Alguns pareciam sedados, ainda em choque. As Oradoras Peixe se moveram rapidamente entre eles, ordenando que apresentassem melhor humor.

— Dispense a Guarda da embaixada das Bene Gesserit — disse Leto. — Envie a elas uma mensagem. Informe que a audiência delas ainda será a última, mas que não temam. Diga que os últimos serão os primeiros. Elas entenderão a alusão.

— E quanto aos... Tleilaxu? — perguntou Idaho.

Leto manteve sua atenção voltada para Moneo.

— Sim, os Tleilaxu. Enviaremos um sinal a eles.

— Sim, Senhor?

— Quando eu ordenar, e não antes disso, você fará com que o embaixador tleilaxu seja açoitado publicamente e extraditado.

— Senhor!

— Você discorda?

— Se nós queremos manter segredo... — Moneo olhou por cima dos ombros — como o Senhor vai explicar a condenação?

— Não explicaremos.

— Não daremos nenhum motivo?

— Nenhum motivo.

— Senhor, os boatos e as histórias que vão...

— Estou reagindo, Moneo! Deixe-os sentir que a parte que habita meus subterrâneos faz coisas sem meu conhecimento porque não possui os recursos para compreender.

— Vai causar muito medo, Senhor.

Uma explosão abrupta de riso saiu de Idaho. Ele se posicionou entre Moneo e o coche e disse:

— Ele está demonstrando gentileza para com esse embaixador. Houve governantes que teriam cozinhado o tolo em fogo brando.

Moneo tentou falar com Leto por cima do ombro de Idaho:

— Senhor, essa ação confirmará para os Tleilaxu que o Senhor foi atacado.

— Eles já sabem disso — respondeu Leto. — Mas não falarão sobre o acontecimento.

— E quando nenhum dos atacantes retornar... — completou Idaho.

— Você entende, Moneo? — perguntou Leto. — Quando adentrarmos Onn aparentemente ilesos, os Tleilaxu acreditarão que sofreram um fracasso total.

Moneo olhou ao redor para as Oradoras Peixe e os cortesãos, que ouviam a conversa, fascinados. Raramente algum deles ouvia uma troca de palavras tão reveladora entre o Imperador Deus e seus assessores imediatos.

— Quando meu Senhor anunciará a punição do embaixador? — perguntou Moneo.

— Durante a audiência.

Leto ouviu tópteros chegando, viu o reflexo da luz do sol em suas asas e rotores e, ao focar sua visão com afinco, distinguiu o dossel novo para seu coche atado na parte de baixo de um deles.

— Pegue esse dossel danificado e envie-o à Cidadela para que seja restaurado — ordenou Leto, ainda fitando os tópteros que se aproximavam.

— Se alguma pergunta for feita, diga aos artesãos que é apenas rotina, outro dossel arranhado pela areia.

Moneo suspirou.

— Sim, Senhor. Será feito como o Senhor deseja.

— Ora essa, Moneo, anime-se — disse Leto. — Caminhe a meu lado enquanto continuamos.

Virando-se para Idaho, Leto ordenou:

— Pegue algumas guardas como escolta e vasculhe adiante.

— O Senhor acha que outro ataque virá?

— Não, mas isso dará algo que fazer às guardas. Pegue um uniforme novo. Não quero que você vista algo que tenha sido contaminado pelos Tleilaxu imundos.

Idaho obedeceu.

Leto fez sinal para que Moneo se aproximasse, ainda mais perto. Quando Moneo se curvava por sobre o coche, a menos de um metro do Imperador Deus, Leto baixou o tom de sua voz e disse:

— Existe uma lição especial aqui para você, Moneo.

— Senhor, eu sei que devia ter suspeitado que os Dançarinos...

— Não dos Dançarinos Faciais! Essa é uma lição para sua filha.

— Siona? O que ela poderia...

— Diga a ela o seguinte: de uma forma frágil, ela é como aquela força dentro de mim que age sem compreender. Por causa dela, eu me lembro de como era ser humano... e de como era amar.

Moneo encarou Leto sem compreender.

– Simplesmente transmita essa mensagem a ela – comandou Leto. – Você não precisa tentar compreendê-la. Só diga a ela minhas palavras.

Moneo se afastou, dizendo:

– Será como ordena, Senhor.

Leto fechou a bolha, fazendo uma unidade completa de toda a sua cobertura para que a tripulação dos tópteros, que se aproximava, substituísse o dossel.

Moneo se virou e olhou ao redor, para as pessoas que aguardavam na área plana do ponto de observação. Então, notou algo que ainda não havia observado, algo revelado pela desordem a qual algumas pessoas ainda não haviam organizado. Alguns dos cortesãos estavam equipados com delicados dispositivos para auxiliar sua escuta. Eles estavam bisbilhotando. E tais dispositivos só podiam vir de Ix.

Vou alertar o Duncan e a Guarda, pensou Moneo.

De certo modo, ele considerou essa descoberta um sintoma de deterioração. Como eles podiam proibir tais dispositivos quando a maioria dos cortesãos e das Oradoras Peixe sabia, ou suspeitava, que o Imperador Deus negociava com Ix a compra de máquinas proibidas?

ESTOU COMEÇANDO A ODIAR ÁGUA. A PELE DE TRUTA DA AREIA, A QUAL IMPELE MINHA METAMORFOSE, APRENDEU AS SUSCETIBILIDADES DO VERME. MONEO E VÁRIAS DAS MINHAS GUARDAS SABEM SOBRE A MINHA AVERSÃO. APENAS MONEO SUSPEITA DA VERDADE, QUE ISSO MARCA UM PONTO DE REFERÊNCIA IMPORTANTE. POSSO SENTIR MEU FIM NELA, NÃO TÃO CEDO QUANTO MONEO MEDE O TEMPO, MAS RÁPIDO O BASTANTE PARA A MANEIRA COMO PERSISTO. TRUTAS DA AREIA SEGUIAM EM DIREÇÃO À ÁGUA NOS TEMPOS DE DUNA, O QUE FOI UM PROBLEMA DURANTE OS PRIMEIROS ESTÁGIOS DA NOSSA SIMBIOSE. A APLICAÇÃO DA MINHA FORÇA DE VONTADE CONTROLOU SEUS IMPULSOS NAQUELA ÉPOCA ATÉ CHEGARMOS A UM PONTO DE EQUILÍBRIO. AGORA, PRECISO EVITAR ÁGUA, POIS NÃO HÁ MAIS TRUTAS DA AREIA, APENAS AS CRIATURAS SEMIADORMECIDAS EM MINHA PELE. SEM AS TRUTAS DA AREIA PARA TRAZER ESSE MUNDO DE VOLTA AO DESERTO, SHAI-HULUD NÃO EMERGIRÁ; AS TRUTAS DA AREIA NÃO PODEM EVOLUIR ATÉ QUE A TERRA ESTEJA RESSECADA. SOU SUA ÚNICA ESPERANÇA.

— Os Diários Roubados

O meio da tarde chegou antes que a comitiva real descesse a última ladeira em direção aos arredores da Cidade Festival. Multidões se alinhavam nas ruas para recebê-los, separados por fileiras apertadas de ursinas Oradoras Peixe em uniformes verdes dos Atreides, suas clavas de concussão cruzadas e conectadas.

Enquanto a comitiva real se aproximava, uma confusão de gritos irrompeu da aglomeração. Então, as Oradoras Peixe guardiãs começaram a recitar:

— Siaynoq! Siaynoq! Siaynoq!

Enquanto o cântico ecoava entre os altos prédios, a palavra entoada produzia um estranho efeito sobre a multidão, que não havia sido iniciada sobre seu significado. Uma onda de silêncio varreu as avenidas amontoadas, enquanto as guardas continuavam o cântico. As pessoas fitavam com temor as mulheres armadas com clavas de concussão que guardavam a passagem real, as mulheres que entoavam o cântico enquanto fixavam o olhar no rosto de seu Senhor.

Idaho, marchando com as Oradoras Peixe atrás do Coche Real, ouviu o cântico pela primeira vez e sentiu os fios de cabelo em sua nuca se arrepiarem.

Moneo caminhava ao lado do coche, sem olhar para a esquerda nem para a direita. Certa vez, perguntara a Leto o significado daquela palavra.

— Dou às Oradoras Peixe apenas um ritual — explicara Leto. Na época, eles estavam na câmara de audiências do Imperador Deus, sob a praça central de Onn, com Moneo fatigado após um longo dia direcionando o fluxo dos dignitários que se amontoaram na cidade para as festividades decenais.

— O que o canto dessa palavra tem a ver com isso, Senhor?

— O ritual é chamado Siaynoq: o Festejo de Leto. É a adoração de minha pessoa em minha presença.

— Um ritual antigo, Senhor?

— Era praticado pelos fremen antes que eles se tornassem fremen. Mas as chaves dos segredos do Festival morreram com os antigos. Apenas eu me lembro delas hoje em dia. Eu recrio o Festival do jeito que me agrada e para meus próprios objetivos.

— Então os fremen de museu não usam esse ritual?

— Nunca. É meu e somente meu. Clamo direito eterno a ele porque eu *sou* o ritual.

— É uma palavra estranha, Senhor. Nunca ouvi nada parecido.

— Possui vários significados, Moneo. Se eu contá-los, você os manterá em segredo?

— Meu Senhor comanda!

— Nunca conte isso a ninguém nem revele às Oradoras Peixe o que vou dizer agora.

— Juro, Senhor.

— Pois bem. Siaynoq significa honrar a quem fala com sinceridade. Significa a recordação de coisas que são ditas com sinceridade.

— Mas, Senhor, sinceridade não significa que o orador *acredita*... tem fé naquilo que foi dito?

— Sim, mas Siaynoq também carrega a ideia de luz como aquela que revela a realidade. Você continua a irradiar luz sobre o que vê.

— Realidade... é uma palavra muito ambígua, Senhor.

— De fato! Mas Siaynoq também significa fermentação, porque a realidade (ou a crença de que você conhece uma realidade, que é a mesma coisa) sempre impõe um fermento no universo.

— Tudo isso em apenas uma palavra, Senhor?

— E mais! Siaynoq também contém a evocação à prece *e* o nome do Anjo Registrador, Sihaya, que interroga os recém-falecidos.

— Um grande fardo para uma só palavra, Senhor.

— Palavras podem carregar qualquer fardo que queiramos. Basta haver um acordo e uma tradição sobre os quais se possa construir.

— Por que não posso contar às Oradoras Peixe, Senhor?

— Porque essa é uma palavra reservada a elas. Elas se ressentem que eu a divida com um homem.

Os lábios de Moneo se pressionaram em uma linha apertada de recordações, enquanto ele marchava ao lado do Coche Real, adentrando a Cidade Festival. Ele tinha ouvido o cântico das Oradoras Peixe saudando a presença do Imperador Deus várias vezes desde aquela explicação inicial e havia até adicionado seus próprios significados àquela palavra estranha.

Significa mistério e prestígio. Significa poder. Invoca uma licença para agir em nome de Deus.

— Siaynoq! Siaynoq! Siaynoq!

A palavra tinha um som amargo aos ouvidos de Moneo.

Eles já estavam bem avançados no interior da cidade, quase na praça central. O sol da tarde reluziu sobre a Estrada Real atrás da procissão para iluminar o caminho. Deu brilho aos trajes coloridos dos cidadãos. Clareou os rostos soerguidos das Oradoras Peixe protegendo o caminho.

Em marcha ao lado do coche com as guardas, Idaho baixou um primeiro alarme enquanto o cântico seguia. Perguntou a uma das Oradoras Peixe ao lado dele sobre isso.

— Não é uma palavra para homens — disse ela. — Mas, às vezes, o Senhor divide Siaynoq com um Duncan.

Um *Duncan*! Ele perguntara a Leto a esse respeito anteriormente e não gostara das evasões misteriosas.

— Você saberá sobre esse assunto.

Idaho relegou o cântico para o segundo plano enquanto olhava ao seu redor com uma curiosidade de turista. Em preparação para seus deveres como Comandante da Guarda, Idaho havia questionado a respeito da história de Onn, descobrindo que compartilhava o entretenimento deturpado de Leto com o fato de que o rio Idaho corria próximo.

Naquela ocasião, eles haviam se encontrado em um dos grandes cômodos abertos da Cidadela, um lugar arejado, repleto de luz da manhã e mobiliado com mesas largas, sobre as quais as Oradoras Peixe arquivadoras tinham espalhado mapas do Sareer e de Onn. Leto posicionara seu coche sobre uma rampa, o que permitira a ele olhar para os mapas. Idaho ficou do lado oposto, debruçado sobre uma mesa com mapas jogados, estudando as plantas da Cidade Festival.

— Uma planta peculiar para uma cidade — devaneara Idaho.

— Serve para um objetivo simples: a visão pública do Imperador Deus.

Idaho olhara para o corpo segmentado sobre o coche, levantando o olhar até a face enrugada. Ele se perguntara se algum dia acharia fácil mirar aquela figura bizarra.

— Mas é apenas uma vez a cada dez anos — dissera Idaho.

— No Grande Compartilhamento, sim.

— E o Senhor simplesmente a fecha enquanto não está sendo usada?

— As Embaixadas estão lá, os escritórios das administrações comerciais, as escolas das Oradoras Peixe, o núcleo dos profissionais de serviços e manutenção, os museus e as bibliotecas.

— Que espaço essas estruturas ocupam? — Idaho bateu no mapa com os nós dos dedos. — Um décimo da cidade, no máximo?

— Menos que isso.

Idaho deixara seu olhar vagar refletindo sobre o mapa.

— Há outros propósitos nessa planta, meu Senhor?

— Está dominada pela necessidade de aparições públicas da minha pessoa.

— Deve haver burocratas, funcionários públicos e até mesmo trabalhadores comuns. Onde eles moram?

— A maioria, nos subúrbios.

Idaho apontou para o mapa e questionou:

— Essa fileira de apartamentos?

— Repare nas varandas, Duncan.

— Todas ao redor da praça. — Ele se inclinou para perscrutar o mapa. — Essa praça tem dois quilômetros de largura!

— Note como as varandas estão enfileiradas para trás, em degraus sucessivos até o anel dos pináculos. A elite fica alojada nesses pináculos.

— E todos podem olhar para baixo e vê-lo na praça?

— Você não gosta dessa ideia?

— Não existe sequer uma barreira de energia para sua proteção!

— Que alvo convidativo sou eu.

— Por que você faz isso?

— Existe um mito encantador acerca do mapa de Onn. Cultivo e promovo esse mito. Dizem que lá habitou um povo cujo governante era obrigado a caminhar por eles uma vez ao ano na mais absoluta escuridão, sem armas nem armadura. O governante mítico vestia um traje reluzente enquanto caminhava em volta de uma multidão composta por seus súditos, todos ocultos pela noite. Seus súditos vestiam negro para a ocasião e não eram revistados.

— O que isso tem a ver com Onn... e o Senhor?

— É óbvio, se o governante sobrevivia à caminhada, ele era um bom regente.

— Vocês não revistam ninguém?

— Não abertamente.

— O Senhor acha que o povo o vê nesse mito. — Não fora uma pergunta.

— Muitos veem.

Idaho mirara profundamente a face de Leto, em seu invólucro acinzentado. Os olhos azul sobre azul fitaram-no de volta, sem expressão.

Olhos do mélange, pensara Idaho. Porém, Leto havia dito que não consumia mais nenhuma especiaria. Seu corpo fornecia a especiaria que seu vício demandava.

— Você não gosta da minha obscenidade sagrada, minha tranquilidade forçada — dissera Leto.

— Não gosto que o Senhor faça o papel de deus!

— Mas um deus pode reger o Império como um maestro conduz uma sinfonia pelos movimentos. Minha atuação é limitada apenas pela minha restrição a Arrakis. Devo reger a sinfonia daqui.

Idaho balançara a cabeça e olhara uma vez mais para a planta da cidade.

— O que são esses apartamentos atrás das torres?

— Acomodações menores para nossos visitantes.

— Eles não conseguem ver a praça.

— Conseguem, sim. Dispositivos ixianos projetam minha imagem em seus cômodos.

— E o círculo interno olha para baixo, diretamente ao Senhor. Como o Senhor entra na praça?

— Um palco de apresentações se ergue a partir do centro para me exibir ao povo.

— Eles o ovacionam?
— Eles têm a permissão para ovacionar.
— Vocês, Atreides, sempre se viram como parte da história.
— Quão astuto você é, a ponto de compreender o significado da ovação.

Idaho voltara sua atenção para o mapa da cidade e perguntara:
— E as escolas das Oradoras Peixe estão aqui?
— Sim, abaixo de sua mão esquerda. Essa é a academia para onde Siona foi mandada para ser educada. Na época, ela tinha dez anos.
— Siona... preciso saber mais sobre ela — murmurou Idaho.
— Garanto a você que nada vai atrapalhar seu desejo.

Enquanto marchava na peregrinação real, Idaho foi trazido de volta de seu devaneio pela percepção de que o cântico das Oradoras Peixe diminuía. À sua frente, o Coche Real iniciava sua descida para as câmaras abaixo da praça, rolando por uma longa rampa. Idaho, ainda sob a luz do sol, olhou para cima, fitando ao redor os pináculos reluzentes... para essa realidade para a qual os mapas não o haviam preparado. O povo se amontoava nas varandas do grande anel que circundava a praça, pessoas silenciosas que acompanhavam a procissão.

Nenhuma ovação vinda dos privilegiados, pensou Idaho. O silêncio das pessoas nas varandas enchia Idaho de modo agourento.

Ele entrou na rampa-túnel e a abertura encobriu a praça. O cântico das Oradoras Peixe se desfazia enquanto ele descia para as profundezas. O som dos pés em marcha ao redor dele se amplificava de maneira curiosa.

A curiosidade substituiu o sentimento opressivo de agouro. O tubo de chão plano era artificialmente iluminado e largo, bem largo. Idaho estimou que cerca de setenta pessoas poderiam marchar lado a lado no subterrâneo da praça. Não havia turbas de saudadores ali, somente uma larga fileira de Oradoras Peixe que não entoavam cânticos, que se contentavam em somente observar a passagem de seu Deus.

A memória dos mapas lembrou Idaho da disposição do gigantesco complexo abaixo da praça... uma cidade privada dentro da cidade, um lugar onde apenas o Imperador Deus, os cortesãos e as Oradoras Peixe podiam ir sem escolta. Os mapas, entretanto, não indicavam os grossos pilares, a sensação de espaços maciços guardados, a quietude misteriosa quebrada pelo rumor de passos e o rangido do coche de Leto.

Idaho olhou rapidamente para as Oradoras Peixe que estavam enfileiradas e percebeu que suas bocas se mexiam em uníssono, uma palavra silenciosa em seus lábios. Reconheceu a palavra.

– Siaynoq.

> — OUTRO FESTIVAL, TÃO CEDO? — O SENHOR LETO HAVIA PERGUNTADO.
> — JÁ SE PASSARAM DEZ ANOS — RESPONDEU O SENESCAL. VOCÊS PENSAM QUE ESSA CONVERSA REVELA QUE O SENHOR LETO DEMONSTRA UMA IGNORÂNCIA DA PASSAGEM DO TEMPO?
>
> – A História Oral

Durante o período das audiências privadas que precediam o Festival, muitos comentaram que o Imperador Deus ultrapassara o horário atribuído com a nova embaixadora ixiana, uma jovem que se chamava Hwi Noree.

Ela foi trazida no meio da manhã por duas Oradoras Peixe que ainda estavam cheias de disposição por ser o primeiro dia. A câmara das audiências privadas debaixo da praça brilhava de tão iluminada. A luz revelava um cômodo de cinquenta metros de comprimento e 35 de largura. Antigas tapeçarias fremen decoravam as paredes, seus padrões fulgurantes eram trabalhados em joias e metais preciosos, entretecidos com a inestimável fibra de especiaria. Predominavam os tons enfadonhos de vermelho de que os fremen de outrora gostavam tanto. O chão da câmara era, em sua maior parte, transparente, um cenário para peixes exóticos trabalhados em um cristal radiante. Abaixo do chão um córrego de água azul fluía, com toda a sua umidade selada do outro lado da câmara de audiências, mas sugestivamente próxima a Leto, que descansava em uma elevação acolchoada na outra extremidade do cômodo, oposta à porta.

A primeira vez que viu Hwi Noree notou uma semelhança significativa com seu tio Malky, mas seus movimentos solenes e a calma de seus passos eram igualmente notáveis em sua diferença a Malky. Ainda assim, ela também tinha aquela pele escura, o rosto oval com feições regulares. Plácidos olhos castanhos olhavam de volta para

Leto e, enquanto os cabelos de Malky haviam sido brancos, os dela eram de um castanho brilhante.

Hwi Noree irradiava uma paz interior a qual, Leto percebeu, espalhava sua influência ao redor conforme ela se aproximava. Ela parou a dez passos de Leto, logo abaixo dele. Havia um equilíbrio clássico nela, algo que não era acidental.

Com empolgação crescente, Leto percebeu que algo traía maquinações ixianas na nova Embaixadora. Eles estavam tendo bons progressos em seu próprio plano para reproduzir tipos selecionados para exercer funções específicas. A função de Hwi Noree era inquietantemente óbvia: encantar o Imperador Deus, encontrar uma falha em sua armadura.

Apesar disso, conforme o encontro prosseguia, Leto sentiu que, de fato, apreciava a companhia dela. Hwi Noree permaneceu em um pequeno espaço onde incidia a luz do sol, o qual era guiado para dentro da câmara por um sistema de prismas ixianos. A luz banhava a ponta da câmara onde Leto estava com um dourado reluzente, cujo centro era a Embaixadora, enfraquecendo atrás do Imperador Deus, em que estava posicionada uma fileira curta de guardas Oradoras Peixe: doze mulheres escolhidas pela sua inabilidade de ouvir e falar.

Hwi Noree usava um traje simples de ambiel púrpura, decorado apenas com um pingente prateado no colar, engastado com o símbolo de Ix. Sandálias macias da mesma cor de seu traje surgiam por debaixo da bainha.

— Você tem ciência de que matei um dos seus ancestrais? — indagou Leto.

Ela esboçou um suave sorriso e respondeu:

— Meu tio Malky incluiu essa informação durante meu treinamento inicial, Senhor.

Conforme ela falava, Leto percebeu que parte da sua educação tinha vindo das Bene Gesserit. Ela era versada na doutrina de controlar suas respostas e de sentir as insinuações durante uma conversação.

Ele podia ver, contudo, que o toque das Bene Gesserit tinha sido delicado e jamais penetrara no dulçor básico de sua natureza.

— Você foi avisada de que eu apresentaria esse tema – disse ele.

— Sim, Senhor. Sei que meu ancestral cometeu a temeridade de trazer uma arma até aqui, na tentativa de feri-lo.

— Assim como seu antecessor imediato. Isso lhe foi contado também?

— Não soube até minha chegada, Senhor. Eles foram tolos! Por que o Senhor poupou a vida do meu antecessor?

— Quando, em contrapartida, não poupei a do seu ancestral?

— Sim, Senhor.

— Kobat, seu antecessor, tinha mais valor para mim como mensageiro.

— Então me contaram a verdade – disse ela. Mais uma vez, sorriu. — Não se pode confiar sempre na veracidade do que é dito por seus pares e superiores.

A resposta foi tão direta que Leto não pôde segurar uma gargalhada contida. Mesmo enquanto ria, ele percebia que esta jovem ainda possuía a Mente do Primeiro Despertar, a mente elementar que acompanhava o primeiro choque da consciência do nascimento. Ela estava viva!

— Então você não me culpa por ter matado seu ancestral?

— Ele tentou assassiná-lo! Fui informada de que o Senhor o esmagou, com o seu próprio corpo.

— Verdade.

— E que, em seguida, o Senhor virou a arma para sua própria Sagrada Pessoa para demonstrar a ineficácia de tal instrumento... e era a melhor armalês que os ixianos já produziram.

— A testemunha recontou corretamente – completou Leto.

E ele pensou: *o que demonstra como se pode confiar em testemunhas!* Por uma questão de fidelidade histórica, ele sabia que havia apontado a armalês apenas contra a porção segmentada de seu corpo, não para sua cabeça, rosto ou barbatanas. O corpo pré-verme possuía uma capacidade notável de absorver calor. A fábrica química dentro dele convertia calor em oxigênio.

— Nunca duvidei dessa história – disse ela.

— Por que Ix repetiu essa atitude tola? – perguntou Leto.

— Eles não me informaram, Senhor. Talvez Kobat tenha decidido por conta própria tomar tal atitude.

— Creio que não. Ocorreu-me que seu povo desejava apenas a morte do próprio assassino escolhido.

— A morte de Kobat?

— Não, a morte daquele que eles escolheram para usar a arma.

— Quem foi, Senhor? Não fui informada.

— Não tem importância. Você se recorda do que eu disse, àquela altura, sobre a tolice cometida pelo seu ancestral?

— O Senhor ameaçou com punições terríveis se tal violência mais uma vez passasse por nossa mente. – Ela abaixou o olhar, mas não antes que Leto notasse uma determinação profunda em seus olhos. Ela usaria todas as suas habilidades para atenuar a ira de Leto.

— Prometi que nenhum de vocês escaparia da minha cólera – disse Leto.

De súbito, ela virou a atenção para o rosto dele.

— Sim, Senhor.

Naquele momento, seus trejeitos demonstravam um medo pessoal.

— Nada consegue escapar de mim, nem mesmo a colônia fútil que vocês implantaram há pouco tempo em...

Leto recitou para ela as coordenadas padrão de uma nova colônia que os ixianos haviam estabelecido de forma secreta, bem além do que acreditavam ser o alcance do seu Império.

Ela não demonstrou surpresa.

— Creio que tenha sido porque eu os alertei que o Senhor saberia que fui escolhida como embaixadora.

Leto a estudou com mais cuidado. *O que temos aqui?*, ele se perguntou. As observações da jovem tinham sido sutis e penetrantes. Os ixianos, ele sabia, haviam imaginado que a distância e os custos elevados de transporte insulariam a nova colônia. Hwi Noree achou que não e os alertou, mas ela acreditava que os mestres a haviam escolhido como embaixadora por isto: um comentário sobre a cautela ixiana. Eles pensavam que teriam uma amiga na corte, mas uma que também fosse vista como amiga de Leto. Ele assentiu, enquanto um padrão tomava forma. Logo após sua ascensão, ele revelara aos ixianos o local exato do supostamente secreto "Núcleo Ixiano", o coração da federação tecnológica a qual eles governavam. Era um segredo que os ixianos consideravam seguro porque haviam pagado subornos imensos por ele para a Guilda Espacial. Leto o extraíra com dificuldade, por meio da observação presciente e dedução... e pela consulta a suas memórias, nas quais havia uma boa quantidade de ixianos.

Na época, Leto alertara os ixianos que os puniria se agissem contra ele. Eles responderam com consternação e acusaram a Guilda de traição. Tal fato divertira Leto, que respondera com uma risada tão abrupta que os ixianos perderam a autoconfiança. Em seguida, ele os informara em um tom frio e acusador que não precisaria de espiões, nem de traidores, nem de instrumentos comuns de politicagem em seu governo.

Eles não acreditavam que ele era um deus?

Por algum tempo depois desse ocorrido os ixianos foram solícitos para com os pedidos de Leto. Leto não abusara da relação. Suas demandas eram modestas: uma máquina para isso, um dispositivo para aquilo. Ela declarava suas necessidades e, rapidamente, os ixianos entregavam o brinquedo tecnológico requerido. Apenas uma vez eles tentaram entregar um instrumento violento embutido em uma de suas máquinas. Leto massacrara a delegação ixiana inteira, antes mesmo que eles começassem a desembalar a coisa.

Hwi Noree esperou pacientemente enquanto Leto refletia. Nenhum sinal de impaciência veio à tona.

Lindo, ele pensou.

Em vista dessa longa associação com os ixianos, essa nova postura fez os fluidos correrem mais rápido pelo corpo de Leto. De maneira geral, as paixões, crises e necessidades que o haviam criado e impulsionado queimavam devagar. Várias vezes, ele acreditara que havia passado de seu tempo. Contudo, a presença de alguém como Hwi Noree mostrava que ele ainda era necessário. Isso o agradava. Leto sentiu que até seria possível que os ixianos houvessem alcançado um sucesso parcial com sua máquina de amplificar a presciência linear de um navegador da Guilda. Um pequeno *blip* no curso dos grandes eventos talvez tivesse escapado a ele. Será que eles realmente poderiam fabricar tal máquina? Que maravilha seria! Propositalmente, ele se recusou a usar seus poderes mesmo que para a menor das buscas dessa possibilidade.

Desejo ser surpreendido!

Leto deu um sorriso bondoso para Hwi.

— Como eles lhe prepararam para me cortejar?

Ela nem piscou.

— Fui munida com um conjunto de respostas decoradas para exigências particulares — disse ela. — Eu as aprendi como era esperado, mas não tenho a intenção de usá-las.

Que é exatamente o que eles querem, pensou Leto.

— Diga a seus mestres — ele completou — que você é precisamente o tipo certo de isca para ser balançada na minha frente.

Ela curvou a cabeça em deferência.

— Se é o que lhe agrada, meu Senhor.

— Sim, é o que me agrada.

Ele se permitiu, então, um pequeno inquérito temporal, com a finalidade de examinar o futuro imediato de Hwi, traçando as correntes de seu passado através disso. Hwi aparecia em um futuro fluido, uma corrente cujos movimentos eram suscetíveis a vários desvios. Ela conheceria Siona de forma casual, a não ser que... Perguntas escoavam pela mente de Leto. Um navegador da Guilda estava aconselhando os ixianos e ele, obviamente, havia detectado o distúrbio causado por Siona na trama temporal. Será que o navegador realmente acreditava que era capaz de oferecer segurança contra a detecção do Imperador Deus?

O inquérito temporal levou vários minutos, mas Hwi não se inquietou. Leto a examinou de maneira cuidadosa. Ela parecia eterna... *fora* do tempo em uma forma profundamente pacífica. Ele jamais havia encontrado um mortal comum capaz de esperar diante dele sem nenhum nervosismo.

— Onde você nasceu, Hwi? — perguntou ele.

— No próprio planeta Ix, Senhor.

— Quis dizer de forma específica: o prédio, sua localização, seus pais, as pessoas a seu redor, amigos e família, sua educação, ou seja, tudo sobre você.

— Não conheci meus pais, Senhor. Fui informada de que eles morreram quando eu era bem pequena.

— Você acreditou nisso?

— Primeiro... claro. Depois, construí fantasias. Imaginei até que Malky fosse meu pai... mas... — ela balançou a cabeça.

— Você não gostava do seu tio Malky?

— Não, não gostava. Oh, eu o admirava.

— Foi a minha exata reação — disse Leto. — Mas e seus amigos e sua educação?

— Minhas professoras eram especializadas, até algumas Bene Gesserit foram trazidas para treinar meu controle emocional e observação. Malky disse que eu estava sendo preparada para grandes coisas.

— E seus amigos?

— Não me recordo de ter nenhum amigo real, apenas pessoas que eram trazidas para entrar em contato comigo em razão de propósitos específicos de minha educação.

— E a respeito dessas grandes coisas para as quais você foi treinada, alguém falou sobre elas?

— Malky disse que eu estava sendo preparada para encantá-lo, Senhor.
— Quantos anos você tem, Hwi?
— Não sei minha idade exata. Creio ter mais ou menos 26 anos. Nunca celebrei aniversários. Apenas aprendi sobre aniversário por acidente, uma das minhas professoras o utilizou como desculpa por sua ausência. Nunca mais a vi.

Leto se viu fascinado por essa resposta. Suas observações forneceram a ele a certeza de que não havia influência dos Tleilaxu sobre aquela carne ixiana. Ela não fora gerada em um tanque axolotl dos Tleilaxu. Sendo assim, por que o segredo?

— Seu tio Malky sabe sua idade?
— Talvez, mas não o vejo há anos.
— *Ninguém* lhe contou quantos anos você tem?
— Não.
— Por que você acha que fizeram isso?
— Talvez eles tenham pensado que eu perguntaria se estivesse interessada.
— Você estava interessada?
— Sim.
— Então por que não perguntou?
— Primeiro, pensei que poderia haver um registro em algum lugar. Procurei. Não havia nada. Então, concluí que eles não riam responder à minha pergunta.
— Pelo que isso me diz a seu respeito, Hwi, essa resposta me agrada *bastante*. Eu também desconheço seu passado, mas posso dar um palpite sobre o seu local de nascimento.

Os olhos dela se fixaram no rosto dele com uma intensidade carregada e sincera.

— Você nasceu dentro da máquina que seus mestres estão tentando aperfeiçoar para a Guilda — disse Leto. — Você também foi concebida lá. Talvez, inclusive, Malky seja seu pai, mas isso não tem importância. Você conhece essa máquina, Hwi?

— Não deveria conhecer, Senhor, mas...
— Outra indiscrição de uma de suas professoras?
— Não; do meu próprio tio.

Leto soltou uma gargalhada abrupta.

— Que tratante! – ele exclamou. – Que tratante adorável!
— Senhor?
— É assim que ele se vinga dos seus mestres. Ele não gostou de ter sido retirado da minha corte. Ele me contou, à época, que seu substituto era pior que um tolo.

Hwi deu de ombros e comentou:

— Um homem complexo, meu tio.
— Ouça-me com atenção, Hwi. Alguns de seus associados aqui em Arrakis podem ser perigosos para você. Vou protegê-la o máximo que puder, entende?
— Creio que sim, Senhor. – Ela olhou diretamente para ele, de forma solene.
— Agora, uma mensagem para seus mestres. Está claro para mim que eles vêm dando ouvidos a um navegador da Guilda e que eles se aliaram aos Tleilaxu de forma perigosa. Diga a eles que seus propósitos são bastante transparentes.
— Senhor, não tenho conhecimento...
— Tenho ciência de como eles a usam, Hwi. Por essa razão, você pode também informar a seus mestres que será a embaixadora permanente da minha corte. Não aceitarei outro ixiano. Se seus mestres ignorarem meus avisos, tentando interferir ainda mais em meus desejos, eu os destruirei.

Lágrimas brotaram de seus olhos e correram por sua face, mas Leto estava agradecido por ela não tentar outra demonstração, como, por exemplo, cair de joelhos.

— Eu já lhes avisei – disse ela. – De verdade, já o fiz. Disse a eles que devem obedecê-lo.

Leto podia ver que essa era a verdade.

Que criatura maravilhosa, essa Hwi Noree, ele pensou. Ela parecia o epítome da bondade, obviamente gerada e condicionada por seus mestres ixianos para ter esta qualidade, com um cálculo meticuloso do efeito que teria sobre o Imperador Deus.

A partir da multidão de suas memórias ancestrais, Leto podia vê-la como uma freira idealizada, amável e altruísta, cheia da mais pura sinceridade. Essa era sua natureza mais elementar, o lugar onde ela vivia. Ela achava mais fácil ser verdadeira e aberta, capaz de ocultar algo apenas para prevenir o sofrimento de outrem. Ele viu esta última característica como a mudança mais profunda que as Bene Gesserit tinham sido capazes de efetuar nela. O caráter real de Hwi continuava extrovertido, sensível e naturalmente doce. Leto encontrava pouco sentido de manipulação calculista nela. Parecia prontamente compreensiva e benfazeja, além de uma ótima ouvinte (outro atributo das Bene Gesserit). Não havia nada abertamente sedutor nela; ainda assim, era esse fator que a tornava profundamente sedutora para Leto.

Como ele ressaltara para um dos primeiros Duncan em uma ocasião similar:

— Você deve compreender isto sobre mim, algo que alguns já suspeitam: às vezes, é inevitável que eu tenha sensações ilusórias, o sentimento de que, em algum lugar dentro dessa forma em eterna mutação, existe um corpo humano adulto com todas as suas funções necessárias.

— *Todas*, Senhor? — o Duncan perguntara.

— Todas! Sou capaz de sentir as partes desaparecidas do meu corpo. Sinto minhas pernas, tão sem importância e ainda assim tão reais para meus sentidos. Sinto o bombear de minhas glândulas humanas, algumas delas sequer existem mais. Sinto minha genitália, a qual sei, intelectualmente, que desapareceu há um longo tempo.

— Mas, certamente, se o Senhor sabe...

— O conhecimento não suprime os sentimentos. As partes desaparecidas de mim mesmo ainda estão lá, em minhas memórias pessoais e nas múltiplas identidades de meus ancestrais.

Conforme Leto fitava Hwi de pé em frente a ele, de nada ajudava saber que ele não tinha crânio e aquilo que um dia fora seu cérebro era agora uma teia maciça de gânglios espalhada por sua carne pré-verme. De nada ajudava. Ele ainda podia sentir seu cérebro ardendo no lugar onde, um dia, repousara; ainda podia sentir seu crânio pulsando.

Apenas por ficar lá, de pé, diante dele, Hwi clamava por sua humanidade perdida. Era muito para ele, que resmungou em desespero:

— Por que seus mestres me torturam?

— Senhor?

— Enviando você!

— Não o machucaria, Senhor.

— Você me machuca pela sua simples existência!

— Eu não sabia. — Lágrimas escorriam livremente dos olhos dela. — Eles nunca me contaram o que realmente faziam.

Ele se acalmou e falou suavemente:

— Pode me deixar agora, Hwi. Vá tratar do seu trabalho, mas volte depressa se eu a convocar!

Ela saiu em silêncio, mas Leto podia ver que Hwi também fora torturada. Não havia como se enganar a respeito da profunda tristeza dentro dela pela humanidade que Leto havia sacrificado. Ela sabia o que Leto sabia: eles seriam amigos, amantes, companheiros em um compartilhamento definitivo entre os sexos. Seus mestres a haviam planejado para que ela o soubesse.

Os ixianos são cruéis!, pensou ele. *Eles sabiam qual seria o tamanho da nossa dor.*

A partida de Hwi acendeu as memórias sobre o tio dela, Malky. Ele era cruel, mas ainda assim Leto apreciara sua companhia. Malky possuíra todas as virtudes industriosas de seu povo e o suficiente de seus vícios para torná-lo perfeitamente humano. Malky se deleitava com a companhia das Oradoras Peixe. "Suas *huris*", ele as chamava e, depois disso, Leto raramente pensava nas Oradoras Peixe sem se recordar da alcunha dada por Malky.

Por que penso em Malky agora? Não é apenas em razão de Hwi. Perguntarei a ela qual encargo seus mestres deram a ela quando a enviaram para mim.

Leto hesitou, prestes a chamá-la de volta.

Ela vai me contar se eu perguntar.

Embaixadores ixianos tinham sempre sido incumbidos de descobrir por que o Imperador Deus tolerava Ix. Sabiam que não podiam esconder isso dele. Essa tentativa idiota de plantar uma colônia além de sua visão! Estariam eles testando seus limites? Os ixianos suspeitavam que Leto, na verdade, não precisava de suas indústrias.

Jamais escondi minha opinião sobre eles. Eu dissera a Malky:

— Inovadores tecnológicos? Não! Vocês são os criminosos de ciência do meu Império!

Malky rira.

Irritado, Leto acusara:

— Por que tentar esconder laboratórios secretos e fábricas além dos limites do Império? Vocês não podem escapar de mim.

— Sim, Senhor – disse, rindo.

— Conheço suas intenções: escoar um pouco disso e daquilo de volta em meus domínios imperiais. Separar! Causar dúvidas e perguntas!

— Mas o Senhor mesmo é um dos nossos melhores clientes.

— Não foi o que quis dizer e você sabe, seu homem terrível!

— Bem, o senhor gosta de mim *porque* sou um homem terrível. Eu lhe conto histórias sobre o que fazemos lá fora.

— Sei de tudo, sem precisar de suas histórias!

— Contudo, algumas histórias são acreditadas e outras são questionadas. Dissipo suas dúvidas.

— Não tenho dúvidas!

O que servira apenas para iniciar outra gargalhada de Malky.

E devo continuar tolerando-os, Leto pensou. Os ixianos operavam na terra desconhecida da invenção criativa, que havia sido tornada ilegal pelo Jihad Butleriano. Eles construíam seus dispositivos à imagem da mente: exatamente o que havia iniciado a destruição e o massacre do jihad. Era isso que eles faziam em Ix e Leto podia apenas deixá-los continuar.

Compro deles! Nem sequer posso escrever meus diários sem seus ditatéis que respondem a meus pensamentos não verbalizados. Sem Ix, não podia ter escondido meus diários e as impressoras.

Contudo, eles devem ser lembrados dos perigos naquilo que fazem!

E não deveria permitir que a Guilda se esquecesse. Isso era mais fácil. Mesmo enquanto homens da Guilda cooperavam com Ix, eles desconfiavam fortemente dos ixianos.

Se essa nova máquina ixiana funciona, a Guilda perdeu seu monopólio sobre as viagens espaciais.

A PARTIR DAQUELE TURBILHÃO DE MEMÓRIAS QUE POSSO SORVER A MEU DESEJO, PADRÕES EMERGEM. SÃO COMO OUTRO IDIOMA EM QUE POSSO VER CLARAMENTE. OS SINAIS DE ALERTA SOCIAL OS QUAIS FAZEM COM QUE AS SOCIEDADES TOMEM POSIÇÕES DE ATAQUE/DEFESA SÃO, PARA MIM, COMO PALAVRAS GRITADAS. COMO UM POVO, VOCÊS REAGEM CONTRA AMEAÇAS AOS INOCENTES E CONTRA OS PERIGOS AOS JOVENS INDEFESOS. RUÍDOS, VISÕES E CHEIROS INEXPLICÁVEIS LEVANTAM A IRA QUE VOCÊS HAVIAM SE ESQUECIDO DE QUE POSSUÍAM. QUANDO ALERTAS, VOCÊS SE APEGAM À LÍNGUA NATIVA PORQUE TODOS OS OUTROS PADRÕES SONOROS LHES SÃO ESTRANHOS. EXIGEM TRAJES ACEITÁVEIS PORQUE UMA ROUPA ESTRANHA É AMEAÇADORA. ESSE É UM RETROCESSO DO SISTEMA A SEU NÍVEL MAIS PRIMITIVO. SUAS CÉLULAS SE LEMBRAM.

— Os Diários Roubados

As acólitas Oradoras Peixe que serviam como pajens no portal da câmara de audiências de Leto trouxeram Duro Nunepi, o embaixador tleilaxu. Era cedo para uma audiência e Nunepi vinha fora da ordem anunciada, mas se movia de forma calma, com um indício mínimo de aceitação resignada.

Leto esperava em silêncio, esticado ao longo do seu coche na plataforma erguida, na ponta do gabinete. Enquanto observava a chegada de Nunepi, as memórias de Leto formavam uma comparação: um periscópio semelhante a uma naja nadadora, roçando sobre a água com rastros quase invisíveis. A memória trouxe um sorriso aos lábios de Leto. Aquele era Nunepi: um homem orgulhoso, com uma face impiedosa que galgara os degraus da administração tleilaxu. Não era um Dançarino Facial, considerava os Dançarinos seus servos pessoais; eles eram a água através da qual ele se movia. Era necessário ser um perito para perceber seus rastros. Nunepi era um tipo sórdido que deixara seus vestígios no ataque ao longo da Estrada Real.

Apesar de ser muito cedo, o homem trajava todo o seu aparato de embaixador: calças negras esvoaçantes e sandálias pretas com detalhes em ouro, um paletó vermelho florido aberto no peito que revelava um tórax peludo atrás de seu emblema tleilaxu, trabalhado em ouro e pedrarias.

Aos dez passos de distância requeridos, Nunepi parou e percorreu com o olhar a longa sequência de guardas Oradoras Peixe armadas, formando um arco ao redor e atrás de Leto. Os olhos acinzentados de Nunepi brilhavam com algum deleite oculto quando voltou sua atenção ao Imperador e se curvou levemente.

Duncan Idaho entrou a essa altura, com uma armalês no coldre à altura do quadril, tomando posição ao lado da face emoldurada do Imperador Deus.

A entrada de Idaho demandou um estudo cuidadoso por Nunepi, e o resultado não agradou ao Embaixador.

— Considero Metamorfos particularmente desagradáveis — disse Leto.

— Não sou um Metamorfo, Senhor — respondeu Nunepi. Sua voz era baixa e urbana, com apenas um vestígio de hesitação.

— Mas você os representa e isso o torna um fator de irritação — retrucou Leto.

Nunepi havia esperado por uma declaração aberta de hostilidade, mas esse não era o idioma da diplomacia, e o chocou a ponto de utilizar de maneira atrevida aquilo que ele considerava ser a força dos Tleilaxu.

— Senhor, preservando a carne do Duncan Idaho original e provendo o Senhor com gholas restaurados em sua própria carne e identidade, nós sempre presumimos...

— Duncan! — Leto se virou para Idaho. — Se eu assim o comandar, Duncan, você lideraria uma expedição para exterminar os Tleilaxu?

— Com prazer, milorde.

— Mesmo que isso signifique a perda de suas *células originais* e de todos os tanques axolotles?

— Não considero minhas memórias dos tanques agradáveis, milorde, e não sou aquelas células.

— Senhor, como o ofendemos? — perguntou Nunepi.

Leto franziu o cenho. Esse idiota inepto realmente esperava que o Imperador Deus falasse abertamente sobre o recente ataque dos Dançarinos Faciais?

— Chegou ao meu conhecimento que você e seu povo espalham mentiras sobre o que chamam de meus "hábitos sexuais repulsivos" — respondeu Leto.

Nunepi ficou boquiaberto. A acusação era uma mentira descarada, totalmente inesperada. Ainda assim, Nunepi percebeu que se a negasse, ninguém acreditaria nele. O Imperador Deus havia dito. Esse era um ataque de dimensões desconhecidas. Nunepi começou a falar enquanto olhava para Idaho.

— Senhor, se nós...

— Olhe para mim! — Leto ordenou.

Nunepi voltou bruscamente sua atenção para o rosto de Leto.

— Vou informá-lo apenas uma vez — continuou Leto. — Não tenho nenhum hábito sexual. Nenhum.

O suor escorria pela face de Nunepi. Ele encarou Leto com a intensidade fixa de um animal encurralado. Quando recuperou a fala, não era mais aquele instrumento baixo e controlado de um diplomata, mas algo apavorado e gaguejante.

— Senhor, eu... deve haver algum engano...

— Fique quieto, seu tleilaxu ardiloso! — Leto gritou. Depois continuou: — Sou um vetor metamorfósico de um sagrado verme da areia: Shai-hulud! Sou seu Deus!

— Perdoe-nos, Senhor — sussurrou Nunepi.

— Perdoá-los? — A voz de Leto estava cheia de uma doce racionalidade. — Claro que os perdoo. Essa é a função de seu Deus. Seu crime está perdoado. Contudo, sua estupidez necessita de uma resposta.

— Senhor, se eu pelo menos pudesse...

— Fique quieto! A cota de especiaria para os Tleilaxu será desconsiderada por essa década. Seu povo não receberá nada. Quanto a você, minhas Oradoras Peixe vão levá-lo agora para a praça.

Duas guardas corpulentas se posicionaram e seguraram os braços de Nunepi. Elas olharam para Leto, aguardando instruções.

— Na praça, as roupas dele devem ser removidas – disse Leto. – Ele deve ser açoitado publicamente... cinquenta chibatadas.

Nunepi tentou soltar-se das mãos das guardas, a consternação do seu rosto estava misturada com o ódio.

— Senhor, eu o relembro que sou o embaixador dos...

— Você é um criminoso comum e será tratado como tal. – Leto meneou a cabeça para as guardas, que arrastaram Nunepi para longe.

— Eles deviam tê-lo assassinado – gritou Nunepi, enfurecido. – Eles deviam...

— Quem? – gritou Leto. – Você deseja que quem tivesse me assassinado? Você não sabe que não posso ser assassinado?

As guardas arrastaram Nunepi para fora do gabinete enquanto ele ainda gritava:

— Sou inocente! Sou inocente! – O protesto desapareceu aos poucos.

Idaho curvou-se próximo a Leto.

— Sim, Duncan? – Leto perguntou.

— Meu Senhor, todos os convidados sentirão medo desse acontecimento.

— Sim. Ensino uma lição de responsabilidade.

— Meu Senhor?

— Ser membro de uma conspiração, assim como de um exército, liberta as pessoas do senso de responsabilidade pessoal.

— Mas isso causará problemas, milorde. É melhor que eu destaque mais guardas.

— Nenhuma guarda adicional!

— Mas assim o Senhor convida...

— Convido um pouco de tolice militar.

— É exatamente o que...

— Duncan, eu sou um professor. Lembre-se disso. Pela repetição, imprimo a lição.

— Que lição?

— A derradeira natureza suicida da tolice militar.

— Milorde, eu não...

— Duncan, considere o inepto Nunepi. Ele é a essência dessa lição.

— Perdoe-me por ser tão denso, meu Senhor, mas não entendo esse argumento sobre tolice...

— Eles acreditam que, por se arriscarem à morte, pagam o preço de todos os comportamentos violentos contra inimigos que eles mesmos escolhem. Eles têm a mentalidade de um invasor. Nunepi não acredita que ele mesmo seja o responsável por algo feito contra os *alienígenas*.

Idaho olhou para o portal por onde as guardas haviam levado Nunepi.

— Ele tentou e perdeu, meu Senhor.

— Mas ele se desvencilhou das restrições do passado e opõe-se a pagar o preço.

— Para o povo dele, é um patriota.

— E como ele vê a si mesmo, Duncan? Como um instrumento da história.

Idaho abaixou a voz e se inclinou ainda mais para perto de Leto.

— Qual é a diferença dele para o Senhor?

Leto soltou um riso contido:

— Ah, Duncan, como eu adoro sua perspicácia. Você observou que eu sou o derradeiro alienígena. Você não cogita que eu também possa ser um perdedor?

— Esse pensamento cruzou a minha mente.

— Mesmo perdedores podem se cobrir com o orgulhoso manto "do passado", meu velho amigo.

— O Senhor e Nunepi são semelhantes nesse aspecto?

— Religiões missionárias militantes podem compartilhar essa ilusão de "orgulho do passado", mas poucos compreendem o perigo supremo para a humanidade: o falso senso de libertação da responsabilidade pelos seus próprios atos.

— Essas palavras são estranhas, milorde. Como devo dar-lhes significado?

— O significado é qualquer coisa que elas lhe digam. Você é incapaz de ouvir?

— Tenho ouvidos, meu Senhor!

— Você tem, mesmo? Não consigo vê-los.

— Aqui, milorde. Aqui e aqui! — Idaho apontou para suas próprias orelhas enquanto falava.

— Mas eles não escutam. Portanto, você não tem ouvidos, nem para mostrar, nem para escutar.

— Está fazendo de mim uma piada, meu Senhor?

— Ouvir é ouvir. Aquilo que existe não pode ser transformado em si mesmo, pois já existe. Ser é ser.

— Suas palavras estranhas...

— São apenas palavras. Eu as digo. Elas se foram. Ninguém as ouviu, portanto, elas não existem mais. Se elas não existem mais, talvez elas venham a existir de novo e, então, pode ser que alguém venha a ouvi-las.

— Por que está fazendo troça de mim, milorde?

— Não estou fazendo troça de você, são apenas palavras. Eu o faço sem medo de ofendê-lo porque aprendi que você não tem ouvidos.

— Não o entendo, meu Senhor.

— Este é o princípio do conhecimento: a descoberta de algo que não entendemos.

Antes que Idaho pudesse responder, Leto acenou para uma guarda próxima, que moveu a mão na frente de um painel de controle cristalino, situado na parede atrás da plataforma do Imperador Deus. Uma imagem tridimensional da punição de Nunepi apareceu no centro da câmara.

Idaho desceu da plataforma do gabinete e olhou bem de perto para a cena. Era tomada de uma pequena elevação, mostrando a praça mais abaixo, e completa, com os sons da imensa turba que havia corrido para a cena aos primeiros sinais de agitação.

Nunepi tinha sido amarrado em duas pernas de um tripé, seus pés largamente separados, seus braços unidos e amarrados acima dele, quase no vértice do tripé. Suas roupas haviam sido arrancadas de seu corpo e estavam jogadas ao lado dele, esfarrapadas. Uma Oradora Peixe, musculosa e mascarada, estava próxima e segurava um chicote improvisado, feito com uma corda de elacca que havia sido desfiada na ponta em filamentos delgados como arame. Idaho pensou ter reconhecido a mulher mascarada como a *Amiga* de sua primeira entrevista.

A um sinal da oficial da Guarda, a Oradora Peixe mascarada deu um passo adiante e baixou o chicote de elacca em um arco cortante, nas costas nuas de Nunepi.

Idaho se retraiu. A multidão ofegou.

Vergões surgiram no lugar em que o chicote o havia atingido, mas Nunepi permaneceu em silêncio.

Mais uma vez, o chicote desceu. O sangue traiu as marcas desse segundo golpe.

Novamente, o chicote açoitou as costas de Nunepi. Mais sangue jorrou.

Leto sentiu uma tristeza remota. *Nayla está muito fervorosa*, pensou. *Ela vai matá-lo e isso causará problemas.*

— Duncan! — chamou Leto.

Idaho se afastou de seu exame fascinado da cena projetada ao mesmo tempo que um grito se ergueu da multidão, em resposta a um golpe particularmente sangrento.

— Envie alguém para interromper o açoite depois da vigésima chicotada – disse Leto. – Anuncie que a magnanimidade do Imperador Deus reduziu a punição.

Idaho acenou para uma das guardas, que assentiu e correu do gabinete.

— Venha até aqui, Duncan – disse Leto.

Ainda desconfiado daquilo que considerava ter sido uma troça de Leto, Idaho voltou para seu lado.

— Não importa o que eu faça – disse Leto –, eu o faço para ensinar uma lição.

Idaho se controlou com firmeza para não olhar de volta a cena da punição de Nunepi. Seria aquele o som de Nunepi gemendo? Os gritos da multidão fustigavam Idaho. Ele fitou os olhos de Leto.

— Há uma pergunta em sua mente – disse Leto.

— Várias perguntas, meu Senhor.

— Enuncie-as.

— Qual é a lição a ser aprendida no castigo desse tolo? O que vamos responder quando formos indagados?

— Diremos que a ninguém é permitido blasfemar contra o Deus Imperador.

— Uma lição *sanguinária*, milorde.

— Não tão sanguinária como algumas que já ensinei.

Idaho balançou sua cabeça de um lado para o outro com óbvio desânimo.

— Nada de bom virá disso!

— Precisamente!

SAFÁRIS ATRAVÉS DE MINHAS MEMÓRIAS ANCESTRAIS ME ENSINAM MUITAS COISAS. OS PADRÕES, AHHH, OS PADRÕES. LIBERAIS INTOLERANTES SÃO AQUELES QUE MAIS ME IMPORTUNAM. NÃO CONFIO NOS EXTREMOS. ENCOSTE UM DEDO EM UM CONSERVADOR E VOCÊ ENCONTRARÁ ALGUÉM QUE PREFERE O PASSADO A QUALQUER FUTURO. ENCOSTE UM DEDO EM UM LIBERAL E ENCONTRE UM ARISTOCRATA ENRUSTIDO. É VERDADE! GOVERNOS LIBERAIS SEMPRE SE DESDOBRAM EM ARISTOCRACIAS. AS BUROCRACIAS TRAEM AS VERDADEIRAS INTENÇÕES DO POVO QUE FORMA TAIS GOVERNOS. LOGO NO PRINCÍPIO, AS PESSOAS COMUNS QUE FORMARAM OS GOVERNOS QUE PROMETERAM EQUALIZAR OS ENCARGOS SOCIAIS ENCONTRAM-SE, DE SÚBITO, NAS MÃOS DAS ARISTOCRACIAS BUROCRATAS. NATURALMENTE, TODAS AS BUROCRACIAS SEGUEM ESSE PADRÃO, MAS QUANTA HIPOCRISIA É ENCONTRAR ALGO ASSIM ATÉ SOB UMA BANDEIRA COMUNIZADA. AHHH, POIS BEM, SE OS PADRÕES ME ENSINAM ALGO É QUE OS PADRÕES SE REPETEM. MINHAS OPRESSÕES, NO TODO, NÃO SÃO PIORES DO QUE AS OUTRAS E, PELO MENOS, ENSINO UMA NOVA LIÇÃO.

– Os Diários Roubados

O Dia das Audiências já escurecera muito antes de Leto receber a delegação Bene Gesserit. Moneo havia preparado as Reverendas Madres para a demora, repetindo as garantias do Imperador Deus.

Na volta, Moneo relatara a seu Imperador:

– Elas esperam uma recompensa valiosa.

– Veremos – dissera Leto. – Veremos. Agora, diga-me o que o Duncan lhe indagou quando você entrou.

– Ele desejava saber se alguma vez o Senhor tinha mandado chicotear alguém.

– E qual foi sua resposta?

– Que não havia registros e que eu jamais testemunhara tal punição.

— A resposta dele?

— Isso não é típico dos Atreides.

— Ele acha que sou louco?

— Ele não disse isso.

— Existem mais coisas sobre seu encontro. O que mais incomoda nosso novo Duncan?

— Ele se encontrou com a embaixadora ixiana, Senhor. Ele acha Hwi Noree atraente. Ele inquiriu...

— Isso deve ser evitado, Moneo! Confio em você para erguer barreiras contra qualquer ligação entre o Duncan e Hwi.

— Meu Senhor ordena.

— De fato! Vá agora e inicie os preparativos do nosso encontro com as mulheres Bene Gesserit. Vou recebê-las no Falso Sietch.

— Senhor, existe algum significado na escolha desse lugar para o encontro?

— Um capricho. Em sua saída, diga ao Duncan que ele deve levar uma tropa e vascular a cidade em busca de problemas.

Leto repensou a mudança de esperar a delegação Bene Gesserit no Falso Sietch e encontrou certa diversão nela. Ele podia imaginar as reações por toda a Cidade Festival diante da chegada de um irrequieto Duncan Idaho no comando de uma tropa de Oradoras Peixe.

Como o silêncio rápido dos sapos quando o predador se aproxima.

Agora que estava no Falso Sietch, Leto considerou sua escolha muito agradável. Um prédio livre de formas, com domos irregulares nos arredores de Onn, o Falso Sietch tinha quase um quilômetro de comprimento. Fora o primeiro lar dos fremen de museu e agora havia se tornado a escola deles, com seus corredores e salas patrulhados por Oradoras Peixe sempre alertas.

O salão de recepção onde Leto esperava, um cômodo oval com duzentos metros de longa dimensão, era iluminado por luciglobos gigantes que flutuavam em uma cápsula de isolamento azul-verde a cerca de trinta metros do chão. A luz atenuava os tons fortes de marrom e bege das imitações de pedra, na qual toda a estrutura havia sido moldada. Leto esperava em um tablado baixo em um canto da sala, olhando para fora por meio de uma janela semicircular mais ampla que seu corpo. A abertura, quatro andares acima do chão, emoldurava uma vista que incluía um resquício da antiga Muralha-Escudo, preservado por suas cavernas nas encostas dos penhascos, onde as tropas Atreides haviam sido massacradas pelos atacantes Harkonnen. A luz gelada da primeira lua tingia os contornos do penhasco de prata. Fogueiras pontilhavam as encostas do penhasco, as chamas expostas onde nenhum fremen ousaria arriscar sua presença. O fogo piscava para Leto conforme as pessoas passavam em frente a ele: os fremen de museu exercendo seu direito de ocupação dos recintos sagrados.

Fremen de museu!, pensou Leto.

Eles eram pensadores tão limitados com seus horizontes próximos.

Mas por que eu devo me incomodar? Eles são aquilo que fiz deles.

Leto ouviu, então, a delegação Bene Gesserit. Elas entoavam um cântico enquanto se aproximavam, um som pesado, todo sobreposto com vogais.

Moneo as precedia com um destacamento de guardas, sendo que estas tomaram posição na pequena elevação onde estava Leto. Moneo parou logo abaixo do rosto de Leto, relanceou para o Imperador Deus, virou-se para o salão aberto.

As mulheres entraram em fila dupla, dez delas conduzidas por duas Reverendas Madres em suas tradicionais roupas pretas.

— Essa é Anteac à esquerda, Luyseyal à direita — disse Moneo

Os nomes fizeram Leto se recordar das palavras trazidas a ele por Moneo sobre as Reverendas Madres, agitado e desconfiado. Moneo não gostava das *bruxas*.

— São ambas Proclamadoras da Verdade — Moneo dissera. — Anteac é muito mais velha que Luyseyal, mas diz-se que esta última é reconhecida por ser a melhor Proclamadora da Verdade que as Bene Gesserit possuem. O Senhor pode notar que Anteac tem uma cicatriz na testa, cuja origem fomos incapazes de descobrir. Luyseyal tem cabelo vermelho e parece incrivelmente jovem para uma pessoa de tamanha reputação.

Conforme observava as Reverendas Madres se aproximarem com sua comitiva, Leto sentiu uma breve onda de suas memórias. As mulheres usavam o capuz em riste, cobrindo o rosto. Suas serviçais e acólitas caminhavam a uma distância respeitosa atrás... era tudo a mesma coisa. Alguns padrões não mudavam. Essas mulheres poderiam estar entrando em um sietch real com fremen de verdade para honrá-las.

Suas cabeças sabem o que seus corpos negam, pensou ele.

A visão penetrante de Leto percebeu a cautela subserviente nos olhos das mulheres; ainda assim elas caminharam pela sala longa como pessoas confiantes em seu poder religioso.

Agradava a Leto pensar que as Bene Gesserit possuíam apenas os poderes que ele lhes permitia ter. Os motivos dessa indulgência eram claros para ele. De todas as pessoas do Império, as Reverendas Madres eram as mais parecidas com ele: limitadas exclusivamente às memórias de suas ancestrais mulheres e das identidades femininas colaterais de seus rituais herdados. Ainda assim, cada uma delas existia, de certa forma, como uma turba integrada.

As Reverendas Madres pararam aos requeridos dez passos, contados a partir do tablado onde estava Leto. A comitiva se espalhou pelas laterais.

Leto se entretinha ao cumprimentar tais delegações na voz e na *persona* de sua avó, Jéssica. As Bene Gesserit já esperavam que isso acontecesse e ele não as decepcionou.

— Bem-vindas, irmãs — pronunciou ele. A voz era um contralto macio, definitivamente os tons femininos controlados de Jéssica, com apenas um suave toque de zombaria; uma voz que havia sido gravada e várias vezes estudada na Casa Capitular da Irmandade.

Enquanto falava, Leto sentiu uma ameaça. As Reverendas Madres nunca ficavam contentes quando ele as cumprimentava dessa forma, mas desta vez a reação carregava insinuações diferentes. Moneo também sentiu. Ele levantou um dedo e as guardas se moveram mais próximas de Leto.

Anteac falou primeiro:

— Senhor, nós assistimos àquela exibição na praça esta manhã. O que o Senhor ganha valendo-se de tal demonstração grotesca?

Então é esse o tom que queremos estabelecer, pensou ele.

Falando com sua própria voz, ele respondeu:

— Vocês estão temporariamente sob minhas boas graças. Querem mudar tal posição?

— Senhor — clamou Anteac —, estamos chocadas com a forma como o Senhor pôde castigar um embaixador. Não entendemos o que ganha com isso.

— Não ganho nada. Sou diminuído.

— Isso só irá reforçar pensamentos de opressão — Luyseyal retrucou.

— Pergunto-me por que tão poucos já pensaram nas Bene Gesserit como opressoras — indagou Leto.

Anteac falou para sua companheira:

— Se for do agrado do Imperador Deus nos informar, ele assim o fará. Voltemos para os objetivos de nossa Embaixada.

— Vocês podem se aproximar — Leto permitiu, sorrindo. — Deixem as assistentes e venham.

Moneo deu dois passos para a direita conforme as Reverendas Madres se moveram em seu típico deslize silencioso a uma distância de três passos do tablado.

— É quase como se elas não tivessem pés! — Moneo reclamara certa vez.

Relembrando isso, Leto notou o quanto Moneo observava aquelas duas mulheres. Elas eram ameaçadoras, mas Moneo não ousava se opor à proximidade delas. O Imperador Deus havia ordenado, então assim devia ser.

Leto voltou sua atenção para as serviçais, que esperavam no lugar em que a comitiva Bene Gesserit havia inicialmente parado. As acólitas vestiam roupas negras sem capuz. Ele notou pequenos indícios de rituais proibidos nelas: um amuleto, um pequeno berloque, o canto de um lenço colorido arrumado de forma a permitir que mais cores pudessem ser vistas. Leto sabia que as Reverendas Madres assim o permitiam porque elas não eram mais capazes de distribuir especiaria como antes.

Rituais substitutos.

Foram várias mudanças significativas pelos últimos dez anos. Uma nova parcimônia havia se imiscuído no pensamento da Irmandade.

Elas estão se revelando, disse Leto a si mesmo. *Os mistérios bem antigos ainda estão aqui.*

Os padrões antigos haviam ficado adormecidos nas memórias Bene Gesserit por todos esses milênios.

Agora, eles emergem. Preciso avisar minhas Oradoras Peixe.

Ele voltou sua atenção para as Reverendas Madres.

— Vocês têm solicitações?

— Como é ser o Senhor? — indagou Luyseyal.

Leto piscou. Fora um ataque interessante. Elas não tentavam algo assim havia mais de uma geração. Bem... por que não?

— Às vezes meus sonhos são bloqueados e redirecionados para lugares estranhos — ele falou. — Se minhas memórias cósmicas são uma teia, como vocês duas certamente sabem, então pensem sobre as dimensões da *minha teia* e aonde essas memórias e sonhos podem me levar.

— O Senhor fala sobre o que certamente sabemos — disse Anteac. — Por que não podemos finalmente juntar nossas forças? Somos mais parecidos que diferentes.

— Prefiro unir-me àquelas Casas Maiores degeneradas, que nada mais fazem do que lamentar suas riquezas perdidas de especiaria.

Anteac se manteve calada, mas Luyseyal apontou um dedo para Leto:

— Oferecemos comunhão!

— E eu insisto em conflito?

Anteac se desassossegou e, então, comentou:

— É dito que existe um princípio de conflito que se originou em uma única célula e nunca se deteriorou.

— Algumas coisas permanecem incompatíveis — concordou Leto.

— Então como nossa Irmandade mantém sua comunhão? — demandou Luyseyal.

— Como você bem sabe — Leto começou, endurecendo a voz —, o segredo da comunhão jaz na supressão da incompatibilidade.

— Existe um valor enorme na cooperação — observou Anteac.

— Para vocês, não para mim.

Anteac fingiu um suspiro e prosseguiu:

— Então, Senhor, poderia nos informar sobre as mudanças físicas em sua pessoa?

— Alguém além do Senhor devia saber e registrar tais coisas — emendou Luyseyal.

— Caso alguma fatalidade venha a acontecer comigo? — perguntou Leto.

— Senhor! — protestou Anteac. — Nós não...

— Vocês me dissecam com palavras quando, na verdade, gostariam de instrumentos mais afiados — disse Leto. — Hipocrisia me ofende.

— Protestamos, Senhor — disse Anteac.

— Vocês, de fato, o fazem. Posso ouvi-las.

Luyseyal se esgueirou alguns milímetros mais perto do tablado, atraindo um olhar severo de Moneo, que então se voltou rapidamente para Leto. A expressão do senescal clamava por ação, mas Leto o ignorou, curioso acerca das intenções de Luyseyal. O pressentimento de ameaça estava agora centrado naquela ruiva.

O que é ela?, Leto se admirou. *Seria uma Dançarina Facial, afinal?*

Não. Nenhum sinal que a denunciasse como tal estava lá. Não. Luyseyal apresentava uma aparência elaborada e relaxada, sem nenhum detalhe em suas compleições que pudesse testar o poder de observação do Imperador Deus.

— O Senhor não vai nos contar sobre suas mudanças físicas, Senhor? — perguntou Anteac.

Distração!, pensou Leto.

— Meu cérebro se torna enorme — disse ele. — A maior parte do crânio humano se dissolveu. Não há limites impostos para o crescimento do meu córtex nem do sistema nervoso que lhe é subordinado.

Moneo lançou um olhar assustado em direção a Leto. Por que o Imperador Deus estava fornecendo essa informação vital? Essas duas iriam usá-la como moeda de troca.

Contudo, ambas as mulheres estavam, obviamente, fascinadas pelas revelações, hesitando em seguir com qualquer que tivesse sido o plano que haviam elaborado.

— O seu cérebro tem um centro? — indagou Luyseyal.

— Eu sou o centro — Leto afirmou.

— Uma localização? — perguntou Anteac. Ela fez um gesto vago em direção a ele. Luyseyal deslizou alguns milímetros para mais próximo do tablado.

— Que valor vocês atribuem às coisas que revelo? — perguntou Leto.

As duas mulheres não traíram nenhuma mudança de expressão, o que já era traição suficiente. Um sorriso esboçou-se nos lábios de Leto.

— O mercado as capturou — ele sentenciou. — Até as Bene Gesserit foram infectadas pela mentalidade *suk*.

— Não merecemos essa acusação — disse Anteac.

— Merecem, sim. A mentalidade *suk* domina meu Império. Os usos do mercado foram aguçados e amplificados pelas demandas de nossos tempos. Todos nós viramos comerciantes.

— Inclusive o Senhor? — perguntou Luyseyal.

— Você coloca à prova a minha ira — ele disse. — Você é especialista nisso, não é?

— Senhor? — A voz de Luyseyal parecia calma, mas excessivamente controlada.

— Especialistas não são confiáveis — disse Leto. — Especialistas são mestres da exclusão, peritos na estreiteza.

— Esperamos ser as arquitetas de um futuro melhor — disse Anteac.

— Melhor do que o quê? — perguntou Leto.

Luyseyal se permitiu aproximar-se de Leto mais uma fração de passo.

— Esperamos estabelecer nossos padrões de acordo com Seu julgamento, Senhor — disse Anteac.

— Mas vocês seriam arquitetas. Construiriam muralhas mais altas? Nunca se esqueçam, irmãs, de que eu as conheço. Vocês são eficientes provedoras de antolhos.

— A vida continua, Senhor — comentou Anteac.

— De fato! Assim como o universo.

Luyseyal chegou ainda um pouco mais perto, ignorando a atenção fixa de Moneo.

Leto sentiu o cheiro e quase gargalhou.

Essência de especiaria!

Elas haviam trazido um pouco de essência de especiaria. Elas conheciam as antigas histórias sobre os vermes da areia e essência de especiaria, naturalmente. Luyseyal a carregava. Ela considerou a essência um veneno específico para vermes da areia. Era óbvio. Os arquivos das Bene Gesserit e a História Oral confirmavam esse fato. A essência estilhaçava o verme, precipitando sua dissolução e resultando, por fim, nas trutas da areia, as quais gerariam mais vermes da areia *et cetera*, *et cetera*, *et cetera*...

— Existe outra mudança em mim que vocês deveriam saber — disse Leto. — Ainda não sou um verme da areia, não totalmente. Considerem-me algo mais próximo de uma criatura-colônia com alterações sensoriais.

A mão esquerda de Luyseyal se moveu de maneira quase imperceptível em direção a uma dobra em seu traje. Moneo viu e esperou pelas instruções de Leto, mas o Imperador Deus simplesmente fixou sua atenção no olhar intenso de Luyseyal, vindo de debaixo do capuz.

— Já houve uma moda passageira por fragrâncias.

A mão de Luyseyal hesitou.

— Perfumes e essências — ele comentou. — Lembro-me de todos, até mesmo os cultos dos não fragrantes são meus. As pessoas já usaram sprays para as axilas e virilhas, para mascarar seus odores naturais. Sabiam disso? Claro que sabiam!

Anteac relanceou para Luyseyal.

Nenhuma das mulheres ousava falar.

— As pessoas sabiam instintivamente que seus feromônios as traíam — completou Leto.

As mulheres permaneceram imóveis. Elas o ouviam. De todos os seus súditos, as Reverendas Madres eram as mais preparadas para entender a mensagem oculta.

— Vocês gostariam de me minerar em virtude das riquezas de minha memória — disse Leto em tom acusador.

— Temos ciúmes, Senhor — Luyseyal confessou.

— Vocês interpretaram erroneamente a história da essência de especiaria — disse Leto. — As trutas da areia a pressentem apenas como água.

— Era um teste, Senhor — falou Anteac. — Apenas isso.

— Vocês iam me testar?

— Culpe nossa curiosidade, Senhor — desculpou-se Anteac.

— Eu, também, estou curioso. Ponha essa essência de especiaria no tablado, ao lado de Moneo. Eu a guardarei.

Com lentidão, demonstrando pela firmeza de seus movimentos que ela não iria atacar, Luyseyal colocou a mão dentro de seu manto e removeu um pequeno frasco que brilhava com um esplendor interno em azul. Ela o depositou cuidadosamente sobre o tablado. Não evidenciou nenhum sinal de que estivesse tentando algo desesperador.

— De fato, Proclamadora da Verdade — disse Leto.

Ela dirigiu a ele um esgar falso que poderia ter sido um sorriso, depois voltou para o lado de Anteac.

— Onde vocês conseguiram essa essência de especiaria? — perguntou Leto.

— Compramos de contrabandistas — respondeu Anteac.

— Não existem contrabandistas há mais de 2.500 anos.

— Não desperdice e não faltará — redarguiu Anteac.

— Compreendo. E agora vocês precisam reavaliar o que consideram sua própria paciência, não é mesmo?

— Observamos a evolução do seu corpo, Senhor — disse Anteac. — Pensamos... — Ela se permitiu um leve dar de ombros, um tipo de gesto que podia ser usado com uma irmã, mas não de maneira leviana.

Leto franziu os lábios em resposta e disse:

— Não posso dar de ombros.

— O Senhor vai nos punir? — indagou Luyseyal.

— Pela diversão que me causaram?

Luyseyal lançou uma olhadela para o frasco sobre o tablado.

— Prometi recompensá-las — recordou Leto. — Vou fazê-lo.

— Preferiríamos protegê-lo em nossa comunhão, Senhor — falou Anteac.

— Não espere por uma recompensa tão grande — contrapôs.

Anteac balançou a cabeça e emendou:

— O Senhor tem relações comerciais com os ixianos, Senhor. Temos razões para acreditar que eles possam atentar contra o Senhor.

— Não tenho mais medo deles do que tenho de vocês.

— Certamente o senhor ouviu o que os ixianos vêm fazendo — respondeu Luyseyal.

— Moneo me traz, ocasionalmente, uma cópia de alguma mensagem entre pessoas ou grupos de meu Império. Ouço várias histórias.

— Falamos de uma nova Abominação, Senhor! — clamou Anteac.

— Vocês acham que os ixianos conseguem produzir algum tipo de inteligência artificial? – perguntou ele. – Conscientes como vocês o são?

— Tememos que isso aconteça, Senhor – respondeu Anteac.

— Você me fariam acreditar que o Jihad Butleriano sobrevive entre as irmãs?

— Não confiamos no desconhecido que pode nascer da tecnologia imaginativa – respondeu Anteac.

Luyseyal se inclinou em direção a ele:

— Os ixianos alardeiam que a máquina deles transcenderá o Tempo da mesma forma que o Senhor o faz.

— E a Guilda diz que existe um caos temporal circundando os ixianos – zombou Leto. – Sendo assim, devemos temer toda a Criação?

Anteac aprumou-se com rigidez.

— Falo a verdade com vocês duas – disse Leto. – Reconheço suas habilidades. Vocês não reconhecem as minhas?

Luyseyal deu a ele um aceno de cabeça curto e respondeu:

— Tleilax e Ix fizeram uma aliança com a Guilda e pedem nossa total cooperação.

— E vocês temem mais a Ix que os outros.

— Tememos qualquer coisa que não controlamos – disse Anteac.

— E vocês não me controlam.

— Sem o Senhor, as pessoas precisariam de nós – afirmou Anteac.

— Finalmente a verdade! – exclamou Leto. – Vocês vêm a mim como seu Oráculo e me pedem para dissipar seus temores.

A voz de Anteac saiu friamente controlada:

— Ix vai desenvolver um cérebro artificial?

— Um cérebro? Claro que não!

Luyseyal pareceu relaxar, mas Anteac permaneceu imóvel. Ela não estava satisfeita com o Oráculo.

Por que esta tolice se repete com uma monotonia tão precisa?, Leto se perguntou. Suas memórias ofereciam inúmeras cenas que combinavam com a atual: cavernas, sacerdotes e sacerdotisas tomados por um êxtase sagrado, vozes solenes sentenciando profecias perigosas enquanto inalavam narcóticos sagrados.

Ele voltou os olhos para o frasco iridescente ao lado de Moneo, no tablado. Qual seria o valor atual daquilo? Enorme. Ele era a *essência*. Concentrado de riqueza concentrada.

— Vocês já pagaram o Oráculo — disse ele. — Deleito-me em devolver a vocês a quantia inteira.

Quão alertas as mulheres se tornaram!

— Ouçam-me! — continuou Leto. — Aquilo que vocês temem não é aquilo que vocês temem.

Leto gostava do som dessa frase. Agourento o suficiente para qualquer Oráculo. Anteac e Luyseyal o fitaram, suplicantes submissas. Atrás delas, uma acólita limpou a garganta.

Aquela será identificada e repreendida mais tarde, pensou Leto.

Anteac agora tinha tempo suficiente para refletir sobre as palavras de Leto. Ela retrucou:

— Uma verdade obscura não é a verdade.

— Mas dirigi sua atenção de maneira correta — retrucou Leto.

— O Senhor está nos dizendo para não temer a máquina? — perguntou Luyseyal.

— Vocês têm o poder de raciocinar — disse ele. — Por que implorá-lo a mim?

— Porque não temos *seus* poderes — respondeu Anteac.

— Então vocês reclamam que não pressentem as ondas tênues do Tempo. Vocês não sentem meu *continuum*. E vocês temem uma simples máquina!

— Quer dizer que o Senhor não vai nos responder — disse Anteac.

— Não cometa o erro de pensar que eu seja ignorante quanto à forma de agir de sua Irmandade — respondeu Leto. — Vocês estão vivas. Seus sentidos estão afinados de modo excepcional. Não vou impedir isso, nem vocês deveriam fazê-lo.

— Mas os ixianos brincam com automação! — protestou Anteac.

— Peças discretas, pedaços finitos ligados uns aos outros — concordou ele. — Uma vez iniciados, como pará-los?

Luyseyal descartou toda a pretensão de autocontrole típico das Bene Gesserit em uma bela demonstração do reconhecimento dos poderes de Leto. Sua voz saiu quase esganiçada:

— O Senhor sabe do que se gabam os ixianos? De que a máquina vai prever *Suas* ações!

— Por que razão deveria eu temer isso? Quanto mais eles se aproximam de mim, mais eles deverão se aliar a mim. Não podem me conquistar, mas posso conquistá-los.

Anteac fez menção de falar, mas parou quando Luyseyal tocou seu braço.

— O Senhor já se aliou a Ix? — perguntou Luyseyal. — Ouvimos sobre Sua conferência que durou além do tempo alocado com a nova Embaixadora, essa Hwi Noree.

— Não possuo aliados — disse ele. — Apenas servos, estudantes e inimigos.

— E o Senhor não teme a máquina ixiana? — insistiu Anteac.

— Automação é sinônimo de inteligência consciente? — indagou ele.

Os olhos de Anteac ficaram largos e opacos conforme ela mergulhava em suas próprias memórias. Leto se descobriu fascinado com o que ela devia estar encontrando ali, com sua própria turba interna.

Dividimos algumas dessas memórias, pensou ele.

Leto sentiu a atração sedutora da comunhão com as Reverendas Madres. Seria tão familiar, tão encorajadora... e tão mortal. Anteac estava tentando atraí-lo outra vez. Ela falou:

— A máquina não pode antecipar todos os problemas importantes para os humanos. Esta é a diferença entre pedaços seriais e um *continuum* ininterrupto. Nós temos um; máquinas estão confinadas ao outro.

— Vocês ainda têm o poder de raciocinar.

— Compartilhe! – bradou Luyseyal. Era uma ordem para Anteac e revelava de uma forma abrupta quem mandava na dupla: a mais jovem sobre a mais velha.

Primoroso, pensou Leto.

— A inteligência se adapta – redarguiu Anteac.

Parcimoniosa com as palavras, também, pensou Leto, escondendo seu deleite.

— A inteligência cria – disse Leto. – Isso significa que se deve lidar com respostas jamais imaginadas. Vocês precisam confrontar o *novo*.

— Como a possibilidade da máquina ixiana – disse Anteac. Não fora uma pergunta.

— Não é interessante – continuou Leto – que ser uma esplêndida Reverenda Madre não seja o suficiente?

Os sentidos aguçados do Imperador Deus detectaram um medo súbito se intensificando em ambas as mulheres. De fato, Proclamadoras da Verdade!

— Vocês estão certas em me temer – ele comentou. Aumentando sua voz, perguntou: — Como sabem que estão realmente vivas?

Da mesma forma que Moneo havia percebido diversas vezes, elas ouviram na voz dele as consequências mortais que advinham da falha em responder corretamente. Fascinava a Leto que ambas as mulheres relanceassem na direção de Moneo antes que qualquer uma das duas respondesse.

— Sou o espelho de mim mesma – disse Luyseyal, uma resposta memorizada das Bene Gesserit que Leto considerava ofensiva.

— Não preciso de ferramentas pré-ajustadas para lidar com meus problemas humanos – disse Anteac. – Sua pergunta é superficial!

— Ha-ha! – gargalhou Leto. – Você gostaria de abandonar as Bene Gesserit e se juntar a mim?

Leto pôde vê-la considerando e logo rejeitando o convite, mas ela não escondeu seu deleite. Leto olhou para a confusa Luyseyal:

— Se cai fora dos parâmetros de sua compreensão, você está lidando com inteligência, não com automação — disse ele, e pensou: *Essa Luyseyal nunca mais vai dominar a velha Anteac.*

Luyseyal estava com raiva agora e não se importava em escondê-la. Ela falou:

— Dizem os boatos que os ixianos lhe forneceram máquinas que simulam o pensamento humano. Se o Senhor tem uma opinião tão baixa sobre eles, por que...?

— Ela não deveria receber permissão para sair da Casa Capitular sem uma guardiã — disse Leto, dirigindo-se a Anteac. — Ela tem medo de confabular com suas próprias memórias?

Luyseyal empalideceu, mas continuou calada. Leto a estudou de forma fria e prosseguiu:

— A longa relação inconsciente de nossos ancestrais com as máquinas nos ensinou algo, você não acha?

Luyseyal simplesmente o encarou, sem estar pronta para arriscar sua morte em um desafio aberto ao Imperador Deus.

— Você diria, pelo menos, que nós conhecemos a atração das máquinas? — Leto questionou.

Luyseyal assentiu.

— Uma máquina bem mantida pode ser mais confiável do que um servo humano — disse Leto. — Podemos confiar que as máquinas não vão se permitir distrações emocionais.

Luyseyal recobrou a voz:

— Isso significa que o Senhor pretende remover a proibição Butleriana contra máquinas abomináveis?

— Prometo a você — disse Leto, falando em sua voz gélida de desprezo — que, se insistir nesse tipo de tolice, vou executá-la em praça pública. Eu *não* sou seu Oráculo!

Luyseyal abriu a boca e a fechou sem dizer palavra.

Anteac tocou o braço da companheira, disparando um rápido tremor no corpo de Luyseyal. Anteac falou suavemente, em uma excepcional demonstração da Voz:

— Nosso Imperador Deus jamais desafiará abertamente as proscrições do Jihad Butleriano.

Leto sorriu para ela, um elogio gentil. Era um prazer ver uma profissional atuar da melhor forma possível.

— Tal fato deveria ser óbvio para qualquer inteligência consciente – disse ele. – Há limites de minha própria escolha, lugares onde não vou interferir.

Ele podia perceber ambas as mulheres absorvendo o golpe multifacetado de suas palavras, pesando os significados e intenções possíveis. Estaria o Imperador Deus simplesmente as distraindo, focando sua atenção nos ixianos enquanto ele manobrava em outras áreas? Estaria ele informando às Bene Gesserit que havia chegado o tempo de escolher o lado contra os ixianos? Seria possível que suas palavras não fossem além de suas motivações superficiais? Quaisquer que fossem suas razões, elas não podiam ser ignoradas. Ele era, sem dúvida, a criatura mais tortuosa que o universo já havia criado.

Leto franziu o cenho na direção de Luyseyal, sabendo que só iria aumentar a confusão:

— Relembro a você, Marcus Claire Luyseyal, uma lição vinda das antigas sociedades supermecanizadas que parece que você *não* aprendeu. Os próprios dispositivos condicionam os usuários a empregar uns aos outros da forma como empregam as máquinas.

Ele virou sua atenção para o senescal:

— Moneo?

— Eu o vejo, Senhor.

Moneo levantou o pescoço para perscrutar além da comitiva das Bene Gesserit. Duncan Idaho havia entrado pelo portal ao longe e caminhava pelo chão da sala em direção a Leto. Moneo não relaxou sua cautela, sua desconfiança das Bene Gesserit, mas reconheceu a natureza da aula de Leto. *Ele está testando, sempre testando.*

Anteac pigarreou:

— Senhor, qual é a nossa recompensa?

— Você é corajosa – disse Leto. — Sem dúvida, por essa razão foi escolhida para esta Embaixada. Muito bem, pela próxima década manterei sua cota de especiaria no nível que se encontra atualmente. Quanto ao resto, vou ignorar o que realmente vocês pretendiam com essa essência de especiaria. Não sou generoso?

— Generosíssimo, Senhor – anuiu Anteac, e não havia o menor sinal de amargura em sua voz.

Duncan Idaho passou pelas mulheres e parou ao lado de Moneo para olhar em direção a Leto, dizendo:

— Milorde, há... – ele interrompeu e olhou para as duas Reverendas Madres.

— Fale abertamente – Leto ordenou.

— Sim, milorde. – Havia relutância dentro dele, mas obedeceu. – Fomos atacados na periferia sudeste da Cidade, uma forma de nos distrair, creio eu, pois agora há relatos de violência na Cidade e na Floresta Proibida... muitos grupos de incursão espalhados.

— Eles estão caçando meus lobos – redarguiu Leto. — Na floresta e na Cidade, estão caçando meus lobos.

As sobrancelhas de Idaho se contraíram formando um semblante que demonstrava confusão.

— Lobos na Cidade, milorde?

— Predadores – disse Leto. — Lobos... para mim, não existe nenhuma diferença fundamental.

Moneo ofegou.

Leto sorriu para ele, pensando em como era lindo observar um momento de compreensão: uma venda retirada dos olhos, uma mente que foi aberta.

— Eu trouxe uma grande força de guardas para proteger esse lugar – continuou Idaho. – Elas estão posicionadas pelo...

– Eu sabia que você iria fazê-lo – Leto interrompeu. – Agora preste bastante atenção enquanto lhe digo para onde mandar o resto de suas forças.

Enquanto as Reverendas Madres observavam com espanto, Leto revelou a Idaho os pontos exatos de emboscadas, detalhando o tamanho de cada força e mesmo alguns detalhes sobre seus integrantes, o *timing*, as armas necessárias, a distribuição exata das tropas em cada local. A memória capaz de Idaho catalogou cada instrução. Ele estava muito envolvido no discurso para questioná-lo, até que Leto caiu em silêncio. E, então, um olhar de medo confuso surgiu em Idaho.

Para Leto, era como se ele tivesse olhado diretamente na percepção mais essencial de Idaho, para ali ler seus pensamentos. *Fui um soldado de confiança do Leto original*, Idaho pensava. *Aquele Leto, o avô deste, me salvou e me recebeu em sua casa como se eu fosse seu filho. Embora aquele Leto ainda possua uma forma de existência neste aqui... este não é ele.*

– Meu Senhor, por que precisa de mim? – Idaho questionou.

– Por sua força e lealdade.

Idaho balançou a cabeça:

– Mas...

– Você obedece – Leto retrucou, e notou que aquelas palavras estavam sendo absorvidas pelas Reverendas Madres. *Verdade, apenas verdade, porque elas são Proclamadoras da Verdade.*

– Porque tenho um débito com os Atreides – disse Idaho.

– É onde depositamos nossa confiança – Leto falou. – E... Duncan?

– Meu Senhor? – A voz de Idaho demonstrava que ele havia encontrado um ponto de apoio onde se firmar.

– Deixe ao menos um sobrevivente em cada local – Leto acrescentou. – Caso contrário, nossos esforços serão inúteis.

Idaho assentiu uma vez, de modo conciso, e saiu, seguindo o caminho por onde havia entrado. E Leto pensou que apenas um olho extremamente sensível perceberia que era um Idaho diferente que saía, bem diferente daquele que havia entrado.

— Esse é o preço a pagar por ter chicoteado aquele embaixador — Anteac observou.

— Exatamente — concordou Leto. — Reconte isso cuidadosamente a sua Superiora, a admirável Reverenda Madre Syaksa. Diga a ela que prefiro a companhia dos predadores à das presas.

Ele olhou para Moneo, que se transformou no foco das atenções.

— Moneo, os lobos desapareceram da minha floresta. Devem ser substituídos por lobos humanos. Providencie.

O ESTADO DE TRANSE DA PROFECIA NÃO SE COMPARA A NENHUMA OUTRA EXPERIÊNCIA VISIONÁRIA. NÃO É UMA FUGA DA EXPOSIÇÃO CRUA DOS SENTIDOS (COMO MUITOS ESTADOS DE TRANSE O SÃO), MAS UMA IMERSÃO EM UMA IMENSIDÃO DE NOVOS MOVIMENTOS. COISAS SE MOVEM. É UM PRAGMATISMO DERRADEIRO NO MEIO DO INFINITO, UMA CONSCIÊNCIA EXIGENTE EM QUE VOCÊ DEPARA, AFINAL, COM A PERCEPÇÃO ININTERRUPTA DE QUE O UNIVERSO SE MOVE POR SI MESMO, QUE ELE MUDA, QUE SUAS REGRAS MUDAM, QUE NADA PERMANECE PERPÉTUO OU ABSOLUTO DURANTE TODO ESSE MOVIMENTO, QUE EXPLICAÇÕES MECÂNICAS PARA QUALQUER COISA SOMENTE PODEM FUNCIONAR DENTRO DE RESTRIÇÕES PRECISAS E, UMA VEZ QUE AS PAREDES SEJAM DERRUBADAS, AS VELHAS EXPLICAÇÕES SE ESTILHAÇAM E SE DISSOLVEM, LEVADAS POR NOVOS MOVIMENTOS. AS COISAS QUE SE VEEM NESSE TRANSE NOS TORNAM SÓBRIOS, ÀS VEZES ATÉ NOS DESPEDAÇAM. ELAS EXIGEM MÁXIMO ESFORÇO PARA PERMANECER ÍNTEGRO E, AINDA ASSIM, EMERGE-SE DESSE ESTADO PROFUNDAMENTE MUDADO.

— Os Diários Roubados

Na noite daquele Dia de Audiências, enquanto alguns dormiam e lutavam e sonhavam e morriam, Leto repousou no isolamento da sua câmara de audiências com apenas algumas Oradoras Peixe confiáveis em seus portais.

Ele não dormiu. Sua mente espiralava com necessidades e decepções.

Hwi! Hwi!

Agora, ele sabia bem por que Hwi Noree havia sido enviada para ele. Como ele sabia bem!

Meu segredo mais secreto está exposto.

Eles descobriram seu segredo. Hwi era a evidência.

Ele imergiu em pensamentos desesperados. Será que essa terrível metamorfose poderia ser revertida? Será que ele poderia retornar ao estado humano?

Não é possível.

Mesmo que fosse possível, o processo lhe tomaria o mesmo tempo que havia levado para alcançar esse ponto. Onde estaria Hwi dali a mais de três mil anos? Poeira seca e ossos em sua cripta.

Eu podia reproduzir alguém como ela e prepará-la para mim... mas não seria minha gentil Hwi.

E o que aconteceria ao Caminho Dourado enquanto ele se entregava a esses objetivos egoístas?

Para o inferno com o Caminho Dourado! Esses idiotas insensatos alguma vez pensaram em mim? Nenhuma!

Isso não era verdade. Hwi pensava nele. Ela compartilhava sua tortura.

Esses eram pensamentos de loucura e ele tentou afastá-los enquanto seus sentidos lhe relatavam os movimentos suaves das guardas e o fluxo de água abaixo de seu gabinete.

Quando fiz essa escolha, quais eram minhas expectativas?

Como a multidão dentro dele ria dessa pergunta! Ele não tinha uma tarefa a completar? Não era a própria essência do acordo que mantinha a multidão controlada?

– Você tem uma tarefa a completar – disseram eles. – Você tem apenas um objetivo.

Único objetivo era sintoma de fanatismo e eu não sou um fanático!

– Você deve ser cínico e cruel. Você não pode quebrar a confiança.

Por que não?

– Quem fez o juramento? Você o fez. Você escolheu esse caminho.

Expectativas!

– As expectativas que a história cria para uma geração geralmente são destruídas na próxima geração. Quem sabe disso melhor do que você?

Sim... e expectativas destruídas podem alienar populações inteiras. Eu, sozinho, sou uma população inteira!

— Lembre-se do seu juramento!

Com certeza. Sou a força de disrupção solta através dos séculos. Eu limito as expectativas... inclusive as minhas. Eu refreio o pêndulo.

— E depois o solta. Nunca se esqueça disso.

Estou cansado. Oh, como estou cansado. Se apenas eu pudesse dormir... realmente dormir.

— Você também está cheio de autopiedade.

Por que não? O que sou? O solitário derradeiro, forçado a olhar para aquilo que poderia ter sido. Todos os dias eu observo... e agora Hwi!

— Sua escolha original, altruísta, agora o enche de egoísmo.

Há perigo a toda volta. Devo vestir meu egoísmo como um terno ou uma armadura.

— Existe perigo para todos aqueles que o tocam. Não é essa sua verdadeira natureza?

Perigo até para Hwi. Querida, agradável, querida Hwi.

— Você construiu muralhas altas ao redor de si apenas para sentar nelas e se entregar à autopiedade?

As muralhas foram construídas porque grandes forças estavam sendo liberadas em meu Império.

— Você as liberou. Agora vai se conciliar com elas?

É em razão de Hwi. Estes sentimentos jamais tiveram tanto poder sobre mim. São os malditos ixianos!

— É interessante que eles o tenham golpeado utilizando-se de carne e não de uma máquina.

Porque eles descobriram meu segredo!

— Você conhece o antídoto.

Todo o corpanzil de Leto estremeceu com esse pensamento. Ele conhecia muito bem o antídoto, que sempre funcionara antes: perder-se por um tempo em seu próprio passado. Nem mesmo as Irmãs Bene Gesserit podiam fazer esses safáris, mergulhando para dentro, ao longo do eixo de suas memórias: voltando, voltando aos verdadeiros limites da consciência celular, ou parando a alguma margem para se refestelar com uma sofisticada delícia sensorial. Uma vez, após a morte de um Duncan particularmente esplêndido, Leto havia feito uma turnê pelas grandes apresentações musicais. Mozart logo o cansou. *Pretensioso! Mas Bach... ahhh, Bach.*

Leto se lembrava do deleite proporcionado.

Sentei no órgão e deixei a música me embeber.

Apenas por três vezes em todas as memórias havia sido igual a Bach. Nem mesmo Licallo era melhor; talvez tão bom quanto, mas não melhor.

Será que mulheres intelectuais seriam uma escolha apropriada para aquela noite? Avó Jéssica havia sido uma das melhores. Sua experiência lhe dizia que alguém tão próximo a ele como Jéssica não seria o antídoto apropriado para suas tensões atuais. A busca deveria sondar muito mais longe.

Ele se imaginou, então, descrevendo um desses safáris para algum visitante admirado, um totalmente imaginário, porque ninguém ousaria perguntar a ele sobre uma questão tão *sagrada*.

— Eu retrocedo pelo percurso de meus ancestrais, caçando por dentre os afluentes, lançando-me em fissuras e fendas. Você não reconheceria a maior parte dos nomes. Quem já ouviu falar de Norma Cenva? Eu a vivi!

— Você a viveu? — perguntou seu visitante imaginário.

— Claro. Por que outro motivo alguém iria querer manter um de seus ancestrais por perto? Você acha que um homem desenhou a primeira nave da Guilda? Seus livros de história lhe contaram que foi Aurelius Venport? Eles mentiram. Foi sua amante, Norma. Ela deu-lhe o projeto, além de cinco filhos. Ele pensou que seu ego não aceitaria menos. No fim, o conhecimento de que ele jamais havia cumprido sua própria função foi o que o consumiu.

— Você o viveu também?

— Naturalmente. Também atravessei as longas peregrinações dos fremen. Por meio da linhagem de meu pai e dos outros, regressei até a Casa de Atreus.

— Que linhagem ilustre!

— Com sua parcela de tolos.

Distração é o que preciso, pensou ele.

Seria, então, uma incursão pelos flertes e conquistas sexuais?

— Você não tem ideia de que orgias internas estão disponíveis para mim. Sou o derradeiro *voyeur*: participante(s) e observador(es). Ignorância e equívocos sobre sexualidade já causaram tanta aflição. Quão profundamente estreitos temos sido; quanta mesquinhez!

Leto sabia que não podia fazer essa escolha, não esta noite, não com Hwi pela cidade.

Deveria, então, escolher uma retrospectiva da arte da guerra?

— Qual Napoleão era o maior covarde? — ele perguntou a seu visitante imaginário. — Não revelarei, mas eu sei. Sim, eu sei.

Aonde posso ir? Com todo este passado aberto para mim, para onde posso ir?

Os bordéis, as atrocidades, os tiranos, os acrobatas, nudistas, cirurgiões, prostitutos, músicos, mágicos, *ungenciers*, sacerdotes, artesãos, sacerdotisas...

— Você sabia — ele questionou seu visitante imaginário — que a hula preserva uma antiga linguagem de sinais a qual, certa vez, pertenceu apenas aos homens? Você já ouviu falar da hula? Claro. Quem dança isso ainda? Mesmo assim, dançarinos preservaram vários elementos. As traduções foram perdidas, mas eu os conheço...

... Durante uma noite inteira, fui uma série de califas rumando ao leste e ao oeste com o Islã: uma travessia de séculos. Não vou aborrecê-lo com detalhes. Pode ir embora agora, visitante!

Quão sedutor é isso, pensou ele, *esse chamado das sirenas, o qual faria com que eu vivesse apenas no passado.*

E quão inútil é esse passado agora, graças aos malditos ixianos. Que tedioso esse passado é quando Hwi está aqui. Ela viria até mim agora se eu a convocasse, mas não posso chamá-la... não agora... não esta noite.

O passado insistia em chamá-lo.

Eu podia fazer uma peregrinação pelo meu passado. Não deve ser, necessariamente, um safári. Eu poderia ir só. Peregrinações purificam. Safáris me transformam em um turista. Esta é a diferença. Eu podia ir sozinho até meu mundo interior.

E nunca mais retornar.

Leto sentiu a inevitabilidade disso, aquele estado onírico iria, por fim, capturá-lo.

Crio um estado onírico especial por todo o meu Império. Dentro desse sonho, novos mitos se formam, surgem novos caminhos e novos movimentos. Novo... novo... novo... Tudo emerge de meus próprios sonhos, a partir dos meus mitos. Quem é mais suscetível a eles do que eu mesmo? O caçador está preso em sua própria rede.

Leto descobriu, então, que havia encontrado uma condição para a qual não havia antídoto... passado, presente ou futuro. Seu corpanzil estremeceu nas trevas da câmara de audiências.

No portal, uma guarda Oradora Peixe sussurrou para a outra:

— Deus está perturbado?

E sua companheira respondeu:

— Os pecados deste universo perturbariam qualquer um.

Leto as ouviu e, em silêncio, chorou.

QUANDO ME PROPUS A LIDERAR A HUMANIDADE AO LONGO DO MEU CAMINHO DOURADO, PROMETI A ELES UMA LIÇÃO DE QUE SEUS OSSOS SE LEMBRARIAM. CONHEÇO UM PADRÃO PROFUNDO, O QUE OS HUMANOS NEGAM COM PALAVRAS MESMO QUANDO SUAS AÇÕES O REAFIRMAM. DIZEM QUE BUSCAM SEGURANÇA E QUIETUDE, A CONDIÇÃO QUE CHAMAM DE PAZ. ENQUANTO ENUNCIAM ESTAS PALAVRAS, ELES PLANTAM AS SEMENTES DO TUMULTO E DA VIOLÊNCIA. SE ENCONTRAM SUA SEGURANÇA CALMA, PROVAM-SE INQUIETOS LÁ DENTRO. QUÃO TEDIOSA ELES A CONSIDERAM. OLHE PARA ELES AGORA. VEJA O QUE FAZEM ENQUANTO GRAVO ESTAS PALAVRAS. HAH! DOU A ELES ÉONS DURADOUROS DE TRANQUILIDADE IMPOSTA QUE PERDURAM, A DESPEITO DE CADA ESFORÇO PARA ESCAPAR EM DIREÇÃO AO CAOS. ACREDITE-ME, A MEMÓRIA DA PAZ DE LETO PERMANECERÁ COM ELES PARA SEMPRE. DEPOIS DISSO, ELES BUSCARÃO SUA SEGURANÇA CALMA APENAS COM CAUTELA EXTREMA E PREPARAÇÃO INABALÁVEL.

— Os Diários Roubados

Ao amanhecer, Idaho se viu, muito contra a sua vontade, ao lado de Siona, levado a um "lugar seguro" em um ornitóptero imperial. O veículo corria para o leste, em direção ao arco dourado da luz do sol, que se levantava sobre um cenário esculpido pelas plantações como um retângulo verde.

O ornitóptero era um dos grandes, amplo o bastante para carregar um pequeno esquadrão de Oradoras Peixe, além de seus dois *convidados*. A capitã piloto do esquadrão, uma mulher musculosa com um rosto que Idaho podia suspeitar que nunca tivesse sorrido, se apresentara como Inmeir. Ela estava sentada na cadeira do piloto, diretamente à frente de Idaho, duas Oradoras Peixe fortes a cada lado dela. Cinco outras guardas ocupavam os assentos atrás de Idaho e Siona.

— Deus ordenou que eu os tirasse da cidade — dissera Inmeir, vindo até ele a partir do posto de comando, sob a praça central. — É para sua própria segurança. Retornaremos amanhã de manhã para Siaynoq.

Idaho, cansado por uma noite repleta de alarmes, sentiu que seria inútil lutar contra as ordens "vindas diretamente de Deus". Inmeir parecera capaz de carregá-lo debaixo de um de seus braços grossos. Ela o tinha levado do posto de comando para uma noite gelada, sob um domo de estrelas que pareciam facetas lapidadas de brilhantes despedaçados. Foi apenas quando chegaram ao ornitóptero e Idaho reconhecera Siona esperando lá que ele começara a se perguntar sobre o propósito dessa incursão.

Durante a noite, Idaho havia percebido que nem toda a violência em Onn havia se originado com os rebeldes organizados. Quando perguntado sobre Siona, Moneo lhe enviara uma mensagem dizendo "minha filha está a salvo, fora do caminho", acrescentando no final da mensagem "coloco-a sob seus cuidados".

No tóptero, Siona não respondeu às perguntas de Idaho. Mesmo naquele momento, ela estava sentada, mergulhada em um silêncio obstinado ao lado dele. Siona o lembrava daqueles primeiros dias amargos, quando ele jurara vingança contra os Harkonnen. Ele se perguntou sobre o amargor dela. O que a conduzia?

Sem saber o porquê, Idaho se viu comparando Siona a Hwi Noree. Não havia sido fácil encontrar Hwi, mas ele havia conseguido, apesar das demandas inoportunas das Oradoras Peixe de que ele realizasse tarefas em outros lugares.

Delicada, essa era a palavra para Hwi. Ela agia de um cerne de delicadeza imutável que era, de sua própria maneira, algo de enorme poder. Ele considerava isso muitíssimo atraente.

Preciso vê-la mais vezes.

Por ora, entretanto, ele tinha que lidar com o silêncio obstinado de Siona, sentada ao lado dele. Bem... silêncio podia ser enfrentado com silêncio.

Idaho espiou o cenário que passava logo abaixo. Aqui e ali, ele podia ver as luzes aglomeradas de vilarejos se apagando conforme a luz do sol chegava. O deserto do Sareer jazia bem atrás e essa era a terra que, por sua aparência, jamais havia ficado seca.

Algumas coisas não mudam muito, pensou ele. *São simplesmente levadas de um lugar e reformadas em outro.*

Essa paisagem o fez se lembrar dos jardins exuberantes de Caladan e ele se perguntou o que teria acontecido ao planeta verdejante onde os Atreides viveram por tantas gerações, antes de virem para Duna. Ele podia distinguir ruas estreitas, estradas mercantis com um tráfico disperso de veículos puxados por animais de seis pernas que ele arriscou um palpite de que fossem thavalos. Moneo dissera que thavalos talhados para as necessidades de um terreno como aquele eram os principais animais de trabalho não somente aqui, mas por todo o Império.

— Uma população que caminha é mais fácil de controlar.

As palavras de Moneo ressoaram na memória de Idaho conforme ele olhava para baixo. Pastagens apareceram à frente do tóptero, colinas verdejantes suavemente onduladas, cortadas em padrões irregulares por muralhas de pedras negras. Idaho reconheceu ovelhas e diferentes tipos de gado. O tóptero passou por um vale estreito ainda mergulhado na escuridão e podia-se ver apenas um vestígio de água correndo em suas profundezas. Uma única fonte de luz e uma fina coluna de fumaça azulada saindo do vale mostrava a ocupação humana.

De súbito, Siona se mexeu e cutucou o ombro da piloto, apontando para a direita logo à frente deles.

— Não é Goygoa ali? — perguntou Siona.

— Sim — Inmeir respondeu sem se virar, sua voz entrecortada e tocada por uma emoção que Idaho não conseguia identificar.

— Não é um lugar seguro? — Siona questionou.

— É seguro.

Siona olhou para Idaho e falou:

— Ordene a ela que nos leve para Goygoa.

Sem entender por que concordava, Idaho disse:

— Leve-nos àquele lugar.

Inmeir se virou e suas características, as quais Idaho, no decorrer daquela noite, havia imaginado como um bloco quadrado sem emoção, mostraram clara evidência de um sentimento profundo. Sua boca estava retorcida em uma carranca. Um nervo se contorcia no canto de seu olho direito.

— Não Goygoa, Comandante – argumentou Inmeir. – Há melhores...

— O Imperador Deus a instruiu para levar-nos a algum lugar específico? – indagou Siona.

Inmeir direcionou um olhar raivoso contra essa interrupção, mas não se virou diretamente para Siona:

— Não, mas Ele...

— Então nos leve a esse tal lugar chamado Goygoa – insistiu Idaho.

Inmeir retornou sua atenção aos controles do tóptero e Idaho foi jogado contra Siona conforme a aeronave se virou de forma abrupta, voando em direção a um bolsão arredondado, protegido pelas colinas verdes.

Idaho espreitou por sobre o ombro de Inmeir para ver seu destino. No centro do bolsão repousava um vilarejo construído das mesmas rochas negras usadas para cercar os arredores. Idaho viu pomares em algumas das encostas por sobre o vilarejo, jardins em terraços que subiam em degraus em direção a um pequeno anticlíneo na montanha, onde se podiam ver falcões pairando nos primeiros ventos do dia.

Olhando para Siona, Idaho perguntou:

— O que é esse lugar chamado Goygoa?

— Você verá.

Inmeir manobrou o tóptero para um rasante suave, o que os levou a uma aterrissagem branda sobre um trecho gramado e plano, nos limites da cidade. Uma das Oradoras Peixe abriu a porta lateral que dava para o vilarejo. As narinas de Idaho foram imediatamente invadidas por uma mistura arrebatadora de aromas: grama pisada, excrementos de animais, o odor acre de fogões acesos. Ele deslizou para fora do tóptero e olhou para a rua do vilarejo, onde pessoas emergiam de suas casas para fitar os visitantes. Idaho viu uma mulher idosa em um longo vestido verde se curvar e sussurrar algo para uma criança que, de imediato, se virou e saiu correndo rua acima.

— Você gosta deste lugar? — perguntou Siona. Ela parou ao lado dele.

— Parece agradável.

Siona olhou para Inmeir enquanto a piloto e as outras Oradoras Peixe se juntaram a eles na grama.

— Quando voltaremos a Onn?

— Você não voltará – informou Inmeir. — Minhas ordens são para levá-la de volta à Cidadela. O Comandante volta.

— Entendo. — Siona assentiu com a cabeça. — Quando partiremos?

— Amanhã ao nascer do sol. Conversarei com o líder da cidade sobre acomodações. — Inmeir caminhou em direção à cidade.

— Goygoa — disse Idaho. — Que nome estranho. Pergunto-me o que era este lugar nos tempos de Duna.

— Por acaso, eu sei — respondeu Siona. — Está nos mapas antigos como Shuloch, o que significa *lugar assombrado*. A História Oral conta que grandes crimes foram cometidos aqui antes que todos os habitantes fossem eliminados.

— Jacurutu — sussurrou Idaho, recordando as antigas lendas dos ladrões de água. Ele olhou para os lados, procurando por alguma evidência de dunas e cordilheiras; não havia nada... apenas dois idosos com rostos plácidos, retornando com Inmeir. Os homens usavam calças azuis desbotadas e camisas em trapos. Seus pés estavam descalços.

— Você conheceu este lugar? — perguntou Siona.

— Apenas como um nome em uma lenda.

— Alguns dizem que é assombrado — disse ela —, mas eu não acredito.

Inmeir parou na frente de Idaho, fez um gesto para que os dois homens descalços esperassem atrás dela e disse:

— Os alojamentos são simples, mas adequados, a não ser que vocês prefiram se abrigar em alguma das residências particulares. — Ela se virou e olhou para Siona enquanto falava isso.

— Decidiremos depois — respondeu Siona. Ela tomou o braço de Idaho. — O Comandante e eu desejamos passear por Goygoa e admirar a vista.

Inmeir moveu a boca para falar, mas permaneceu em silêncio.

Idaho permitiu que Siona o levasse para longe do rosto curioso dos dois homens locais.

— Vou mandar duas guardas com vocês — bradou Inmeir.

Siona parou e se virou, perguntando:

— Goygoa não é um lugar seguro?

— É bem pacífico aqui — um dos homens falou.

— Então não precisaremos de guardas — respondeu Siona. — Mande-as guardar o tóptero.

Mais uma vez, ela conduziu Idaho pelo vilarejo.

— Muito bem — disse Idaho, livrando o braço do de Siona. — Que lugar é este?

— É provável que você o ache bem sossegado — respondeu Siona. — Não é nada parecido com o antigo Shuloch. Muito pacífico.

— Você está maquinando algo — comentou Idaho, colocando-se ao lado dela. — O que é?

— Sempre ouvi dizer que os gholas eram cheios de perguntas — disse Siona. — Eu também tenho perguntas.

— Ah, é?

— Como era ele no seu tempo, o homem Leto?

— Qual deles?

— É verdade, esqueci que havia dois... o avô e o nosso Leto. Quero dizer nosso Leto, claro.

— Ele era apenas uma criança, é tudo o que sei.

— A História Oral diz que uma das primeiras noivas dele veio deste vilarejo.

— Noivas? Eu pensei...

— Quando ele ainda tinha formato de homem. Foi depois da morte da irmã dele, mas antes de ele começar a se transformar no Verme. A História Oral diz que as noivas de Leto desapareceram no labirinto da Cidadela Imperial e nunca mais foram vistas novamente, a não ser como rostos ou vozes transmitidos por hologramas. Ele não teve outra noiva por mais de mil anos.

Eles chegaram a uma pequena praça no centro da cidade, um espaço de cerca de cinquenta metros de um lado e, no centro, um pequeno tanque de beirada baixa, cheio de água cristalina. Siona foi até a mureta do tanque e se sentou na beira da pedra, batendo com a mão para que Idaho se sentasse a seu lado. Idaho olhou ao redor do vilarejo primeiro, notando como as pessoas o espiavam por detrás das janelas acortinadas, como as crianças apontavam e sussurravam. Ele se virou e ficou parado, de pé, olhando para Siona.

— Que lugar é este?

— Eu lhe disse. Conte-me como era Muad'Dib.

— Ele era o melhor amigo que um homem podia ter.

— Então a História Oral é verdade, mas ela chama o califado de seus herdeiros de *O Desposyni* e isso tem um som malévolo.

Ela está me atraindo com uma isca, pensou Idaho.

Ele se permitiu um sorriso apertado, indagando-se sobre os motivos de Siona. Ela parecia esperar por algum evento importante ansiosa... até mesmo apreensiva... mas com uma insinuação de algo que parecia enlevo. Tudo estava lá. Nada que ela dissesse agora podia ser considerado mais do que conversa fiada, uma forma de passar o tempo até... até o quê?

O som leve de pés correndo se intrometeram em seu devaneio. Idaho se virou e viu uma criança de cerca de oito anos correndo em direção a ele, saída de uma rua lateral. Os pés descalços da criança chutavam pequenas nuvens de poeira no ar enquanto ela corria e podia-se ouvir o som de uma mulher gritando, um som desesperado em algum lugar rua acima. O pequeno corredor parou a cerca de dez passos de distância e o olhou fixamente com um olhar faminto, de uma intensidade que Idaho achou perturbadora. A criança parecia vagamente familiar: um menino com um aspecto robusto com cabelos negros ondulados, um rosto inacabado, mas com indicações do homem que viria a ser: maçãs do rosto altas, uma linha plana cruzando-lhe a testa. Ele vestia um traje único, de um azul desbotado, que traía os efeitos de ter sido lavado muitas vezes, mas obviamente havia sido uma vestimenta de material excelente. Tinha a aparência de algodão punji tecido em uma trama que não permitia nem mesmo que as bainhas desgastadas se desfiassem.

— Você não é meu pai — disse a criança. Dando meia-volta, ele correu de volta pela rua e desapareceu ao dobrar uma esquina.

Idaho virou-se e franziu o cenho para Siona, quase com medo de perguntar: *Era filho do meu predecessor?* Ele sabia a resposta sem perguntar: aquele rosto familiar, o genótipo carregava a verdade. *Eu mesmo quando criança.* A percepção o deixou com uma sensação de vazio, um sentimento de frustração. *Qual é minha responsabilidade?*

Siona colocou as duas mãos sobre seu rosto e curvou os ombros. Não havia acontecido da forma que ela imaginava. Ela se sentiu traída pelos seus próprios desejos de vingança. Idaho não era simplesmente um *ghola*, algo alienígena e indigno de consideração. Ela havia sentido o corpo dele se chocar contra o seu no tóptero, havia visto as emoções estampadas em seu rosto. E aquela criança...

— O que aconteceu com meu predecessor? — perguntou Idaho. Sua voz saiu resoluta e acusatória.

Ela baixou as mãos. Havia raiva reprimida em seu rosto.

— Não temos certeza — disse ela —, mas, um dia, ele entrou na Cidadela e nunca mais voltou.

— Esse era o filho dele?

Ela assentiu.

— Tem certeza de que você não matou meu predecessor?

— Eu... — Siona balançou a cabeça, chocada pelas dúvidas, pelas acusações latentes dentro dele.

— Aquela criança foi a razão pela qual viemos aqui?

Ela engoliu em seco e afirmou:

— Sim.

— O que você espera que eu faça a respeito?

Ela encolheu os ombros sentindo-se suja e culpada por suas ações.

— O que aconteceu com a mãe dele? — Idaho questionou.

— Ela e os outros vivem subindo esta rua — Siona apontou com o queixo na direção em que o garoto tinha seguido.

— Outros?

— Há um filho mais velho... uma filha. Você poderia... quer dizer, eu podia providenciar...

— Não! O menino estava certo. Não sou o pai dele.

— Desculpe-me — sussurrou Siona. — Eu não devia ter feito isso.

— Por que *ele* escolheu este lugar? — perguntou Idaho.

— O pai... seu...

— Meu *predecessor*!

— Porque esse era o lar de Irti e ela não queria deixá-lo. É isso que as pessoas dizem.

— Irti... a mãe?

— Esposa, pelo antigo ritual, aquele a partir da História Oral.

Idaho olhou ao redor, para as fachadas de pedra dos prédios que circundavam a praça, as janelas cortinadas, as portas estreitas.

— Então ele vivia aqui?

— Quando podia.

— Como ele morreu, Siona?

— Sinceramente, não sei... mas o Verme matou outros. Disso sabemos com certeza!

— Como vocês sabem? — Ele centrou um olhar inquisidor na face dela. Sua intensidade fez com que ela virasse o rosto.

— Não duvido das histórias dos meus ancestrais — ela falou. — Elas são contadas em fragmentos, um memorando aqui, um relato sussurrado ali, mas acredito nelas. Meu pai também acredita nelas!

— Moneo não me disse nada sobre isso.

— Uma coisa que pode ser dita sobre os Atreides — disse ela. — Somos leais e isso é fato. Mantemos nossa palavra.

— Você não pode causar nenhum dano a ela — dissera Leto. — Ela deverá ser testada.

Idaho se virou de volta para Siona.

— Você não tem certeza de nada — ele falou. — Fragmentos e pedaços, rumores!

Siona não respondeu.

— Ele é um Atreides! — Idaho a lembrou.

— Ele é o Verme! — redarguiu Siona e o veneno em sua voz era quase palpável.

— Sua maldita História Oral nada mais é do que um monte de fofocas velhas! — Idaho acusou. — Apenas um tolo acreditaria nisso.

— Você ainda confia nele — respondeu ela. — Isso vai mudar.

Idaho girou e a encarou com firmeza.

— Você nunca falou com ele!

— Falei. Quando eu era criança.

— Você ainda é uma criança. Ele é todos os Atreides que já existiram, todos eles. É terrível, mas conheci essas pessoas. Eram meus amigos.

Siona limitou-se a balançar a cabeça.

Novamente, Idaho se virou. Ele sentia como se toda a emoção tivesse sido arrancada dele. Estava espiritualmente desestruturado. Sem querer, começou a andar pelo meio da praça e subir a rua pela qual o menino havia corrido. Siona veio correndo atrás dele e alcançou-o, mas ele a ignorou.

A rua era estreita, cercada por prédios de fachadas de pedra, todos térreos; as portas, todas fechadas, ficavam sob pórticos em forma de arco. As janelas eram versões menores das portas. As cortinas se moviam enquanto ele passava.

No primeiro cruzamento, Idaho parou e olhou para a direita, por onde o menino tinha ido. Duas mulheres de cabelo grisalho trajando saias pretas compridas e blusas verde-escuras estavam paradas alguns passos para baixo da rua, fofocando com a cabeça próxima uma da outra. Elas ficaram em silêncio quando viram Idaho e o fitaram com óbvia curiosidade. Ele revidou o olhar, depois olhou para a rua lateral. Estava vazia.

Idaho se virou em direção às mulheres e as ultrapassou com um passo. Elas se aproximaram uma da outra ainda mais e se viraram para observá-lo. Olharam uma vez para Siona, depois retornaram sua atenção para Idaho. Siona se moveu discretamente ao lado dele, uma expressão estranha em seu rosto.

Tristeza?, ele se perguntou. *Arrependimento? Curiosidade?*

Era difícil dizer. Ele estava cada vez mais curioso sobre as portas e janelas pelas quais eles passavam.

— Você já esteve em Goygoa antes? — perguntou Idaho.

— Não. — Siona respondeu em voz baixa, como se estivesse com medo.

Por que estou caminhando por esta rua?, perguntou-se Idaho. Mesmo indagando a si mesmo, ele sabia a resposta. *Essa mulher, essa Irti, que tipo de mulher me traria para Goygoa?*

O canto de uma cortina à sua direita ergueu-se e Idaho viu um rosto: o menino da praça. A cortina baixou e foi jogada para o lado, revelando ali uma mulher. Idaho encarou aquele rosto, incapaz de falar, imóvel, incapaz de dar um passo. Era o rosto de uma mulher conhecida apenas por suas fantasias mais profundas: uma suave face ovalada com olhos escuros penetrantes, uma boca carnuda e sensual...

— Jéssica — sussurrou ele.

— O que você disse? — indagou Siona.

Idaho não conseguia responder. Era o rosto de Jéssica, ressuscitado de um passado que ele considerava totalmente morto, uma zombaria genética: a mãe de Muad'Dib, recriada em um novo corpo.

A mulher fechou a cortina, deixando as memórias de suas feições na mente de Idaho, uma imagem residual a qual ele sabia que jamais poderia remover. Ela era mais velha que a Jéssica com a qual ele havia partilhado os perigos de Duna... linhas de expressão ao redor da boca e dos olhos, o corpo um pouco mais cheio...

Mais maternal, disse Idaho a si mesmo. Depois: *Será que alguma vez eu disse a ela... com quem ela se parecia?*

Siona puxou a manga dele e perguntou:

— Você quer entrar e encontrá-la?

— Não. Isso foi um erro.

Idaho começou a dar a volta pelo mesmo caminho que havia vindo, mas a porta da casa de Irti se abriu completamente. Um jovem saiu e fechou a porta atrás de si, virando-se para confrontar Idaho.

Idaho estimou que o rapaz tivesse dezesseis anos e não havia como negar o parentesco: aquele cabelo *karakul*, as feições fortes.

— Você é o novo — disse o rapaz. Sua voz já havia se tornado grave, como aquela de um homem feito.

— Sim. — Idaho achou difícil responder.

— Por que você veio? — perguntou o jovem.

— A ideia não foi minha — respondeu Idaho. Ele achou essa frase mais fácil de pronunciar, as palavras conduzidas pelo ressentimento contra Siona.

O jovem olhou para Siona:

— Enviaram-nos uma mensagem avisando que nosso pai estava morto.

Siona aquiesceu.

O jovem retornou sua atenção para Idaho e pediu:

— Por favor, vá embora e não volte. Você causa dor à minha mãe.

— Claro — retrucou Idaho. — Por favor, peça desculpas à senhora Irti por essa intrusão. Fui trazido aqui contra a minha vontade.

— Quem o trouxe?

— As Oradoras Peixe — respondeu Idaho.

O jovem anuiu uma vez, um movimento rápido com a cabeça. Ele olhou uma vez mais para Siona e falou:

— Sempre pensei que vocês, Oradoras Peixe, haviam sido ensinadas a tratar as suas com mais gentileza. — Com isso, ele se virou e entrou na casa, fechando com firmeza a porta atrás de si.

Idaho pegou o caminho de volta, o mesmo pelo qual eles tinham vindo, segurando o braço de Siona enquanto caminhava. Ela tropeçou, mas logo se recobrou, soltando seu braço.

— Ele pensou que eu era uma Oradora Peixe — ela comentou.

— Claro. Você se parece com uma. — Ele a fitou intensamente. — Por que você não me disse que Irti era uma Oradora Peixe?

— Parecia não importar.

— Ah.

— Foi assim que eles se conheceram.

Eles chegaram à intersecção da rua com a praça. Idaho se afastou da praça, caminhando com determinação até os limites da cidade, onde ela se mesclava com os jardins e pomares. Ele se sentiu insulado pelo choque, sua consciência recuando da quantidade de fatos que não podia ser assimilada.

Uma parede baixa bloqueou seu caminho. Ele a escalou e ouviu Siona segui-lo. Árvores ao redor deles floresciam, flores brancas com a região central alaranjada, onde insetos marrom-escuros trabalhavam. O ar estava cheio do zunido dos insetos e de uma fragrância floral, que lembrava Idaho das flores da selva de Caladan.

Ele parou quando alcançou o topo de uma colina, onde podia, ao se virar, olhar para baixo e contemplar o retângulo organizado que era Goygoa. Os telhados eram planos e negros.

Siona sentou-se na grama espessa do topo da colina e abraçou os joelhos.

— Não era essa a sua intenção, não é? — Idaho perguntou.

Ela balançou a cabeça e ele viu que estava quase chorando.

— Por que você o odeia tanto? — ele indagou.

— Nós não temos vida própria!

Idaho olhou para o vilarejo e questionou:

— Existem muitos lugares como esse?

— Esse é o formato do Império do Verme!

— O que há de errado com isso?

— Nada... se isso é tudo o que você quer.

— Você quer dizer que isso é tudo que ele permite?

— Sim, algumas cidades mercantis... Onn. Fui informada de que até as capitais planetárias não passam de vilarejos maiores.

— E eu repito: o que há de errado com isso?

— É uma prisão!

— Então vá embora!

— Para onde? Como? Você acha que pode simplesmente embarcar em uma nave da Guilda e viajar para outro lugar, qualquer lugar que você queira? — Ela apontou para Goygoa, onde o tóptero podia ser visto ao largo, as Oradoras Peixe sentadas na grama ao lado. — Nossas carcereiras não nos deixam sair!

— Elas saem — disse Idaho. — Elas vão aonde querem.

— Elas vão aonde o Verme as envia.

Ela pressionou o rosto contra os joelhos e falou com voz abafada:

— Como era nos tempos antigos?

— Diferente, na maior parte das vezes era muito perigoso. — Ele olhou ao redor, para as paredes que delimitavam as pastagens, jardins e pomares. — Aqui, em Duna, não havia linhas imaginárias para demarcar a propriedade da terra. Era tudo o Ducado dos Atreides.

— Exceto pelos fremen.

— Sim, mas eles sabiam o lugar deles: deste lado de determinada escarpa... ou além, onde uma caldeira se tornasse branca contra a areia.

— Eles podiam ir aonde queriam!

— Com alguns limites.

— Alguns de nós ansiamos pelo deserto – disse ela.

— Vocês têm o Sareer.

Ela levantou a cabeça para olhar para ele:

— Aquela coisinha minúscula!

— Mil e quinhentos quilômetros por quinhentos... não é tão minúscula.

Siona ficou de pé e indagou:

— Você perguntou ao Verme o porquê de ele nos confinar desta maneira?

— A Paz de Leto, o Caminho Dourado para garantir nossa sobrevivência. É o que ele *diz*.

— Você sabe o que ele falou a meu pai? Eu os espiei quando era criança. Eu o ouvi.

— O que ele disse?

— Que nos nega a maioria das crises para limitar a formação de nossas forças. Ele falou: "As pessoas podem ser sustentadas pela aflição, mas eu sou a aflição agora. Deuses podem se transformar em aflições". Essas foram as palavras dele, Duncan. O Verme é uma doença!

Idaho não duvidou da acuidade daquela narrativa, mas as palavras não foram capazes de perturbá-lo. Pensou, em vez disso, sobre o Corrino que ele havia sido ordenado a matar. *Aflição*. O Corrino descendente de uma Família que certa vez governara o Império, revelara-se um homem gorducho, de meia-idade, que cobiçava o poder e conspirava por especiaria. Idaho havia ordenado às Oradoras Peixe que o matassem, um ato que despertara em Moneo uma crise de intenso questionamento.

— Por que você mesmo não o assassinou?

— Queria ver como seria o desempenho das Oradoras Peixe.

— E qual seu julgamento do desempenho delas?

— Eficiente.

Contudo, a morte do Corrino infligira a Idaho um senso de irrealidade. Um homenzinho gorducho deitado na poça do seu próprio sangue, uma sombra indistinta entre as outras sombras da noite em uma rua de plaspedra. Era irreal. Idaho se lembrou de Muad'Dib dizendo: *A mente impõe uma moldura a qual é chamada de "realidade". Essa moldura arbitrária tende a ser bem independente daquilo que nossos sentidos relatam.* Que *realidade* movia o Senhor Leto?

Idaho olhou para Siona em pé, com os pomares em segundo plano e as colinas verdes de Goygoa.

— Vamos descer para o vilarejo e encontrar nossas acomodações. Gostaria de ficar sozinho.

— As Oradoras Peixe vão nos colocar no mesmo quarto.

— Com elas?

— Não, apenas nós dois sozinhos. Por uma razão muito simples. O Verme quer que eu procrie com o grande Duncan Idaho.

— Escolho minhas próprias parceiras — resmungou Idaho.

— Estou certo de que uma de nossas Oradoras Peixe ficará encantada — disse Siona. Ela rodopiou para longe dele e começou a descer a colina.

Idaho a observou por um instante, o corpo esguio e jovem oscilando como os galhos das árvores do pomar ao vento.

— Não sou o garanhão dele — murmurou Idaho. — É algo que ele terá de compreender.

> A CADA DIA QUE PASSA, VOCÊ SE TORNA CADA VEZ
> MAIS IRREAL, ALIENÍGENA E DISTANTE DAQUILO QUE
> DESCUBRO SER NAQUELE DETERMINADO NOVO DIA. SOU A
> ÚNICA REALIDADE E, COMO VOCÊ DIFERE DE MIM, VOCÊ
> PERDE REALIDADE. QUANTO MAIS CURIOSO ME TORNO,
> MENOS CURIOSOS SE TORNAM AQUELES QUE ME ADORAM.
> RELIGIÃO SUPRIME A CURIOSIDADE. O QUE FAÇO É
> SUBTRAÍDO DO ADORADOR. E ASSIM SERÁ, NO FINAL,
> QUANDO NADA FAREI, DEVOLVENDO TUDO A UM POVO
> ASSUSTADO QUE SE VERÁ, NAQUELE DIA, SOZINHO E
> FORÇADO A AGIR POR SI MESMO.
>
> — Os Diários Roubados

Foi um som como nenhum outro, o som de uma turba que esperava. Veio a partir do longo túnel por onde Idaho marchava, à frente do Coche Real: sussurros nervosos se ampliaram até se tornarem um derradeiro sussurro, o arrastar de um pé gigantesco, o farfalhar de um manto enorme. E o odor: transpiração doce misturada com o hálito leitoso de excitação sexual.

Inmeir e as outras Oradoras Peixe da escolta haviam levado Idaho de volta na primeira hora depois do alvorecer, indo direto para a praça de Onn, que ainda jazia em sombras verdes e frescas. Elas levantaram voo imediatamente após tê-lo deixado com as outras Oradoras Peixe; Inmeir estava obviamente infeliz porque a ela havia sido ordenado que levasse Siona para a Cidadela e, assim, ela perderia o ritual de Siaynoq.

A nova escolta, vibrante com emoções reprimidas, o havia levado a uma região profunda, sob a praça, um lugar que não aparecia em nenhuma das plantas da cidade que Idaho estudara. Era um labirinto: primeiro uma direção e depois outra, percorrendo corredores largos e altos o bastante para acomodar o Coche Real. Idaho perdeu a noção de qualquer direção e passou a refletir sobre a noite anterior

Os alojamentos em Goygoa, apesar de espartanos e pequenos, eram confortáveis: dois catres por quarto, sendo que estes se assemelhavam a uma caixa com paredes branquíssimas, uma única janela e uma porta. Os quartos eram dispostos ao longo de um corredor em um prédio chamado "Casa dos Hóspedes" de Goygoa.

Siona estava certa. Sem saber se isso o agradava, Idaho fora aquartelado com ela; Inmeir agira como se fosse algo acertado.

Quando a porta se fechou atrás deles, Siona dissera:

— Se me tocar, tentarei matá-lo.

Fora dito com uma sinceridade tão seca que Idaho quase rira.

— Eu preferiria ter privacidade – dissera ele. – Considere-se sozinha.

Ele dormira com uma leve cautela, recordando as noites perigosas dos tempos de serviço aos Atreides, a prontidão para o combate. O quarto quase nunca ficava completamente escuro: a luz do luar atravessava a janela acortinada, e mesmo a luz de estrelas se refletia nas paredes caiadas de branco. Ele se vira nervosamente sensitivo em relação a Siona, a seu cheiro, seus movimentos, sua respiração. Várias vezes ele acordara completamente para ouvir, percebendo em duas das ocasiões que ela também estava ouvindo.

A manhã e o voo para Onn vieram como um alívio. Eles quebraram o jejum com uma bebida gelada do sumo de frutas, Idaho agradecido pela breve caminhada até o tóptero na escuridão que antecedia a aurora. Ele não dirigiu a palavra a Siona e percebeu que ficara ressentido com os olhares curiosos das Oradoras Peixe.

Siona falara com ele apenas uma vez, curvando-se para fora do tóptero quando ele o deixou na praça.

— Eu não me ofenderia em ser sua amiga – disse ela.

Uma forma muito vaga de falar sobre a questão. Ele se sentira ligeiramente embaraçado.

— Sim... bem, certamente.

A nova escolta, então, o levou embora, chegando finalmente a um terminal dentro do labirinto. Leto o esperava ali, no Coche Real.

O local de encontro era um espaço amplo em um corredor que se estendia até convergir na distância, à direita de Idaho. As paredes eram marrom-escuras, listradas com faixas douradas as quais brilhavam com a luz amarelada dos luciglobos. A escolta tomou posição atrás do coche e se movimentou com agilidade, deixando Idaho em pé, confrontando o rosto emoldurado de Leto.

— Duncan, você vai me preceder quando partirmos para Siaynoq – disse Leto.

Idaho encarou os poços azul-escuros que eram os olhos do Imperador Deus, irritado em virtude do mistério e do segredo, o ar óbvio de empolgação privado naquele lugar. Ele sentiu que tudo o que lhe haviam dito sobre Siaynoq apenas aprofundava o mistério.

— Sou realmente o Comandante da sua Guarda, milorde? – perguntou Idaho, o ressentimento pesado em sua voz.

— Claro! E eu lhe outorgo uma honra neste momento. Poucos homens adultos compartilharam Siaynoq.

— O que aconteceu noite passada, na cidade?

— Violência sanguinária em alguns lugares. Entretanto, tudo está bem calmo hoje de manhã.

— Mortos?

— Não vale a pena mencionar.

Idaho assentiu. Os poderes prescientes de Leto tinham alertado acerca de algum perigo para *seu Duncan*. Foi esse o motivo do voo até a segurança rural de Goygoa.

— Você esteve em Goygoa – Leto comentou. – Sentiu-se tentado a ficar?

— Não!

— Não se irrite comigo – retrucou Leto. – Eu não o mandei para Goygoa.

Idaho suspirou.

— Qual perigo demandava que o Senhor me afastasse?

— Não era direcionado a você — disse Leto. — Mas você excita minhas guardas, provocando demonstrações excessivas de suas habilidades. As atividades de ontem não requeriam isso.

— Ah, é? — Esse pensamento chocou Idaho. Ele nunca havia pensado em si mesmo como alguém que inspirasse heroísmo particular, a não ser que ele assim pedisse pessoalmente. Alguém tinha que estimular as tropas. Líderes como o Leto original, avô deste, inspiravam com sua presença.

— Você é muito precioso para mim, Duncan — Leto comentou.

— Sim... bem, ainda assim, não sou seu garanhão!

— Seus desejos serão honrados, é claro. Discutiremos sobre isso em outra hora.

Idaho olhou para a escolta de Oradoras Peixe, todas atentas e com os olhos bem abertos.

— Sempre há violência quando o Senhor vem a Onn? — perguntou Idaho.

— Acontece em ciclos. Agora, os descontentes foram subjugados de maneira apropriada. Vai ser mais pacífico por algum tempo.

Idaho voltou seu olhar para o rosto inescrutável de Leto.

— O que aconteceu ao meu predecessor?

— Minhas Oradoras Peixe não lhe contaram?

— Elas dizem que ele morreu em defesa de seu Deus.

— E você ouviu boatos que dizem o contrário.

— O que aconteceu?

— Ele morreu porque estava muito próximo de mim. Não o removi a tempo para um lugar seguro.

— Um lugar como Goygoa.

— Eu teria preferido que ele vivesse o resto de seus dias lá, em paz, mas você sabe muito bem, Duncan, que não é de sua índole buscar a paz.

Idaho engoliu em seco, com um nó estranho na garganta.

— Ainda gostaria de saber os detalhes de sua morte. Ele tem família...

— Você vai conhecer os detalhes e não se preocupe com a família. Eles estão sob minha custódia. Vou mantê-los a salvo a certa distância. Você sabe como a violência me procura. Essa é uma de minhas funções. É um infortúnio que aqueles que admiro e amo tenham que sofrer por isso.

Idaho contraiu os lábios, insatisfeito com o que tinha escutado.

— Acalme sua mente, Duncan — disse Leto. — Seu antecessor morreu porque estava muito próximo de mim.

As Oradoras Peixe da escolta se agitaram, impacientes. Idaho relanceou para elas, depois olhou para a direita, ao longo do túnel.

— Sim, está na hora — disse Leto. — Não devemos deixar as mulheres esperando. Marche à frente, perto de mim, Duncan, e eu responderei a suas perguntas sobre Siaynoq.

Obediente porque não conseguia pensar em uma alternativa apropriada, Idaho girou os calcanhares e liderou a procissão. Ouviu o coche ranger ao iniciar seu movimento atrás de si, os passos fracos da escolta os seguindo.

O coche ficou em silêncio de forma abrupta, o que atraiu a atenção de Idaho. O motivo tornou-se imediatamente óbvio.

— O Senhor está sobre os suspensores — ele comentou, retornando sua atenção para a frente.

— Retraí as rodas porque as mulheres vão se juntar ao meu redor — respondeu Leto. — Não podemos esmagar seus pés.

— O que é Siaynoq? O que é realmente? — perguntou Idaho.

— Já lhe disse. É o Grande Compartilhamento.

— Sinto cheiro de especiaria?

— Suas narinas são sensíveis. Há uma pequena quantidade de mélange nas hóstias.

Idaho balançou a cabeça.

Tentando compreender o evento, Idaho havia perguntado a Leto na primeira oportunidade logo após a chegada a Onn.

— O que é o Festejo de Siaynoq?

— Dividimos uma hóstia, nada mais que isso. Inclusive eu tomo parte.

— É como o ritual Católico de Orange?

— Oh, não! Não é minha carne. É o Compartilhamento. Elas são lembradas de que são apenas mulheres, assim como você é apenas um homem, mas eu sou *tudo*. Elas compartilham com *tudo*.

Idaho não gostou da insinuação:

— *Apenas* um homem?

— Você sabe quem elas ridicularizam no Festejo, Duncan?

— Quem?

— Homens que as ofenderam. Ouça-as enquanto conversam suavemente entre elas mesmas.

Idaho considerou a frase um alerta: *Não ofenda as Oradoras Peixe. Provoque a ira delas e arrisque incorrer em sua própria morte!*

Então, conforme marchava à frente de Leto no túnel, Idaho sentiu como se tivesse ouvido as palavras corretamente, mas não havia aprendido nada com elas. Ele falou sobre o ombro.

— Não compreendo o Compartilhamento.

— Estamos juntos no ritual. Você verá. Você sentirá. Minhas Oradoras Peixe são o repositório de um conhecimento especial, uma linha contínua que apenas elas compartilham. Agora, você participará dele e elas o amarão por isso. Ouça-as com cuidado. Elas são abertas a ideias de afinidade. Seus termos de afeição umas pelas outras não possuem restrições.

Mais palavras, pensou Idaho. *Mais mistério.*

Ele podia discernir um alargamento gradual no túnel; o teto inclinado mais para o alto. Havia mais luciglobos, agora ajustados em um laranja profundo. Podia ver uma alta abertura em arco a cerca de trezentos metros dali, uma rica luz vermelha na qual ele distinguia rostos brilhantes que oscilavam gentilmente para a direita e para a esquerda. Os corpos sob os rostos compunham uma parede escura de trajes. A perspiração de excitação ali era palpável.

Conforme ele se aproximava das mulheres que aguardavam, Idaho avistou uma passagem por entre elas e uma rampa se inclinando ligeiramente para cima, até uma pequena plataforma à direita. Um grande teto abobadado se curvava sobre as mulheres, um espaço gigantesco iluminado por luciglobos bem altos, ajustados no tom vermelho.

— Suba pela rampa à sua direita — ordenou Leto. — Pare um pouco além do centro da plataforma e vire-se para as mulheres.

Idaho levantou a mão direita em saudação. Ele emergia pelo espaço aberto e as dimensões daquela sala o deixaram embasbacado. Ele fez com que seus olhos treinados estimassem as dimensões, conforme seguia para a plataforma, e achou que a sala devia medir pelo menos um quilômetro e cem metros em cada lado: um quadrado com cantos arredondados. Estava repleto de mulheres e Idaho recordou que aquelas eram apenas as representantes escolhidas dentre os regimentos mais afastados das Oradoras Peixe; três mulheres de cada planeta. Elas haviam parado, seus corpos tão próximos um do outro que Idaho duvidou que alguma delas conseguisse cair. Elas haviam deixado apenas um espaço de cinquenta metros de largura ao lado da plataforma onde Idaho havia parado e observava a cena. Os rostos olhando para ele... rostos, rostos.

Leto parou seu coche exatamente atrás de Idaho e levantou um de seus braços de pele prateada.

Imediatamente um grito que lembrava um rugido, "Siaynoq! Siaynoq!", preencheu a grande sala.

Idaho foi ensurdecido por aquilo. *Certamente este som pode ser ouvido por toda a Cidade*, pensou ele. *A não ser que estejamos muito abaixo do solo.*

— Minhas noivas — disse Leto. — Sejam bem-vindas a Siaynoq!

Idaho levantou o olhar para Leto, viu os olhos escuros brilharem, a expressão radiante. Leto havia dito: "Essa maldita santidade!", mas se refestelava com ela.

Será que alguma vez Moneo viu essa aglomeração?, perguntou-se Idaho. Era um pensamento estranho, mas Idaho conhecia sua origem. Deveria haver outro ser humano mortal com quem isso pudesse ser discutido. A escolta dissera que Moneo havia sido despachado para cuidar de "assuntos de Estado", cujos detalhes elas não sabiam. Ouvindo isso, Idaho percebeu-se pressentindo outro elemento no governo de Leto. As linhas de poder se estendiam diretamente de Leto para a população, mas essas linhas não se cruzavam muito. Isso requeria muitas coisas, inclusive servos confiáveis que aceitassem responsabilidade para cumprir ordens sem questionar.

– Poucos veem o Imperador Deus fazer coisas danosas – dissera Siona. – É como os Atreides que você conheceu?

Idaho olhou por cima da massa de Oradoras Peixe enquanto esses pensamentos voavam por sua mente. A adulação nos olhos delas! O espanto! Como Leto havia feito isso? Por quê?

– Minhas amadas – disse Leto. Sua voz ressoou por sobre as faces voltadas para cima, carregada até os cantos mais longínquos por amplificadores sutis, de fabricação ixiana, escondidos no Coche Real.

As imagens enevoadas dos rostos das mulheres encheram Idaho com a memória do alerta de Leto. *Provoque a ira delas e arrisque incorrer em sua própria morte.*

Era fácil acreditar neste aviso naquele lugar. Uma palavra de Leto e essas mulheres poderiam dilacerar um ofensor em mil pedaços. Elas não questionariam. Agiriam. Idaho começou a sentir um novo apreço por essas mulheres como um exército. O perigo pessoal não faria com que elas parassem. Elas serviam a Deus!

O Coche Real rangeu levemente conforme Leto arqueou seus segmentos dianteiros para cima, erguendo a cabeça.

– Vocês são as guardiãs da fé! – Leto proclamou.

Elas responderam em uma só voz:

– Senhor, nós obedecemos!

– Em mim vocês vivem sem fim! – declarou Leto.

— Nós somos o Infinito! — elas gritaram.

— Amo vocês como não amo a mais ninguém! — Leto afirmou.

— Amor! — elas berraram.

Idaho sentiu um calafrio.

— Eu lhes dou meu amado Duncan! — bradou Leto.

— Amor! — elas urraram.

Idaho sentiu todo o seu corpo estremecer. Sentiu que poderia desmaiar com o peso dessa adulação. Ele queria fugir, e ao mesmo tempo ficar e aceitar. Havia poder naquela sala. Poder!

Em voz baixa, Leto disse:

— Troquem a Guarda.

As mulheres inclinaram a cabeça em um movimento único, sem hesitação. Do lado direito de Idaho, surgiu uma fila de mulheres em trajes brancos. Elas marcharam até o espaço aberto logo abaixo da plataforma e Idaho notou que algumas carregavam bebês e crianças pequenas, com algo em torno de um ou dois anos.

Da explicação inicial que lhe fora dada, Idaho reconheceu essas mulheres como aquelas que estavam deixando o serviço imediato de Oradoras Peixe. Algumas seriam sacerdotisas e outras seriam mães em tempo integral... mas nenhuma, de fato, deixaria de servir a Leto.

Enquanto olhava para as crianças, Idaho pensou em como as memórias profundas dessa experiência ficariam marcadas na cabeça dos meninos. Eles carregariam esse mistério durante a vida, uma memória perdida pela consciência, mas sempre presente, ocultando respostas desde esse momento.

A última das recém-chegadas parou logo abaixo de Leto e olhou para ele. As outras mulheres da sala levantavam agora o rosto e se concentravam em Leto.

Idaho relanceou para a esquerda e para a direita. As mulheres trajadas de branco preencheram o espaço abaixo da plataforma por, pelo menos, quinhentos metros em ambas as direções. Algumas delas levantaram seus filhos na direção de Leto. Seu fascínio e submissão eram absolutos. Se Leto ordenasse, Idaho sentia, aquelas mulheres arremessariam seus bebês contra a plataforma até a morte. Elas fariam qualquer coisa!

Leto baixou seus segmentos dianteiros até o coche, um movimento suave e ondulatório. Ele olhou para baixo de maneira benigna e sua voz saiu como uma doce carícia.

– Dou-lhes a recompensa que sua fé e seus serviços fizeram por merecer. Peçam e lhes será dado.

A sala inteira reverberava com a resposta:

– Será dado!

– O que é meu é teu – pontificou Leto.

– O que é meu é teu – gritaram as mulheres.

– Agora, compartilhem comigo – ordenou Leto – a prece silenciosa por minha intercessão em todas as coisas... que a humanidade nunca se acabe.

Como se fossem uma só, cada cabeça na sala se curvou. As mulheres de branco aninharam seus filhos bem perto de seus corpos, olhando para eles. Idaho sentiu a união silenciosa, uma força que buscava nele penetrar e sobrepujá-lo. Ele abriu bem a boca e respirou profundamente, lutando contra algo que ele sentia como uma invasão física. Sua mente procurava desesperadamente por algo em que se segurar, alguma coisa que pudesse protegê-lo.

Aquelas mulheres eram um exército cuja força e união Idaho não havia ainda suspeitado. Ele sabia que não compreendia essa força. Ele podia apenas observar, reconhecer que existia.

Isso era o que Leto criara.

As palavras de Leto, proferidas durante uma reunião na Cidadela, voltaram para Idaho:

– A lealdade em um exército masculino se firma ao próprio exército, em lugar da civilização, a qual sustenta o exército. A lealdade em um exército feminino se firma ao líder.

Idaho fitou a evidência visível da criação de Leto, vendo a precisão penetrante daquelas palavras, temendo aquela precisão.

Ele me oferece uma parte disso, pensou Idaho.

Sua própria resposta às palavras de Leto agora lhe pareciam algo pueril:

— Não vejo a razão – Idaho dissera.

— As pessoas, em sua maioria, não são criaturas que usam a razão.

— Nenhum exército, masculino ou feminino, garante a paz! Seu Império não é pacífico! O Senhor apenas...

— Minhas Oradoras Peixe lhe forneceram nossas histórias?

— Sim, mas também caminhei por sua cidade e observei seu povo. Seu povo é agressivo!

— Você entende, Duncan? A paz encoraja a agressão.

— E você diz que seu Caminho Dourado...

— Não é exatamente a paz. É tranquilidade, um solo fértil para o crescimento de classes rígidas e muitas outras formas de agressão.

— O Senhor fala por enigmas!

— Falo por observações acumuladas, as quais me informam que a postura pacífica é a postura dos vencidos. É a postura da vítima. Vítimas convidam à agressão.

— Sua maldita tranquilidade imposta! Que bem isso traz?

— Se não há inimigos, um deve ser inventado. Uma força militar a qual se nega um alvo externo se voltará contra seu próprio povo.

— Que jogo é esse?

— Modifico o desejo humano pela guerra.

— As pessoas não querem guerra!

— Elas querem o caos. A guerra é a forma de caos mais rápida disponível.

— Não acredito em nada disso! Você está jogando alguns de seus próprios jogos perigosos.

— Muito perigosos. Apelo a fontes antigas do comportamento humano para redirecioná-las. O perigo é que poderia suprimir as forças de sobrevivência humana, mas garanto a você que meu Caminho Dourado perdura.

– O Senhor não suprimiu o antagonismo!

– Dissipo energias em um lugar e as aponto em direção a outro. O que não se pode controlar, se subordina.

– O que evita que seu exército feminino tome o poder?

– Sou o líder dele.

Conforme ele olhava para a massa de mulheres naquele salão, Idaho não podia negar o foco da liderança. Ele também percebeu que parte dessa adulação era dirigida a sua própria pessoa. A tentação o manteve imobilizado: qualquer coisa que ele quisesse delas... qualquer coisa! O poder latente naquele imenso salão era explosivo. Essa percepção o forçou a um questionamento mais profundo das palavras que Leto havia dito anteriormente.

Leto falara algo sobre violência explosiva. Mesmo enquanto ele observava aquelas mulheres em sua prece silenciosa, Idaho recordava o que Leto dissera:

– Homens são suscetíveis à rigidez de classe. Eles criam sociedades que funcionam em camadas sociais. A sociedade em camadas é um derradeiro convite à violência. Ela não se esfacela. Ela explode.

– Mulheres nunca fazem isso?

– Não, a não ser que estejam quase completamente dominadas pelos homens ou trancadas em um modelo de papel masculino.

– Sexos não podem ser tão diferentes!

– Mas eles são. As mulheres constroem, a partir de seu sexo, uma causa em comum, uma causa que transcende classes e castas. É por isso que deixo minhas mulheres segurarem as rédeas.

Idaho foi forçado a admitir que aquelas mulheres rezando seguravam as rédeas.

Que parte desse poder ele passaria para as minhas mãos?

A tentação era monstruosa! Idaho se viu tremendo por conta

dela. Com uma brusquidão arrepiante, ele percebeu que essa devia ser a intenção de Leto: *Me tentar!*

No salão abaixo, as mulheres terminaram sua prece e levantaram o olhar para Leto. Idaho sentiu que ele jamais havia visto tamanho arrebatamento em rostos humanos: nem mesmo no êxtase do sexo, nem na glória da vitória de combate, em nenhum lugar ele havia visto qualquer coisa que se aproximasse daquela adulação intensa.

– Duncan Idaho está ao meu lado aqui hoje – declarou Leto. – Duncan está aqui para declarar sua lealdade, de forma que todos possam ouvir. Duncan?

Idaho sentiu um calafrio físico disparar pelos seus intestinos. Leto dera a ele uma escolha muito simples: *declare sua lealdade ao Imperador Deus ou morra!*

Se eu desdenhar, vacilar ou objetar de qualquer forma, as mulheres me matarão com as próprias mãos.

Uma raiva profunda impregnou Idaho. Ele engoliu, pigarreou e então declarou:

– Que ninguém questione minha lealdade. Sou leal aos Atreides.

Ele ouviu sua própria voz ressoar pela sala, amplificada pelo dispositivo ixiano de Leto.

O efeito assustou Idaho.

– Nós compartilhamos! – as mulheres bradaram. – Nós compartilhamos! Nós compartilhamos!

– Nós compartilhamos – disse Leto.

Jovens Oradoras Peixe em fase de treinamento, identificadas pelos seus mantos curtos e esverdeados, adentraram o salão por todos os lados, pequenos nós de movimento que circulavam em meio ao padrão de rostos em adoração. Cada jovem em treinamento carregava uma bandeja com pilhas altas de pequenas hóstias marrons. Enquanto as bandejas passavam pela multidão, mãos se esticavam como ondas de um recolher carinhoso, uma dança ondulante dos braços. Cada mão pegava uma hóstia e segurava-a para cima. Quando uma portadora de bandeja chegou à plataforma e estendeu sua bandeja na direção de Idaho, Leto ordenou:

— Pegue duas e deposite uma em minha mão.

Idaho se ajoelhou e pegou duas hóstias, quebradiças e frágeis. Voltou a ficar de pé e passou, gentilmente, uma delas para Leto.

Em uma voz estentórea, Leto perguntou:

— A nova Guarda já foi escolhida?

— Sim, Senhor! — as mulheres gritaram.

— Vocês resguardam minha fé?

— Sim, Senhor.

— Vocês trilham o Caminho Dourado?

— Sim, Senhor!

A vibração dos gritos das mulheres fez com que ondas de choque trespassassem Idaho, que ficou atônito.

— Nós compartilhamos? — perguntou Leto.

— Sim, Senhor!

Enquanto as mulheres respondiam, Leto colocou a hóstia na boca. Cada mãe logo abaixo da plataforma deu uma mordida em sua hóstia e ofereceu o restante para seu filho. A massa de Oradoras Peixe, por detrás das mulheres de branco, abaixaram os braços e levaram as hóstias à boca.

— Duncan, coma sua hóstia — ordenou Leto.

Idaho enfiou a hóstia na boca. Seu corpo ghola não havia sido condicionado para a especiaria, mas a memória informou a seus sentidos. A hóstia tinha um gosto ligeiramente amargo, com um toque suave de mélange. O gosto arrebatou antigas memórias à percepção de Idaho: refeições no sietch, banquetes na residência dos Atreides... o sabor da especiaria permeara tudo naqueles velhos tempos.

Enquanto engolia a hóstia, Idaho tomou consciência da quietude no salão, uma respiração suspensa quebrada por um estalido alto do coche de Leto. Idaho se virou e buscou a fonte do ruído. Leto havia aberto um compartimento no leito de seu coche e estava removendo dele uma caixa de cristal. A caixa brilhava com uma luz interna azul-acinzentada. Leto colocou a caixa no leito de seu coche, abriu a tampa reluzente e retirou uma dagacris. Idaho reconheceu a lâmina imediatamente: o gavião gravado no topo do cabo, as pedras preciosas verdes no punho.

A dagacris de Paul Muad'Dib!

Idaho se viu profundamente emocionado com a visão da lâmina. Ele a fitou como se a imagem em seus olhos fosse capaz de reproduzir o dono original.

Leto levantou a faca e a segurou no alto, revelando uma curva elegante e uma iridescência leitosa.

– O talismã de nossa vida – disse Leto.

As mulheres permaneceram em silêncio, em atenção arrebatadora.

– A faca de Muad'Dib – Leto declarou. – O dente de Shai-hulud. Shai-hulud voltará?

A resposta foi um murmúrio abafado, que se tornou extremamente poderoso em virtude do contraste com os gritos que o antecederam.

– Sim, Senhor.

Idaho voltou sua atenção para os rostos em êxtase das Oradoras Peixe.

– Quem é Shai-hulud? – Leto questionou.

Outra vez, o murmúrio profundo:

– O Senhor!

Idaho assentiu para si mesmo. Aqui estava a evidência inegável de que Leto sorvera de uma reserva monstruosa de poder, nunca antes liberada dessa forma. Leto já o dissera, mas as palavras não passavam de um ruído sem sentido comparado ao que havia presenciado e sentido nesse salão. Ainda assim, Idaho se recordou das palavras de Leto, como se elas tivessem esperado até este momento para se demonstrar em seu verdadeiro sentido. Idaho se lembrou de que as ouvira na cripta, aquele lugar frio e cheio de sombras, o qual Leto parecia achar tão atraente, mas que Idaho repelia... a poeira de séculos e os olores de apodrecimento ancestral.

— Tenho formado esta sociedade humana, modelando-a há mais de três mil anos, abrindo uma porta para a espécie inteira que a tirasse da adolescência – dissera Leto.

— Nada que o Senhor diga explica um exército feminino! – protestara Idaho.

— O estupro é alheio às mulheres, Duncan. Você pergunta por diferenças de comportamento baseadas no sexo? Existe uma.

— Pare de mudar de assunto!

— Não estou mudando. O estupro sempre foi o pagamento das conquistas militares masculinas. Homens não precisavam abandonar nenhuma de suas fantasias adolescentes enquanto estupravam.

Idaho recordou a raiva amarga que descera sobre ele com essa provocação.

— Minhas *huris* domesticam os homens – dissera Leto. – É domesticação, algo que as mulheres conhecem em virtude de éons de necessidade.

Idaho fitou a face encapuzada de Leto, sem palavras.

— Domesticar – dissera Leto. – Ajustar a algum padrão ordenado de sobrevivência. Mulheres aprenderam a partir das mãos dos homens; agora os homens aprendem a partir das mãos das mulheres.

— Mas o Senhor disse...

— Minhas *huris* geralmente são submetidas a uma forma de estupro, a princípio apenas para converter isso em uma dependência mútua e vinculadora.

— Droga! O Senhor está...

— Vinculadora, Duncan! Vinculadora.

— Não me sinto vinculado a...

— A educação leva tempo. Você defende a norma antiga contra a qual o novo pode ser mensurado.

As palavras de Leto fizeram com que todas as emoções de Idaho sumissem momentaneamente, exceto por um sentimento profundo de perda.

— Minhas *huris* ensinam a maturação — Leto acrescentara. — Elas sabem que devem supervisionar a maturação dos homens. Por meio disso, elas encontram sua própria maturação. Por fim, *huris* se amalgamam em esposas e mães, e nós afastamos os impulsos violentos de suas fixações adolescentes.

— Tenho que ver para crer!

— Você verá na cerimônia do Grande Compartilhamento.

Conforme ele permanecia ao lado de Leto no salão de Siaynoq, Idaho admitiu para si mesmo que havia presenciado algo de um poder enorme, algo que *poderia* criar o tipo de universo humano que as palavras de Leto projetavam.

Leto estava guardando a dagacris em sua caixa e a recolocou em seu compartimento no leito do Coche Real. As mulheres assistiam em silêncio, até as crianças pequenas estavam quietas: todos subjugados pela força que podia ser sentida naquele salão.

Idaho olhou para as crianças, sabendo a partir da explicação de Leto que elas seriam recompensadas com posições de poder: homens ou mulheres, cada uma em seu nicho pujante. Os meninos seriam dominados pelas meninas durante a vida, efetuando (nas palavras de Leto) "uma transição suave da adolescência para homens reprodutores".

As Oradoras Peixe e suas descendentes viviam uma vida "que possuía certa agitação não disponível para a maioria dos outros".

O que acontecerá aos filhos de Irti?, Idaho se perguntava. *Será que meu predecessor também esteve aqui, de pé, e assistiu à sua esposa vestida de branco compartilhar no ritual de Leto?*

O que Leto me oferece aqui?

Com aquele exército feminino, um comandante ambicioso seria capaz de tomar o Império de Leto. Ou será que não? Não... não enquanto Leto vivesse. Leto dissera que as mulheres não eram agressivas militarmente "por natureza".

— Não fomento isso nelas — ele dissera. — Elas conhecem o padrão cíclico, com um Festival Real a cada dez anos, uma mudança de Guarda, uma bênção para a nova geração, um pensamento silencioso para as irmãs perdidas e para os entes queridos que se foram para sempre. Um Siaynoq após outro marcha adiante, de forma previsível. A própria mudança torna-se antimudança.

Idaho ergueu seu olhar das mulheres de branco e seus filhos. Fitou através da massa de rostos em silêncio, dizendo a si mesmo que esse era apenas um pequeno núcleo daquela enorme força feminina que espalhava sua teia por todo o Império. Ele era capaz de acreditar nas palavras de Leto:

— O poder não enfraquece. Ele se fortalece a cada década.

Com que finalidade?, Idaho se perguntou.

Ele relanceou ligeiramente para Leto, que estava erguendo suas mãos em bendição sobre o salão de suas *huris*.

— Vamos nos mover entre vocês agora — Leto declarou.

As mulheres logo abaixo da plataforma abriram caminho, retrocedendo. O caminho se abriu cada vez mais profundo em meio à multidão, como uma fissura partindo a terra depois de algum espantoso cataclismo natural.

— Duncan, você irá à frente — ordenou Leto.

Idaho engoliu em seco. Apoiou-se com uma palma na beira da plataforma e saltou para o espaço aberto, movendo-se em direção à *fissura*, porque ele sabia que apenas aquilo faria com que essa provação terminasse.

Uma rápida olhadela para trás revelou o coche de Leto flutuando de forma majestosa em seus suspensores.

Idaho se virou para a frente e apertou o passo.

As mulheres estreitaram o caminho. Isso foi realizado em uma estranha quietude, com atenção fixa: primeiro em Idaho e depois naquele repulsivo corpo pré-verme sobre seu coche ixiano, logo atrás de Idaho.

Conforme Idaho marchava para a frente de maneira estoica, as mulheres vinham de todos os lados para tocá-lo, tocar Leto, ou meramente tocar o Coche Real. Idaho sentiu a paixão contida nos toques delas e conheceu o medo mais profundo nessa experiência.

O PROBLEMA DA LIDERANÇA É INEVITÁVEL:
QUEM VAI BANCAR DEUS?

— Muad'Dib, da História Oral

Hwi Noree seguia uma jovem guia Oradora Peixe para baixo de uma larga rampa que espiralava em direção às profundezas de Onn. A convocação do Senhor Leto veio tarde da noite no terceiro dia do Festival, interrompendo um empreendimento que colocava à prova sua habilidade de manter o equilíbrio emocional.

Seu primeiro assistente, Othwi Yake, não era um homem agradável; uma criatura com cabelo cor de areia, um rosto longo e estreito, olhos que nunca fitavam nada por muito tempo e que jamais fitavam diretamente os olhos de seu interlocutor. Yake havia presenteado Hwi com uma única folha de papel memoapagável contendo o que ele descrevera como "um resumo sobre a recente violência relatada na Cidade Festival".

Parado próximo à mesa onde Hwi se sentava, ele olhara para algum lugar à esquerda dela e dissera:

— Oradoras Peixe estão massacrando Dançarinos Faciais pela cidade. — Ele não parecera particularmente ressentido com essa notícia.

— Por quê? — ela demandara.

— Dizem que Bene Tleilax cometeu um atentado contra a vida do Imperador Deus.

Um estremecimento de medo disparou por todo o corpo dela. Hwi reclinou a cadeira e olhou o escritório diplomático ao seu redor: uma sala redonda com uma única mesa semicircular que escondia os controles de vários dispositivos ixianos embaixo de sua superfície bem polida. A sala era um lugar escuro, que aparentava ser importante, com painéis de madeira marrom ocultando instrumentos que a protegiam de espionagem. Não havia janelas.

Tentando não transparecer sua agitação, Hwi olhara para Yake, falando:

— E o Senhor Leto está...

— O atentado contra sua vida parece não ter surtido nenhum efeito. Mas pode explicar aquele açoitamento.

— Então você acha que, *de fato*, ocorreu essa tentativa?

— Sim.

A Oradora Peixe do Senhor Leto entrara naquele momento, bastante brusca no anúncio de sua presença na antessala. Era seguida por uma velhota Bene Gesserit, uma pessoa que ela apresentou como "A Reverenda Madre Anteac". Anteac observara Yake atentamente, enquanto a Oradora Peixe, uma jovem com características suaves, quase pueril, recitava a mensagem:

— Ele me disse para lembrá-la: "Volte depressa se eu a convocar". Ele a convoca.

Yake começou a se inquietar conforme a Oradora Peixe falava. Sua atenção passara por toda a sala, como se procurasse algo que não estava lá. Hwi parou apenas para colocar um manto azul-escuro sobre seu vestido, instruindo Yake a permanecer no escritório até que ela retornasse.

Sob a luz alaranjada da noite, do lado de fora da Embaixada, em uma rua estranhamente vazia de todo tráfego, Anteac olhara para a Oradora Peixe e simplesmente dissera:

— Sim.

Anteac as deixara e a Oradora Peixe trouxera Hwi por ruas vazias até um prédio alto e sem janelas, cujo interior continha essa rampa espiralada que levava até as profundezas.

As curvas acentuadas da rampa fizeram que Hwi ficasse tonta. Pequenos luciglobos brilhantes flutuavam no poço central, iluminando uma vinha verde e púrpura com folhas pesadas. A vinha estava suspensa por fios dourados e tremeluzentes.

A superfície negra e macia da rampa abafava o som de seus passos, trazendo a atenção de Hwi para o fraco e abrasivo farfalhar causado pelos movimentos de seu manto.

— Aonde você está me levando? — perguntou Hwi.

— Até o Senhor Leto.

— Eu sei, mas onde ele está?

— Em sua sala privada.

— É terrivelmente fundo.

— Sim, o Senhor sempre escolhe as profundezas.

— Estou ficando tonta de caminhar de um lado para o outro desse jeito.

— Não olhar para a vinha costuma ajudar.

— Que planta é essa?

— É chamada de Vinha Tunyon e diz-se que não deve ter nenhum cheiro.

— Nunca ouvi falar. De onde vem?

— Apenas o Senhor Leto sabe.

Elas caminharam em silêncio, Hwi tentando compreender seus próprios sentimentos. O Imperador Deus a enchia de tristeza. Ela era capaz de pressentir o homem dentro dele, o homem que ele poderia ter sido. Por que tal homem havia escolhido esse caminho para sua vida? Alguém sabia? Moneo sabia?

Talvez Duncan Idaho soubesse.

Seus pensamentos gravitavam em torno de Idaho: que homem fisicamente atraente. Tão intenso! Ela podia se sentir sendo atraída na direção dele. Se ao menos Leto tivesse o corpo e a aparência de Idaho. Mas Moneo... esse era outro assunto. Ela olhou para as costas da Oradora Peixe que a escoltava.

— Você pode me falar sobre Moneo? — pediu Hwi.

A Oradora Peixe relanceou por sobre os ombros, uma expressão curiosa em seus olhos azuis pálidos: apreensão ou alguma forma bizarra de espanto.

— Há algo de errado? — indagou Hwi.

A Oradora Peixe voltou sua atenção para a espiral que descia a rampa.

— O Senhor disse que você perguntaria sobre Moneo — respondeu ela.

— Então fale dele para mim.

— O que há para dizer? Ele é o confidente mais próximo do Senhor.

— Mais próximo do que Duncan Idaho?

— Ah, sim. Moneo é um Atreides.

— Moneo me visitou ontem — disse Hwi Noree. — Ele disse que eu deveria saber algo sobre o Imperador Deus. Moneo disse que o Imperador Deus é capaz de fazer *qualquer coisa*, qualquer coisa mesmo, se ele considerar que será instrutiva.

— Muitos acreditam nisso — respondeu a Oradora Peixe.

— Você não acredita?

Hwi fez a pergunta enquanto a rampa dava a última volta e se abria em uma pequena antessala com uma entrada em arco, apenas alguns metros adiante.

— O Senhor Leto vai recebê-la imediatamente — disse a Oradora Peixe. Então ela voltou à rampa, sem falar em que acreditava.

Hwi atravessou o arco e viu-se em uma sala de teto baixo. Era muito menor que a câmara de audiências. O ar era fresco e seco. Uma luz amarela pálida vinha de uma fonte escondida nos cantos superiores. Ela permitiu que seus olhos se ajustassem à iluminação mais fraca, percebendo carpetes e almofadas macias espalhadas por um pequeno monte de... Ela colocou a mão na boca enquanto o monte se mexia, percebendo, então, que era o Senhor Leto em seu coche, mas o coche jazia em um recesso mais fundo. Ela notou imediatamente por que a sala estava disposta daquela forma. Assim, ele parecia menos imponente a seus convidados humanos, menos opressor em virtude de sua elevação física. Nada podia ser feito, entretanto, sobre seu comprimento e a massa inescapável de seu corpo, exceto mantê-los em meio a sombras, jogando a maior parte da luz sobre seu rosto e mãos.

— Entre e sente-se – disse Leto. Ele falava em voz baixa, em um tom agradável de conversação.

Hwi andou até uma almofada vermelha a poucos metros do rosto de Leto e sentou-se sobre ela.

Leto admirou seus movimentos com um prazer óbvio. Ela vestia um vestido dourado-escuro e seu cabelo estava amarrado para trás, em tranças, que tornavam seu rosto viçoso e inocente.

— Enviei sua mensagem a Ix – ela informou. – E disse a eles que o Senhor gostaria de saber minha idade.

— Talvez eles respondam – disse ele. – A resposta pode até ser verdadeira.

— Eu gostaria de saber quando nasci, todas as circunstâncias – acrescentou ela –, mas não entendo por que isso lhe interessa.

— Tudo sobre você me interessa.

— Eles não vão gostar de o Senhor ter me tornado embaixadora permanente.

— Seus mestres são uma mistura curiosa de meticulosidade formal e lassidão – disse ele. – Não suporto tolos de bom grado.

— O Senhor acha que sou tola?

— Malky não era tolo; nem você, minha cara.

— Não tenho notícias de meu tio há anos. Às vezes me pergunto se ele ainda está vivo.

— Talvez também possamos descobrir isso. Alguma vez Malky discutiu com você sobre minha prática de *Taquiyya*?

Ela pensou sobre isso por um momento e perguntou:

— Era chamada *Ketman* entre os antigos fremen?

— Sim. É a prática de esconder a identidade quando revelá-la pode ser prejudicial.

— Lembro-me dela agora. Ele me contou que o Senhor escrevia histórias sob pseudônimos, alguns bem famosos.

— Essa foi a ocasião em que discutimos *Taquiyya*.

— Por que o Senhor fala disso?

— Para evitar outros assuntos. Você sabia que escrevi os livros de Noah Arkwright?

Ela não foi capaz de suprimir uma risada.

— Que interessante, Senhor. Fui obrigada a ler sobre a *vida* dele.

— Eu também escrevi aquele relato. Pediram a você que arrancasse de mim quais segredos?

Ela nem titubeou com essa estratégica mudança de assunto.

— Eles estão curiosos sobre o funcionamento interno da religião do Senhor Leto.

— Estão mesmo?

— Eles desejam saber como o Senhor tomou o controle religioso das mãos das Bene Gesserit.

— Sem dúvida, na esperança de repetir meu desempenho para vantagem própria?

— Tenho certeza de que é isso que se passa pela mente deles, Senhor.

— Hwi, você é uma péssima representante para os ixianos.

— Sou sua serva, Senhor.

— Você não tem curiosidades próprias?

— Temo que minhas curiosidades o perturbem – disse ela.

Ele a fitou por um momento e depois concluiu:

— Entendo. Sim, você está certa. Devemos evitar uma conversa mais íntima por ora. Gostaria que eu falasse sobre a Irmandade?

— Sim, seria ótimo. O Senhor sabe que encontrei uma das integrantes da delegação Bene Gesserit hoje?

— Essa seria Anteac.

— Achei-a assustadora – disse ela.

— Você não tem nada a temer de Anteac. Ela foi à sua Embaixada seguindo minhas ordens. Você tem ciência de que sua Embaixada foi invadida por Dançarinos Faciais?

Hwi ofegou, depois se controlou, enquanto uma sensação gelada preenchia seu peito.

— Othwi Yake? – ela perguntou.

— Você já suspeitava?

— Eu apenas não gostava dele e fui informada de que... — ela deu de ombros e então, conforme a percepção caiu sobre si, questionou:

— O que aconteceu a ele?

— O original? Está morto. É a prática usual dos Dançarinos Faciais nessas circunstâncias. Minhas Oradoras Peixe têm ordens explícitas de não deixar nenhum Dançarino Facial vivo em sua Embaixada.

Hwi permaneceu em silêncio, mas as lágrimas escorriam pelo seu rosto. *Isso explica as ruas vazias, o enigmático "sim" de Anteac. Isso explica muitas coisas.*

— Vou fornecer a assistência das Oradoras Peixe a você até que consiga tomar outras providências — disse Leto. — Minhas Oradoras Peixe vão guardá-la bem.

Hwi enxugou as lágrimas de seu rosto. Os inquisidores de Ix reagiriam com ódio contra Tleilax. Será que Ix acreditaria no relatório dela? Todos na Embaixada haviam sido substituídos por Dançarinos Faciais! Era difícil de acreditar.

— Todos? — perguntou ela.

— Os Dançarinos Faciais não tinham motivos para deixar alguém da sua equipe vivo. Você seria a próxima.

Ela estremeceu.

— Eles atrasaram o plano — ele explicou —, pois sabiam que teriam que copiar você com uma precisão capaz de desafiar meus sentidos. Eles não têm certeza sobre minhas habilidades.

— Então Anteac...

— A Irmandade e eu partilhamos uma habilidade para detectar Dançarinos Faciais. E Anteac... bem, ela é muito boa no que faz.

— Ninguém confia nos Tleilaxu — disse ela. — Por que eles ainda não foram eliminados?

— Especialistas têm suas funções, assim como limitações. Você me surpreende, Hwi. Não suspeitava que pudesse ter uma mente tão sanguinária.

— Os Tleilaxu... eles são cruéis demais para serem humanos. Eles não são humanos!

— Eu lhe garanto que humanos podem ser tão cruéis quanto eles. Eu mesmo fui cruel em algumas ocasiões.

— Eu sei, Senhor.

— Sob provocação – ele acrescentou. – Mas as únicas pessoas que considerei eliminar foram as Bene Gesserit.

O choque dela era grande demais para ser contido em palavras.

— Elas estão tão próximas daquilo que deviam ser e, ao mesmo tempo, tão longe – ele comentou.

Recobrando a voz, Hwi disse:

— Mas a História Oral relata...

— A religião das Reverendas Madres, sim. Certa vez elas desenvolveram religiões específicas para sociedades específicas. Chamaram de *engenharia*. O que você acha disso?

— Insensível.

— De fato. Os resultados se adequaram ao equívoco. Mesmo depois das grandes tentativas de ecumenismo, havia deuses incontáveis, deidades menores e falsos profetas por todo o Império.

— O Senhor mudou isso.

— Até certo grau. Mas deuses são difíceis de se matar, Hwi. Meu monoteísmo predomina, mas o panteão original permanece; foi para o submundo com vários disfarces.

— Senhor, sinto em suas palavras uma... uma... – Ela balançou a cabeça.

— Sou tão friamente calculista como a Irmandade?

Ela assentiu.

— Foram os fremen que deificaram meu pai, o grande Muad'Dib. Apesar de ele não gostar de ser chamado de grande.

— Mas os fremen estavam...

— Se eles estavam certos? Minha caríssima Hwi, eles eram suscetíveis ao uso do poder e eram ambiciosos para manter sua ascendência.

— Considero isso... perturbador, Senhor.

— Posso perceber. Você não gosta da ideia de que se tornar um deus seja algo tão simples, como se qualquer um pudesse fazê-lo.

— Parece muito casual, Senhor. — Sua voz tinha um timbre remoto, como se o testasse.

— Asseguro a você que *qualquer* um *não* é capaz de fazê-lo.

— Mas o Senhor implica que herdou sua deidade de...

— Nunca sugira isso a uma Oradora Peixe — ele falou. — Elas reagem violentamente contra heresias.

Ela tentou engolir em seco.

— Digo isso apenas para protegê-la — ele completou.

A voz dela saiu fraca quando disse:

— Obrigada, Senhor.

— Minha deidade começou quando eu disse a meus fremen que não podia mais prover a água da morte para as tribos. Você sabe algo a respeito da água da morte?

— Nos tempos de Duna, era a água recuperada dos corpos dos mortos — ela respondeu.

— Ah, você de fato leu Noah Arkwright.

Ela conseguiu esboçar um sorriso débil.

— Eu disse a meus fremen que a água seria consagrada à Divindade Suprema, deixada sem nome. Os fremen ainda tinham a permissão de controlar essa água, graças a minha magnanimidade.

— Água deveria ser um bem precioso naqueles tempos.

— Muito! E eu, como delegado dessa deidade sem nome, mantive um controle tênue sobre essa água preciosa por quase trezentos anos.

Ela mordeu o lábio inferior.

— Ainda soa calculista? — perguntou ele.

Ela aquiesceu.

— E foi. Quando chegou a época de consagrar a água de minha irmã, operei um milagre. A voz de todos os Atreides falou da urna de Ghani. Assim, meus fremen descobriram que eu era a sua Divindade Suprema.

Hwi falou temerosamente, sua voz cheia de incertezas confusas diante dessa revelação:

— O Senhor está me dizendo que não é realmente um deus?

— Estou lhe dizendo que não brinco de esconde-esconde com a morte.

Ela o fitou por vários minutos antes de responder de forma que o assegurasse de que ela havia compreendido o sentido mais profundo. Era uma reação que apenas intensificou o afeto dele para com Hwi.

— Sua morte não será como outras mortes – disse ela.

— Preciosa Hwi – ele murmurou.

— Eu me pergunto se o Senhor não teme o julgamento de uma verdadeira Divindade Suprema – disse ela.

— Você me julga, Hwi?

— Não, mas temo pelo Senhor.

— Pense no preço que pago – disse ele. — Cada parte descendente de mim carregará um quinhão de minha consciência, trancafiado dentro de si, perdido e desamparado.

Ela levou ambas as mãos até a boca e o fitou.

— Este é o horror que meu pai não conseguiu enfrentar e o qual ele tentou prevenir: a infinita divisão e a subdivisão de uma identidade cega.

Ela baixou as mãos e sussurrou:

— O Senhor estará consciente?

— De certa forma... mas emudecido. Uma pequena pérola de minha percepção irá com cada verme da areia e cada truta da areia... sabendo, mas incapazes de mover uma única célula, despertos em um sonho interminável.

Ela estremeceu.

Leto a observou enquanto ela tentava compreender tal existência. Será que ela poderia imaginar o *clamor* final, quando os pedaços subdivididos de sua identidade lutariam por um controle enfraquecido da máquina ixiana que gravara seus diários? Seria ela capaz de sentir o arrebatamento doloroso e silencioso que se seguiria a essa terrível fragmentação?

— Caso eu revelasse esse conhecimento, eles iriam utilizá-lo contra o Senhor.

— Você vai contar?

— Claro que não! — Hwi balançou a cabeça lentamente de um lado para o outro. Por que ele havia aceitado essa transformação horrenda? Não havia escapatória?

Passado pouco tempo, ela disse:

— A máquina que transcreve seus pensamentos, será que ela não poderia ser sintonizada para...

— Para um milhão de eus? Para um bilhão? Para mais? Minha cara Hwi, nenhuma dessas pérolas sapientes será, de fato, eu.

Os olhos dela se encheram de lágrimas. Ela piscou e inalou profundamente. Leto reconheceu o treinamento Bene Gesserit nisso, a forma como ela aceitava um fluxo de calmaria.

— O Senhor me deixou terrivelmente amedrontada.

— E você não entende por que fiz isso.

— É possível que eu entenda?

— Oh, sim. Muitos podem entender. O que as pessoas fazem do entendimento é outro assunto.

— O Senhor me ensinará a fazê-lo?

— Você já sabe.

Ela absorveu essa frase em silêncio, então disse:

— Tem algo relacionado com sua religião. Posso sentir.

Leto sorriu e comentou:

— Posso perdoar quase tudo de seus mestres ixianos, em virtude dessa dádiva preciosa que você representa. Peça-me e você receberá.

Ela se inclinou na direção dele, balançando-se para a frente em sua almofada.

— Conte-me sobre o funcionamento interno de sua religião.

— Logo você saberá tudo sobre mim, Hwi. Eu prometo. Apenas lembre-se de que a adoração do sol pelos nossos ancestrais primitivos não estava muito equivocada.

— Sol... adoração? — Ela oscilou para trás.

— Aquele sol que controla todos os movimentos, mas que não pode ser tocado... aquele sol é a morte.

— Sua... morte?

— Qualquer religião circula como um planeta ao redor do sol, o qual deve ser usado devido a sua energia, da qual ele depende para sua própria existência.

A voz dela saiu em um tom pouco acima de um sussurro:

— O que o Senhor vê em *seu* sol?

— Um universo com muitas janelas através das quais posso espreitar. Não importa qual batente da janela, é o que vejo.

— O futuro?

— O universo não tem tempo em suas raízes e contém, portanto, todos os tempos e todos os futuros.

— Então é verdade — ela disse. — O Senhor viu alguma coisa que isso... — ela fez um gesto na direção do corpo comprido e anelado dele — previne.

— Você acredita ser capaz de olhar para dentro de si e acreditar que isso seja, de alguma pequena forma, sagrado? — ele indagou.

Ela apenas foi capaz de assentir com a cabeça.

— Se você compartilhar tudo comigo — disse ele —, devo alertá-la de que será um fardo terrível.

— Fará seu fardo mais leve, Senhor?

— Não mais leve, mas mais fácil de aceitar.

— Então eu dividirei. Diga-me, Senhor.

— Ainda não, Hwi. Você deve ter um pouco mais de paciência.

Ela engoliu seu desapontamento, suspirando.

— O problema é que meu Duncan está cada vez mais impaciente — Leto explicou. — Tenho que lidar com ele antes.

Ela relanceou para trás, mas a saleta continuava vazia.

– O Senhor quer que eu me vá agora?

– Desejo que você nunca tenha de me deixar.

Ela o fitou, notando a intensidade daquele olhar, uma vacuidade faminta na expressão dele que a enchia de tristeza.

– Por que o Senhor conta seus segredos para *mim*?

– Não pediria a você para ser a noiva de um deus.

Os olhos delas se arregalaram devido ao choque.

– Não responda – ele completou.

Quase sem mover a cabeça, ela passou o olhar por todo o comprimento do corpo de Leto, envolto em sombras.

– Não procure por partes de mim que não existem mais – ele falou. – Algumas formas de intimidade física não são mais possíveis para mim.

Ela retornou a atenção para a face em seu invólucro, reparando na pele rosada das maçãs do rosto, do intenso efeito humano de suas feições naquela moldura alienígena.

– Se você deseja filhos – disse ele –, eu pediria apenas que me deixasse escolher o pai. Mas eu ainda não lhe perguntei nada.

A voz dela enfraquecera:

– Senhor, eu não sei o que...

– Retornarei logo à Cidadela – disse ele. – Você irá até mim e lá conversaremos. Eu lhe contarei sobre aquilo que previno.

– Estou amedrontada, Senhor, mais amedrontada do que jamais imaginei que pudesse estar.

– Não tenha medo de mim. Não posso ser nada mais que gentil com minha gentil Hwi. Quanto aos outros perigos, minhas Oradoras Peixe vão protegê-la com o próprio corpo. Elas jamais se atreveriam a deixar que qualquer mal lhe aconteça!

Hwi se levantou sobre os pés e parou, tremendo.

Leto percebeu quão profundamente essas palavras a haviam afetado e sentiu a dor disso. Os olhos de Hwi reluziam devido às lágrimas. Ela cerrou as mãos com força para que o tremor parasse. Leto sabia que ela se apresentaria a ele de bom grado, na Cidadela. Não importava o que ele perguntasse, sua resposta seria a mesma das Oradoras Peixe.

— Sim, Senhor.

Veio à mente de Leto que se ela fosse capaz de trocar de lugar com ele, tomar-lhe sua carga, ela se ofereceria. O fato de que ela não podia fazê-lo adicionava ainda mais à sua dor. Ela era inteligência construída sobre uma sensibilidade profunda, sem nenhuma das fraquezas hedonistas de Malky. Ela era assustadora em sua perfeição. Tudo sobre ela reafirmava sua percepção de que ela era *precisamente* o tipo de mulher que, se ele tivesse crescido para a fase adulta de um homem normal, teria desejado *(Não! Exigido!)* como sua parceira.

E os ixianos sabiam disso.

— Agora, deixe-me — sussurrou ele.

SOU, AO MESMO TEMPO, PAI E MÃE DE MEU POVO. CONHECI O ÊXTASE DO NASCIMENTO E O ÊXTASE DA MORTE, E CONHEÇO OS PADRÕES QUE VOCÊ DEVE APRENDER. NÃO CAMINHEI INEBRIADO ATRAVÉS DO UNIVERSO DAS FORMAS? SIM! EU VI SUA FIGURA DELINEADA NA LUZ. AQUELE UNIVERSO QUE VOCÊ DIZ VER E SENTIR, AQUELE UNIVERSO É MEU SONHO. MINHAS ENERGIAS FOCAM SOBRE ELE E ESTOU EM QUALQUER REINO E EM TODOS OS REINOS. DESSA MANEIRA, VOCÊ NASCE.

— Os Diários Roubados

— Minhas Oradoras Peixe me informaram que você foi até a Cidadela imediatamente após Siaynoq — disse Leto.

Ele encarava de forma acusatória Idaho, que parou perto de onde Hwi havia se sentado apenas uma hora antes. Um intervalo de tempo tão pequeno... ainda assim, Leto sentiu o vazio como se fossem séculos.

— Precisei de tempo para pensar — disse Idaho. Olhou para o recesso sombrio onde estava o coche de Leto.

— E falar com Siona?

— Sim. — Idaho levantou o olhar até o rosto de Leto.

— Mas você pediu para ver Moneo — disse o Imperador Deus.

— Eles lhe relatam cada movimento que faço? — perguntou Idaho.

— Não *cada* movimento.

— Às vezes as pessoas querem ficar sozinhas.

— Claro, mas não culpe as Oradoras Peixe por se preocuparem com você.

— Siona disse que deverá ser testada.

— Foi por isso que você pediu para ver Moneo?

— Que teste é esse?

— Moneo sabe. Presumi que era por isso que você queria vê-lo.

— O Senhor não presume nada! O Senhor *sabe*.

— Siaynoq lhe perturbou, Duncan. Sinto muito.

— O Senhor tem alguma ideia de como é ser quem eu sou... aqui?

— A sina de um ghola não é fácil – disse Leto. – Algumas vidas são mais duras que outras.

— Não preciso de psicologia juvenil.

— Do que você precisa, Duncan?

— Preciso saber sobre algumas coisas.

— Tais como?

— Não entendo *nenhuma* dessas pessoas ao seu redor! Sem demonstrar nenhuma surpresa, Moneo me contou que Siona fez parte de uma rebelião contra o Senhor! A própria filha dele!

— Em seu próprio tempo, Moneo também foi um rebelde.

— Entende o que quero dizer? O Senhor também o testou?

— Sim.

— Vai me testar?

— Estou testando você.

Idaho o encarou, e então disse:

— Não entendo seu governo, seu Império, nada. Quanto mais descubro, mais percebo que não compreendo o que está acontecendo.

— Que sorte a sua, ter descoberto o caminho para a sabedoria – disse Leto.

— O quê? – A perplexidade e o ultraje de Idaho fizeram com que sua voz se erguesse em um grito de guerra que encheu a saleta.

Leto sorriu.

— Duncan, eu não lhe disse que, quando você pensa que conhece tudo, essa é a barreira mais perfeita contra a aprendizagem?

— Então me diga o que está se passando.

— Meu amigo Duncan Idaho está adquirindo um novo hábito. Ele está aprendendo a sempre olhar além das coisas que pensa que sabe.

— Muito bem, muito bem. – Idaho assentiu com a cabeça vagarosamente, ao mesmo tempo que as palavras saíam. – Então, o que está *além* de me deixar tomar parte naquele coisa, Siaynoq?

— Estou vinculando as Oradoras Peixe ao Comandante da minha Guarda.

— E tenho que lutar contra elas! A escolta que me levou para a Cidadela queria parar para fazer uma orgia. E as que me trouxeram de volta para cá quando o Senhor...

— Elas sabem o quanto me agrada ver filhos de Duncan Idaho.

— Maldição! Não sou seu garanhão.

— Não há necessidade de gritar, Duncan.

Idaho respirou fundo várias vezes e então respondeu:

— Quando lhes digo "não" e elas, inicialmente, agem como se estivessem magoadas e, depois, me tratam como se eu fosse um maldito... — ele balançou a cabeça — homem santo ou algo do gênero.

— Elas não lhe obedecem?

— Elas não questionam nada... a não ser que seja contrário às suas ordens. Eu não queria voltar para cá.

— Ainda assim, elas o trouxeram.

— O Senhor sabe muitíssimo bem que elas não desobedecerão ao *Senhor*!

— Fico satisfeito em vê-lo, Duncan!

— Oh, posso perceber!

— As Oradoras Peixe sabem o quão especial você é, o quanto gosto de você, o quanto eu o admiro. Não é uma questão de obediência ou desobediência quando o assunto se remete a nós dois.

— Então é uma questão de quê?

— Lealdade.

Idaho caiu em silêncio, absorto em seus pensamentos.

— Você sentiu o poder de Siaynoq? — indagou Leto.

— Baboseira.

— Então por que está perturbado com ele?

— Suas Oradoras Peixe não são um exército, são uma força policial.

— Juro sobre meu nome que não é assim. A polícia é inevitavelmente corrupta.

— O Senhor me tenta com poder — acusou Idaho.

— Esse é o teste, Duncan.

— O Senhor não confia em mim?

— Creio em sua lealdade implícita aos Atreides, sem questioná-la.

— Então o que é essa conversa de corrupção e teste?

— Foi você que me acusou de ter uma força policial. A polícia sempre observa que os criminosos prosperam. Somente um policial muito obtuso não percebe que o posto de autoridade é o posto criminoso mais próspero à disposição.

Idaho umedeceu os lábios com a língua e fitou Leto, obviamente intrigado. Então disse:

— Mas e o treinamento moral da... quero dizer, a legalidade... os presídios...

— De que servem leis e presídios quando infringir a lei não é um pecado?

Idaho inclinou a cabeça ligeiramente para a direita.

— O Senhor está tentando me dizer que essa sua maldita religião é...

— A punição dos pecados pode ser bem extravagante.

Idaho apontou o polegar por sobre o ombro, para o mundo além da porta, dizendo:

— Toda essa conversa sobre penas de morte... aquele açoitamento e...

— Tento dispensar leis casuais e prisões sempre que possível.

— O Senhor precisa de *algumas* prisões.

— Preciso? Prisões são necessárias apenas para fornecer uma ilusão de que os tribunais e a polícia são eficazes. São uma espécie de garantia do emprego.

Idaho se virou lentamente e apontou o indicador para a porta pela qual ele havia entrado na saleta.

— O Senhor tem planetas inteiros que nada mais são do que prisões!

— Creio que você pode considerar qualquer lugar como uma prisão se é assim que suas ilusões são.

— Ilusões! — Idaho baixou a mão ao lado do corpo e assim permaneceu, aturdido.

— Sim. Você fala de prisões, polícia e legalidades, ilusões perfeitas por trás das quais uma estrutura de poder é capaz de operar, sabendo, com certeza, que está acima de suas próprias leis.

— E o Senhor pensa que pode lidar com crimes com...

— Não são crimes, Duncan, são pecados.

— Então o Senhor pensa que sua religião possa...

— Já notou quais são os pecados primários?

— O quê?

— Tentar corromper um membro do meu governo e corrupção advinda de algum membro do meu governo?

— E o que é essa corrupção?

— Em sua essência, é a falha em observar e adorar a santidade de Deus Leto.

— O Senhor?

— Eu.

— Mas o Senhor me disse logo no começo que...

— Você pensa que eu não acredito em minha própria divindade? Tome cuidado, Duncan.

A voz de Idaho saiu com uma raiva controlada.

— O Senhor me disse que um de meus trabalhos era ajudá-lo a manter seu segredo, que o Senhor...

— Você não conhece meu segredo.

— Que o Senhor é um tirano? Isso não é...

— Deuses têm mais poder que tiranos, Duncan.

— Não gosto do que ouço.

— Quando um Atreides lhe pediu para *gostar* do seu trabalho?

— O Senhor me pede para comandar suas Oradoras Peixe, que são juiz, júri e carrasco... — Idaho interrompeu a fala.

— E então?

Idaho permaneceu em silêncio.

Leto o olhou fixamente através da distância gélida entre eles, um intervalo tão curto e, ao mesmo tempo, tão longo.

É como lutar contra um peixe na linha de pesca, pensou Leto. *Você deve calcular o ponto de ruptura de cada elemento na disputa.*

O problema com Idaho era que trazê-lo para a rede sempre apressava seu fim. Desta vez, estava acontecendo muito rápido. Leto sentiu tristeza.

— Não vou adorá-lo – disse Idaho.

— As Oradoras Peixe reconhecem que você tem isenções especiais – disse Leto.

— Como Moneo e Siona?

— Muito diferente.

— Então rebeldes são um caso especial.

Leto escancarou um sorriso.

— Todos os meus administradores mais confiáveis foram rebeldes um dia.

— Eu nunca fui um...

— Você foi um rebelde brilhante! Ajudou os Atreides a tomarem um Império das mãos de um monarca reinante.

Os olhos de Idaho desfocaram em introspecção.

— De fato, ajudei. — Ele balançou a cabeça de maneira brusca, como se quisesse tirar algo do cabelo. — E veja o que você fez com aquele Império!

— Eu estabeleci um padrão dentro dele, o padrão dos padrões.

— Assim o Senhor o diz.

— A informação fica congelada em padrões, Duncan. Podemos usar um padrão para resolver outro. Os padrões em fluxo são os mais difíceis de se reconhecer e de se compreender.

— Mais baboseiras.

— Você já cometeu esse erro uma vez.

— Por que o Senhor deixa os Tleilaxu continuarem a me trazer de volta à vida... um ghola após o outro? Onde está o *padrão* nisso?

— Pelas qualidades que você possui em abundância. Vou deixar meu pai dizer isso.

A boca de Idaho se transformou em uma linha soturna.

Leto falou na voz de Muad'Dib e até a face sob aquilo que se assemelhava a um capuz mostrou semelhança com as feições paternas.

— Você era meu amigo mais verdadeiro, Duncan, mais ainda do que Gurney Halleck. Mas eu sou o passado.

Idaho engoliu em seco.

— As coisas que o Senhor tem feito!
— São contra a natureza dos Atreides?
— Pode apostar!

Leto voltou a usar sua voz normal.

— No entanto, ainda sou Atreides.
— É mesmo?
— O que mais eu podia ser?
— Quem dera eu soubesse!
— Você pensa que faço truques com palavras e vozes?
— O que, em nome dos sete infernos, o Senhor está realmente fazendo?
— Preservo a vida enquanto arrumo o palco para o próximo ciclo.
— O Senhor a preserva matando?
— Em geral, a morte tem sido útil à vida.
— Isso não é Atreides!
— Mas é. Várias vezes percebemos o valor da morte. Os ixianos, contudo, nunca repararam nesse valor.
— O que os ixianos têm a ver...
— Tudo. Eles construiriam uma máquina para esconder suas outras maquinações.

Idaho falou, em tom meditativo:

— E por isso a embaixadora ixiana estava aqui?
— Você viu Hwi Noree – disse Leto.

Idaho apontou para cima.

— Ela estava saindo quando cheguei.

— Você falou com ela?

— Perguntei a ela o que fazia aqui. Ela disse que estava escolhendo lados.

Uma gargalhada irrompeu de Leto.

— Puxa vida – disse ele. – Ela é ótima. Revelou a escolha?

— Ela disse que agora serve ao Imperador Deus. Não acreditei nela, é claro.

— Mas você devia acreditar nela.

— Por quê?

— Ahhh, sim; esqueci que você chegou a duvidar até de minha avó, Lady Jéssica.

— Eu tinha bons motivos!

— Você também duvida de Siona?

— Começo a duvidar de todo mundo!

— E você diz que desconhece seu valor para mim – acusou Leto.

— Que tal Siona? – perguntou Idaho. – Ela diz que o Senhor quer que nós... quero dizer, maldição...

— O que você deve sempre confiar em Siona é em sua criatividade. Ela pode criar o novo e o belo. Deve-se sempre confiar naqueles verdadeiramente criativos.

— Mesmo nas maquinações dos ixianos?

— Isso não é criativo. Você sempre reconhece o criativo porque ele é revelado abertamente. Segredos trazem a existência de uma força totalmente alheia.

— Então o Senhor não acredita nessa Hwi Noree, mas o Senhor...

— Eu acredito nela *de verdade*, e pelos exatos motivos que acabei de falar.

Idaho franziu as sobrancelhas, depois relaxou e suspirou.

— Eu devia cultivar a amizade dela. Se ela é alguém que o Senhor...

— Não! Fique longe de Hwi Noree. Planejo algo especial para ela.

ISOLEI AS EXPERIÊNCIAS CITADINAS DENTRO DE MIM E AS EXAMINEI DE PERTO. A IDEIA DE UMA CIDADE ME FASCINA. A FORMAÇÃO DE UMA COMUNIDADE BIOLÓGICA SEM UMA COMUNIDADE SOCIAL, QUE A SUSTENTE DE MODO FUNCIONAL, LEVA À DEVASTAÇÃO. MUNDOS INTEIROS SE TRANSFORMARAM EM COMUNIDADES BIOLÓGICAS ÚNICAS SEM UMA ESTRUTURA SOCIAL INTER-RELACIONADA, E ISSO SEMPRE LEVOU À RUÍNA. TORNA-SE DRAMATICAMENTE INSTRUTIVO SOB CONDIÇÕES SUPERPOPULOSAS. O GUETO É LETAL. O ESTRESSE PSÍQUICO DA SUPERPOPULAÇÃO CRIA PRESSÕES QUE UM DIA VÃO ECLODIR. A CIDADE É UMA TENTATIVA DE ADMINISTRAR ESSAS FORÇAS. AS FORMAS SOCIAIS PELAS QUAIS AS CIDADES REALIZAM ESSA TENTATIVA SÃO DIGNAS DE ESTUDO. LEMBRE-SE DE QUE EXISTE CERTA MALEVOLÊNCIA EM TORNO DA FORMAÇÃO DE QUALQUER ORDEM SOCIAL. É A LUTA PELA SOBREVIVÊNCIA POR MEIO DE UMA ENTIDADE ARTIFICIAL. DESPOTISMO E ESCRAVIDÃO PAIRAM EM SUAS BORDAS. MUITOS DANOS OCORREM E, PORTANTO, EXISTE A NECESSIDADE DE LEIS. A LEI DESENVOLVE SUA PRÓPRIA ESTRUTURA DE PODER, CRIANDO MAIS FERIMENTOS E NOVAS INJUSTIÇAS. ESSE TRAUMA PODE SER CURADO PELA COOPERAÇÃO, NÃO PELA CONFRONTAÇÃO. A CONVOCAÇÃO PARA COOPERAR IDENTIFICA AQUELE CAPAZ DE CURAR.

— Os Diários Roubados

Moneo adentrou a pequena câmara de Leto com evidente agitação. Na verdade, ele preferia esse lugar de encontro, porque o coche do Imperador Deus ficava estacionado em um recesso, a partir do qual um ataque mortal do Verme seria mais difícil. Havia, também, o fator inegável de que Leto permitia que seu senescal descesse por um elevador-tubo ixiano em vez daquela rampa interminável. Ainda assim, Moneo sentia que as novidades que ele trazia esta manhã garantiriam o despertar do *Verme Que É Deus*.

Como apresentá-las?

O amanhecer tinha se dado havia apenas uma hora, no quarto dia do Festival, um fato que Moneo podia saudar com tranquilidade porque o deixava mais perto do fim daquelas atribulações.

Leto se torceu assim que Moneo entrou no gabinete. A iluminação apareceu a sua chamada, concentrada apenas em seu rosto.

– Bom dia, Moneo – disse ele. – Minha guarda me disse que você insistiu em me ver imediatamente. Por quê?

O perigo, Moneo conhecia por experiência, jazia na tentação de revelar muito, cedo demais.

– Passei algum tempo com a Reverenda Madre Anteac – ele disse. – Apesar de esconder tudo muito bem, tenho certeza de que ela é um Mentat.

– Sim. As Bene Gesserit acabariam por me desobedecer algum dia. Essa forma de desobediência me entretém.

– Então o Senhor não vai puni-las?

– Moneo, ao fim e ao cabo, sou o único progenitor que meu povo tem. Um progenitor deve ser tão generoso como severo.

Ele está de bom humor, pensou Moneo, e deixou escapar um leve suspiro, para o qual Leto sorriu.

– Anteac desaprovou quando contei que o Senhor havia ordenado uma anistia a alguns poucos Dançarinos Faciais selecionados entre os prisioneiros.

– Tenho um uso festivo para eles – respondeu Leto.

– Senhor?

– Contarei mais tarde. Vamos logo para as notícias que o fizeram entrar de supetão a essa hora.

– Eu... ahhh... – Moneo mordeu o lábio superior. – Os Tleilaxu têm sido bastante loquazes, tentando cair em boas graças comigo.

– Claro que eles têm sido. O que eles revelaram?

– Eles... ahhh, forneceram aos ixianos aconselhamento e aparelhagem suficientes para fabricar... hmmm, não exatamente um ghola e tampouco um clone. Talvez devamos usar o termo tleilaxu: *uma reestruturação celular*. O... ahhh, *experimento* foi conduzido dentro de uma forma de dispositivo de blindagem o qual os pilotos da Guilda asseguraram que os seus poderes não conseguem penetrar.

— E o resultado? — Leto sentiu que estava perguntando no vácuo gélido.

— Eles não têm certeza. Não houve permissão para que os Tleilaxu pudessem testemunhar. Entretanto, eles observaram que Malky entrou nessa... ahhh, câmara e saiu mais tarde com uma criança.

— Sim! Eu sei!

— O Senhor sabe? — Moneo estava intrigado.

— Por inferência. E tudo isso aconteceu há cerca de 26 anos?

— Correto, Senhor.

— Eles identificam a criança como Hwi Noree?

— Eles não têm certeza, Senhor, mas... — Moneo deu de ombros.

— Claro. O que você deduz disso, Moneo?

— Existe um propósito mais profundo arraigado à nova embaixadora ixiana.

— Certamente existe. Moneo, não lhe pareceu curioso o quanto Hwi, a gentil Hwi, representa um espelho do aterrador Malky? Ela é seu oposto em tudo, inclusive o sexo.

— Não havia pensado nisso, Senhor.

— Eu pensei.

— Eu a mandarei de volta a Ix imediatamente — disse Moneo.

— Você não fará nada disso!

— Mas, Senhor, se eles...

— Moneo, observei que você raramente vira as costas para o perigo. Outros o fazem com frequência, mas você o faz... raramente. Por que você faria com que eu colaborasse com uma estupidez tão óbvia?

Moneo engoliu em seco.

— Bom. Gosto quando você reconhece os erros em seus modos — disse Leto.

— Obrigado, Senhor.

— Eu também gosto quando você expressa sua gratidão de forma sincera, como acaba de fazer. Agora, Anteac estava com você quando ouviu essas revelações?

— Como o Senhor ordenou.

— Excelente. Isso vai agitar um pouco as coisas. Agora, saia e vá até Lady Hwi. Diga a ela que desejo vê-la imediatamente. Isso vai perturbá-la. Ela pensa que nós não nos encontraremos de novo até que eu a convoque para ir até a Cidadela. Quero que você aquiete os medos dela.

— De que forma, Senhor?

— Moneo, por que você pede conselhos sobre assuntos nos quais você é especialista? — Leto falou com tristeza. — Acalme-a e traga-a aqui com a certeza de que minhas intenções em relação a ela são as mais gentis.

— Sim, Senhor. — Moneo se inclinou e deu um passo para trás.

— Espere, Moneo!

Moneo se empertigou, o olhar fixo no rosto de Leto.

— Você está intrigado, Moneo — observou Leto. — Às vezes não sabe o que pensar de mim. Seria eu todo-poderoso e todo-presciente? Você me traz esses pequenas notícias sem importância e se pergunta: *Ele já sabe disso? Se ele sabe, por que me importar?* Contudo, ordenei a você que me relatasse essas coisas, Moneo. Sua obediência não lhe é instrutiva?

Moneo começou a dar de ombros, mas mudou de ideia. Seus lábios tremeram.

— O tempo pode também ser um lugar, Moneo — disse Leto. — Tudo depende de onde se está, de onde olha e do que se ouve. A medida disso está na própria consciência.

Depois de um longo silêncio, Moneo se arriscou:

— Isso é tudo, Senhor?

— Não, isso *não* é tudo. Siona vai receber hoje um pacote, que será trazido por um mensageiro da Guilda. Nada deve ser feito para impedir a entrega desse pacote. Entendeu?

— O que está... o que está dentro do pacote, Senhor?

— Algumas traduções, material de leitura que desejo que ela leia. Você não fará nada que interfira. Não há mélange no pacote.

— Como... como o Senhor sabia o que eu temia que haveria no...

— Porque você tem medo da especiaria. Ela seria capaz de prolongar sua vida, mas você a evita.

— Temo seus *outros* efeitos, Senhor.

— Uma natureza magnânima decretou que o mélange desvelará para alguns de nós profundezas inesperadas da psique. Ainda assim você a teme?

— Eu sou *Atreides*, Senhor!

— Ah, sim. E para os Atreides o mélange pode desdobrar o mistério do tempo por meio de um processo peculiar de revelação interna.

— Preciso apenas me recordar da forma como o Senhor me testou.

— Você não percebe a necessidade de sentir o Caminho Dourado?

— Não é isso o que temo, Senhor.

— Você teme a outra perplexidade, a coisa que me fez tomar *minha* escolha.

— Preciso apenas olhar para o Senhor e conhecer tal temor. Nós, Atreides... — ele interrompeu a frase, sua boca seca.

— Você não quer todas essas memórias dos ancestrais e dos outros que se agrupam dentro de mim!

— Às vezes... às vezes, Senhor, penso que a especiaria é a maldição dos Atreides!

— Você deseja que *eu* não tivesse acontecido?

Moneo permaneceu em silêncio.

— Mas o mélange tem seus valores, Moneo. Os navegadores da Guilda precisam dela. E, sem ela, as Bene Gesserit teriam se degenerado em um bando desamparado de mulheres resmungonas!

— Devemos viver com ou sem ela, Senhor. Sei disso.

— Bem observado, Moneo. Mas você escolhe viver sem ela.

— Não tenho essa escolha, Senhor?

— Por ora.

— O que o Senhor...

— Existem 28 palavras diferentes para mélange em galach comum. Eles o descrevem pela intenção de seu uso, pela sua diluição, pela sua idade, se adveio de uma compra honesta, roubo ou conquista, se ela foi um dote recebido por um homem ou por uma mulher e por várias outras formas ela é nomeada. O que você acha disso, Moneo?

— Muitas escolhas nos são oferecidas, Senhor.

— Apenas no que diz respeito à especiaria?

As sobrancelhas de Moneo se franziram em pensamento e então ele disse:

— Não.

— É tão raro você dizer "não" em minha presença — disse Leto. — Gosto de observar seus lábios formulando essa palavra.

A boca de Moneo se retorceu em uma tentativa de sorriso.

Leto falou de forma enérgica.

— Bem! Você deve ir até Lady Hwi agora. Vou lhe dar um pequeno conselho antes que você parta que pode ajudá-lo.

Moneo prestou uma atenção estudiosa ao rosto de Leto.

— O conhecimento das drogas se originou, em grande parte, com indivíduos do sexo masculino, pois eles tendem a ser mais aventureiros... uma consequência da agressividade masculina. Você leu sua Bíblia Católica de Orange, logo você conhece a história de Eva e a maçã. Eva não foi a primeira a colher e provar a maçã. Adão foi o primeiro e, a partir disso, ele aprendeu a culpar Eva. Minha história lhe diz algo sobre como nossas sociedades encontram uma necessidade estrutural para subgrupos.

Moneo inclinou suavemente a cabeça para a esquerda.

— Senhor, como isso me ajuda?

— Vai ajudá-lo com Lady Hwi!

A MULTIPLICIDADE SINGULAR DESTE UNIVERSO ATRAI
MINHA ATENÇÃO MAIS PROFUNDA. É ALGO DE UMA BELEZA
INCOMPARÁVEL.

— Os Diários Roubados

Leto ouviu Moneo na antessala logo antes de Hwi entrar na pequena sala de audiências. Ela vestia pantalonas volumosas de um pálido tom esverdeado, presas com firmeza nos calcanhares com fitas verde-escuras, que combinavam com suas sandálias. Uma blusa solta do mesmo verde-escuro podia ser vista por debaixo de sua capa negra.

Ela parecia calma conforme se aproximava de Leto e sentou-se sem ser convidada, escolhendo uma almofada dourada em vez da vermelha que ocupara antes. Levara menos de uma hora para que Moneo a trouxesse. A audição apurada de Leto detectou a inquietação de Moneo na antessala e mandou um sinal que selava a porta em arco.

— Algo perturbou Moneo — Hwi falou. — Ele se esforçou muito para não revelar nada a mim, contudo, quanto mais tentava me acalmar, mais atiçava minha curiosidade.

— Ele não a assustou?

— Ah, não. Ele acabou dizendo algo muito interessante. Disse que devo ter em mente, em todas as ocasiões, que Deus Leto é uma pessoa diferente para cada um de nós.

— Por que isso é interessante? — indagou Leto.

— Interessante foi a questão para a qual isso foi o preâmbulo. Ele disse que se pergunta com frequência qual é nosso papel na criação dessa diferença no Senhor.

— Isso é interessante.

— Creio que seja um *insight* genuíno — disse Hwi Noree. — Por que o Senhor me convocou?

— Certa vez, seus mestres em Ix...

— Eles não são mais meus mestres, Senhor.

— Perdoe-me. De agora em diante, referir-me-ei a eles apenas como ixianos.

Ela assentiu de forma solene, retomando:

— Certa vez...

— Os ixianos contemplaram a ideia de construir uma arma: um tipo de caçador-buscador, uma morte autoimpulsionada com a mente de máquina. Era para ser projetado de forma que se autoaperfeiçoasse, que procuraria vida e a reduziria à matéria inorgânica.

— Nunca ouvi falar dessa coisa, Senhor.

— Sei disso. Os ixianos não reconhecem que construtores de máquinas sempre correm o risco de se transformar totalmente em máquinas. Essa é a esterilidade derradeira. Máquinas sempre falham... depois de algum tempo. E quando essas máquinas falham nada sobra, vida nenhuma.

— Às vezes, penso que são loucos — disse ela.

— Mesma opinião de Anteac. Esse é o problema imediato. Agora, os ixianos se dedicam a um trabalho oculto.

— Mesmo para o Senhor?

— Mesmo para mim. Estou enviando a Reverenda Madre para investigá-lo. Para ajudá-la, quero que conte a ela tudo que puder sobre o lugar onde você passou sua infância. Não omita nenhum detalhe, por menor que seja. Anteac vai ajudar você a se lembrar. Queremos todos os sons, todos os odores, as formas e os nomes dos visitantes, cores e até os arrepios em sua pele. O menor indício pode ser vital.

— O Senhor acha que esse é o lugar que ocultam?

— Sei que é.

— E o Senhor pensa que eles estão fabricando essa arma no...

— Não, mas usaremos como desculpa para investigar o lugar onde você nasceu.

Ela abriu a boca e gradualmente a transformou em um sorriso.

— Meu Senhor é astuto. Vou falar com a Reverenda Madre imediatamente — Hwi começou a se levantar, mas ele a fez parar com um gesto.

— Não devemos deixar transparecer nossa pressa — disse ele.

Ela afundou de novo na almofada.

— Cada um de nós é diferente, como observou Moneo — disse ele. — Gênesis não para. Seu deus continua a criar você.

— O que Anteac vai descobrir? Você sabe, não?

— Digamos que eu tenha uma forte convicção. Agora, você não fez menção ao assunto que abordei há pouco. Você não tem perguntas?

— O Senhor proverá as respostas conforme eu necessitar delas.

Foi uma afirmação de uma confiança tão completa que calou a voz de Leto. Ele apenas era capaz de olhar para ela, compreendendo quão extraordinário era esse feito dos ixianos... este ser humano. Hwi continuava precisamente fiel aos ditames da moralidade que ela mesma escolheu. Ela era graciosa, calorosa e honesta, além de possuir um senso de empatia que a forçava a compartilhar todas as angústias daqueles com quem se identificava. Ele podia imaginar o desconsolo de suas professoras Bene Gesserit quando confrontadas com esse núcleo impassível de auto-honestidade. As professoras, obviamente, haviam sido limitadas a adicionar um toque aqui, uma habilidade ali, tudo reforçando aquele poder que a impedia de se tornar uma Bene Gesserit. Como aquilo as devia ter amargurado!

— Senhor — disse ela —, quero conhecer os motivos que o forçaram a escolher esta vida.

— Primeiro você deve entender como é prever nosso futuro.

— Com sua ajuda, tentarei.

— Nada está realmente separado de seu início — disse ele. — Ver futuros é a visão de um *continuum*, no qual todas as coisas tomam formato, como bolhas se formando debaixo de uma cachoeira. Você as vê e então elas somem na correnteza. Se a *correnteza* acaba, é como se as bolhas nunca tivessem existido. Essa correnteza é meu Caminho Dourado e eu o vi acabar.

— Sua escolha... — ela apontou para o corpo dele — fez essa mudança?

— Está mudando. A mudança vem não apenas pela forma da minha vida, mas também pela forma da minha morte.

— O Senhor sabe como vai morrer?

— Não *como*. Conheço apenas o Caminho Dourado no qual minha morte ocorrerá.

— Senhor, eu não...

— É difícil de compreender, eu sei. Vou morrer quatro mortes: a morte da carne, a morte da alma, a morte do mito e a morte da razão. E todas essas mortes contêm a semente da ressurreição.

— O Senhor retornará da...

— As sementes retornarão.

— Quando o Senhor morrer, o que acontecerá com sua religião?

— Todas as religiões são uma única congregação. O âmbito permanece intacto dentro do Caminho Dourado. O problema é que homens veem primeiro uma parte e depois outra. Delírios podem ser chamados de acidentes dos sentidos.

— Ainda assim, as pessoas vão adorá-lo — ela observou.

— Sim.

— Mas quando *eternamente* acabar, haverá raiva — disse ela. — Haverá a negação. Alguns dirão que o Senhor era apenas outro tirano.

— Delírio — ele concordou.

Um aperto na garganta a impediu de falar por um momento, mas logo depois ela continuou:

— Como sua vida e sua morte mudam o... — ela balançou a cabeça.

— A vida continuará.

— Acredito nisso, Senhor, mas como?

— Cada ciclo é uma reação ao ciclo anterior. Se você pensar no formato do meu Império, você saberá o formato do próximo ciclo.

Ela afastou o olhar dele.

— Tudo que aprendi sobre sua Família me disse que o Senhor faria isso... — ela fez um gesto às cegas, em direção a ele — apenas com um motivo altruísta. Acho que, apesar disso, não conheço o *formato* do seu Império.

— A Paz Dourada de Leto?

— Há menos paz do que alguns nos fazem acreditar — disse ela, olhando de volta para ele.

Aquela honestidade que é particular a ela!, pensou Leto. *Nada a intimida.*

— Este é o tempo do estômago — ele declarou. — Este é o tempo em que nós nos expandimos assim como uma única célula se expande.

— Contudo, algo está faltando — disse ela.

Ela é como os Duncan, pensou ele. *Alguma coisa está faltando e eles pressentem isso imediatamente.*

— A carne cresce, mas a psique não cresce — disse ele.

— A psique?

— Aquela percepção reflexiva que nos informa quão *muito* vivos podemos nos tornar. Você a conhece bem, Hwi. É aquele senso que lhe diz para ser verdadeira consigo mesma.

— Sua religião não é suficiente — disse ela.

— Nenhuma religião será suficiente. É uma questão de escolha... uma escolha única e solitária. Agora você compreende por que sua amizade e companhia significam tanto para mim?

Ela assentiu, piscando para conter suas lágrimas, e então disse:

— Por que as pessoas não sabem disso?

— Porque as condições não permitem.

— As condições que o Senhor determina?

— Exatamente. Observe todo o meu Império. Você vê o formato?

Ela fechou os olhos, pensando.

— Certa pessoa deseja sentar ao lado de um rio e pescar todo dia? — perguntou ele. — Excelente. Assim é essa vida. Você quer velejar em um pequeno barco através de um mar de ilhas e visitar pessoas novas? Magnífico! O que mais há para fazer?

— Viajar no espaço? — ela perguntou e havia um desafiante em sua voz. Ela abriu os olhos.

— Você já percebeu que a Guilda e eu não permitimos.
— O *Senhor* não permite.
— Verdade. Se a Guilda me desobedecer, fica sem especiaria.
— E manter as pessoas dentro dos limites planetários as afasta de confusões.
— Faz mais do que isso. Dá a elas a vontade de viajar. Cria uma *necessidade* de fazer viagens a lugares longínquos e ver coisas exóticas. Por fim, viajar começa a significar liberdade.
— Mas a quantidade de especiaria diminui — disse ela.
— E a liberdade se torna cada dia mais preciosa.
— Isso pode apenas levar a destemor e violência.
— Um sábio dentre meus ancestrais... na verdade eu fui essa pessoa, sabe? Você entende que não há estranhos em meu passado?

Ela assentiu, estupefata.

— Esse sábio observou que a riqueza é uma ferramenta de liberdade. Mas a busca pela riqueza é o caminho para a escravidão.
— A Guilda e a Irmandade escravizam a si próprios!
— Como também os ixianos e os Tleilaxu e todos os outros. Oh, eles encontram um pouco de mélange escondido de tempos em tempos e isso mantém suas atenções fixadas. Um jogo bem interessante, você não acha?
— Mas quando a violência vier...
— Haverá escassez e pensamentos severos.
— Aqui em Arrakis também?
— Aqui, ali, em todos os lugares. As pessoas verão minha tirania como *os bons e velhos dias*. Serei o espelho de seus futuros.
— Mas será terrível! — ela objetou.

Ela não podia ter outra reação, pensou ele.

— Conforme a terra se recusar a amparar o povo, os sobreviventes vão se aglomerar em refúgios cada vez menores. Um processo de seleção terrível será repetido em vários mundos... taxas de nascimento explosivas e escassez de comida.

— Mas a Guilda não poderia...

— A Guilda estará amplamente desamparada sem mélange suficiente para tornar disponíveis tantos transportes.

— Os ricos não escaparão?

— Alguns deles.

— Então, na verdade, o Senhor não conseguiu mudar nada. Apenas vamos continuar lutando e morrendo.

— Até que os vermes da areia voltem a reinar mais uma vez em Arrakis. Já teremos testado a nós mesmos até lá, com uma experiência profunda compartilhada com todos. Teremos aprendido que algo que acontece em um planeta pode acontecer em outro.

— Tanta dor e morte — ela sussurrou.

— Você não compreende a morte? — ele perguntou — Você deve compreender. As espécies devem compreender. Toda vida deve compreender.

— Ajude-me, Senhor — sussurrou ela.

— É a experiência mais profunda de qualquer criatura — disse ele. — Logo depois da morte, vêm as coisas que podem causá-la e que a espelham: doenças que ameaçam a vida, ferimentos e acidentes... para as mulheres, dar à luz... e, certa vez, o combate para homens.

— Mas suas Oradoras Peixe são...

— Elas ensinam a respeito da sobrevivência — disse ele.

Seus olhos se arregalaram com a compreensão.

— Os sobreviventes. É claro!

— Quão preciosa você é — ele disse. — Quão rara e preciosa. Abençoados sejam os ixianos.

— E malditos sejam?

— Isso também.

— Nunca pensei que iria entender suas Oradoras Peixe.

— Nem Moneo entende — disse ele. — E eu perco as esperanças com os Duncan.

— Deve-se apreciar a vida antes de querer preservá-la — ela falou.

— E são os sobreviventes que mantêm o apego mais leve e pungente às belezas da vida. As mulheres sabem disso com maior frequência do que os homens porque o nascimento é o reflexo da morte.

— Meu tio Malky sempre me disse que o Senhor tinha boas razões para impedir os combates e a violência casual contra os homens. Que lição amarga!

— Sem violência à disposição imediata, homens possuem pouquíssimas formas de testar como vão encontrar tal experiência final – ele comentou. – Algo está faltando. A psique não cresce. O que as pessoas dizem sobre a Paz de Leto?

— Que o Senhor nos faz chafurdar em uma decadência sem sentido, como porcos em seus próprios dejetos.

— Sempre reconheça a precisão da sabedoria popular – ele pontificou. – Decadência.

— A maioria dos homens não possui princípios – ela observou. – As mulheres de Ix reclamam sobre isso constantemente.

— Quando preciso identificar rebeldes, procuro homens com princípios – disse ele.

Hwi olhou para o Imperador Deus em silêncio e ele pensou em como aquela reação simples falava tão profundamente sobre a inteligência dela.

— Onde você acha que consigo meus melhores administradores?

Um breve ofegar escapou de Hwi.

— Princípios – disse ele – são as coisas pelas quais você luta. A maioria dos homens passa a vida sem ser desafiados, exceto no momento final. Eles possuem pouquíssimas arenas hostis nas quais possam se testar.

— Eles têm o Senhor – disse ela.

— Mas eu sou muito poderoso – ele rebateu. – Sou o equivalente de suicídio. Quem procuraria morte certa?

— Loucos... ou os desesperados. Rebeldes?

— Sou o equivalente à guerra para eles — Leto argumentou. — O predador derradeiro. Sou a força coesiva que os estilhaça.

— Nunca pensei em mim mesma como rebelde — ela disse.

— Você é algo muito melhor.

— E você me usaria de alguma forma?

— Sim.

— Não como administradora — ela comentou.

— Já possuo bons administradores: incorruptíveis, sagazes, filosóficos e francos em relação a seus erros, rápidos para enxergar decisões.

— Eles eram rebeldes?

— A maioria deles.

— Como são escolhidos?

— Eu diria que eles mesmos se escolhem.

— Pela sobrevivência.

— Por isso também. Mas há outro fator. A diferença entre um bom administrador e um ruim é de cerca de cinco batidas de coração. Bons administradores tomam escolhas de imediato.

— Escolhas aceitáveis?

— Elas costumam ser aceitáveis. Um administrador ruim, por outro lado, hesita, vacila, pede a formação de comitês, pesquisas e relatórios. No final, age de maneiras que causam sérios problemas.

— Mas, às vezes, eles não precisam de maiores informações para tomar...

— Um administrador ruim está mais preocupado com relatórios do que com decisões. Ele quer um relatório complicado, que possa servir como desculpa para seus erros.

— E bons administradores?

— Eles se baseiam em ordens verbais. Nunca mentem sobre o que fizeram, se suas ordens verbais causam problemas e se cercam de pessoas capazes de agir com sabedoria, baseados nas ordens verbais. Geralmente, a informação mais importante é de alguma coisa que tenha dado errado. Administradores ruins escondem seus erros até que seja muito tarde para fazer correções.

Leto a observou enquanto ela pensava sobre as pessoas que o serviam... especialmente Moneo.

— Homens de decisão – disse ela.

— Uma das coisas mais difíceis para um tirano encontrar – ele observou – são pessoas que, de fato, tomem decisões.

— Mas seu conhecimento íntimo do passado não lhe dá algum...

— Ele me traz um pouco de entretenimento. Grande parte das burocracias que vieram antes da minha procurava e promovia pessoas que evitavam tomar decisões.

— Entendo. Como o Senhor me usaria?

— Você se casaria comigo?

Os lábios dela esboçaram um leve sorriso.

— Mulheres, também, podem tomar decisões. Eu me casarei com o Senhor.

— Então vá e instrua a Reverenda Madre. Certifique-se de que ela saiba o que está procurando.

— Por minha gênese – ela disse. – O Senhor e eu já conhecemos o meu propósito.

— O qual não é separado de sua fonte – acrescentou ele.

Ela se levantou, então questionou:

— Será que o Senhor poderia estar errado sobre seu Caminho Dourado? A possibilidade de uma falha...

— Qualquer coisa e qualquer um podem falhar – ele a interrompeu –, mas amigos bons e corajosos ajudam.

GRUPOS TENDEM A CONDICIONAR SEUS ARREDORES PARA A SOBREVIVÊNCIA DO PRÓPRIO GRUPO. QUANDO SE DESVIAM DISSO, PODE SER CONSIDERADO UM SINAL DE ENFERMIDADE DO GRUPO. PODE HAVER VÁRIOS SINTOMAS INDICADORES. OBSERVO O COMPARTILHAMENTO DA COMIDA. ESTA É UMA FORMA DE COMUNICAÇÃO, UM SINAL INESCAPÁVEL DE AJUDA MÚTUA QUE TAMBÉM CONTÉM UM INDÍCIO MORTAL DE DEPENDÊNCIA. É INTERESSANTE QUE OS HOMENS SEJAM AQUELES QUE CUIDEM, GERALMENTE, DA TERRA. HOJE SÃO MARIDOS-HOMENS. HÁ ALGUM TEMPO, ERA TRABALHO SÓ DAS MULHERES.

— Os Diários Roubados

"As senhoras deverão perdoar as imperfeições deste relatório", escreveu a Reverenda Madre Anteac. "Atribuam isso à necessidade de pressa. Pela manhã, parto para Ix, meu propósito sendo o mesmo que relatei em maiores detalhes anteriormente. O interesse profundo e sincero do Imperador Deus em Ix não pode ser negado, mas o que devo recontar é a estranha visita que acabei de receber da embaixadora ixiana, Hwi Noree."

Anteac aprumou-se no banco inadequado, que fora o melhor que pudera arrumar naqueles alojamentos espartanos. Ela estava sentada sozinha em seu quarto diminuto, o espaço-dentro-do-espaço que o Senhor Leto havia se recusado a mudar mesmo depois do aviso das Bene Gesserit sobre a traição dos Tleilaxu.

No colo de Anteac jazia um pequeno quadrado de um negro retinto, com cerca de dez milímetros de um lado e não mais do que três milímetros de espessura. Ela escrevia sobre esse quadrado com uma agulha brilhante: uma palavra após a outra, todas eram absorvidas pelo quadrado. A mensagem completa seria impressa sobre os nervos receptores dos olhos de uma acólita-mensageira e ficariam latentes ali até que pudessem ser reproduzidas na Casa Capitular.

Hwi Noree representava um grande dilema!

Anteac conhecia os relatos das instrutoras Bene Gesserit que haviam sido enviadas para instruir Hwi em Ix. Contudo, esses relatos deixavam muito mais coisas de fora do que de fato contavam. Eles suscitavam grandes perguntas.

Por quais aventuras você passou, querida?
Quais foram as dificuldades da sua juventude?

Anteac fungou e relanceou para baixo, na direção do pequeno quadrado preto que a aguardava. Tais pensamentos trouxeram-lhe à mente a crença dos fremen, a qual dizia que a terra de seu nascimento o tornava quem você era.

— Existem animais estranhos em seu planeta? — os fremen perguntariam.

Hwi chegara com uma impressionante escolta de Oradoras Peixe, mais de cem mulheres corpulentas, todas elas fortemente armadas. Poucas vezes Anteac havia visto tal desfile de armas: armaleses, longas facas, lâminas-de-prata, granadas de atordoamento...

Acontecera no meio da manhã. Hwi entrara, deixando as Oradoras Peixe para vigiar os alojamentos das Bene Gesserit, todos à exceção desse espartano quarto interno.

Anteac varrera seu alojamento com o olhar. O Senhor Leto lhe dizia algo, mantendo-a ali.

"É assim que você mede seu valor para o Imperador Deus!"

Exceto que... agora ele enviava uma Reverenda Madre para Ix e o motivo fascinante dessa jornada sugerira muitas coisas sobre o Senhor Leto. Talvez os tempos estivessem para mudar, novas honras e mais mélange para a Irmandade.

Tudo depende de quão bem eu cumpra a tarefa.

Hwi adentrara o quarto, sozinha, e se sentara de forma recatada sobre o catre de Anteac, sua cabeça mais inclinada que a da Reverenda Madre. Um belo detalhe e que não era acidental. As Oradoras Peixe obviamente podiam tê-las colocado em qualquer lugar e em qualquer relação que Hwi desejasse. As primeiras palavras chocantes de Hwi deixaram poucas dúvidas sobre isso.

— A senhora deve saber desde o começo que vou me casar com o Senhor Leto.

Fora necessário um controle profundo para que Anteac não ficasse boquiaberta. O senso de verdade de Anteac confirmou a sinceridade das palavras de Hwi, mas o conteúdo inteiro não podia ser avaliado.

— O Senhor Leto comanda que a senhora não diga uma palavra a esse respeito com ninguém — Hwi adicionara.

Que dilema!, pensou Anteac. *Será que posso pelo menos reportar isso a minhas Irmãs na Casa Capitular?*

— Todos saberão na hora certa — dissera Hwi Noree. — Não é a hora certa. Digo-lhe isso porque ajuda a mostrar à senhora a gravidade da confiança do Senhor Leto.

— A confiança dele em você?

— Em nós duas.

Tal frase provocara um arrepio mal contido em Anteac. O poder inerente a tal confiança!

— Você sabe por que Ix a escolheu como embaixadora? — perguntara Anteac.

— Sim. Eles tinham a intenção de que eu o seduzisse.

— Parece que você foi bem-sucedida. Isso significa que os ixianos acreditam nas histórias dos Tleilaxu sobre os hábitos vulgares do Senhor Leto?

— Nem mesmo os Tleilaxu acreditam nelas.

— Devo assumir, então, que você confirma a falsidade dessas histórias?

Hwi havia respondido com tamanha insipidez que nem mesmo o sentido de verdade e as habilidades de Anteac como Mentat tinham sido capazes de decifrar.

— A senhora conversou com ele e o observou. Responda a essa pergunta por si mesma.

Anteac conteve um pequeno acesso de irritação. Apesar de sua juventude, essa Hwi não era uma acólita... e jamais seria uma boa Bene Gesserit. Que pena!

— Você relatou isso a seu governo em Ix? — questionara Anteac.

— Não.

— Por quê?

— Eles logo o saberão. A revelação prematura poderia prejudicar o Senhor Leto.

Ela é confiável, lembrou-se Anteac.

— Sua primeira lealdade não é com Ix? — perguntara Anteac.

— A verdade é minha primeira lealdade. — Ela sorrira então. — Ix produziu algo melhor do que pensava.

— Ix a considera como uma ameaça ao Imperador Deus?

— Penso que o interesse primário deles é conhecimento. Discuti isso com Ampre antes de deixar Ix.

— O diretor de Assuntos Ixianos Extrafederativos? Esse Ampre?

— Sim. Ampre está convencido de que o Senhor Leto permite ameaças a sua pessoa somente até certo limite.

— Ampre disse isso?

— Ampre não acredita que o futuro possa ser escondido do Senhor Leto.

— Mas minha missão para Ix está carregada de uma sugestão que... — Anteac interrompera sua fala e balançara a cabeça. E então emendara: — Por que Ix fornece ao Senhor máquinas e armas?

— Ampre acredita que Ix não tem escolha. Uma força esmagadora destrói as pessoas que representam uma ameaça grande demais.

— E se Ix se recusasse, ultrapassaria os limites do Senhor Leto. Sem meio-termo. Você pensou nas consequências de casar-se com o Senhor Leto?

— A senhora se refere às dúvidas que tal ato levantará sobre sua divindade?

— Alguns vão acreditar nas histórias dos Tleilaxu.

Hwi apenas sorriu.

Maldição!, pensou Anteac. *Como foi que perdemos essa garota?*

— Ele está mudando o delineamento de sua religião — acusara Anteac. — Só pode ser isso, é claro.

— Não cometa o erro de julgar a todos se baseando em vocês mesmas — dissera Hwi. E, conforme Anteac começara a se controlar, Hwi adicionara: — Mas não vim aqui para discutir com a senhora sobre o Senhor.

— Não. Claro que não.

— O Senhor Leto me ordenou contar para a senhora todos os detalhes em minha memória sobre o lugar onde nasci e cresci — dissera Hwi.

Enquanto considerava as palavras de Hwi, Anteac olhara para o críptico quadrado negro em seu colo. Hwi havia começado a narrar os detalhes que Seu Senhor (e agora noivo!) havia ordenado, detalhes que, por vezes, seriam entediantes não fosse pelas habilidades Mentat de absorção de dados de Anteac.

Anteac balançou a cabeça enquanto pensava no que deveria ser reportado a suas irmãs na Casa Capitular. Elas já estariam estudando a importância da mensagem anterior. Uma máquina que seria capaz de esconder a si mesma e seus conteúdos da presciência penetrante até do próprio Imperador Deus? Seria isso possível? Ou era um tipo diferente de teste, um teste da sinceridade das Bene Gesserit para com seu Senhor? Mas agora! Se ele já *não* soubesse a gênese dessa enigmática Hwi Noree...

Esse novo desenvolvimento reforçou a conclusão Mentat de Anteac de por que ela ter sido escolhida para a missão em Ix. O Imperador Deus não confiara essa informação a suas Oradoras Peixe. Ele não queria que as Oradoras Peixe suspeitassem de uma fraqueza em Seu Senhor!

Ou era tão óbvio quanto parecia? Maquinações dentro de maquinações... essa era a maneira do Senhor Leto de resolver as coisas.

Mais uma vez, Anteac balançou a cabeça. Ela então se curvou e continuou seu relatório para a Casa Capitular, deixando de fora a informação de que o Imperador Deus escolhera uma noiva.

Elas logo o saberiam. Enquanto isso, a própria Anteac consideraria as implicações.

> SE VOCÊ CONHECE TODOS OS SEUS ANCESTRAIS, FOI TESTEMUNHA PESSOAL DOS EVENTOS QUE CRIARAM OS MITOS E AS RELIGIÕES DE NOSSO PASSADO. RECONHECENDO ISSO, VOCÊ DEVE ME CONSIDERAR UM CRIADOR DE MITOS.
>
> — Os Diários Roubados

A primeira explosão veio assim que a escuridão envolveu a cidade de Onn. A detonação atingiu alguns foliões aventureiros do lado de fora da Embaixada ixiana, passando a caminho de uma festa onde (assim fora prometido) Dançarinos Faciais apresentariam uma peça dramática antiga sobre um rei que matara seus próprios filhos. Depois dos eventos violentos dos primeiros quatro dias do Festival, fora necessária certa coragem para que os foliões emergissem da relativa segurança de seus alojamentos. Histórias de que transeuntes inocentes haviam morrido ou se ferido circulavam por toda a Cidadela (e fechando novamente o círculo), fornecendo mais combustível para os cautelosos.

Nenhuma das vítimas e dos sobreviventes teria apreciado a observação de Leto de que transeuntes inocentes estavam cada vez mais escassos.

Os sentidos aguçados de Leto detectaram a explosão e a localizaram. Em um acesso de fúria do qual depois se arrependeria, ele clamou por suas Oradoras Peixe e ordenou que elas "eliminassem os Dançarinos Faciais", mesmo aqueles de quem ele havia poupado a vida antes.

Em uma reflexão imediata, a própria sensação de fúria fascinara Leto. Havia muito tempo desde que ele sentira o menor vestígio de raiva. Frustração, irritação: esses sempre foram seus limites. Mas agora, diante de uma ameaça a Hwi Noree, fúria!

A reflexão fez com que ele modificasse seu comando inicial, mas não antes que algumas Oradoras Peixe tivessem deixado sua presença real às pressas, seus desejos mais violentos libertos pelo que haviam evidenciado em Seu Senhor.

— Deus está furioso! — gritaram algumas delas.

A segunda explosão pegou algumas das Oradoras Peixe emergindo na praça, limitando o alcance da ordem modificada de Leto e incitando mais violência. A terceira explosão, localizada próximo à primeira, fez com que o próprio Leto entrasse em ação. Ele impulsionou seu coche, como se fosse um *berserker* incontrolável, para fora de sua câmara de repouso e para dentro do elevador ixiano, em direção à superfície.

Leto emergiu nas cercanias da praça, encontrando uma cena de caos iluminada por milhares de luciglobos flutuantes, liberados pelas Oradoras Peixe. O palco central da praça havia sido despedaçado, deixando intacta apenas a base de açoplás por baixo da superfície pavimentada. Pedaços quebrados de alvenaria estavam por todo lado, misturados aos mortos e feridos.

Na direção da Embaixada ixiana, na extremidade oposta da praça em relação a ele, havia uma onda selvagem de combate.

— Onde está meu Duncan? — bradou Leto.

Uma bashar da guarda veio correndo pela praça até chegar ao lado dele, onde relatou, com a respiração ofegante.

— Nós o levamos até a Cidadela, Senhor!

— O que está acontecendo ali? — perguntou Leto, apontando para a batalha do lado de fora da Embaixada ixiana.

— Os rebeldes e os Tleilaxu estão atacando a Embaixada ixiana, Senhor. Eles possuem explosivos.

Enquanto ela falava, outra detonação irrompeu na frente da fachada destruída da Embaixada. Ele viu corpos se contorcendo no ar, afastando-se em uma trajetória em arco e caindo no perímetro de um clarão intenso, que preencheu os olhos com uma imagem laranja, cravejada de pontos negros.

Sem pensar nas consequências, Leto ativou os suspensores do coche e cruzou a praça como se fosse uma bala: uma criatura monstruosa propelida, arrastando luciglobos atrás de si. No limiar da batalha, ele se arqueou sobre suas próprias defensoras e se atirou sobre o flanco dos atacantes, percebendo apenas naquele momento as armaleses, que mandaram arcos azuis lívidos saltando até ele. Leto sentiu seu coche colidindo contra carne, espalhando corpos para todos os lados.

O coche o despejou diretamente na frente da Embaixada, fazendo-o rolar sobre uma superfície dura conforme se chocava contra os destroços. Ele sentia os feixes das armaleses provocando cócegas em seu corpo anelado e, então, o surto interno de calor, seguido por uma exalação de oxigênio a partir de sua cauda. O instinto fez com que ele afundasse sua face na moldura e dobrasse seus braços em direção às profundezas protetoras de seu segmento frontal. O corpo-verme assumiu controle, arqueando e se debatendo, girando como uma roda enlouquecida, açoitando para todos os lados.

Sangue encharcou a rua. O sangue era uma reserva de água para seu corpo, mas a morte liberava essa água. Seu corpo ondulante escorregou e deslizou pelo chão, a água produzia uma fumaça azulada de cada trecho flexível onde penetrava pela pele de trutas da areia. Isso provocava nele uma agonia de água que incitava mais violência em seu corpanzil ondulante.

Durante o primeiro ataque de Leto, o perímetro das Oradoras Peixe retrocedera. Uma bashar alerta viu a oportunidade que se apresentava. Ela gritou acima do ruído da batalha:

– Peguem os desgarrados!

As fileiras das mulheres guardiãs correram para a frente.

Por alguns minutos, as Oradoras Peixe conduziram uma dança sanguinária, espadas golpeando sem misericórdia sob a luz dos luciglobos, a dança dos disparos das armaleses, inclusive o cortar de mãos e os dedos dos pés afundando em carne vulnerável. As Oradoras Peixe não deixaram sobreviventes.

Leto rolou para longe do caos sanguinário à frente da Embaixada, quase sem conseguir pensar em meio às ondas de agonia de água.

Ao seu redor, o ar estava repleto de oxigênio e isso o ajudou a recuperar seus sentidos humanos. Ele invocou seu coche, que flutuou até ele, inclinando-se precariamente sobre suspensores avariados. Lentamente, ele se contorceu até subir no carro inclinado e lhe deu o comando mental para retornar a seu alojamento sob a praça.

Muito tempo antes, ele havia se precavido contra danos causados pela água: um cômodo onde rajadas de ar seco superaquecido o limpariam e o restaurariam. Areia serviria, mas não havia lugar no perímetro de Onn para a extensão necessária de areia na qual ele pudesse aquecer-se e desgastar sua superfície até sua pureza natural.

No elevador, pensou em Hwi e enviou uma mensagem para que ela fosse levada imediatamente a ele.

Se ela tiver sobrevivido.

Ele não tinha tempo agora para realizar uma busca presciente; podia apenas alimentar esperanças enquanto seu corpo, tanto pré-verme quanto humano, ansiava pelo calor purificante.

Uma vez no cômodo de purificação, ele pensou em reiterar sua ordem modificada: "Poupem alguns dos Dançarinos Faciais!". Entretanto, àquela altura, as Oradoras Peixe enlouquecidas estavam se espalhando pela cidade e ele não tinha força para realizar uma varredura presciente para que suas mensageiras fossem até os pontos de encontro corretos.

Tão logo ele emergiu do cômodo de purificação, uma capitã da guarda trouxe notícias, dizendo que Hwi Noree, embora levemente ferida, estava a salvo e seria trazida até ele assim que a comandante local considerasse prudente.

Leto, de imediato, promoveu a capitã da guarda a sub-bashar. Ela tinha o mesmo biotipo corpulento de Nayla, mas sem o rosto quadrado de Nayla: feições mais arredondadas e mais próximas dos padrões antigos. Ela estremecera com a cordialidade da aprovação de seu Senhor e, quando ordenada a voltar e "conferir novamente" que nada de mais havia ocorrido a Hwi, ela virou-se e sumiu da presença dele.

Nem perguntei o nome dela, pensou Leto, enquanto rolava sobre o novo coche no recesso de sua pequena câmara de audiências. Levou alguns momentos de reflexão para se lembrar do nome da nova sub-bashar: Kieuemo. A promoção tinha que ser reafirmada. Ele criou uma nota mental para fazê-lo pessoalmente. As Oradoras Peixe, todas elas, teriam que aprender imediatamente o quanto ele valorizava Hwi Noree. Não que houvesse muita dúvida depois desta noite.

Ele fez sua varredura presciente e despachou as mensageiras para as furiosas Oradoras Peixe. Até lá, o estrago já estaria feito: cadáveres por toda Onn, alguns Dançarinos Faciais e outros que eram apenas suspeitos de serem Dançarinos Faciais.

E muitos me viram matar, pensou ele.

Enquanto esperava pela chegada de Hwi, ele revisou o que havia acabado de acontecer. Não havia sido um ataque típico dos Tleilaxu, mas o ataque anterior, na estrada para Onn, enquadrava-se em um novo padrão, e tudo isso apontava para uma única mente com propósito letal.

Eu podia ter morrido ali, pensou ele.

Isso começava a explicar por que ele não tinha antecipado este ataque, mas havia uma razão mais profunda. Leto podia ver essa razão emergindo em sua percepção, uma súmula de todas as dicas. Que humano mais conhecia o Imperador Deus? Que humano possuía um lugar secreto de onde podia conspirar?

Malky!

Leto convocou uma guarda e ordenou a ela que perguntasse se a Reverenda Madre Anteac já havia deixado Arrakis. A guarda retornou um minuto depois para relatar.

— Anteac ainda está em seu alojamento. A comandante da Guarda das Oradoras Peixe de lá diz que eles não sofreram nenhum ataque.

— Mande uma mensagem a Anteac – disse Leto. — Pergunte se ela agora compreende por que eu alojei sua delegação em um lugar longe de mim. Depois diga a ela que, enquanto estiver em Ix, deve localizar Malky. Ela deve indicar o local para nossas tropas em Ix.

— Malky, o antigo embaixador ixiano?

— O próprio. Malky não pode permanecer vivo e livre. Você informará a comandante da nossa guarnição que ela deve manter uma ligação bem próxima com Anteac, providenciando quaisquer assistências necessárias. Malky deverá ser trazido até mim ou executado, o que nossa comandante achar necessário.

A mensageira da Guarda assentiu, sombras se formando por suas feições no local onde estava, no anel de luz ao redor do rosto de Leto. Ela não pediu que as ordens fossem repetidas. Cada uma das guardas próximas do Imperador Deus fora treinada como gravadora-humana. Podiam repetir as palavras de Leto com exatidão, até mesmo com as entonações, e nunca esqueciam o que ele dizia.

Quando a mensageira saiu, Leto enviou um sinal privado de questionamento e, em segundos, recebeu uma resposta de Nayla. O dispositivo ixiano dentro de seu coche reproduzia uma versão não identificável da voz dela, um recital metálico sem emoção somente para os ouvidos dele.

Sim, Siona estava na Cidadela. Não, Siona não havia contatado seus companheiros rebeldes. *Não, ela ainda não sabe que estou aqui para observá-la.* O ataque na Embaixada? Fora obra de um grupo dissidente chamado "O Elemento Contato-Tleilaxu".

Leto se permitiu um suspiro mental. Rebeldes davam a seus grupos rótulos tão pretensiosos.

— Algum sobrevivente? — perguntou ele.

— Nenhum sobrevivente.

Leto achou divertido o fato de que, apesar de a voz metálica não carregar nenhum tom emocional, a memória dele o supria.

— Você contatará Siona — disse ele. — Revele que é uma Oradora Peixe. Diga a ela que você não revelou isso antes porque sabia que ela não confiaria em você e porque você temia a exposição, uma vez que você é bastante solitária entre as Oradoras Peixe por sua aliança com Siona. Reafirme seu juramento com ela. Diga a ela que você jura *por tudo que lhe é mais sagrado* obedecer a Siona em tudo. Se ela ordenar, você fará. Tudo isso é verdade, como você bem sabe.

— Sim, Senhor.

A memória supriu a ênfase fanática da resposta de Nayla. Ela obedeceria.

— Se possível, crie oportunidades para que Siona e Duncan Idaho fiquem sozinhos, juntos — disse ele.

— Sim, Senhor.

Deixe que a proximidade siga seu curso normal, pensou ele.

Ele interrompeu o contato com Nayla, pensou por alguns momentos, então chamou pela comandante das forças da praça. A bashar chegou logo, seu uniforme escuro manchado e empoeirado, vestígios de sangue coagulado ainda presentes em suas botas. Ela era uma mulher alta e esguia, com rugas de expressão que conferiam a suas feições aquilinas um ar de dignidade poderosa. Leto recordou seu nome de tropa, Iylyo, que significava "Confiável" em fremen antigo. Ele a chamava, entretanto, por seu matronímico, Nyshae, "Filha de Shae", o que estabelecia um tom suave de intimidade neste encontro.

— Repouse em uma almofada, Nyshae — ele falou. — Você tem trabalhado duro.

— Obrigada, Senhor.

Ela se acomodou na almofada vermelha que Hwi havia usado. Leto notou os traços de fadiga ao redor da boca de Nyshae, mas seus olhos permaneciam alertas. Ela mirou para cima até ele, ansiando por ouvir suas palavras.

— As coisas estão, mais uma vez, tranquilas em minha cidade. — Ele não falou como se fosse uma pergunta, deixando a interpretação para Nyshae.

— Tranquilas, mas não para sempre, Senhor.

Ele relanceou para o sangue coagulado nas botas dela.

— A rua em frente à Embaixada ixiana?

– Está sendo limpa, Senhor. Os reparos já foram providenciados.
– A praça?
– Pela manhã, estará como sempre foi.

O olhar dela permanecia fixo no rosto de Leto. Ambos sabiam que ele não havia convocado essa entrevista por esse motivo. Mas, naquele momento, Leto havia identificado algo que tomava conta da expressão de Nyshae.

Orgulho de seu Senhor!

Pela primeira vez, ela vira seu Imperador Deus matar. As sementes de uma dependência terrível haviam sido plantadas. *Se houver ameaça de desastre, meu Senhor virá.* Era o que transparecia em seus olhos. Ela nunca mais agiria com independência total, tomando seu poder do Imperador Deus e responsabilizando-se pessoalmente pelo uso desse poder. Havia algo possessivo na expressão dela. Uma terrível máquina mortífera esperava pronta para agir, disponível ao chamado dela.

Leto não gostou do que viu, mas os danos já estavam feitos. Qualquer remédio iria requerer pressões sutis e lentas.

– Onde os atacantes conseguiram as armaleses? – perguntou ele.
– De nossos depósitos, Senhor. A guarda do arsenal havia sido substituída.

Substituída. Era um eufemismo com certo refinamento. Oradoras Peixe errantes haviam sido isoladas e postas de reserva até que Leto encontrasse um problema que necessitasse de Comandos Suicidas. Elas morreriam de bom grado, obviamente, acreditando que assim expiariam seus pecados. Até mesmo boatos de que essas *berserkers* haviam sido despachadas podiam acalmar qualquer problema.

– O arsenal foi aberto com explosivos? – ele questionou.
– Com ação furtiva e explosivos, Senhor. A guarda do arsenal foi descuidada.
– A fonte dos explosivos?

Parte da fadiga de Nyshae estava visível em seu encolher de ombros.

Leto podia apenas concordar. Ele sabia que era capaz de procurar e identificar as fontes, mas seria de pouca ajuda. Pessoas habilidosas sempre eram capazes de achar os ingredientes para um explosivo caseiro: coisas comuns como açúcar e alvejantes, óleos bem simples e fertilizantes inocentes, plástico e solventes, além de extratos de excrementos sob um monte de estrume. A lista era virtualmente infinita, crescendo a cada adição de experiências e conhecimentos humanos. Mesmo uma sociedade como aquela que ele havia criado, uma que tentava limitar a dose de tecnologia e ideias novas, não tinha esperanças reais de controlar pequenas armas. Todo esse conceito de se controlar tais coisas era uma quimera, um mito perigoso e perturbador. A solução estava em limitar o *desejo* pela violência. Nesse aspecto, esta noite havia sido um desastre.

Novas injustiças foram cometidas, pensou ele.

Como se lesse seu pensamento, Nyshae suspirou.

Claro. As Oradoras Peixe foram treinadas desde a infância para evitar injustiças sempre que possível.

— Precisamos buscar os sobreviventes da população — disse ele. — Faça com que suas necessidades sejam atendidas. Eles devem saber que os Tleilaxu foram os culpados.

Nyshae assentiu. Ela não havia alcançado o posto de bashar por ignorar os ensinamentos. Àquela altura, ela acreditava. Apenas porque Leto o dissera, ela acreditava que a culpa era dos Tleilaxu, e havia certa prática em seu modo de compreender. Ela sabia por que eles não tinham massacrado *todos* os Tleilaxu.

Não se eliminam todos os bodes expiatórios.

— E devemos providenciar uma distração — declarou Leto. — Por sorte, pode haver uma à mão. Enviarei uma mensagem a você depois de conferenciar com Lady Hwi Noree.

— A embaixadora ixiana, Senhor? Ela não está implicada...

— Ela não tem culpa nenhuma — ele a interrompeu.

Ele percebeu a crença se alojar nas feições de Nyshae, uma simples subcamada plástica capaz de travar suas mandíbulas e vidrar seus olhos. *Até Nyshae*. Ele conhecia as razões por que ele mesmo as havia criado, mas, por vezes, ficava um pouco espantado com sua criação.

— Ouço Lady Hwi chegando a minha antessala — disse ele. — Diga a ela que entre enquanto você sai e, Nyshae...

Ela já estava de pé, mas permaneceu esperando em silêncio.

— Promovi Kieuemo a sub-bashar esta noite — ele falou. — Cuide para que seja oficializado. Quanto a você, estou satisfeito. Peça e receberá.

Ele notou que a fórmula enviara uma onda de prazer através de Nyshae, mas ela a controlou imediatamente, provando mais uma vez seu valor para ele.

— Testarei Kieuemo, Senhor — ela anuiu. — Se ela estiver apta, talvez eu tire umas férias. Há anos não vejo minha família em Salusa Secundus.

— Na hora em que você escolher — ele concordou.

E pensou: *Salusa Secundus. É claro!*

Essa referência às origens de Nyshae fez com que Leto se lembrasse com quem ela parecia: *Harq al-Ada. Ela tem sangue Corrino. Somos parentes mais próximos do que eu pensava.*

— Meu Senhor é generoso — ela agradeceu.

Ela o deixou então, com energia renovada em seu andar. Leto ouviu a voz dela na antessala:

— Lady Hwi, nosso Senhor vai recebê-la agora.

Hwi entrou, com a luz incidindo por trás e, por um momento, emoldurada pelo arco da porta, hesitou em seu caminhar até que seus olhos se ajustaram à câmara interna. Ela veio como uma mariposa atraída pelo brilho do rosto de Leto, afastando seu olhar apenas para buscar sinais de ferimento em seu comprimento envolto pelas sombras. Ele sabia que nenhum sinal era visível, apesar de ainda sentir dores e tremores internos.

Os olhos dele detectaram que ela mancava levemente, apoiando-se na perna direita, mas o longo vestido verde-jade escondia o ferimento. Ela parou rente ao declive onde jazia o coche, olhando diretamente em seus olhos.

— Disseram-me que estava ferida, Hwi. Dói?

— Um corte em minha perna, logo abaixo do joelho, Senhor. Um pedaço pequeno de alvenaria vindo da explosão. Suas Oradoras Peixe o trataram com um bálsamo que removeu a dor. Temi pelo Senhor.

— E eu por você, gentil Hwi.

— Exceto por aquela primeira explosão, eu não estava em perigo, Senhor. Levaram-me até uma sala bem nas profundezas da Embaixada.

Então ela não assistiu a meu desempenho, pensou ele. *Devo ser grato por isso.*

— Eu a convoquei para pedir seu perdão — disse ele.

Ela se acomodou na almofada dourada.

— O que existe para ser perdoado? O Senhor não é a razão pela...

— Estou sendo testado, Hwi.

— O Senhor?

— Existem aqueles que desejam saber os limites de minha preocupação pela segurança de Hwi Noree.

Ela apontou para cima.

— Aquilo... foi por minha causa?

— Por nossa causa.

— Oh, mas quem...

— Você concordou em se casar comigo, Hwi e eu... — ele levantou a mão para silenciá-la, pois Hwi começara a protestar. — Anteac nos contou o que você revelou a ela, mas isso não se originou com Anteac.

— Então quem é...

— *Quem* não é importante. É importante que reconsideremos. Preciso lhe dar essa chance para que mude de ideia.

Ela abaixou o olhar.

Como são doces suas feições, pensou ele.

Para Leto, era possível criar, apenas em sua imaginação, uma vida *humana* completa ao lado de Hwi. Exemplos suficientes jaziam no repositório de suas memórias, sobre os quais ele poderia construir a fantasia de uma vida de casal. Seu devaneio era composto de nuances: pequenos detalhes de experiência mútua, um toque, um beijo, todos os compartilhamentos doces a partir dos quais irrompia algo de beleza dolorosa. Ele sofria com isso, uma dor mais profunda do que as recordações físicas de sua violência na Embaixada.

Hwi levantou o queixo e fitou os olhos dele. Ele encontrou ali um desejo compassivo de ajudá-lo.

— Mas de que outra forma ainda posso servi-lo, Senhor?

Ele lembrou a si mesmo que ela era uma primata, enquanto ele não era mais totalmente primata. As diferenças se acentuavam a cada minuto que passava.

O sofrimento permanecia dentro dele.

Hwi era uma realidade inescapável, algo tão básico que nenhuma palavra podia expressá-lo completamente. O sofrimento em seu âmago era algo que ele quase já não podia mais suportar.

— Eu a amo, Hwi. Amo como um homem ama uma mulher... mas isso não pode ser. Nunca será.

Lágrimas escorreram dos olhos dela.

— Devo partir? Devo retornar a Ix?

— Eles somente a machucarão, tentando descobrir o que deu errado em seus planos.

Ela viu minha dor, pensou ele. *Ela conhece a futilidade e a frustração. O que fará? Ela não mentirá. Não dirá que me ama de volta, como uma mulher ama um homem. Ela reconhece a futilidade. E conhece seus sentimentos em relação a mim: compaixão, espanto, um questionamento que ignora o medo.*

— Então ficarei — disse ela. — Desfrutaremos do prazer que nos for permitido por estarmos juntos. Creio que é o melhor que podemos tirar disto. Se isso significar que devemos nos casar, que assim seja.

— Sendo assim, devo compartilhar com você certos conhecimentos que jamais compartilhei com nenhuma outra pessoa — disse ele. — Isso lhe dará um poder sobre mim que...

— Não faça isso, Senhor! E se alguém me forçar a...

— Você jamais deixará minhas propriedades. Meus alojamentos aqui, a Cidadela, os lugares seguros do Sareer... esses serão o seu lar.

— Como o Senhor quiser.

Quão gentil e franca era sua silenciosa aceitação, pensou ele.

O sofrimento pulsante dentro dele tinha que ser acalmado. Por si só, era um perigo para ele e para o Caminho Dourado.

Aqueles ixianos astuciosos!

Malky havia notado como o todo-poderoso era forçado a lutar contra um perpétuo canto de sirena: o desejo de se autodeleitar.

A constante percepção do poder em seu menor capricho.

Hwi interpretou o silêncio dele como incerteza.

— Nós nos casaremos, Senhor?

— Sim.

— Alguma coisa deve ser feita a respeito das histórias dos Tleilaxu, as quais...

— Nada.

Ela o fitou, lembrando a conversação anterior. *As sementes da dissolução estavam sendo plantadas.*

— Temo, Senhor, que irei enfraquecê-lo — disse ela.

— Então você deve procurar formas de me fortalecer.

— Fortaleceria o Senhor se diminuíssemos a crença no Deus Leto?

Ele captou um vestígio de Malky na voz dela, aquele jeito de medir as palavras que o fazia tão revoltantemente charmoso. *Nós nunca escapamos completamente dos professores de nossa infância.*

— Sua pergunta implora pela resposta — disse ele. — Muitos continuarão a me adorar, de acordo com meu desígnio. Outros acreditarão nas mentiras.

— O Senhor pediria a *mim* para mentir em seu nome?

— Claro que não. Mas pedirei que permaneça em silêncio mesmo quando você desejar falar.

— Mas e se eles ultrajarem...

— Você não protestará.

Mais uma vez, lágrimas desceram pela sua face. Leto desejava tocá-las, mas elas eram água... água dolorosa.

— Assim deve ser feito – ele acrescentou.

— O Senhor explicará para mim?

— Quando eu partir, eles devem me chamar de *Shaitan*, o Imperador de Geena. A roda deve girar e girar e girar ao longo do Caminho Dourado.

— Senhor, a raiva não poderia ser dirigida somente a mim? Eu não...

— Não! Os ixianos a fizeram muito mais perfeita do que pensavam. Eu a amo verdadeiramente. Não posso evitar.

— Não quero lhe causar dor! – As palavras saíram como se arrancadas dela.

— O que está feito está feito! Não lamente.

— Ajude-me a entender.

— O ódio que florescerá depois que eu morrer, isso também vai desvanecer no passado inevitável. Um longo tempo vai se passar. Então, em um dia longínquo, meus diários serão encontrados.

— Diários? – Ela foi abalada pela rápida mudança de assunto.

— Minhas crônicas sobre meu tempo. Meus argumentos, a apologia. Existem cópias e fragmentos espalhados que sobreviverão, alguns de forma distorcida, mas os diários originais vão esperar e esperar e esperar. Eu os escondi muito bem.

— E o que acontecerá quando forem descobertos?

— As pessoas entenderão que eu era algo bem diferente do que imaginavam.

— Eu já sei o que elas vão saber. – A voz dela saiu em um silêncio trêmulo.

– Sim, minha querida Hwi, creio que você sabe.

– Você não é demônio nem deus, mas algo nunca visto antes e que jamais será visto novamente, pois sua presença remove a necessidade.

Ela enxugou as lágrimas do rosto.

– Hwi, você percebe quão perigosa é?

A agitação se mostrou em sua expressão, tensionando os braços.

– Você tem os moldes de uma santa – disse ele. – Você entende como pode ser doloroso encontrar um santo no lugar errado e na hora errada?

Ela balançou a cabeça.

– As pessoas devem estar preparadas para os santos – ele explicou. – Caso contrário, elas simplesmente se tornam seguidoras, suplicantes, pedintes e bajuladores menores, para sempre nas sombras do santo. As pessoas são destruídas por isso, uma vez que essa atitude nutre apenas fraquezas.

Depois de pensar por um momento, ela assentiu e disse:

– Haverá santos quando o Senhor morrer?

– Esse é o propósito de meu Caminho Dourado.

– A filha de Moneo, Siona, ela será...

– Por ora ela é apenas uma rebelde. Quanto à santidade, deixaremos que ela decida. Talvez ela só faça aquilo que foi criada para fazer.

– E o que seria isso, Senhor?

– Pare de me chamar de *Senhor* – disse ele. – Seremos Verme e esposa. Chame-me de Leto se desejar. *Senhor* interfere.

– Sim, S... Leto. Mas o que seria...

– Siona foi criada para governar. Existe perigo nesse tipo de criação. Quando se governa, ganha-se conhecimento sobre o poder. Isso pode levar à irresponsabilidade impetuosa, a excessos dolorosos e também pode levar ao destruidor terrível... hedonismo selvagem.

– Poderia Siona...

– Tudo o que sabemos sobre Siona é que ela pode permanecer dedicada a uma performance em particular, ao padrão que preenche seus sentidos. Ela é necessariamente uma aristocrata, mas a aristocracia visa com maior ênfase o passado. Isso é uma falha. Não se consegue ver grande parte de qualquer caminho, a não ser que você seja Janus, olhando ao mesmo tempo para trás e para a frente.

— Janus? Ah, sim, o deus com duas faces opostas. — Ela umedeceu os lábios com a língua. — Você é Janus, Leto?

— Sou Janus magnificado um bilhão de vezes. Também sou algo um pouco inferior. Fui, por exemplo, o que meus administradores mais admiram: o tomador de decisões cujas decisões sempre funcionarão.

— Contudo, se você falhar...

— Sim, eles rapidamente se voltarão contra mim.

— Será que Siona o substituiria se...

— Ah, mas é um enorme "se". Você observa que Siona ameaça a minha pessoa. Contudo, ela não ameaça o Caminho Dourado. Há também o fato de que minhas Oradoras Peixe têm certa *conexão* com o Duncan.

— Siona parece... tão jovem.

— E sou seu *poseur* predileto, o impostor que detém o poder sob falsos pretextos, que nunca consulta as necessidades de seu povo.

— Será que eu não poderia falar com ela e...

— Não! Você nunca deve tentar persuadir Siona de nada. Prometa-me, Hwi.

— Se você pede, é claro, mas eu...

— Todos os deuses têm esse mesmo problema, Hwi. Ao perceber necessidades profundas, devo ignorar com frequência as imediatas. Não cuidar das necessidades imediatas é uma ofensa aos jovens.

— Você não poderia apresentar razões para ela e...

— Nunca tente apresentar razões a pessoas que sabem estar certas!

— Mas quando você sabe que estão erradas...

— Você acredita em mim?

— Sim.

— E se alguém tentasse convencê-la de que sou o pior mal de todos os tempos...

— Eu ficaria com muito raiva. Eu faria... — ela se interrompeu.

— Razões só são valiosas quando atuam contra o plano de fundo físico e sem palavras do universo — ele concluiu.

As sobrancelhas dela se franziram enquanto pensava. Fascinava a Leto sentir o despertar de sua percepção.

— Ahhhh — ela exalou a palavra.

— Nenhuma criatura racional será capaz de negar a experiência de Leto — disse ele. — Vejo sua compreensão iniciar. Inícios! Eles são a motivação da vida.

Ela assentiu.

Sem argumentações, ele pensou. *Quando percebe os rastros, ela os segue para descobrir aonde vão levá-la.*

— Enquanto houver vida, cada final é um início — ele rematou. — E eu salvaria a humanidade, até de si mesma.

Mais uma vez, ela assentiu. Os rastros ainda levam para a frente.

— É por isso que nenhuma morte em favor da perpetuação da humanidade pode ser uma falha completa — ele explicou. — É por isso que um nascimento nos toca tão profundamente. É por isso que a morte mais trágica é aquela de um jovem.

— Ix ainda ameaça seu Caminho Dourado? Sempre soube que conspiravam alguma maldade.

Eles conspiram. Hwi não presta atenção na mensagem subliminar de suas próprias palavras. Ela não tem necessidade de ouvir.

Ele a fitou, imerso naquela maravilha que era Hwi. Ela possuía uma forma de honestidade que alguns podem chamar de ingênua, mas a qual Leto reconhecia simplesmente como não autoconsciente. A honestidade não estava em seu âmago, era a própria Hwi.

— Então vou providenciar uma apresentação na praça, amanhã — Leto decidiu. — Será uma apresentação dos Dançarinos Faciais sobreviventes. Depois dela, anunciaremos nosso noivado.

QUE NÃO HAJA DÚVIDAS DE QUE EU SEJA O AMÁLGAMA DE MEUS ANCESTRAIS, A ARENA NA QUAL ELES EXERCITAM MEUS MOMENTOS. ELES SÃO MINHAS CÉLULAS E EU SOU O CORPO DELES. ESSE É O *FAVRASHI* DO QUAL FALO, A ALMA, O INCONSCIENTE COLETIVO, A FONTE DE ARQUÉTIPOS, O RECEPTÁCULO DE TODOS OS TRAUMAS E ALEGRIAS. SOU A ESCOLHA DE SEUS DESPERTARES. MEU *SAMHADI* É O *SAMHADI* DELES. SUAS EXPERIÊNCIAS SÃO MINHAS! O CONHECIMENTO DESTILADO DELES É MINHA HERANÇA. AQUELES BILHÕES SÃO O MEU UNO.

— Os Diários Roubados

A apresentação dos Dançarinos Faciais ocupou quase duas horas da manhã e logo depois veio o anúncio, que provocou ondas de choque por toda a Cidade Festival.

— Faz séculos que ele não desposa alguém!

— Mais de mil anos, meu caro.

O desfile marcial das Oradoras Peixe foi breve. Elas o ovacionaram ruidosamente, mas estavam perturbadas.

Vocês são minhas únicas noivas, dissera ele. Não era esse o significado de Siaynoq?

Leto considerou que os Dançarinos Faciais haviam representado muito bem, apesar de seu terror óbvio. O vestuário tinha sido encontrado no subsolo de um museu fremen: trajes negros com cintos de corda branca, gaviões verdes de asas abertas aplicados de um ombro ao outro nas costas: uniformes dos sacerdotes itinerantes de Muad'Dib. Os Dançarinos Faciais estavam com rostos tenebrosos e enrugados, e haviam apresentado uma dança que evidenciava como as legiões de Muad'Dib haviam disseminado *sua* religião pelo Império.

Hwi, usando um brilhante vestido prateado com um colar verde de jade, estava sentada ao lado de Leto no Coche Real durante o ritual. Apenas uma vez, ela inclinou o rosto em direção à face dele e perguntou:

— Isso não é uma paródia?
— Para mim, talvez.
— Os Dançarinos Faciais sabem?
— Eles suspeitam.
— Sendo assim, estão menos apavorados do que aparentam.
— Ah, sim, eles estão apavorados. Só que são mais bravos do que a maioria das pessoas espera que eles sejam.
— Bravura pode ser uma grande tolice — ela sussurrou.
— E vice-versa.

Ela lançou um olhar escrutinador antes de voltar sua atenção à performance. Quase duzentos Dançarinos Faciais haviam sobrevivido ilesos. Todos haviam sido pressionados a participar da dança. Os movimentos e posturas intrincados fascinavam os olhos. Era possível assistir a eles e, por algum tempo, esquecer a preliminar sangrenta daquele dia.

Leto se lembrava disso enquanto estava sozinho em sua pequena sala de recepção, pouco antes do meio-dia, quando Moneo chegou. Ele havia acompanhado a Reverenda Madre Anteac até um cargueiro da Guilda, conversara com o Comando das Oradoras Peixe sobre a violência da noite anterior, fizera um pequeno voo de ida e volta até a Cidadela para se assegurar de que Siona estava sob uma vigilância segura e que não estava envolvida no ataque à Embaixada. Retornara a Onn logo depois do anúncio do noivado, já que não havia sido avisado previamente.

Moneo estava furioso. Leto jamais o tinha visto com tanta raiva. Ele entrou na sala como um furacão e só parou a dois metros do rosto de Leto.

— Agora as mentiras dos Tleilaxu serão acreditadas! — ele acusou.

Leto respondeu em um tom pacificador.

— Como é persistente essa ideia de que nossos deuses devam ser perfeitos. Os gregos eram muito mais razoáveis nesse aspecto.

— Onde ela está? — demandou Moneo. — Onde está aquela...

— Hwi está descansando. Foi uma noite difícil e uma manhã muito longa. Quero que ela esteja bem descansada para quando retornarmos à Cidadela, esta tarde.

— Como ela conseguiu isso? — demandou Moneo.

— Sério, Moneo! Você perdeu o senso de cautela?

— Estou preocupado com o Senhor! Tem alguma ideia sobre o que estejam falando na Cidade?

— Estou completamente a par de todas as histórias.

— O que o Senhor *está* fazendo?

— Sabe, Moneo, acho que apenas os antigos panteístas tinham a ideia correta sobre divindades: mortais débeis em corpos imortais.

Moneo levantou ambos os braços aos céus.

— Eu vi o olhar no rosto deles! — Abaixou os braços. — Estará por todo o Império em duas semanas.

— Com certeza vai levar mais do que isso.

— Se seus inimigos precisavam de alguma coisa para uni-los...

— A maculação de um deus é uma antiga tradição humana, Moneo. Por que eu deveria ser uma exceção?

Moneo tentou falar, mas descobriu que não conseguia pronunciar uma só palavra. Ele se aproximou do declive onde estava o coche de Leto, retrocedeu e parou em sua posição anterior, encarando o rosto de Leto.

— Se devo ajudá-lo, preciso de uma explicação — disse Moneo. — Por que o Senhor está fazendo isso?

— Emoções.

A boca de Moneo formulou a palavra sem pronunciá-la.

— Elas vieram até mim exatamente quando eu pensava que tinham partido para sempre — prosseguiu Leto. — Quão doces são esses últimos goles de humanidade.

— Com Hwi? Mas certamente o Senhor não pode...

— As memórias de emoções nunca são o suficiente, Moneo.

— O Senhor está me dizendo que está se permitindo ter um...

— Permitindo-me? Claro que não! Mas o tripé sobre o qual a Eternidade se equilibra é composto de carne, pensamento e emoção. Cheguei a sentir que fui reduzido a carne e pensamento.

— Ela fez algum tipo de bruxaria — acusou Moneo.

— Claro que sim. E estou muito grato por isso. Se nós negarmos a necessidade de pensamento, Moneo, como alguns o fazem, perdemos os poderes de reflexão; não podemos definir o que nossos sentidos relatam. Se negarmos a carne, descontrolamos o veículo que nos sustenta. Mas se negarmos emoção, perdemos todo o contato com nosso universo interior. Foi das emoções que eu mais senti falta.

— Insisto, Senhor, que...

— Você está me irritando, Moneo. Isso é uma emoção.

Leto viu a raiva frustrada de Moneo se arrefecer, resfriando como se fosse um ferro quente mergulhado em água gelada. Entretanto, ainda havia alguma energia nele.

— Não me importo comigo mesmo. Minha preocupação jaz no Senhor, e o Senhor sabe disso.

— É sua *emoção*, Moneo, e eu a considero muito — Leto respondeu com suavidade.

Moneo inspirou um suspiro profundo e trêmulo. Ele nunca havia visto o Imperador Deus com esse humor, refletindo essa *emoção*. Leto aparentava estar ao mesmo tempo exultante e resignado, se Moneo o estivesse lendo corretamente. Não se podia ter certeza.

— Aquilo que faz a vida mais doce para ser vivida – disse Leto –, aquilo que faz a vida animada e cheia de beleza, é aquilo que eu preservaria, mesmo que me fosse negado.

— Então essa Hwi Noree...

— Ela me faz lembrar o Jihad Butleriano de uma forma pungente. Ela é a antítese de tudo que é mecânico e não humano. Você não acha estranho, Moneo, que, de todo o universo, tenham sido justamente os ixianos que produziram essa pessoa que incorpora tão perfeitamente todas as qualidades que mais admiro?

— Não entendo sua referência ao Jihad Butleriano, Senhor. Máquinas que pensam não têm mais lugar...

— O alvo do jihad era tanto a atitude-máquina como as próprias máquinas – disse Leto. – Humanos haviam ajustado aquelas máquinas para usurpar nosso sentido de beleza, nossa personalidade necessária, através da qual fazemos nossos julgamentos vívidos. Naturalmente, as máquinas foram destruídas.

— Ainda ressinto o fato de o Senhor ter acolhido...

— Moneo! Hwi me reassegura meramente por sua presença! Pela primeira vez em séculos não estou solitário, a não ser que ela não esteja ao meu lado. Se eu não tivesse nenhuma outra prova de emoção, essa serviria.

Moneo ficou em silêncio, obviamente emocionado pela dor da solidão de Leto. Por certo, Moneo compreendia a ausência do partilhar íntimo do amor. Sua expressão traía isso.

Pela primeira vez em um longo tempo, Leto percebeu o quanto Moneo havia envelhecido.

Acontece muito rápido com eles, pensou Leto.

Isso deu a Leto a consciência do quanto ele gostava de Moneo.

Não devo permitir que afeiçoamentos aconteçam comigo, mas não posso fazer nada... principalmente agora que Hwi está aqui.

— Eles vão rir do Senhor e fazer piadas obscenas – contrapôs Moneo.

— Isso é uma boa coisa.

— Como pode ser bom?

— É algo novo. Nossa tarefa sempre se constituiu em introduzir algo novo no equilíbrio e, com isso, modificar o comportamento sem suprimir a sobrevivência.

— Mesmo assim, como o Senhor pode acolher isso?

— A criação de obscenidades? – Leto perguntou. – Qual é o oposto de obscenidade?

Os olhos de Moneo se arregalaram com uma súbita percepção questionadora. Ele já vira a ação de muitas polaridades: as coisas que foram reconhecidas por seu oposto.

A coisa se destaca contra um plano de fundo que o define, pensou Leto. *Certamente Moneo o perceberá.*

– É muito perigoso – disse Moneo.

O veredicto final do conservadorismo!

Moneo não estava convencido. Um suspiro profundo emanou dele.

Devo me lembrar de não remover as dúvidas deles, considerou Leto. *Foi dessa forma que falhei com minhas Oradoras Peixe na praça. Os ixianos estão se agarrando na extremidade esfarrapada das dúvidas humanas. Hwi é a evidência disso.*

Uma perturbação soou na antessala. Leto selou o portal contra entradas impetuosas.

– Meu Duncan chegou – disse ele.

– Ele provavelmente ouviu sobre seus planos de casamento...

– Provavelmente.

Leto assistiu à luta de Moneo contra as dúvidas, seus pensamentos completamente transparentes. Naquele instante, Moneo se encaixava tão precisamente em seu nicho humano que Leto teve vontade de abraçá-lo.

Ele tem o espectro completo: da dúvida à confiança, do amor ao ódio... tudo! Todas as qualidades inestimáveis que dão frutos no calor de uma emoção, na propensão de se entregar à vida.

– Por que Hwi está aceitando isso? – perguntou Moneo.

Leto sorriu. *Moneo não pode duvidar de mim; ele deve duvidar de outros.*

– Admito que não seja uma união convencional. Ela é uma primata e eu não sou mais completamente um primata.

Mais uma vez, Moneo lutou contra tudo aquilo que ele só podia sentir e não expressar.

Observando o senescal, Leto sentiu o fluxo de uma consciência-observadora, um processo de pensamento que ocorria muito raramente, mas com ampliações tão vívidas quando acontecia que Leto sequer se movia, com medo que provocasse uma vaga no fluxo.

Os primatas pensam e, graças ao pensamento, sobrevivem. Sob seu pensamento existe algo que veio com suas células. É a corrente da preocupação humana com sua espécie. Às vezes eles a ocultam, emparedam-na e escondem atrás de barreiras reforçadas, mas eu sensibilizei Moneo de modo deliberado a essas funções do seu eu mais íntimo. Ele me segue porque acredita que eu tenha o melhor curso para a sobrevivência da humanidade. Ele sabe que existe uma percepção celular. É o que encontro quando vasculho o Caminho Dourado. Isso é a humanidade e nós dois concordamos: ele deve resistir!

— Onde, quando e como a cerimônia será conduzida? — perguntou Moneo.

Não "por quê?", Leto notou. *Moneo não buscava mais entender o porquê. Ele havia retornado ao solo seguro. Era o senescal, o diretor do domicílio do Imperador Deus, o primeiro-ministro.*

Ele tem nomes e verbos e advérbios com os quais pode atuar. As palavras vão funcionar para ele da forma costumeira. Moneo poderia nunca ser capaz de vislumbrar o potencial transcendental de suas palavras, mas entendia muito bem seu uso diário e mundano.

— E a minha pergunta? — pressionou Moneo.

Leto piscou na direção dele, pensando: *Eu, por outro lado, sinto que palavras são mais úteis se elas me oferecem um relance de lugares atrativos e ainda não desbravados. Mas o uso das palavras é muito pouco compreendido pela civilização, que ainda acredita inquestionavelmente em um universo mecânico de causa e efeito absolutos: obviamente redutíveis a uma causa raiz e um efeito seminal primário.*

— A falácia dos ixianos-Tleilaxu se assemelha a moluscos, agarrando-se a assuntos humanos — comentou Leto.

— Perturba-me profundamente quando o Senhor não presta atenção.

— Mas eu presto atenção, Moneo.

— Não a mim.

— Até mesmo a você.

— Sua atenção divaga, Senhor. Não precisa esconder isso de mim. Eu trairia a mim mesmo antes de trair o Senhor.

— Você acha que estou devaneando?

— Devane... o quê, Senhor? — Moneo jamais havia questionado essa palavra antes, mas agora...

Leto explicou a alusão,* pensando: *Que ancestral!* Os teares e as lançadeiras funcionando na memória de Leto. *Pelo animal transformado em roupas humanas... caçadores transformados em pastores... os degraus compridos da escada da percepção... e agora eles deveriam subir outro longo degrau, ainda maior do que os ancestrais.*

— O Senhor se permite pensamentos inconsequentes — acusou Moneo.

— Tenho tempo para pensamentos inconsequentes. É uma das coisas mais interessantes sobre minha existência como multidão singular.

— Mas, Senhor, há problemas que demandam nossa...

— Você ficaria surpreso com o que surge de meus pensamentos inconsequentes, Moneo. Nunca me importei em gastar um dia inteiro pensando em coisas pelas quais um humano não se interessaria nem por um minuto. Por que não? Com minha expectativa de vida de mais de quatro mil anos, o que é um dia a mais ou a menos? Quanto tempo uma vida humana dura? Um milhão de minutos? Já passei por quase essa quantidade de dias.

Moneo permaneceu parado, congelado no silêncio, sentindo-se diminuído por essa comparação. Sentiu sua própria vida reduzida a uma partícula de pó aos olhos de Leto. A fonte da alusão não escapou dele.

Palavras... palavras... palavras, pensou Moneo.

— Palavras são, com frequência, quase inúteis em assuntos sensíveis — Leto comentou.

---

* No original, Leto utiliza-se do termo *woolgathering*, que significa "sonhar acordado, divagar ou devanear", mas, literalmente, é "apanhar lã", desencadeando a linha de pensamento que se segue. [N. de T.]

Moneo reduziu sua respiração ao mínimo. *O Senhor é capaz de ler pensamentos*!

— Pelo curso de nossa história — emendou Leto —, o uso mais poderoso das palavras foi para explicar algum evento transcendental, dando a tal evento um lugar nos registros aceitos, *explicando* o acontecimento de forma que, dali em diante, sejamos capazes de usar aquelas palavras e dizer: "Esse é seu significado".

Moneo se sentiu fustigado por aquelas palavras, aterrorizado pelas coisas não ditas que o faziam pensar.

— É assim que os eventos se perdem na história — concluiu Leto.

Depois de um longo silêncio, Moneo se arriscou:

— O Senhor não respondeu à minha pergunta. O casamento?

Ele parece tão cansado, pensou Leto. *Completamente derrotado.*

— Nunca precisei tanto dos seus bons ofícios como agora — o Imperador Deus falou de modo ríspido. — As bodas devem ser organizadas com o máximo cuidado. Devem ser de uma precisão da qual só você é capaz.

— Onde, Senhor?

Um pouco mais de vida em sua voz.

— Na aldeia de Tabur, no Sareer.

— Quando?

— Deixarei a escolha da data sob seus cuidados. Anuncie quando tudo estiver organizado.

— E a cerimônia?

— Eu a conduzirei.

— Vai precisar de assistentes, Senhor? Artefatos de algum tipo? Os ornamentos do ritual?

— Algo em particular que eu não tenha...

— Não precisaremos de muito para essa nossa pequena peça teatral.

— Senhor, eu lhe imploro! Por favor...

— Você ficará ao lado da noiva e a entregará em matrimônio — Leto o interrompeu. — Usaremos o antigo ritual fremen.

— Precisaremos de hidroanéis, então.

— Sim, vou usar os hidroanéis de Ghani.

— E quem será convidado?

— Apenas uma guarda Oradora Peixe e a aristocracia.

Moneo fitou o rosto de Leto e questionou:

— O que... o que milorde quer dizer com "aristocracia"?

— Você, sua família, a comitiva da residência, os cortesãos da Cidadela.

— Minha fam... — Moneo engoliu em seco. — Isso inclui Siona?

— Se ela sobreviver ao teste.

— Mas...

— Ela não é família?

— Claro, Senhor. Ela é Atreides e...

— Então, é claro, inclua Siona!

Moneo tirou do bolso um pequeno memogravador, um artefato ixiano simples e de coloração negra, cuja existência forçava os limites das proscrições do Jihad Butleriano. Um sorriso leve se pronunciou nos lábios de Leto. Moneo conhecia seus deveres e agiria agora.

O alarido causado pelo Duncan Idaho do lado de fora do portal se tornou mais estridente, mas Moneo ignorou o barulho.

Moneo conhece o preço de seus privilégios, pensou Leto. *É outro tipo de casamento: o casamento entre o privilégio e o dever. É a explicação do aristocrata e sua desculpa.*

Moneo terminou de tomar suas anotações.

— Alguns detalhes, Senhor – disse Moneo. — Haverá algum traje especial para Hwi?

— O trajestilador e o manto de uma noiva fremen. Verdadeiros.

— Joias ou outros acessórios?

O olhar de Leto focou os dedos de Moneo tracejando naquele pequeno gravador, notando ali uma dissolução.

Liderança, coragem, um senso de conhecimento e ordem: Moneo tinha essas qualidades em abundância. Elas o cercam como uma aura sagrada, mas escondem de todos os olhos a podridão que o devora por dentro, exceto dos meus. É inevitável. Se eu tivesse partido, seria visível a todos.

— Senhor? — perguntou Moneo — O Senhor está devaneando?

Ahhhh! Ele gosta dessa expressão.

— Isso é tudo — disse Leto —, apenas o robe, o trajestilador e os hidroanéis.

Moneo fez uma mesura e virou-se.

Agora ele está olhando para o futuro, pensou Leto, *mas até esta novidade passará. Ele vai se virar para o passado uma vez mais. Certa vez, tive grandes esperanças em relação a ele. Bem... talvez Siona...*

"NÃO CRIE HERÓIS", DISSE MEU PAI.

— A Voz de Ghanima, da História Oral

Apenas pela forma como Idaho atravessou a pequena câmara, requisitando em voz alta uma audiência que naquele momento lhe foi concedida, Leto podia notar uma importante transformação no ghola. Era algo que já se repetira tantas vezes que havia se tornado profundamente familiar a Leto. O Duncan nem mesmo trocara palavras de saudação com Moneo, que estava de saída. Tudo se enquadrava no padrão. Quão tedioso aquele padrão se tornara!

Leto tinha um nome para essa transformação dos Duncan. Ele a chamava de "síndrome do desde".

Os gholas frequentemente alimentavam suspeitas sobre as *coisas secretas* que poderiam ter se desenvolvido durante os séculos perdidos *desde* sua última percepção reconhecida. O que as pessoas estiveram fazendo durante todo esse tempo? Por que eles iriam me querer de volta, essa relíquia de seu passado? Nenhum ego podia superar essas dúvidas para sempre... especialmente em um homem questionador.

Um dos gholas acusara Leto:

— O Senhor colocou coisas em meu corpo, coisas de que não faço ideia! Tais coisas em meu corpo lhe informam tudo que estou fazendo! O Senhor me espiona em qualquer lugar!

Outro o acusara de possuir uma "máquina manipuladora que nos obriga a querer fazer qualquer coisa que o Senhor deseje!".

Uma vez iniciada, a síndrome do desde não podia ser completamente eliminada. Podia ser colocada em xeque, mesmo desviada, mas suas sementes adormecidas eram capazes de brotar à menor provocação.

Idaho parou onde Moneo antes estivera e havia uma expressão velada em seus olhos, cheia de suspeitas não especificadas, bem como na postura de seus ombros. Leto permitiu que a situação ficasse em suspensão, fazendo com que a condição saturasse. Idaho encontrou seu olhar, depois o libertou para relancear pela câmara. Leto reconheceu o maneirismo por debaixo do olhar.

Os Duncan nunca se esquecem!

Enquanto estudava a câmara, usando os métodos de observação que Lady Jéssica e o Mentat Thufir Hawat lhe haviam ensinado séculos antes, Idaho começou a ser tomado por uma sensação vertiginosa de deslocamento. Achou que a sala o rejeitava, cada item... as almofadas macias: grandes e bulbosas em tons de dourado, verde e um vermelho quase púrpura; os tapetes fremen, cada um deles uma peça de museu, sobrepostos em pilhas espessas ao redor do recesso de Leto; a falsa luz do sol proveniente dos luciglobos ixianos, a qual envolvia o rosto do Imperador em um calor seco, tornando as sombras ao redor dele profundas e ainda mais misteriosas; o cheiro de chá de especiaria em algum lugar próximo a ele; e aquele odor rico em mélange que irradiava do corpo-verme.

Idaho sentiu que muito havia se passado, e rapidamente, com ele desde que os Tleilaxu o haviam abandonado à mercê de Luli e da Amiga naquele cômodo prisão-cela sem característica alguma.

Demais... demais...

Estou realmente aqui?, ele se perguntava. *Esse sou eu? Que pensamentos são esses que tenho?*

Ele fitou o corpo em repouso de Leto, a corpulência sombria e enorme, que permanecia tão silenciosa ali no coche, dentro do recesso. A quietude extrema daquela massa corpórea servia apenas para sugerir energias misteriosas, energias terríveis que poderiam ser desencadeadas de formas que ninguém era capaz de antecipar.

Idaho ouvira as histórias sobre a luta na Embaixada ixiana, mas os relatos das Oradoras Peixe tinham uma aura de *visitação miraculosa* que obscurecia os dados físicos.

— Ele veio de cima na direção deles e executou um massacre terrível entre os pecadores.

— Como ele fez isso? — perguntara Idaho.

— Ele era um Deus *irado* — dissera sua informante.

Irado, pensou Idaho. *Seria em virtude da ameaça a Hwi?* As histórias que ele ouvira! Não era possível acreditar em nenhuma delas. Hwi casada com esse rude... Não era possível! Não a amável Hwi, a Hwi de gentil delicadeza. *Ele está jogando algum jogo terrível, testando-nos, testando-nos...* Não havia realidade honesta nestes tempos, nenhuma paz, a não ser na presença de Hwi. Todo o resto era insanidade.

À medida que ele voltava a atenção para o rosto de Leto, aquele rosto Atreides que aguardava em silêncio, o sentimento de deslocamento tornava-se ainda mais forte em Idaho. Ele começou a imaginar se, com um pequeno aumento no esforço mental ao longo de algum novo e estranho caminho, ele seria capaz de quebrar as barreiras fantasmagóricas e relembrar todas as experiências dos outros gholas Idaho.

O que eles sentiram quando entraram nesta sala? Eles sentiram esse deslocamento, essa rejeição?

Apenas um pouco mais de esforço.

Ele sentiu uma tontura e se perguntou se estava prestes a desmaiar.

— Há algo errado, Duncan? — Leto usara seu tom mais razoável e apaziguador.

— Isso não é real — Idaho respondeu. — Não pertenço a este lugar.

Leto escolheu interpretá-lo erroneamente, retrucando:

— Mas minha guarda me informa que você veio para cá de acordo com sua própria vontade, que voou de volta da Cidadela e que exigiu uma audiência imediata.

— Quis dizer, *aqui*, agora! Nestes tempos!

— Mas eu preciso de você.

— Para quê?

— Olhe a seu redor, Duncan. As maneiras como você pode me ajudar são tão numerosas que você não seria capaz de fazer tudo.

— Mas suas mulheres não me deixam lutar! Toda vez que desejo participar...

— Você questiona se é mais valioso vivo que morto? — Leto deu um risinho. — Use seu juízo, Duncan! É isso que valorizo.

— E meu esperma. O Senhor o valoriza.

— O esperma é seu. Ponha-o onde quiser.

— Não vou deixar uma viúva e órfãos para trás como...

— Duncan! Eu disse que a escolha era sua.

Idaho engoliu em seco e disse:

— Você cometeu um crime contra todos nós, Leto: os gholas que você ressuscita sem mesmo perguntar se é o que nós queremos.

Essa era uma nova linha de pensamento dos Duncan. Leto olhou para Idaho com interesse renovado.

— Que crime?

— Ah, eu ouvi o senhor proferindo seus pensamentos mais profundos — acusou Idaho. Ele apontou com um polegar por sobre seu ombro, para a entrada da sala. — O Senhor sabia que pode ser ouvido da antessala?

— Quando desejo ser ouvido, claro. — *Mas apenas meus diários ouvem tudo!* — Entretanto, eu gostaria de saber a natureza do meu crime.

— Existe um tempo, Leto, um tempo durante o qual se está vivo. Um tempo em que se deve estar vivo. Ele pode ter um encanto, esse tempo, enquanto você o está vivendo. Você sabe que nunca testemunhará um tempo como esse de novo.

Leto piscou, tocado pela angústia do Duncan. As palavras eram evocativas.

Idaho levantou ambas as mãos, palmas para cima, na altura do peito, um mendigo pedindo por algo que ele sabia que não poderia receber.

— Então... um dia você acorda e se lembra de sua morte... e se lembra do tanque axolotl... e da sordidez dos Tleilaxu que o acordaram...

e tudo deveria começar de novo, mas não começa. Jamais começa, Leto. É um crime.

– Eu tirei o encanto?

– Sim!

Idaho deixou as mãos caírem para os lados e cerrou os punhos. Ele se sentiu como se estivesse sozinho, no caminho de uma onda produzida pela correnteza de um moinho, capaz de subjugá-lo ao menor sinal de relaxamento.

E o meu tempo?, pensou Leto. *Esse, também, nunca acontecerá outra vez. Mas o Duncan não entenderia a diferença.*

– O que o trouxe correndo da Cidadela? – indagou Leto.

Idaho suspirou e questionou:

– É verdade? O Senhor vai se casar?

– Correto.

– Com essa Hwi Noree, a Embaixadora ixiana?

– Verdade.

Idaho lançou um rápido olhar pela extensão inerte de Leto.

Eles sempre procuram pelos órgãos genitais, pensou Leto. *Talvez eu precise fazer algo, uma grande protuberância, só para chocá-los.* Ele suprimiu a pequena explosão de entretenimento que ameaçava irromper de sua garganta. *Outra emoção amplificada. Obrigado, Hwi. Obrigado, ixianos.*

Idaho sacudiu a cabeça.

– Mas o Senhor...

– Existem fortes elementos em um casamento, além do sexo – comentou Leto. – Teremos crianças de nossa própria carne? Não. Mas os efeitos dessa união serão profundos.

– Ouvi enquanto o Senhor falava com Moneo – contrapôs Idaho. – Pensei que fosse algum tipo de piada, uma...

– Cuidado, Duncan!

– O Senhor a ama?

– Mais profundamente que algum homem jamais amou uma mulher.

— Bem, e ela? Ela...

— Ela sente... uma compaixão admirável, uma necessidade de compartilhamento comigo, de doar qualquer coisa que possa doar. É a natureza dela.

Idaho suprimiu um sentimento de repulsa e observou:

— Moneo está certo. Eles passarão a crer nas histórias dos Tleilaxu.

— Esse é um dos efeitos profundos.

— E o Senhor ainda deseja que... que eu me reproduza com Siona!

— Você conhece meus desejos. Deixarei a escolha em suas mãos.

— Quem é essa Nayla?

— Você conheceu Nayla! Bom.

— Ela e Siona agem como se fossem irmãs. Aquela brutamontes! O que acontece ali, Leto?

— O que você gostaria que acontecesse? E o que isso importa?

— Jamais havia conhecido alguém tão brutal! Ela me lembra da Besta Rabban. Ninguém seria capaz de descobrir que se trata de uma mulher se ela não...

— Você já a encontrou antes — interrompeu Leto. — Você a conheceu como Amiga.

Idaho fitou Leto em um silêncio instantâneo, o silêncio de uma criatura entocada que pressente o gavião.

— Então o Senhor confia nela? — disse Idaho.

— Confiança? O que é confiança?

É chegado o momento, pensou Leto. Ele podia percebê-lo se formando nos pensamentos de Idaho.

— Confiança é o que vem com um juramento de lealdade — respondeu Idaho.

— Assim como a confiança entre mim e você? — perguntou Leto.

Um sorriso amargo se formou nos lábios de Idaho.

— Então é isso que o Senhor está fazendo com Hwi Noree? — o Duncan perguntou. — Um casamento, um juramento?

— Hwi e eu já confiamos um no outro.

— Você confia em mim, Leto?

— Se eu não puder confiar em Duncan Idaho, não posso confiar em ninguém.

— E se eu não puder confiar no Senhor?

— Então, sinto pena de você.

Idaho recebeu essa resposta quase como um choque físico. Seus olhos se arregalaram com exigências não pronunciadas. Ele *queria* acreditar. Ele *queria* aquele encanto que jamais voltaria.

Então, Idaho indicou que seus pensamentos estavam enveredando por uma curiosa tangente.

— Eles podem nos ouvir da antessala? — ele perguntou.

— Não! — *Mas meus jornais podem.*

— Moneo estava furioso. Qualquer um podia notar. Mas ele se foi como um cordeiro dócil.

— Moneo é um aristocrata. Ele é casado com seus deveres, com suas responsabilidades. Quando é lembrado dessas coisas, sua irritação desaparece.

— Então é assim que o Senhor o controla — murmurou Idaho.

— Ele controla a si próprio — disse Leto, lembrando como Moneo havia olhado para cima, enquanto tomava notas, não buscando por garantias, mas para se recordar de seu sentido de dever.

— Não — disse Idaho. — Ele não controla a si próprio. O Senhor o controla.

— Moneo fechou *a si mesmo* no próprio passado. Eu não fiz isso.

— Mas ele é um aristocrata... um Atreides.

Leto se recordou das feições envelhecidas de Moneo, pensando o quão inevitável era o fato de que o aristocrata recusasse seu dever final: afastar-se e desaparecer na história. Ele teria que ser afastado. E seria. Nenhum aristocrata havia superado as demandas de mudança.

Idaho ainda não havia terminado.

— O Senhor é um aristocrata, Leto?

Leto sorriu.

— O aristocrata definitivo morre em meu íntimo. — E ele pensou: *privilégio se transforma em arrogância, Arrogância promove injustiça. As sementes da ruína florescem.*

— Talvez eu não vá ao casamento – disse Idaho. – Nunca me considerei um aristocrata.

— Só que você foi. Você foi *o* aristocrata da espada.

— Paul era melhor – respondeu Idaho.

Leto falou na voz de Muad'Dib:

— Porque você me ensinou! – Ele voltou ao tom normal de voz. – O dever silencioso do aristocrata: ensinar e às vezes com exemplos horríveis.

Logo depois, pensou: *O orgulho do nascimento se desvia para a penúria e as fraquezas dos casamentos consanguíneos. O caminho é aberto por orgulho das riquezas e das realizações. Entrem os* nouveaux riches, *chegando ao poder como os Harkonnen fizeram, pela porta dos fundos do* ancient régime.

O ciclo se repetia com tamanha persistência que Leto sentia que qualquer um deveria ter percebido como ele fora incorporado a padrões de sobrevivência havia muito esquecidos, os quais a raça humana havia superado, mas nunca perdido.

Mas não, ainda carregamos os detritos que já deviam ter sido extirpados.

— Existe alguma fronteira? – perguntou Idaho. – Existe alguma fronteira a qual eu possa atravessar e nunca mais tomar parte nisso?

— Se deve existir alguma fronteira, você há de me ajudar a criá-la – contrapôs Leto. – Agora não existe lugar para ir aonde outros de nós não sejam capazes de segui-lo e encontrá-lo.

— Então o Senhor não vai me deixar ir embora.

— Vá, se é o que você deseja. Outras versões suas tentaram. Eu afirmo que não existe fronteira, nenhum lugar para se esconder. Neste exato momento, como tem sido por um tempo muito, muito longo, a humanidade se assemelha a uma criatura unicelular, unida por uma cola perigosa.

— Nada de novos planetas? Nenhum estranho...

— Ah, nós crescemos, mas não nos separamos.

— Porque *o Senhor* nos mantém juntos! — ele acusou.

— Não sei se você consegue entender isso, Duncan, mas, se existe uma fronteira, qualquer tipo de fronteira, então o que jaz atrás de você não pode ser mais importante do que aquilo que está à frente.

— O Senhor é o passado!

— Não, Moneo é o passado. Ele é ágil ao levantar barreiras aristocráticas tradicionais contra todas as fronteiras. Você deve entender o poder dessas barreiras. Elas não enclausuram apenas planetas e terras desses planetas, também enclausuram ideias. Elas reprimem mudanças.

— O *Senhor* reprime mudanças!

Ele não vai se desviar, pensou Leto. *Mais uma tentativa.*

— O sinal mais seguro de que uma aristocracia existe é a descoberta de barreiras contra mudanças, cortinas de ferro, aço, pedra ou qualquer outra substância que exclua o novo, o diferente.

— Eu sei que deve existir uma fronteira em algum lugar — disse Idaho. — O Senhor a esconde.

— Nada escondo de fronteiras. Quero fronteiras! Quero surpresas!

Eles batem de frente, pensou Leto. *E então se recusam a entrar.*

Confirmando essa previsão, os pensamentos de Idaho se lançaram em um novo rumo.

— O Senhor realmente teve Dançarinos Faciais atuando no anúncio de seu noivado?

Leto sentiu uma onda de ira, seguida imediatamente por um prazer desvirtuado pelo fato de ser capaz de experimentar aquela emoção com tanta profundidade. Queria deixar-se gritar com Duncan... mas isso não resolveria nada.

— Os Dançarinos Faciais atuaram — ele confirmou.

— Por quê?

— Quero que todos compartilhem de minha felicidade.

Idaho o fitou como se estivesse descobrindo um inseto repulsivo em sua bebida. Em uma voz inexpressiva, Idaho observou:

— Isso foi a coisa mais cínica que já ouvi de um Atreides.

— Mas um Atreides disse.

— Você está deliberadamente tentando me irritar! Você está evitando minha pergunta!

Mais uma vez no campo de batalha, pensou Leto. Então disse:

— Os Dançarinos Faciais de Bene Tleilax são organismos em colônia. Individualmente, são estéreis. Essa é uma escolha que fizeram para eles mesmos e *por* eles mesmos.

Leto aguardou, pensando: *devo ser paciente. Eles têm que descobrir isso por si próprios. Se eu contar, eles não acreditarão. Pense, Duncan, pense!*

Após um longo silêncio, Idaho declarou:

— Eu lhe fiz um juramento. É importante para mim. Ainda é importante. Não sei o que o Senhor está fazendo, nem o porquê. Posso apenas dizer que não gosto do que está acontecendo. Pronto! Está dito!

— Foi por isso que você retornou da Cidadela?

— Sim!

— Você vai voltar à Cidadela agora?

— Que outra *fronteira* existe?

— *Muito* bom, Duncan! Sua raiva sabe, mesmo quando sua razão não o sabe. Hwi vai para a Cidadela hoje à noite. Vou encontrá-la amanhã.

— Quero conhecê-la melhor — comentou Idaho.

— Você a evitará — redarguiu Leto. — É uma ordem. Hwi não é para você.

— Sempre soube que as bruxas existiam. — disse Idaho. — Sua avó era uma.

Ele deu meia-volta e, sem pedir permissão para sair, voltou pelo caminho que havia vindo.

Como ele se parece com um garotinho, pensou Leto, reparando na rigidez das costas de Idaho. *O homem mais velho de nosso universo e o mais novo... ambos na mesma carne.*

> O PROFETA NÃO É DISTRAÍDO POR ILUSÕES DE PASSADO, PRESENTE E FUTURO. A RIGIDEZ DA LINGUAGEM DETERMINA TAIS DISTINÇÕES LINEARES. PROFETAS POSSUEM A CHAVE PARA A FECHADURA DE UMA LINGUAGEM. A IMAGEM MECÂNICA PERMANECE APENAS COMO UMA IMAGEM PARA ELES. ESTE NÃO É UM UNIVERSO MECÂNICO. A PROGRESSÃO LINEAR DOS EVENTOS É IMPOSTA PELO OBSERVADOR. CAUSA E EFEITO? NÃO É ISSO DE FORMA ALGUMA. O PROFETA PRENUNCIA PALAVRAS FATÍDICAS. VOCÊ VÊ UM LAMPEJO DE ALGO "DESTINADO A ACONTECER". MAS O INSTANTE PROFÉTICO LIBERA ALGO DE PORTENTO E PODER INFINITOS. O UNIVERSO PASSA POR UMA MUDANÇA FANTASMAGÓRICA. ASSIM, O PROFETA SÁBIO ESCONDE A REALIDADE ATRÁS DE RÓTULOS CINTILANTES. OS NÃO INICIADOS, ENTÃO, ACREDITAM QUE A LINGUAGEM PROFÉTICA É AMBÍGUA. O OUVINTE DESCONFIA DA MENSAGEM PROFÉTICA. O INSTINTO DIZ A VOCÊ COMO O PRONUNCIAMENTO EMBOTA O PODER DE TAIS PALAVRAS. OS MELHORES PROFETAS O LEVAM ATÉ A CORTINA E DEIXAM QUE VOCÊ ESPREITE POR SI MESMO.
>
> — Os Diários Roubados

Leto se dirigiu a Moneo na voz mais fria que já usara.

— O Duncan me desobedece.

Eles estavam na arejada sala de pedras douradas, no topo da torre sul da Cidadela, no terceiro dia após o retorno de Leto do Festival Decenal de Onn. Um portal aberto ao seu lado mostrava a paisagem austera do meio-dia do Sareer. O vento produzia um zunido ao passar pela abertura. Ele agitava o pó e a areia, o que fazia Moneo cerrar os olhos. Leto parecia não notar essa irritação. Ele esquadrinhou o Sareer, onde o ar estava vivo com movimentos do calor. O ondular longínquo das dunas sugeria uma mobilidade no cenário que apenas seus olhos conseguiam observar.

Moneo permaneceu imerso nos odores azedos de seu próprio medo, sabendo que o vento transmitia a mensagem desses cheiros aos sentidos de Leto. Os preparativos para o casamento, o descontentamento entre as Oradoras Peixe... tudo era um paradoxo. Isso fez Moneo se lembrar de algo que o Imperador Deus dissera nos primeiros dias de cooperação.

Paradoxo é um indicador lhe dizendo para olhar além dele. Se paradoxos o incomodam, isso revela seu desejo profundo por absolutos. O relativista trata um paradoxo apenas como interessante, talvez divertido ou até mesmo, que noção terrível, instrutivo.

— Você não responde — disse Leto. Ele transferiu seu exame do Sareer e focou sua atenção opressiva em Moneo.

Moneo só podia encolher os ombros. *Quão próximo está o Verme?*, ele se perguntou. Moneo notou que o retorno à Cidadela desde Onn às vezes despertava o Verme. O Imperador Deus não havia traído nenhum sinal daquela mudança temível em sua presença, mas Moneo a sentia. Será que o Verme era capaz de vir sem aviso?

— Acelere os preparativos para o casamento — disse Leto. — Faça isso o mais rápido que conseguir.

— Antes que o Senhor teste Siona?

Leto ficou em silêncio por um momento e então indagou:

— Não. O que você vai fazer a respeito do Duncan?

— O que o Senhor deseja que eu faça?

— Eu disse a ele para que não visse Noree, para evitá-la. Disse a ele que era uma ordem.

— Ela tem simpatia por ele, Senhor. Nada mais que isso.

— Por que ela devia ter simpatia por ele?

— Ele é um ghola. Não tem conexões com nossos tempos, nem raízes.

— Ele tem raízes tão profundas quanto as minhas!

— Mas ele não sabe disso, Senhor.

— Você está discutindo comigo, Moneo?

Moneo deu meio passo para trás, sabendo que isso não o salvaria do perigo.

— Oh, não, Senhor. Mas sempre tento dizer ao Senhor com sinceridade aquilo que acredito que esteja acontecendo.

— Eu direi a *você* o que está acontecendo. Ele a está cortejando.

— Mas é ela quem inicia os encontros, Senhor!

— Então você sabia disso?

— Não sabia que o Senhor havia proibido em absoluto.

— Ele é esperto com as mulheres, Moneo, extremamente esperto — Leto falou em uma voz meditativa. — É capaz de ler suas almas e fazer com que elas realizem o que ele desejar. Sempre foi assim com os Duncan.

— Eu não sabia que o Senhor havia proibido quaisquer encontros entre eles! — a voz de Moneo saiu quase estridente.

— Ele é mais perigoso do que qualquer um dos outros — Leto observou. — É culpa dos nossos tempos.

— Senhor, os Tleilaxu não dispõem de um sucessor para pronta-entrega.

— E nós precisamos deste?

— O Senhor mesmo disse. É um paradoxo o qual eu não entendo, mas o Senhor realmente o disse.

— Quanto tempo até haver um substituto?

— Pelo menos um ano, Senhor. Devo perguntar a data específica?

— Pergunte hoje mesmo.

— Isso pode chegar aos ouvidos dele, Senhor. Chegou aos do anterior.

— Não quero que aconteça dessa forma, Moneo!

— Eu sei, Senhor.

— E não ouso falar sobre isso com Noree — Leto argumentou. — O Duncan não é para ela. Ainda assim, não posso magoá-la! — Esta última frase soou como uma lamúria.

Moneo parou em um silêncio perplexo.

— Você não vê? – demandou Leto. – Moneo, ajude-me.

— Vejo que é diferente com Noree – disse Moneo. – Mas não sei o que fazer.

— O que é diferente? – A voz de Leto tinha uma qualidade penetrante que trespassava Moneo.

— Quero dizer a sua atitude em relação a ela, Senhor. É diferente de qualquer coisa que eu já tenha visto no Senhor.

Moneo então percebeu os primeiros sinais: tremores nas mãos do Imperador Deus, o começo do embotamento dos olhos. *Deuses! O Verme está chegando!* Moneo sentiu-se totalmente exposto. Uma mera ondulação do corpanzil esmagaria Moneo contra uma parede. *Tenho que apelar ao humano dentro dele.*

— Senhor – começou Moneo. – Li os relatos e ouvi suas próprias palavras sobre seu casamento com sua irmã, Ghanima.

— Se ao menos ela estivesse aqui comigo agora – murmurou Leto.

— Ela nunca foi sua mulher, Senhor.

— O que você está sugerindo? – demandou Leto.

Os tremores da mão de Leto haviam se transformado em vibrações espasmódicas.

— Ela era... quero dizer, Senhor, que Ghanima era a mulher de Harq al-Ada.

— Claro que ela era! Todos vocês, Atreides, descendem deles!

— Existe algo que o Senhor não tenha me contado? É possível... quer dizer, com Hwi Noree... o Senhor seria capaz de se reproduzir?

As mãos de Leto agitaram-se de maneira tão forte que Moneo se perguntou se o dono delas não percebia. O embotamento dos grandes olhos azuis se aprofundou.

Moneo deu outro passo para trás, em direção à porta da escada que levava para longe daquele lugar mortal.

— Não questione acerca de minhas possibilidades – ribombou Leto, e sua voz estava horrendamente distante, como se tivesse partido para algum lugar dentre as camadas de seu passado.

— Jamais o farei outra vez, Senhor – anuiu Moneo. Ele se inclinou para trás, a um único passo da porta. – Falarei com Noree, Senhor... e com o Duncan.

— Faça o que puder – A voz de Leto soava muito longe naquelas câmaras interiores as quais somente ele podia adentrar.

Suavemente, Moneo saiu pela porta. Fechou-a atrás de si e apoiou as costas contra ela, tremendo. *Ahhhh, essa passou perto demais, a pior de todas.*

E o paradoxo continuava. Para onde apontava? Qual era o significado das estranhas e dolorosas decisões do Imperador Deus? O que havia trazido *O Verme que é Deus?*

Um baque soou de dentro do refúgio de Leto, um choque pesado contra pedras. Moneo não ousou abrir a porta para investigar. Ele se impulsionou, afastando-se da superfície que refletia aquele baque terrível e desceu as escadas, movendo-se com cautela, respirando com dificuldade até chegar ao térreo e à guarda Oradora Peixe que lá estava.

— Ele está perturbado? – perguntou ela, olhando para o alto das escadas.

Moneo assentiu. Ambos podiam ouvir perfeitamente os baques.

— O que o perturba? – perguntou a Guarda.

— Ele é Deus e nós somos mortais – disse Moneo. Essa era uma resposta que geralmente satisfazia as Oradoras Peixe, mas, agora, novas forças estavam em ação.

Ela olhou diretamente para ele e Moneo viu o treinamento assassino emergir em suas feições suaves. Ela era uma mulher relativamente jovem, com cabelos castanho-avermelhados e um rosto dominado por um nariz arrebitado e lábios cheios, mas naquele momento seus olhos estavam duros e inquiridores. Apenas um tolo viraria as costas para aquele olhar.

— Eu não o perturbei – disse Moneo.

— Claro que não – ela concordou. Seu olhar se suavizou levemente. – Mas eu gostaria de saber *quem* ou o que o perturbou.

— Creio que ele está impaciente pelo seu casamento – disse Moneo. – Acho que é só isso.

— Então adiante o dia! – disse ela.

— É exatamente o que farei – respondeu Moneo. Ele se virou e partiu apressado pelo longo corredor até sua própria área na Cidadela. Deuses! As Oradoras Peixe estavam se tornando tão perigosas quanto o Imperador Deus.

Aquele Duncan estúpido! Colocou a todos nós em perigo. E Hwi Noree. O que deve ser feito com ela?

O PADRÃO DAS MONARQUIAS E SISTEMAS SIMILARES POSSUI UMA MENSAGEM DE VALOR PARA TODOS OS SISTEMAS POLÍTICOS. MINHAS MEMÓRIAS ME ASSEGURAM QUE GOVERNOS DE QUALQUER FORMA PODEM SE BENEFICIAR DESSA MENSAGEM. GOVERNOS PODEM SER ÚTEIS AOS GOVERNADOS APENAS ENQUANTO AS TENDÊNCIAS INERENTES QUE PENDEM À TIRANIA SEJAM RESTRINGIDAS. MONARQUIAS POSSUEM ALGUMAS CARACTERÍSTICAS BOAS. ELAS PODEM REDUZIR O TAMANHO E A NATUREZA PARASÍTICA DA BUROCRACIA GERENCIAL. PODEM TOMAR DECISÕES RÁPIDAS QUANDO NECESSÁRIO. ENCAIXAM-SE EM UMA ANTIGA DEMANDA HUMANA POR UMA HIERARQUIA PARENTAL (TRIBAL OU FEUDAL), ONDE CADA PESSOA SABE SEU LUGAR. É VALIOSO SABER SEU LUGAR, MESMO SE ELE FOR TEMPORÁRIO. É IRRITANTE SER MANTIDO EM UM LUGAR CONTRA A PRÓPRIA VONTADE. É POR ISTO QUE ENSINO SOBRE TIRANIA DA MELHOR FORMA POSSÍVEL: POR EXEMPLOS. MESMO QUE VOCÊS ESTEJAM LENDO ESTAS PALAVRAS DEPOIS DE UMA PASSAGEM DE ÉONS, MINHA TIRANIA NÃO SERÁ ESQUECIDA. MEU CAMINHO DOURADO ASSIM O ASSEGURA. CONHECENDO A MINHA MENSAGEM, ESPERO QUE VOCÊS SEJAM EXCESSIVAMENTE CUIDADOSOS COM OS PODERES QUE DELEGAM A QUALQUER GOVERNO.

— Os Diários Roubados

Leto se preparava com um cuidado paciente para seu primeiro encontro privado com Siona desde que fora banida, enquanto criança, para a escola das Oradoras Peixe na Cidade Festival. Ele dissera a Moneo que a receberia na Pequena Cidadela, uma torre de observação que ele havia construído no Sareer central. O local havia sido escolhido para observar paisagens novas e antigas, bem como os lugares entre elas. Não havia estradas até a Pequena Cidadela. Visitantes chegavam de tópteros. Leto foi até lá como se tivesse usado magia.

Com as próprias mãos, durante os primeiros dias de sua ascendência, Leto usara uma máquina ixiana para cavar um túnel secreto sob o Sareer até essa torre, fazendo ele mesmo todo o trabalho. Naqueles dias, uns poucos vermes da areia selvagens ainda vagavam pelo deserto. Ele cercara o túnel com paredes maciças de sílica fundida e havia embutido inúmeras bolhas de água nas camadas externas, para repelir os vermes. O túnel previra seu crescimento máximo e os requisitos de um Coche Real que, naquela época, era apenas um fragmento de suas visões.

Nas horas que antecediam o alvorecer do dia atribuído a Siona, Leto descera à cripta e dera ordens a sua guarda de que ele não deveria ser perturbado por ninguém. Seu coche o levou com rapidez por um dos eixos escuros da cripta, onde ele abriu um portal escondido, emergindo em menos de uma hora na Pequena Cidadela.

Um de seus deleites era sair sozinho pela areia. Sem coche. Apenas seu corpo pré-verme para carregá-lo. A areia transmitia a ele uma sensação luxuosamente sensual ao roçar em seu corpo. O calor de sua passagem por entre as dunas sob a primeira luz do dia deixava uma onda de vapor que o forçava a continuar se movendo. Ele parou quando encontrou um bolsão relativamente seco, cerca de cinco quilômetros mais além. Permaneceu ali, no centro de uma umidade desconfortável deixada pelos vestígios de orvalho, seu corpo bem ao lado da sombra da torre, que se estendia para o leste dele, através das dunas.

A certa distância, os três mil metros da torre podiam ser vistos como uma agulha impossível furando o céu. Apenas a combinação inspirada dos comandos de Leto e a imaginação ixiana foram capazes de fazer com que essa estrutura fosse concebida. Com 150 metros de diâmetro, a torre se apoiava em uma fundação que mergulhava tão fundo na areia quanto seguia para cima. A mágica do açoplás e as ligas ultraleves mantinham-na flexível contra o vento e resistente às abrasivas rajadas de areia.

Leto gostava tanto desse lugar que limitava suas próprias visitas, inventando uma longa lista de regras pessoais que deviam ser seguidas. As regras se somavam à "Grande Necessidade".

Durante alguns momentos enquanto estava lá, ele era capaz de colocar de lado os fardos do Caminho Dourado. Moneo, o bom e confiável Moneo, faria com que Siona chegasse prontamente, bem ao cair da noite. Leto teria um dia inteiro para relaxar e pensar, divertir-se e fingir que não tinha preocupações, para consumir o sustento cru da terra em um frenesi de alimentação ao qual ele não podia se permitir em Onn nem na Cidadela. Nesses lugares, a ele era requerido que se confinasse a mergulhos furtivos através de passagens estreitas onde apenas a cautela presciente o mantinha longe de encontros com bolsões de água. Ali, contudo, ele era capaz de correr pela areia e através dela, se alimentar e se fortalecer.

A areia era triturada abaixo de si enquanto ele seguia, flexionando seu corpo em um prazer puramente animal. Ele podia sentir seu eu-verme sendo restaurado, uma sensação elétrica que enviava mensagens de saúde por todo o seu corpo.

Àquela altura, o sol já havia ultrapassado o horizonte, pintando um traço dourado acima de um dos lados da torre. Percebia-se o cheiro de pó amargo no ar e um odor de plantas espinhosas a distância, as quais haviam respondido aos vestígios de orvalho da manhã. De maneira gentil a princípio, depois com maior rapidez, ele se moveu para fora em um largo círculo ao redor da torre, pensando apenas em Siona enquanto se movimentava.

Não poderia haver mais atrasos. Ela tinha que ser testada. Moneo sabia disso tão bem quanto Leto.

Naquela mesma manhã, Moneo dissera:

— Senhor, existe uma violência terrível dentro dela.

— Ela tem os primeiros sinais do vício em adrenalina — dissera Leto. — É a hora da síndrome de abstinência.

— Síndrome de quê, Senhor?

– É uma expressão antiga. Significa que ela deve ser sujeita a uma privação completa. Ela deve sofrer um choque de necessidade.

– Oh... entendo.

Pela primeira vez, Leto percebera, Moneo realmente *entendera*. Moneo passara por sua própria síndrome de abstinência.

– Em geral, os jovens são incapazes de tomar decisões difíceis, a não ser que elas estejam associadas à violência imediata e ao consequente fluxo impetuoso de adrenalina – Leto explicara.

Moneo se mantivera em um silêncio reflexivo, relembrando, e então disse:

– É um grande perigo.

– Essa é a violência que você vê em Siona. Mesmo as pessoas velhas podem se agarrar a ela, mas os jovens chafurdam.

Enquanto circulava a torre sob a luz crescente do dia, deliciando-se ainda mais com a sensação da areia conforme ela secava, Leto pensou sobre essa conversa. Ele desacelerou sua passagem sobre a areia. Um vento por trás dele carregou o oxigênio exalado e um odor de sílex queimado sobre suas narinas humanas. Ele inalou rapidamente, elevando sua consciência ampliada a um novo nível.

Esse dia preliminar continha um propósito múltiplo. Ele pensou no encontro que se aproximava de maneira parecida com a qual um toureiro considerava o primeiro exame de seu adversário lunado. Siona tinha sua própria espécie de chifres, ainda que Moneo fosse garantir que ela não traria armas físicas a esse encontro. Entretanto, Leto tinha de se assegurar de que ele conhecesse cada força e cada fraqueza de Siona. E ele teria de criar suscetibilidades nela sempre que possível. Ela tinha que ser preparada para o teste, seus músculos psíquicos embotados por farpas bem implantadas.

Logo depois do meio-dia, com seu eu-verme saciado, Leto retornou à torre, arrastou-se até seu coche e, erguido pelos suspensores, foi até o limiar do portal que abria apenas a seu comando. Durante o resto do dia, ele permaneceu lá, em seu retiro, pensando, tramando.

O adejar das asas de um ornitóptero sussurrou no ar exatamente ao cair da noite, sinalizando a chegada de Moneo.

Fiel Moneo.

Leto fez com que uma plataforma de pouso se projetasse de seu retiro. O tóptero deslizou para dentro, com as asas curvadas. A nave se posicionou delicadamente na beira da plataforma. Leto fitou dentre a escuridão que se aprofundava. Siona emergiu e se dirigiu a ele, temerosa pela altura sem proteção. Ela vestia um manto branco sobre um uniforme negro sem insígnias. Olhou para trás rapidamente logo depois de adentrar a torre, depois voltou sua atenção para o corpanzil de Leto, que esperava no coche quase no centro do retiro. O tóptero alçou voo e se perdeu na escuridão. Leto deixou a plataforma estendida, o portal aberto.

— Existe uma varanda do outro lado da torre. Iremos para lá.

— Por quê?

A voz de Siona beirava a mais pura suspeita.

— Dizem que é um lugar fresco – disse Leto. – E, de fato, sinto uma fraca sensação de frio em minhas bochechas quando as exponho àquela brisa.

A curiosidade a trouxe mais próximo a ele.

Leto fechou o portal atrás dela.

— A vista noturna dessa varanda é magnífica.

— Por que estamos aqui?

— Porque ninguém nos ouvirá aqui.

Leto virou seu coche e o conduziu silenciosamente até a varanda. A fraca iluminação, oculta pelo retiro, mostrava a ela os movimentos dele. Leto ouviu que ela o seguia.

A varanda era composta por um semianel no arco sudeste da torre, com uma grade filigranada na altura do peito ao redor do perímetro. Siona se moveu até a grade e passou os olhos pelo terreno aberto.

Leto sentia a receptividade que esperava. Algo seria dito aqui somente para os ouvidos dela. Não importava o que fosse, ela ouviria e responderia dos recônditos de seus próprios motivos. Leto olhou além dela, em direção à extremidade do Sareer, onde a muralha-limite, feita pela mão dos homens, era uma linha baixa e chata, levemente visível sob a luz da primeira lua que se levantava sobre o horizonte. A visão amplificada dele identificou o movimento distante de um comboio de Onn, um lento reluzir dos veículos puxados por animais que caminhavam ao longo da estrada alta na direção do vilarejo de Tabur.

Ele podia invocar uma imagem-memória do vilarejo, aninhado entre as plantas que cresciam na área úmida ao longo da base interna da muralha. Seus fremen de museu cultivavam por lá tamareiras, gramíneas altas e até mesmo hortaliças para a venda. Não era como nos velhos dias, quando qualquer lugar habitado, até mesmo uma diminuta bacia com um punhado de plantas baixas alimentadas por uma cisterna simples e um captador de vento, podia parecer exuberante em contraste à areia aberta. O vilarejo de Tabur era um paraíso rico em água, quando comparado com Sietch Tabr. Todos no vilarejo de hoje sabiam que, logo além da muralha que representava a fronteira do Sareer, o rio Idaho deslizava para o sul em uma longa linha reta, a qual devia estar prateada agora, sob a luz da lua. Os fremen de museu não podiam escalar a face íngreme interna da muralha, mas sabiam que a água estava lá. A terra também sabia. Se um habitante de Tabur colocasse um ouvido contra o solo, a terra murmuraria com o som das corredeiras.

Havia pássaros da noite ao longo da barragem agora àquela hora, pensou Leto, criaturas que viviam sob a luz do sol em outro mundo. Duna havia lançado sua mágica evolucionária neles e ainda viviam graças à misericórdia do Sareer. Leto havia visto os pássaros desenharem sombras taciturnas por sobre a água e, quando mergulhavam para beber, criavam ondulações que o rio carregava correnteza abaixo.

Mesmo a essa distância, Leto sentiu o poder naquela água distante, uma força vigorosa que vinha de seu passado, a qual se movia para longe dele como a correnteza fluindo para o sul, até os domínios das fazendas e florestas. A água atravessava colinas, ao longo das margens de uma vida vegetal abundante que havia substituído todos os desertos de Duna, exceto por aquele último recanto, este Sareer, este santuário do passado.

Leto recordou o rugir do impulso das máquinas ixianas, que haviam infligido aquele curso d'água na paisagem. Parecia que fora há pouco tempo, não mais do que três mil anos.

Siona se mexeu e olhou de volta para ele, mas Leto permaneceu em silêncio, sua atenção fixada ao longe. Uma luz pálida em tom de âmbar brilhou acima do horizonte, reflexo de uma cidade em nuvens longínquas. Pela direção e distância, Leto sabia que era a cidade de Platiporto transplantada para longe, em busca de um clima mais quente no sul, a partir de sua antiga e austera localidade sob a luz fria e oblíqua do Norte. O brilho da cidade era como uma janela para o passado de Leto. Ele sentiu o feixe atravessando seu peito, diretamente entre a membrana espessa e escamada que havia substituído sua pele humana.

Estou vulnerável, pensou ele.

Mesmo assim, ele sabia que era o senhor daquele lugar e que o planeta era seu senhor.

Sou parte dele.

Ele devorava o solo diretamente, rejeitando apenas a água. Sua boca e seus pulmões humanos haviam sido relegados apenas a respirar o suficiente para sustentar os vestígios de sua humanidade... e sua fala.

Leto falou para as costas de Siona:

— Gosto de conversar e temo o dia em que não poderei mais me engajar em conversações.

Com certa desconfiança, ela se virou e o fitou sob a luz da lua, com uma óbvia expressão de desgosto.

— Assumo que sou um monstro aos olhos de muitos humanos.

— Por que estou aqui?

Diretamente ao ponto! Ela não se desviaria. *Grande parte dos Atreides era dessa forma*, ele pensou. Era uma característica que ele esperava que fosse mantida em suas reproduções. Falava de um forte senso interno de identidade.

— Preciso descobrir o que o Tempo fez com você — ele respondeu.

— Por que você precisa disso?

Um pouco de medo em sua voz ali, ele pensou. *Ela acha que vou inquiri-la sobre sua débil rebelião e investigar os nomes de seus associados sobreviventes.*

Como ele permaneceu em silêncio, ela emendou:

— O Senhor pretende me matar da mesma forma que matou meus amigos?

Então ela ouviu sobre a luta na Embaixada e assume que sei tudo sobre suas atividades rebeldes no passado. Moneo tem dado sermões a ela, maldição! Bem... eu poderia ter feito o mesmo se estivesse na posição dele.

— O Senhor é realmente um deus? — demandou ela. — Não entendo por que meu pai acredita nisso.

Ela tem algumas dúvidas, pensou ele. *Ainda tenho espaço para manobrar.*

— As definições variam — ele falou. — Para Moneo, sou um deus... e essa é uma verdade.

— O Senhor já foi humano, certa vez.

Ele começou a gostar dos saltos do intelecto dela. Ela tinha aquela curiosidade caçadora e certeira, que era a marca dos Atreides.

— Você está curiosa sobre mim — disse ele. — O mesmo acontece comigo. Estou curioso a seu respeito.

— O que faz o Senhor pensar que estou curiosa?

— Você costumava me observar com muito cuidado quando era criança. Vejo o mesmo olhar em você esta noite.

— Sim, eu me perguntava como seria ser como o Senhor.

Ele a estudou por um momento. A luz da lua desenhava sombras debaixo de seus olhos, escondendo-os. Ele podia deixar-se imaginar que os olhos de Siona eram do mesmo azul total como os seus próprios, o azul do vício em especiaria. Com esse vício imaginário, Siona trazia uma curiosa semelhança com sua falecida irmã, Ghani. Estava nos traços de seu rosto e na posição dos olhos. Ele quase disse isso a Siona, mas considerou melhor não fazê-lo.

— O Senhor come comida humana? — perguntou Siona.

— Por um longo tempo depois de colocar a pele de trutas da areia, senti meu estômago ansiar por alimento — disse ele. — Às vezes tentava comer. Meu estômago rejeitava a maior parte dela. Os cílios das trutas da areia se espalharam em quase todos os lugares da minha carne humana. Comer virou algo desagradável. Atualmente, ingiro apenas substâncias secas que às vezes contêm um pouco de especiaria.

— O Senhor... come mélange?

— Às vezes.

— Mas não sente mais anseios humanos?

— Eu não disse isso.

Ela o fitou, aguardando.

Leto admirou a forma como ela deixava questões não pronunciadas trabalharem em favor dela. Ela era inteligente e havia aprendido muito durante sua curta vida.

— Os anseios do estômago eram um sentimento negro, uma dor que eu não conseguia aliviar — disse ele. — Então, eu corria, corria como uma criatura insana pelas dunas.

— O Senhor... corria?

— Naqueles dias, minhas pernas eram mais longas em relação ao meu corpo. Eu podia me mover com facilidade. Mas a dor causada pelo anseio nunca me deixou. Acho que é ânsia pela minha humanidade perdida.

Ele percebeu o despertar de uma simpatia relutante nela, o questionamento.

— O Senhor ainda sofre dessa... dor?

— Agora é apenas uma leve ardência. É um dos sinais da minha metamorfose final. Em algumas centenas de anos estarei de volta à areia.

Ele a viu cerrar os pulsos ao lado de seu corpo.

— Por quê? — perguntou ela — Por que o Senhor fez isso?

— Essa mudança não é de todo ruim. Hoje, por exemplo, foi bastante agradável. Sinto-me bem jovial.

— Há mudanças que não podemos ver — comentou ela. — Sei que devem existir — ela relaxou as mãos.

— Minha visão e audição se tornaram extremamente acuradas, mas não meu tato. Exceção feita a meu rosto, não sinto coisas que podia sentir antes. Tenho saudades disso.

Novamente, ele notou a simpatia relutante, o esforço na direção de uma compreensão empática. Ela queria *saber!*

— Quando se vive tanto — disse ela —, como se sente a passagem do Tempo? Ele se move mais rapidamente conforme os anos se passam?

— É algo estranho, Siona. Às vezes, o tempo se acelera para mim; às vezes ele se arrasta.

Gradualmente, enquanto eles conversavam, Leto foi diminuindo as luzes ocultas de seu retiro, movendo o coche cada vez mais perto de Siona. Agora, ele apagara as luzes, deixando apenas a lua. A frente de seu coche avançara em direção à varanda, seu rosto a apenas dois metros de Siona.

— Meu pai me diz que, quanto mais velho o Senhor fica, mais devagar seu tempo passa — ela comentou. — Isso foi o que o Senhor disse a ele?

Testando minha veracidade, pensou ele. *Então ela não é uma Proclamadora da Verdade.*

— Todas as coisas são relativas, mas, comparadas ao senso de tempo dos humanos, isso é verdade.

— Por quê?

— Está relacionado com aquilo em que vou me transformar. No final, o Tempo cessará para mim e serei congelado como uma pérola no gelo. Meus novos corpos se espalharão, cada um com uma pérola escondida dentro dele.

Ela se virou e afastou o olhar dele, espiando o deserto, falando sem fitá-lo:

— Quando falo com o Senhor assim, na escuridão, quase sou capaz de esquecer o que o Senhor é.

— Foi por isso que escolhi esta hora para o nosso encontro.

— Mas por que este lugar?

— Porque é o último lugar onde ainda consigo me sentir em casa.

Siona deu as costas para a grade, inclinando-se contra ela e olhando para Leto.

— Desejo vê-lo.

Ele acendeu todas as luzes do retiro, incluindo os fortes globos brancos ao longo do teto da borda externa da varanda. Assim que as luzes foram acesas, uma máscara transparente de origem ixiana deslizou para fora dos recessos na parede e selaram a varanda atrás de Siona. Ela sentiu aquilo se mover por trás de si e ficou assustada, mas assentiu como se compreendesse. Ela pensara que era uma defesa contra algum ataque. Não era. A parede servia apenas para manter do lado de fora os insetos úmidos da noite.

Siona fitou Leto, passando seu olhar ao longo do corpo dele, pausando sobre os cotos que haviam sido suas pernas, voltando a atenção para os braços e as mãos, depois para o rosto.

— As histórias aprovadas pelo Senhor nos dizem que todos os Atreides descendem do Senhor e de sua irmã, Ghanima — ela observou. — A História Oral discorda.

— A História Oral está correta. Seu ancestral foi Harq al-Ada. Ghani e eu éramos casados apenas no papel, um estratagema para consolidar o poder.

— Como seu casamento com essa mulher ixiana?

— Isso é diferente.
— Vocês terão filhos?
— Nunca fui capaz de ter filhos. Escolhi a metamorfose antes que fosse possível.
— O Senhor era uma criança e logo depois virou... — Siona apontou — isso?
— Nada entre os dois períodos.
— Como uma criança sabe o que escolher?
— Fui uma das crianças mais velhas que esse universo chegou a ver. Ghani era a outra.
— Aquela história sobre suas memórias ancestrais!
— Uma história verdadeira. Estamos todos aqui. A História Oral não concorda?

Ela girou e manteve as costas rígidas na direção dele. Mais uma vez, Leto se descobriu fascinado por esse gesto *humano*: rejeição combinada com vulnerabilidade. Logo, ela se voltou e se concentrou nas feições dentro das dobras protetoras.

— O Senhor se parece com os Atreides — disse ela.
— Ganhei essa aparência tão honestamente quanto você.
— O Senhor é tão velho... por que não está enrugado?
— Nada da minha parte humana envelhece de maneira normal.
— Foi por esse motivo que o Senhor fez isso consigo mesmo?
— Para gozar uma vida longa? Não.
— Não vejo como alguém seria capaz de fazer tal escolha — murmurou ela. Depois, falou mais alto: — Nunca conhecer o amor...
— Você está bancando a tola! Você não quer dizer amor, quer dizer sexo.

Ela deu de ombros.

— Você acha que a coisa mais terrível da qual eu abri mão foi do sexo? — Leto prosseguiu. — Não, a grande perda foi algo bem diferente.
— O quê? — Ela perguntou com relutância, traindo quão profundamente ele a sensibilizava.

— Não posso caminhar entre meus companheiros sem que eles reparem. Não sou mais um de vocês. Estou sozinho. Amor? Muitas pessoas me amam, mas minha aparência nos mantém afastados. Estamos separados, Siona, por um golfo sobre o qual nenhum outro homem ousou construir uma ponte.

— Nem mesmo sua mulher ixiana?

— Sim, ela o faria se pudesse, mas não consegue. Ela não é uma Atreides.

— O Senhor quer dizer que eu... poderia? — Ela tocou o peito com um dedo.

— Se houvesse trutas da areia suficientes por aí. Infelizmente, todas enclausuram minha carne. Entretanto, se eu morresse...

Ela balançou a cabeça em um horror mudo com tal pensamento.

— A História Oral relata de forma precisa — ele prosseguiu. — E não podemos esquecer que você acredita na História Oral.

Ela continuou a balançar a cabeça de um lado para o outro.

— Não há segredo nisso — ele insistiu. — Os primeiros momentos da transformação são os mais críticos. Sua percepção deve se dirigir para dentro e para fora simultaneamente, uno com o Infinito. Eu poderia fornecer a você mélange o suficiente para realizar isso. Dada uma quantidade suficiente de especiaria, você é capaz de sobreviver a esses primeiros momentos horríveis... e a todos os outros momentos.

Ela estremeceu incontrolavelmente, mirando direto nos olhos dele.

— Você sabe que estou dizendo a verdade, não?

Ela assentiu e inalou um suspiro trêmulo.

— Por que o Senhor fez isso?

— A alternativa era muito mais horrível.

— Qual era a alternativa?

— No devido tempo, você vai compreender. Moneo compreendeu.

— Seu maldito Caminho Dourado!

— Não tem nada de maldito. É bastante sagrado.

— O Senhor pensa que sou uma tola que não consegue...

— Penso que você é inexperiente, mas possui uma capacidade gigantesca de cujo potencial você nem mesmo suspeita.

Ela respirou profundamente três vezes e recuperou um pouco de sua compostura.

— Se o Senhor não pode se reproduzir com a ixiana, o que...

— Criança, por que persiste na incompreensão? Não é pelo sexo. Antes de Hwi, eu não encontrava um *par*. Não havia ninguém como eu. Em todo o vazio cósmico, eu era o único.

— Ela é como... o Senhor?

— Deliberadamente. Os ixianos a fizeram dessa forma.

— Fizeram-na...

— Não banque a idiota completa! — ele a repreendeu. — Ela é a armadilha dos deuses indispensável. Mesmo a vítima não pode rejeitá-la.

— Por que o Senhor está me contando essas coisas? — ela sussurrou.

— Você roubou duas cópias dos meus diários — disse ele. — Você leu as traduções da Guilda e já sabe o que poderia me apanhar.

— O Senhor sabia?

Ele viu a ousadia voltar à postura dela, um sentido de seu próprio poder.

— Claro que você sabia — ela respondeu à sua própria pergunta.

— *Era* o meu segredo — ele comentou. — Você não pode imaginar quantas vezes amei um companheiro e o vi partir... como seu pai está partindo agora.

— O Senhor o... ama?

— E eu amava sua mãe. Às vezes eles partem rápido; às vezes em lenta agonia. Toda vez fico arrasado. Posso fingir-me insensível e sou capaz de tomar as decisões necessárias, até mesmo decisões que matam, mas não consigo escapar do sofrimento. Por um tempo muito, muito longo, e os diários que você roubou relatam com veracidade, essa era a única emoção que eu conhecia.

Ela percebeu a umidade nos olhos dele, mas a linha do maxilar ainda demonstrava decisão irada.

— Nada disso lhe dá o direito de governar — disse ela.

Leto suprimiu um sorriso. Finalmente eles haviam chegado às raízes da rebelião de Siona.

Por que direito? Onde está a justiça em minhas regras? Impondo minhas regras sobre todos, com o peso das armas das Oradoras Peixe, estou sendo justo com o impulso evolutivo da humanidade? Sei tudo sobre a ladainha revolucionária, a conversa mole e as frases retumbantes.

— Em nenhum lugar você vê sua própria mão rebelde no poder que empunho — disse ele.

Sua juventude ainda demandava seu próprio momento.

— Nunca escolhi o Senhor para governar — disse ela.

— Mas você me fortalece.

— Como?

— Fazendo oposição a mim. Afio minhas garras em pessoas como você.

Ela lançou um olhar repentino para as mãos dele.

— Uma figura de linguagem — ele murmurou.

— Então, finalmente o ofendi — disse ela, ouvindo apenas a raiva cortante no tom e nas palavras dele.

— Você não me ofendeu. Somos parentes e podemos falar de maneira brusca entre os membros da família. O fato é que tenho muito mais a temer de você do que você de mim.

Isso a pegou desprevenida, mas apenas por alguns momentos. Ele viu a confiança endurecer os ombros dela, depois a dúvida. O queixo se abaixou e ela o espreitou, olhando para cima.

— O que o grande Deus Leto teme em mim?

— Sua violência ignorante.

— O Senhor está dizendo que é *fisicamente* vulnerável?

— Não vou alertá-la novamente, Siona. Existem limites para o jogo de palavras de que participarei. Você e os ixianos sabem que aqueles que amo são fisicamente vulneráveis. Logo, a maior parte do Império saberá disso. Esse é o tipo de informação que viaja rápido.

— E *todos* perguntarão com que direito o Senhor governa.

Havia júbilo em sua voz. Isso provocou uma mudança abrupta em Leto. Ele achou difícil suprimi-la. Era um lado das emoções humanas que ele detestava. *Tripúdio!* Passou-se algum tempo antes que ousasse responder, então escolheu retalhar suas defesas pela vulnerabilidade que havia percebido.

— Governo pelo direito da solidão, Siona. Minha solidão é uma parte liberdade, outra parte escravidão. Ela diz que não posso ser comprado por nenhum grupo humano. Minha escravidão para com vocês diz que devo servi-los a todos de acordo com minhas habilidades mais nobres.

— Mas os ixianos o pegaram! – disse ela.

— Não. Eles me deram um presente que me fortalece.

— Na verdade, o enfraquece!

— Isso também – ele admitiu. – Mas forças bastante poderosas ainda me obedecem.

— Ahhh, sim – ela assentiu. – *Disso* eu entendo.

— Você não entende.

— Então estou certa de que o Senhor vai me explicar – ela zombou.

Ele falou tão suavemente que ela teve de se curvar na direção dele para ouvir.

— Não há outros, de nenhuma espécie, em nenhum lugar, que possam me conclamar para nada... nem para compartilhar, nem para fazer um acordo, nem mesmo para o mero início de outro governo. Sou o único.

— Nem mesmo essa mulher ixiana pode...

— Ela é tão parecida comigo que não conseguiria me enfraquecer dessa forma.

— Mas quando a Embaixada ixiana foi atacada...

— Ainda posso ser irritado pela estupidez, disse ele.

Ela franziu o cenho para ele.

Leto aceitou o esgar como um belo gesto naquela luz, relativamente inconsciente. Ele sabia que a tinha feito pensar. Estava certo de que ela jamais havia considerado que direitos poderiam aderir à singularidade.

Ele falou para a carranca silenciosa dela:

— Nunca antes na história houve um governo como o meu. Nunca em toda a nossa história. Sou responsável apenas para comigo mesmo, exigindo pagamento total por aquilo que sacrifiquei.

— Sacrificou! — Ela escarneceu, mas ele captou as dúvidas. — Todo déspota diz a mesma coisa. Você é responsável apenas consigo mesmo.

— O que torna todas as criaturas minha responsabilidade. Eu as protejo durante esses tempos.

— Que tempos?

— Os tempos que poderiam ter sido e, então, não mais.

Ele viu a indecisão nela. Ela não confiava em seus próprios *instintos*, suas habilidades não treinadas de predição. Ela podia dar um salto ocasional, como fizera ao roubar os diários dele, mas a motivação se perdeu na revelação que se seguiu.

— Meu pai diz que o Senhor pode ser muito astuto com as palavras — ela comentou.

— E ele deveria saber disso. Mas existe conhecimento que só se pode obter participando dele. Não há forma de aprender ficando parada, olhando e falando.

— É disso que ele estava falando — disse ela.

— Você está bem certa — concordou ele. — Não é lógico. Mas é uma luz, um olho o qual é capaz de ver, mas que não vê a si mesmo.

— Estou cansada de falar — disse ela.

— Assim como eu. — E pensou: *Já vi o suficiente, já fiz o suficiente. Ela está completamente aberta a suas dúvidas. Quão vulnerável eles são em sua ignorância!*

— O Senhor não me convenceu de nada — disse ela.

— Não era o propósito do nosso encontro.

— Qual era?

— Verificar se você está pronta para ser testada.

— Test... — Ela inclinou um pouco a cabeça para a direita e o fitou.

— Não banque a inocente comigo — disse ele. — Moneo lhe contou. E eu digo que você está pronta.

Ela tentou engolir em seco.

— O que é...

— Solicitei que Moneo a levasse de volta para a Cidadela — ele concluiu. — Quando nos encontrarmos de novo, aprenderemos do que você realmente é feita.

VOCÊ CONHECE O MITO DO GRANDE ESTOQUE DE ESPECIARIA? SIM, EU TAMBÉM O CONHEÇO. UM SENESCAL ME CONTOU CERTA VEZ PARA ME ENTRETER. A HISTÓRIA CONTA QUE EXISTE UM ESTOQUE DE MÉLANGE, DE PROPORÇÕES GIGANTESCAS, GRANDE COMO UMA ALTA MONTANHA. ESTÁ ESCONDIDO NAS PROFUNDEZAS DE UM PLANETA DISTANTE. NÃO É ARRAKIS, TAL PLANETA. NÃO É DUNA. A ESPECIARIA FOI ESCONDIDA LÁ HÁ MUITO TEMPO, MESMO ANTES DO PRIMEIRO IMPÉRIO E DA GUILDA ESPACIAL. A HISTÓRIA NARRA QUE PAUL MUAD'DIB PARTIU PARA LÁ E AINDA VIVE AO LADO DO ESTOQUE, MANTENDO-SE VIVO GRAÇAS A ELE, ESPERANDO. O SENESCAL NÃO ENTENDEU POR QUE A HISTÓRIA ME PERTURBOU.

— Os Diários Roubados

Idaho tremia de ódio enquanto caminhava pelos corredores de plaspedra em direção a seus alojamentos na Cidadela. A cada posto de guarda que ele passava, as mulheres que ali estavam prestavam continência. Ele não respondia. Idaho sabia que estava provocando comoção entre elas. Ninguém se enganava em relação ao humor do Comandante. Mas ele não desacelerou sua caminhada resoluta. O baque surdo de suas botas ecoava pelas paredes.

Ele ainda conseguia sentir o gosto da refeição do meio-dia; um prato Atreides estranhamente familiar: uma mistura de grãos temperados com ervas, que devia ser comido utilizando-se *hashis*, cozidos com uma porção acre de pseudocarne, embebida com uma dose clara de suco de *cidrit*. Moneo o encontrara sentado sozinho a uma mesa de canto no refeitório da Guarda, com uma tabela de operações regionais colocada ao lado do prato.

Sem ter sido convidado, Moneo se sentara à frente de Idaho e afastara a tabela de operações.

— Trago uma mensagem do Deus Imperador — dissera Moneo.

O tom firmemente controlado alertara Idaho de que não se tratava de um encontro casual. Outros também o sentiram. As mulheres das mesas mais próximas fizeram o silêncio próprio para bisbilhotar, que se espalhou pela sala.

Idaho baixara os *hashis*.

— Sim?

— Essas foram as palavras do Imperador Deus — declarara Moneo. — "É minha pura falta de sorte que Duncan Idaho esteja se apaixonando por Hwi Noree. Esse infortúnio não deve continuar."

A raiva fez com que os lábios de Idaho afinassem, mas ele ficara em silêncio.

— Esta tolice coloca a nós todos em perigo — continuara Moneo. — Noree é a futura esposa do Imperador Deus.

Idaho tentara controlar sua raiva, mas suas palavras o traíram:

— Ele não pode se casar com ela!

— Por que não?

— Que jogo ele está jogando, Moneo?

— Sou um portador com uma simples mensagem, nada mais que isso — dissera Moneo.

A voz de Idaho saíra baixa e ameaçadora:

— Mas você é o confidente dele.

— O Imperador Deus lhe tem simpatia — mentira Moneo.

— Simpatia! — Idaho gritara, criando um novo abismo de silêncio da sala.

— Noree é uma mulher muito atraente — dissera Moneo. — Mas ela não é para você.

— O Imperador falou — Idaho escarnecera —, e não há apelo.

— Vejo que entendeu a mensagem.

Idaho começara a se afastar para sair da mesa.

— Aonde está indo? — Moneo demandara.

— Vou conversar com ele sobre isso agora!

— Isso é suicídio na certa — dissera Moneo.

Idaho lançou um olhar para ele, percebendo repentinamente a intensidade da escuta das mulheres nas mesas ao redor deles. Uma expressão que Muad'Dib reconheceria imediatamente emergiu no rosto de Idaho: *Jogando para a torcida do Diabo*, Muad'Dib a chamava.

— Você sabe o que os Duques Atreides originais sempre diziam? — perguntara Idaho, com um tom zombeteiro em sua voz.

— Isso é pertinente?

— Eles diziam que todas as suas liberdades desaparecem quando você admira um governante absoluto.

Rígido de pavor, Moneo se inclinara na direção de Idaho. Os lábios de Moneo mal se moviam. Sua voz era pouco mais que um sussurro.

— Não diga essas coisas.

— Porque uma dessas mulheres vai reportá-las?

Moneo balançara a cabeça, sem acreditar.

— Você é mais imprudente que todos os outros.

— Mesmo?

— Por favor! É perigoso ao extremo tomar essa atitude.

Idaho ouviu a agitação nervosa que varreu a sala.

— A única coisa que ele pode fazer é nos matar — dissera Idaho.

Moneo falara em um sussurro leve:

— Seu tolo! O Verme pode dominar o Imperador Deus à menor provocação!

— O Verme, você disse? — A voz de Idaho era desnecessariamente alta.

— Você deve confiar nele — dissera Idaho.

Idaho olhou para a esquerda e para a direita.

— Sim, acho que elas ouviram isso.

— São bilhões e bilhões de pessoas unidas naquele corpo — argumentara Moneo.

— Foi o que me disseram.

— Ele é Deus e nós somos mortais — dissera Moneo.

— Como pode um deus fazer o mal? — perguntara Idaho.

Moneo empurrara sua cadeira para trás e se levantara.

– Lavo minhas mãos! – dera meia-volta e saíra da sala.

Idaho olhara para a sala e se vira como o centro das atenções em todos os rostos das guardas.

– Moneo não julga, mas eu o faço – dissera Idaho.

Então, ele se surpreendera em notar sorrisos enviesados entre as mulheres. Todas voltaram a comer.

À medida que caminhava pelas salas da Cidadela, Idaho repassava sua conversa, buscando as excentricidades do comportamento de Moneo. O terror podia ser reconhecido e até mesmo compreendido, mas parecia muito mais que medo da morte... muito, muito mais.

O Verme consegue dominar o Imperador Deus.

Idaho sentiu que isso havia escorregado da boca de Moneo, uma traição inadvertida, mas o que poderia significar?

Mais imprudente que os outros.

Idaho se afligia porque tinha que suportar comparações de si--mesmo-como-um-desconhecido. Quão cuidadosos *os outros* haviam sido?

Ele chegou até sua porta, colocou a mão na tranca-palmar e hesitou. Sentiu-se como um animal caçado, escondendo-se em sua toca. As guardas no refeitório certamente haviam reportado a conversa para Leto àquela altura. O que faria o Imperador *Deus*? A mão de Idaho se moveu pela tranca. A porta se abriu para dentro. Ele entrou na antessala de seu apartamento e selou a porta, olhando para ela.

Ele vai enviar as Oradoras Peixe até mim?

Idaho lançou um olhar ao redor da saleta de entrada. Era um espaço convencional: prateleiras para roupas e sapatos, um espelho de corpo inteiro, um armário para armas. Ele olhou para a porta fechada do armário. Nenhuma das armas atrás da porta ofereceria uma ameaça real ao Imperador Deus. Não havia sequer uma armalês... apesar de que até mesmo armaleses eram ineficazes contra o Verme, de acordo com os relatos.

Ele sabe que vou desafiá-lo.

Idaho suspirou e olhou em direção ao portal arqueado que levava à sala de estar. Moneo havia substituído a mobília macia com peças mais pesadas e duras, algumas reconhecidamente fremen... selecionadas dos cofres dos fremen de museu.

Fremen de museu!

Idaho resmungou e caminhou através do portal. Deu dois passos em direção à sala e parou, chocado. A luz suave das janelas ao norte mostraram Hwi Noree sentada em um divã baixo feito de cordas. Ela vestia um traje azul brilhante que se drapeava revelando a forma de seu corpo. Hwi olhou para cima assim que ele entrou.

— Graças aos deuses você não foi ferido — ela exclamou.

Idaho olhou de volta na direção da entrada de seus aposentos, para a porta com a tranca-palmar. Lançou um olhar especulativo para Hwi. Ninguém, a não ser algumas guardas selecionadas, seria capaz de abrir aquela porta.

Ela sorriu diante da confusão dele.

— Nós, ixianos, manufaturamos essas trancas — disse ela.

Ele se viu cheio de temor por ela.

— O que você está fazendo aqui?

— Precisamos conversar.

— Sobre o quê?

— Duncan... — Ela balançou a cabeça. — Sobre nós dois.

— Eles lhe avisaram — ele observou.

— Disseram-me para rejeitá-lo.

— Moneo o enviou!

— Duas mulheres da Guarda que ouviram você no refeitório... elas me trouxeram. Elas acham que você corre um perigo terrível.

— É por isso que você está aqui?

Ela se levantou, um movimento gracioso que o lembrava da maneira como Jéssica, a avó de Leto, se movia: o mesmo controle fluido dos músculos, cada movimento era belo.

A percepção veio como um choque.

— Você é uma Bene Gesserit.

— Não! Algumas delas também foram minhas professoras, mas não sou Bene Gesserit.

Suspeitas turvaram a mente dele. Que alianças estavam realmente em vigor no Império de Leto? Como um ghola poderia saber sobre isso?

As mudanças desde a última vez que vivi...

— Suponho que você ainda seja uma simples ixiana — ele comentou.

— Por favor, não zombe de mim, Duncan.

— O que você é?

— Sou a futura noiva do Imperador Deus.

— E você o servirá fielmente!

— Sim, eu o farei.

— Então não há nada sobre que conversar.

— Exceto por essa coisa entre nós dois.

Ele pigarreou.

— Que coisa?

— Essa atração. — Ela levantou a mão ao mesmo tempo que ele começou a falar. — Quero me jogar nos seus braços, encontrar o amor e o abrigo que sei que neles existem. Você quer isso também!

Ele se manteve rígido.

— O Imperador Deus proíbe!

— Mas eu estou aqui. — Ela deu dois passos na direção dele, o traje ondulando por seu corpo.

— Hwi... — Ele tentou engolir em seco. — É melhor que você saia.

— É mais prudente, mas não melhor — disse ela.

— Se ele descobrir que você esteve aqui...

— Não é de meu feitio deixar você aqui, desse jeito. — Mais uma vez, ela interrompeu a resposta dele levantando a mão. — Fui criada e treinada com um único propósito.

As palavras dela o encheram de uma cautela gelada.

— Que propósito?

— Cortejar o Imperador Deus. Ah, ele sabe disso. Ele não mudaria nada a meu respeito.

— Nem eu.

Ela deu um passo adiante. Idaho sentiu o calor leitoso de sua respiração.

— Eles me criaram bem demais — disse ela. — Fui projetada para agradar um Atreides. Leto diz que seu Duncan é mais Atreides do que muitos que nasceram com esse nome.

— Leto?

— De que outra forma eu chamaria aquele com quem vou me casar?

Mesmo enquanto ela falava, Hwi se inclinava na direção de Idaho. Como se um ímã tivesse encontrado seu ponto crítico de atração, eles se moveram ao mesmo tempo. Hwi pressionou as maçãs do rosto contra a túnica dele, colocando seus braços ao redor, sentindo os músculos definidos. Idaho repousou o queixo no cabelo dela, o odor almiscarado preenchendo seus sentidos.

— Isso é loucura — ele sussurrou.

— Sim.

Ele levantou o queixo dela e a beijou.

Ela pressionou seu corpo contra o dele.

Nenhum dos dois questionava aonde isso levaria. Ela não resistiu quando ele a levantou e a carregou para o quarto.

Idaho falou apenas uma vez.

— Você não é virgem.

— Nem você, amor.

— Amor — ele sussurrou. — Amor, amor, amor...

— Sim... sim!

Na paz que se segue ao coito, Hwi colocou as duas mãos atrás da cabeça e se alongou, contorcendo-se na cama amarrotada. Idaho sentou-se com as costas viradas para ela, olhando pela janela.

— Quem foram seus outros amantes? — perguntou ele.

Ela se ergueu sobre um cotovelo.

— Não tive outros amantes.

— Mas... — Ele se virou e olhou para ela.

— Na minha adolescência havia um jovem que precisava muito de mim — Hwi contou. Ela sorriu. — Depois, fiquei muito envergonhada. Como eu era crédula. Pensei que havia desapontado as pessoas que confiavam em mim. Mas eles descobriram e ficaram exultantes. Sabe de uma coisa? Acho que fui testada.

Idaho franziu as sobrancelhas.

— Foi a mesma coisa comigo? Eu precisava de você?

— Não, Duncan. — Suas feições estavam sérias. — Nós demos prazer um ao outro porque assim é o amor.

— Amor! — disse ele, em um tom amargo.

— Meu tio Malky dizia que o amor era mau negócio porque não existiam garantias — ela retrucou.

— Seu tio Malky era um homem sábio.

— Ele era estúpido! O amor *não precisa* de garantias!

Um sorriso se formou nos cantos da boca de Idaho.

Hwi sorriu de volta para ele.

— Você sabe que é amor quando quer dar prazer e as consequências que se danem.

Ele assentiu.

— Penso apenas no perigo que você passa.

— Somos o que somos — ela pontificou.

— O que faremos?

— Levaremos esse momento em nosso coração enquanto vivermos.

— Isso soa... tão derradeiro.

— E é.

— Mas nos veremos a cada...

— Dessa forma, nunca mais.

— Hwi! — Ele se lançou pela cama e enterrou o rosto em seu peito.

Ela acariciou o cabelo de Idaho.

A voz dele se abafava contra ela quando falou:

— E se eu a tiver engrav...

— Shhh! Se tiver que existir uma criança, haverá uma criança.

Idaho levantou sua cabeça e olhou para ela.

— Mas ele saberá, com certeza.

— Ele saberá de qualquer forma.

— Você realmente acha que ele sabe de tudo?

— Não tudo, mas saberá disso.

— Como?

— Contarei a ele.

Idaho se afastou dela e sentou-se na cama. A raiva lutava com a confusão em seu rosto.

— Eu tenho que fazê-lo.

— Se ele se virar contra você... Hwi, existem histórias. Você pode estar em um grande perigo.

— Não, também tenho necessidades. Ele sabe disso. Não vai causar dano a nenhum de nós.

— Mas ele...

— Ele não vai *me* destruir. Ele saberá que, se ferir você, acabará me destruindo.

— Como você pode se casar com ele?

— Querido Duncan, você ainda não percebeu que ele precisa de mim mais do que você?

— Mas ele não pode... digo, você não pode...

— O prazer que nós tivemos não terei com Leto. É impossível para ele. Ele me confessou.

— Então por que não... se ele ama você...

— Ele tem planos maiores e necessidades maiores. — Ela se esticou e tomou a mão direita de Idaho em suas próprias mãos. — Eu soube disso a partir do momento em que comecei a estudá-lo. Necessidades maiores do que qualquer um de nós tem.

— Que planos? Que necessidades?

— Pergunte a ele.

— *Você* sabe?

— Sim.

— Você quer dizer que acredita nessas histórias sobre...

— Existe honestidade e bondade nele. Sei pelas minhas próprias respostas em relação a ele. O que meus mestres ixianos criaram em mim foi, creio eu, um reagente que revela mais do que eles gostariam que eu soubesse.

— Então você acredita nele! – acusou Idaho. Ele tentou soltar sua mão dela.

— Se você for até ele, Duncan, e...

— Ele jamais me verá novamente!

— Ele vai.

Ela puxou a mão dele para sua boca e beijou seus dedos.

— Sou um refém – ele falou. – Você me deixou com medo... vocês dois juntos...

— Nunca acreditei que seria fácil servir a Deus – disse ela. – Apenas não sabia que seria tão difícil.

A MEMÓRIA TEM UM SIGNIFICADO CURIOSO PARA MIM, UM SIGNIFICADO QUE EU ESPERAVA QUE AS OUTRAS PESSOAS TAMBÉM FOSSEM CAPAZES DE PARTILHAR. FICO CONTINUAMENTE PERPLEXO PELA FORMA COMO AS PESSOAS SE ESCONDEM DE SUAS MEMÓRIAS ANCESTRAIS, ABRIGANDO-SE POR DETRÁS DE UMA BARREIRA ESPESSA DE MITOS. OHHHH, NÃO ESPERO QUE ELES BUSQUEM O IMEDIATISMO TERRÍVEL DE CADA MOMENTO DE SUAS VIDAS COMO EU DEVO EXPERIMENTAR. POSSO ENTENDER QUE ELES NÃO PREFIRAM FICAR SUBMERSOS EM UMA DESORDEM DE PEQUENOS DETALHES ANCESTRAIS. VOCÊS TÊM MOTIVOS PARA TEMER QUE OS MOMENTOS DE SUAS VIDAS POSSAM SER USURPADOS POR OUTREM. AINDA ASSIM, O SIGNIFICADO ESTÁ LÁ, DENTRO DAQUELAS MEMÓRIAS. CARREGAMOS TODOS OS NOSSOS ANCESTRAIS ADIANTE, COMO UMA ONDA VIVA, TODAS AS ESPERANÇAS, ALEGRIAS E MÁGOAS, AS AGONIAS E AS EXULTAÇÕES DO NOSSO PASSADO. NADA DENTRO DESSAS MEMÓRIAS PERMANECE COMPLETAMENTE SEM SIGNIFICADO OU INFLUÊNCIA, NÃO ENQUANTO HOUVER HUMANIDADE EM ALGUM LUGAR. TEMOS AQUELE INFINITO RELUZENTE AO NOSSO REDOR, AQUELE CAMINHO DOURADO DE ETERNIDADE PARA O QUAL PODEMOS CONTINUAMENTE AFIANÇAR NOSSA DIMINUTA, PORÉM INSPIRADA, OBEDIÊNCIA.

— Os Diários Roubados

— Eu o convoquei, Moneo, em virtude do que minhas guardas me relatam — Leto falou.

Eles estavam na escuridão da cripta onde, Moneo se lembrava, algumas das decisões mais dolorosas do Imperador Deus haviam sido tomadas. Moneo também havia escutado relatos. Ele esperara a convocação por toda a tarde e, quando ela veio logo após a refeição da noite, um momento de terror o dominara.

— É sobre... o Duncan, Senhor?

— Claro que é sobre o Duncan!
— Fui informado, Senhor... o comportamento dele...
— Comportamento derradeiro, Moneo?

Moneo curvou a cabeça.

— Se é o que o Senhor diz.
— Quanto tempo até que os Tleilaxu possam nos fornecer outro?
— Eles dizem que tiveram alguns problemas, Senhor. Pode ser mais do que dois anos.
— Você sabe o que minhas guardas me contam, Moneo?

Moneo prendeu a respiração. Se o Imperador Deus soubesse das últimas... Não! Até mesmo as Oradoras Peixe ficaram aterrorizadas com a afronta. Se tivesse sido qualquer outra pessoa que não fosse o Duncan, as mulheres teriam elas mesmas dado cabo dele.

— Bem, Moneo?
— Fui informado, Senhor, de que ele chamou uma leva de guardas e perguntou a elas sobre suas origens. Em que mundos haviam nascido? Quem eram seus pais, sua infância?
— E as respostas não o agradaram.
— Ele as assustou, Senhor. Ele insistiu muito.
— Como se repetição pudesse extrair a verdade, sim.

Moneo se permitiu a esperança de que fosse só essa a preocupação de seu Senhor.

— Por que os Duncan sempre fazem isso, Senhor?
— Foi o treinamento anterior, o treinamento Atreides.
— Mas como ele difere do...
— Os Atreides viviam a serviço das pessoas que eles governavam. A medida de seu governo era encontrada na vida dos governados. Portanto, os Duncan sempre querem saber como o povo vive.
— Ele passou a noite em uma vila, Senhor. Visitou algumas das cidades. Viu...
— Tudo está na forma de interpretar os resultados, Moneo. Evidência é nada sem julgamentos.

— Observei que ele julga, Senhor.

— Todos o fazemos, mas os Duncan tendem a acreditar que este universo é refém da minha vontade. E eles sabem que não é possível cometer males em nome do que seja certo.

— É isso o que ele diz sobre o Senhor...

— Isso é o que *eu* digo, o que todos os Atreides em mim dizem. Este universo não o permitirá. As coisas que você tenta não vão perdurar se você...

— Mas Senhor! O Senhor não comete males!

— Pobre Moneo. Não consegue ver que criei um veículo de injustiça.

Moneo não era capaz de falar. Percebeu que havia sido distraído por um retorno aparente de suavidade no Imperador Deus. Mas, agora, Moneo pressentia as mudanças naquele corpanzil, e aquela proximidade... Moneo olhou ao redor da câmara central da cripta, relembrando as inúmeras mortes que haviam ocorrido ali e os corpos que lá estavam sepultados.

Será que é chegada a minha hora?

Leto falou em tom meditativo.

— Não se pode ser bem-sucedido fazendo reféns. É uma forma de escravidão. Um tipo de ser humano não pode possuir outro tipo de ser humano. Este universo não permitirá.

As palavras jaziam ali, fervilhando na consciência de Moneo, um contraste aterrorizante com o ribombar da transformação que ele sentia em seu Senhor.

O Verme se aproxima!

Novamente, Moneo olhou ao redor da câmara da cripta. Este lugar era muito pior que o retiro! A segurança era muito remota.

— Bem, Moneo, você tem alguma resposta? — perguntou Leto.

Moneo se aventurou a sussurrar.

— As palavras do Senhor me iluminam.

— Iluminam? Você não está iluminado.

Moneo falava em desespero.

— Mas eu sirvo ao meu Senhor!

— Você alega servir a Deus?

— Sim, Senhor.

— Quem criou sua religião, Moneo?

— O Senhor.

— É uma resposta sensata.

— Obrigado, Senhor.

— Não me agradeça! Diga-me o que as instituições religiosas perpetuam!

Moneo deu quatro passos para trás.

— Fique onde está! — ordenou Leto.

Com todo o corpo estremecendo, Moneo balançou a cabeça, taciturno. Finalmente, ele havia deparado com a pergunta sem resposta. Furtar-se a responder precipitaria sua morte. Ele esperou por ela, cabeça curvada.

— Então vou lhe contar, pobre servo — disse Leto.

Moneo ousou ter esperança. Levantou seu olhar até o rosto do Imperador Deus, notando que seus olhos não estavam vidrados... e que suas mãos não estavam tremendo. Talvez o Verme não tivesse vindo.

— As instituições religiosas perpetuam uma relação mortal entre o mestre e o servo — disse Leto. — Elas criam uma arena que atrai humanos orgulhosos e sedentos pelo poder com todos os preconceitos de suas visões estreitas!

Moneo era apenas capaz de concordar. Aquilo era um tremor nas mãos do Imperador Deus? Aquela face terrível estaria se recolhendo lentamente para dentro da moldura?

— A revelações secretas da infâmia, é isso que o Duncan procura com essas perguntas — Leto falou. — Os Duncan têm muita compaixão pelos seus companheiros e limites bem definidos para esse companheirismo.

Moneo havia estudado os hologramas dos antigos vermes da areia de Duna, a boca gigantesca cheia de dentes de dagacrises, cercados por fogo consumidor. Ele notou a tumescência dos anéis latentes sob a superfície tubular de Leto. Eles estavam mais proeminentes? Será que uma nova boca se abriria abaixo daquela face emoldurada?

— Os Duncan sabem no fundo do coração que eu, deliberadamente, ignorei a admoestação de Maomé e de Moisés — Leto comentou. — Até mesmo você sabe disso, Moneo!

Era uma acusação. Moneo começou a concordar, então balançou a cabeça de um lado para o outro. Ele se perguntava se devia arriscar outra fuga da cripta. Moneo sabia, pela experiência, que aulas com esse teor não terminavam sem a chegada do Verme.

— Qual admoestação era essa? — perguntou Leto com um tom de zombaria na voz.

Moneo se permitiu um fraco encolher de ombros.

Abruptamente, a voz de Leto encheu a câmara com um barítono estrondoso, uma voz antiga que falava através dos séculos.

— Vocês são servos de *Deus*, não servos de servos.

Moneo uniu as mãos e gritou:

— *Sirvo* ao Senhor!

— Moneo, Moneo — Leto falou, sua voz baixa e ressonante —, um milhão de males não podem gerar um único acerto. O certo é conhecido porque ele perdura.

Moneo era apenas capaz de ficar parado, em um silêncio trêmulo.

— Minha intenção era de que Hwi reproduzisse com você, Moneo — confessou Leto. — Agora, é muito tarde.

As palavras levaram um momento para penetrar na consciência de Moneo. Ele sentiu que seu significado estava fora de quaisquer contextos conhecidos. *Hwi? Quem era Hwi? Ah, sim: a noiva ixiana do Imperador Deus. Reproduzir... comigo?*

Moneo balançou a cabeça.

— Você também morrerá — Leto atestou com infinita tristeza. — Será que todos os seus trabalhos serão esquecidos como pó?

Sem qualquer tipo de aviso, conforme falava, o corpo de Leto se retorceu em um movimento convulsivo que o lançou para fora do coche. A velocidade e a violência monstruosa o jogaram a centímetros de Moneo, que gritou e fugiu pela cripta.

— Moneo!

O chamado de Leto fez com que o senescal parasse na entrada do elevador.

— O teste, Moneo! Testarei Siona amanhã.

> A COMPREENSÃO DAQUILO QUE EU SOU OCORRE NA PERCEPÇÃO ATEMPORAL QUE NÃO ESTIMULA NEM ILUDE. CRIO UM CAMPO SEM *SELF* NEM CENTRO, UM CAMPO EM QUE ATÉ MESMO A MORTE SE TORNA APENAS ANALOGIA. NÃO DESEJO RESULTADOS. SIMPLESMENTE PERMITO ESSE CAMPO, QUE NÃO TEM OBJETIVOS NEM DESEJOS, NEM PERFEIÇÕES, NEM MESMO VISÕES DE FEITOS. NESSE CAMPO, A PERCEPÇÃO PRIMORDIAL ONIPRESENTE É TUDO. É A LUZ QUE VERTE PELAS JANELAS DO MEU UNIVERSO.
>
> — Os Diários Roubados

O sol nasceu, enviando seu brilho severo sobre as dunas. Leto sentiu a areia abaixo dele como um carinho suave. Apenas seus ouvidos humanos, escutando o atrito abrasivo de seu corpo pesado, informava-lhe do contrário. Era um conflito sensorial que ele havia aprendido a aceitar.

Ele ouviu Siona caminhando atrás dele, uma leveza em seu caminhar, um derramar gentil de areia conforme ela escalava até o nível dele, no topo de uma duna.

Quanto mais eu perduro, mais vulnerável me torno, pensou ele.

Esse pensamento ocorria com frequência naqueles dias, quando ele ia ao deserto. Leto olhou para cima. O céu estava sem nuvens e tinha uma densidade azul que os velhos dias de Duna haviam testemunhado.

O que era um deserto sem um céu sem nuvens? Pena que não pudesse ter a cor prateada de Duna.

Satélites ixianos controlavam o céu, nem sempre com a perfeição que ele desejava. Tal perfeição era uma máquina-fantasia que vacilava sob o gerenciamento humano. Ainda assim, os satélites mantinham um controle suficientemente estável para dar a ele essa manhã de quietude do deserto. Ele forneceu a seus pulmões humanos uma inspiração profunda e aguardou a chegada de Siona. Ela havia parado. Leto sabia que ela estava admirando a vista.

Leto sentiu que sua imaginação se comportava como um conjurador, invocando todas as coisas que haviam produzido o cenário físico deste momento. Ele *sentiu* os satélites. Instrumentos delicados que tocavam a música para a dança do aquecimento e do resfriamento das massas de ar, monitorando e ajustando o poder vertical e as correntes horizontais de maneira perpétua. Ele se divertia recordando que os ixianos haviam imaginado que ele usaria aquela maquinaria excepcional em uma nova forma de despotismo hidráulico: reter a umidade daqueles que desafiavam seu governante, punindo outros com tempestades terríveis. Quão surpresos ficaram quando descobriram que estavam errados!

Meus controles são mais sutis.

De modo vagaroso e gentil, ele começou a se mover, nadando na superfície de areia, escorregando pela duna, sem olhar nem uma vez para a fina espiral de sua torre, sabendo de antemão que ela desapareceria naquele instante no mormaço do dia.

Siona o seguiu com uma docilidade nada característica. A dúvida havia feito seu trabalho. Ela lera os diários roubados. Ela ouvira as admoestações de seu pai. Agora, ela não sabia o que pensar.

— Que teste é esse? — ela perguntara a Moneo. — O que ele fará?

— Nunca é o mesmo.

— Como ele o testou?

— Será diferente com você. Eu apenas a confundiria se contasse minha experiência.

Leto ouvira em segredo enquanto Moneo preparava sua filha, vestindo-a com um autêntico trajestilador fremen, incluindo um manto negro sobre ele, ajustando corretamente as bombas nas botas. Moneo não esquecera.

Moneo olhara para cima de onde ele se curvara para ajustar as botas.

— O Verme virá. É só isso que posso dizer. Você precisa encontrar uma forma de viver na presença do Verme.

Ele ficara de pé, explicando sobre o trajestilador, como ele reciclava os próprios fluidos dela. Ele a fizera puxar o tubo de uma bolsa coletora, sugá-lo e depois selar o tubo.

— Você ficará sozinha com ele no deserto — dissera Moneo. — Shai-hulud nunca está muito longe quando se está no deserto.

— E se eu me recusar a ir? — ela perguntara.

— Você irá... mas talvez não retorne.

Essa conversa ocorrera em uma câmara no térreo da Cidadela enquanto Leto aguardava no retiro. Ele descera quando tivera certeza de que Siona estava pronta, flutuando nos suspensores de seu coche na escuridão que precedia o amanhecer. Enquanto Moneo marchava pelo chão plano até seu tóptero e partia, no barulho das asas sussurrantes, Leto pedira a Siona para testar o portal trancado da câmara no térreo, depois olhar para cima, para as alturas impossíveis da torre.

— A única forma de sair está do outro lado do Sareer — dissera ele.

Em seguida ele a conduziu para longe da torre, sem a necessidade de comandar para que ela o seguisse, acreditando apenas em seu bom senso, sua curiosidade e suas dúvidas.

A progressão de Leto o levou para baixo, ao longo da face escorregadia da duna, até uma seção exposta do complexo do porão rochoso da torre, depois subindo outra face arenosa em um ângulo aberto, criando uma trilha para que Siona o seguisse. Os fremen chamavam essas trilhas comprimidas de *Dádiva de Deus aos fatigados*. Ele se movia lentamente, dando tempo suficiente a Siona para reconhecer que aquele era seu domínio, seu habitat natural.

Ele subiu até o topo de outra duna e virou-se para observar o progresso de Siona. Ela se mantinha na trilha que ele havia criado e parou apenas quando chegara ao topo. Seu olhar se direcionou ao rosto dele, depois girou em círculo para examinar o horizonte. Ele ouvira o fôlego curto da respiração dela. Um mormaço muito quente se escondia no topo da espiral. A base devia ter sido um afloramento distante de rocha.

— Era assim antigamente — ele comentou.

Leto sabia que havia algo no deserto que falava à alma eterna das pessoas que possuíam sangue fremen. Ele escolhera esse lugar pelo seu impacto desértico... uma duna levemente mais alta do que as outras.

— Dê uma boa olhada nele — o Imperador Deus falou; em seguida escorregou para o outro lado da duna para remover seu corpanzil que obstruía a visão dela.

Siona se virou lentamente outra vez, olhando para fora.

Leto conhecia a sensação intrínseca do que ela via. Exceto por aquela partícula insignificante e turva que era a base de sua torre, não havia nada de pé no horizonte: plano, plano por toda a parte. Sem plantas, sem nenhum movimento vivo. De seu ponto de observação, havia um limite a aproximadamente oito quilômetros onde a curvatura do planeta escondia tudo que estava além.

Leto falou de onde ela tinha parado, logo abaixo da crista da duna.

— Este é Sareer real. Você só o conhece quando está aqui, a pé. É tudo que restou de *Bahr Bela Ma*.

— O oceano sem água — ela sussurrou.

Novamente, ela se voltou e examinou todo o horizonte.

Não havia vento e, como Leto sabia, quando não havia vento o silêncio devorava a alma humana. Siona estava sentindo a perda de todos os pontos de referência familiares. Ela estava abandonada em um lugar perigoso.

Leto olhou para a próxima duna. Naquela direção, eles chegariam rapidamente à linha baixa de colinas as quais, originalmente, haviam sido montanhas, mas que agora eram reduzidas a restos de minério e pedregulhos. Ele permaneceu quieto, deixando o silêncio trabalhar para ele. Era até prazeroso imaginar que aquelas dunas continuavam a existir como foram certo dia, sem fim, envolvendo completamente o planeta. Porém, mesmo essas poucas dunas estavam se degenerando. Sem as tempestades de Coriolis de Duna, o Sareer não testemunhava nada mais forte do que uma brisa densa e vórtices ocasionais de calor, que não produziam nada mais que um efeito local.

Um desses pequenos "demônios de vento" dançavam à meia distância, ao sul. O olhar de Siona seguiu seu percurso. Ela falou abruptamente:

— O Senhor tem uma religião pessoal?

Leto levou um momento compondo sua resposta. Ele sempre ficava perplexo com o fato de como um deserto provocava pensamentos de religião.

— Você ousa me perguntar se eu tenho uma religião pessoal? – ele questionou.

Sem trair nenhum sinal superficial dos medos que Leto sabia que ela sentia, Siona se virou e olhou para ele. A audácia sempre fora um timbre dos Atreides, ele lembrou a si mesmo.

Como ela não respondeu, Leto emendou:

— Você é uma Atreides, com certeza.

— É essa a sua resposta?

— O que realmente você quer saber, Siona?

— Em que o *Senhor* acredita!

— Oh, você me pergunta sobre a minha fé. Ora, ora... acredito que algo não possa emergir do nada sem intervenção divina.

A resposta dele a intrigou.

— Como isso pode ser...

— *Natura non facit saltus* – ele a interrompeu.

Ela balançou a cabeça, sem entender a antiga alusão que saíra dos lábios dele. Leto traduziu:

— A natureza não dá saltos.

— Que idioma era aquele? – perguntou ela.

— Um idioma não mais falado neste universo.

— Por que o usou?

— Para incitar suas memórias antigas.

— Não tenho nenhuma! Só preciso saber por que o Senhor me trouxe aqui.

— Para lhe dar um gosto do seu passado. Venha até aqui e suba nas minhas costas.

Ela hesitou a princípio; depois, notando a futilidade de desafiá-lo, deslizou pela duna e escalou as costas dele.

Leto esperou até que ela estivesse ajoelhada no topo dele. Não era como nos velhos tempos que ele conhecia. Ela não tinha ganchos de criador e não conseguia se segurar nas costas dele. Leto ergueu ligeiramente seus segmentos frontais sobre a superfície.

— Por que estou fazendo isso? — ela perguntou. O tom denunciava que ela se sentia uma boba ali.

— Quero que você experimente a maneira como, no passado, nosso povo se movia orgulhosamente através dessa terra, bem no alto das costas dos gigantes vermes da areia.

Ele começou a deslizar ao longo da duna, logo abaixo da crista. Siona havia visto hologramas. Ela conhecia a experiência intelectualmente, mas o pulso da realidade tinha uma batida diferente e Leto sabia que ela responderia ao ritmo.

Ah, Siona, pensou ele, *você ainda nem começou a suspeitar sobre como vou testá-la.*

Então, Leto se preparou. *Não devo ter pena. Se ela morrer, morreu. Se algum deles morrer, é um acontecimento necessário, nada mais.*

E ele tinha de se lembrar que aquilo se aplicava até mesmo a Hwi Noree. A questão é que *todos* eles não poderiam morrer.

Ele pressentiu quando Siona começou a gostar da sensação de montar em suas costas. Sentiu uma leve transferência de peso conforme ela se apoiava para trás, sobre suas pernas, para levantar a cabeça.

Logo depois ele se afastou, seguindo ao longo de um barranco curvilíneo, juntando-se a Siona no prazer das sensações antigas. Leto podia apenas divisar os vestígios das colinas, no horizonte à sua frente. Elas eram como uma semente do passado aguardando ali, uma lembrança da força autossustentável e expansiva que operava em um deserto. Ele era capaz de se esquecer por um momento que apenas uma pequena fração da superfície daquele planeta ainda permanecia um deserto, que o dinamismo do Sareer existia em um meio ambiente precário.

Entretanto, a ilusão do passado estava ali. Ele a sentia enquanto se movia. Fantasia, é claro, ele disse a si mesmo, uma fantasia que desvanecia enquanto ele sustentasse a tranquilidade forçada. Mesmo o extenso barranco que ele agora atravessava não era tão grande como aqueles do passado. Nenhuma das dunas era tão grande.

Esse deserto inteiro *mantido* o golpeou, de súbito, como algo ridículo. Ele quase parou sobre uma superfície repleta de pedregulhos entre as dunas, continuando mais devagar enquanto tentava conjurar as necessidades que mantinham o sistema inteiro funcionando. Imaginou a rotação do planeta, causando grandes correntes de ar que se alternavam entre quentes e frias para novas regiões em volumes enormes: tudo monitorado e governado por aqueles pequenos satélites com seus instrumentos ixianos e pratos focalizadores de calor. Se os grandes monitores *vissem* alguma coisa, veriam o Sareer parcialmente como uma "alteração desértica", com paredes tanto físicas como de ar frio a cercá-lo. Isso tendia a criar gelo nas bordas e requeria ainda outros ajustes climáticos.

Não era fácil e Leto perdoava os erros ocasionais por essa razão.

Conforme se movia mais para cima das dunas, ele perdeu o delicado senso de equilíbrio, colocou de lado as memórias das vastidões de seixos que circundavam as areias centrais e se entregou ao prazer de aproveitar seu "oceano petrificado", com suas ondas congeladas e aparentemente imóveis. Ele se virou para o sul, paralelamente aos vestígios das colinas.

Ele sabia que a maioria das pessoas ficava ofendida com sua paixão pelo deserto. Elas ficavam inquietas e se afastavam. Siona, entretanto, não era capaz de se afastar. Para cada lugar que olhava, o deserto demandava reconhecimento. Ela seguia silenciosamente, montada sobre as costas dele, mas Leto sabia que os olhos dela estavam cheios. E as antigas, antiquíssimas memórias começavam a se agitar.

Em três horas, ele chegou a uma região de dunas cilíndricas e arqueadas, algumas delas com mais de 150 quilômetros de extensão em ângulo contra o vento prevalecente. Além delas, um corredor de pedras jazia entre as dunas e dentro de uma região de dunas-estrela com quase quatrocentos metros de altura. Finalmente, eles entraram nas dunas trançadas do erg central, onde a pressão elevada e o ar carregado eletricamente enlevaram os espíritos de Leto. Ele sabia que a mesma mágica estaria operando em Siona.

– Aqui foi onde as músicas da Longa Jornada se originaram – Leto contou. – Elas estão preservadas com perfeição na História Oral.

Não houve resposta, mas ele sabia que ela escutara.

Leto diminuiu a velocidade e começou a falar com Siona, contando a ela sobre seu passado fremen. Ele sentia a aceleração do interesse dela. Ela até fazia perguntas de vez em quando, mas ele também sentia os medos dela crescendo. Nem mesmo a base de sua Pequena Cidadela era visível dali. Ela não podia reconhecer nada feito pelo homem. E pensaria que ele se empenhava em conversa fiada, coisas sem importância para adiar algo importante.

– A igualdade entre nossos homens e mulheres se originou aqui – ele afirmou.

– Suas Oradoras Peixe negam que homens e mulheres sejam iguais – respondeu ela.

A voz dela, cheia de uma descrença questionadora, era um localizador mais acurado que a sensação de tê-la agachada em suas costas. Leto parou no cruzamento entre duas dunas trançadas e deixou a vazão do oxigênio gerado pelo seu calor cessar.

— As coisas não são as mesmas hoje em dia – disse ele. – Mas homens e mulheres possuem demandas evolucionárias diferentes impostas sobre si. Entretanto, com os fremen havia uma interdependência. Isso nutria igualdade aqui, onde as questões de sobrevivência podem se tornar imediatas.

— Por que o Senhor me trouxe aqui? – ela perguntou.

— Olhe para trás – ele respondeu.

Ele a sentiu girando. Logo, Siona indagou:

— O que devo ver?

— Deixamos algum rastro? Você pode me dizer onde estivemos?

— Há um pouco de vento agora.

— Cobriu nossos rastros?

— Acho que sim... cobriu.

— Este deserto nos transformou naquilo que somos – ele insistiu. – É o verdadeiro museu de todas as nossas tradições. Nenhuma dessas tradições foi, de fato, perdida.

Leto avistou uma pequena tempestade de areia, uma *ghibli*, movendo-se pelo horizonte ao sul. Ele notou que ondas estreitas de pó e areia se moviam à frente dela. Com certeza, Siona a havia visto.

— Por que o Senhor não me diz a razão de ter me trazido aqui? – perguntou ela. O medo em sua voz era óbvio.

— Mas eu contei.

— Não contou!

— Quão longe estamos, Siona?

Ela pensou um pouco.

— Trinta quilômetros? Vinte?

— Bem mais longe – disse ele. – Posso me mover bem rápido em minha própria terra. Você não sentiu o vento em seu rosto?

— Sim – ela resmungou. – Então por que o Senhor *me* pergunta quão longe estamos?

— Desça e fique de pé onde eu possa vê-la.

— Por quê?

Bom, pensou ele. *Ela acredita que vou abandoná-la aqui e correr mais rápido do que ela é capaz de seguir.*

– Desça e explicarei – disse ele.

Ela desceu das costas dele e caminhou até onde pudesse ver o rosto dele.

– O tempo passa rápido quando ocupamos os sentidos – disse ele. – Estivemos fora por mais de quatro horas. Viajamos mais ou menos sessenta quilômetros.

– Por que *isso* é importante?

– Moneo colocou comida desidratada no bolso de seu manto – ele disse. – Coma um pouco e direi.

Ela encontrou um cubo seco de protomor no bolso e o mastigou enquanto observava Leto. Era a antiga e autêntica comida dos fremen, até mesmo com uma pequena adição de mélange.

– Você sentiu seu passado – disse ele. – Agora, deve ser sensibilizada para o seu futuro, para o Caminho Dourado.

Ela engoliu em seco.

– Não acredito em seu Caminho Dourado.

– Se for para você viver, acreditará nele.

– *Esse* é o teste? Ter fé no Grande Deus Leto ou morrer?

– Você não precisa de nenhuma fé em mim. Quero que tenha fé em si mesma.

– Então por que é importante quão longe viemos?

– Para que entenda quanto você ainda tem pela frente.

Ela colocou uma das mãos na bochecha.

– Eu não...

– Bem aí onde você está – disse ele –, você está no centro inconfundível do Infinito. Olhe ao seu redor para o significado de Infinito.

Ela olhou para a direita e para a esquerda em meio ao deserto sem fim.

– Caminharemos juntos para fora do meu deserto – ele afirmou. – Apenas nós dois.

– O Senhor não caminha – ela ironizou.

– Uma figura de linguagem. Mas *você* caminhará. Isso eu lhe asseguro.

Ela olhou na direção de onde eles vieram.

– Então é por isso que o Senhor me perguntou sobre rastros.

– Mesmo que houvesse rastros, você não poderia voltar. Não há nada em minha Pequena Cidadela que você pudesse pegar e usar para sua sobrevivência.

– Sem água?

– Nada.

Ela buscou o tubo da bolsa coletora em seu ombro, sugou dele e o guardou. Ele notou o cuidado com que ela selara a ponta, mas não colocara a aba facial sobre a boca, apesar de Leto ter ouvido seu pai a alertando sobre isso. Ela queria sua boca livre para falar!

– Está me dizendo que não posso correr do Senhor – ela acusou.

– Corra se você quiser.

Ela descreveu um círculo inteiro, examinando a vastidão.

– Existe um dito popular sobre a terra aberta – disse ele –, segundo o qual uma direção é tão boa quanto outra. De certas maneiras, isso ainda é verdade, mas eu não confiaria nele.

– Mas estou realmente livre para deixá-lo se eu quiser?

– A liberdade pode ser um estado muito solitário – ele contrapôs.

Ela apontou para o lado íngreme da duna sobre a qual haviam parado.

– Mas eu poderia apenas descer ali e...

– Se eu fosse você, Siona, não desceria pelo lugar para o qual está apontando.

Ela o fitou.

– Por quê?

– Do lado íngreme da duna, a não ser que você siga as curvas naturais, a areia pode deslizar e enterrá-la.

Ela olhou para o declive, absorvendo a informação.

— Vê como as palavras podem ser belas? – ele perguntou.
Siona voltou a atenção para o rosto dele.
— Devemos ir embora?
— Aqui se aprende a valorizar a despreocupação. E a cortesia. Não há pressa.
— Mas não temos água, exceto...
— Usado sabiamente, esse trajestilador a manterá viva.
— Mas quanto tempo levaremos...
— Sua impaciência me alarma.
— Temos apenas essa comida seca em meu bolso. O que comeremos quando...
— Siona! Notou que você está se expressando como se nossa situação fosse mútua? O que *comeremos*? Não *temos* água. *Devemos* ir? Quanto tempo *levaremos*?

Ele pressentiu a secura na boca de Siona ao mesmo tempo que ela tentava engolir.

— Será que somos interdependentes? – perguntou ele.
— Não sei como sobreviver aqui – ela respondeu com relutância.
— Mas eu sei?
Ela assentiu.
— Por que devo partilhar um conhecimento tão precioso com você? – perguntou ele.

Ela deu de ombros, um gesto digno de pena que o sensibilizou. Como o deserto eliminava depressa certas atitudes prévias.

— Partilharei meu conhecimento com você – disse ele. – E você deve encontrar algo valioso que possa compartilhar comigo.

O olhar dela percorreu o comprimento dele, pausou por um momento nas barbatanas que um dia foram suas pernas e pés, e em seguida voltaram ao rosto de Leto.

— Um acordo obtido com ameaças não é um acordo.
— Eu não lhe ofereço violência.
— Existem vários tipos de violência – disse ela.

— E eu a trouxe para cá onde você pode morrer?

— Eu tive escolha?

— É difícil ter nascido Atreides – disse ele. – Confie em mim, eu sei.

— O Senhor não precisa fazer isso dessa forma – disse ela.

— E nisso você está errada.

Ele se afastou dela e partiu em um avanço senoidal, duna abaixo. Ele a ouviu escorregando e tropeçando conforme o seguia. Leto parou bem debaixo da sombra da duna.

— Esperaremos aqui o dia acabar – disse ele. – Consome-se menos água viajando durante a noite.

UMA DAS PALAVRAS MAIS TERRÍVEIS EM QUALQUER IDIOMA É *SOLDADO*. OS SINÔNIMOS DESFILAM PELA NOSSA HISTÓRIA: *YOGAHNEE*, CAVALARIANO, HUSSARDO, *KAREEBO*, COSSACO, *DERANZEEF*, LEGIONÁRIO, SARDAUKAR, ORADORA PEIXE... CONHEÇO-OS TODOS. ELES ESTÃO ALI, NAS FILEIRAS DE MINHAS MEMÓRIAS PARA ME LEMBRAR: ASSEGURE-SE DE QUE SEMPRE HAJA UM EXÉRCITO COM VOCÊ.

— Os Diários Roubados

Idaho finalmente encontrou Moneo no corredor do subsolo que conectava os complexos leste e oeste da Cidadela. Desde o amanhecer, duas horas antes, Idaho estivera rondando a Cidadela em busca do senescal e ali estava ele, bem à sua frente no corredor, conversando com alguém que estava oculto por um portal. Moneo era reconhecível mesmo àquela distância, pela postura e pelo indefectível uniforme branco.

As paredes de plaspedra do corredor eram de uma tonalidade âmbar ali, cinquenta metros abaixo da superfície, e iluminadas por lucifaixas ajustadas para as horas diurnas. Brisas refrescantes eram trazidas para aquelas profundezas por um arranjo simples de alas que balançavam livremente, as quais podiam ser vistas como gigantescas figuras amantadas nas torres perimetrais na superfície. Agora que o sol havia aquecido a areia, todas as alas apontavam para o norte, para o ar fresco que adentrava o Sareer. Idaho sentiu o cheiro de pederneira na brisa conforme caminhava.

Ele sabia o que o corredor devia representar. Tinha, *de fato*, algumas características de um antigo sietch dos fremen. O corredor era largo, grande o suficiente para carregar Leto em seu coche. O teto arqueado *parecia* de rocha, mas as lucifaixas gêmeas estavam em desacordo. Idaho nunca havia visto lucifaixas antes de vir até a Cidadela; elas não eram mais consideradas práticas em *seu tempo*, requeriam energia demasiada, manutenção muito cara. Luciglobos eram mais simples e facilmente substituíveis. Ele compreendeu, entretanto, que Leto considerava poucas coisas como não práticas.

O que Leto quer, alguém providencia.

O pensamento demonstrava uma sensação sinistra enquanto Idaho marchava corredor abaixo, na direção de Moneo.

Pequenos quartos estavam dispostos no corredor em estilo sietch, sem portas, apenas finos tecidos de um castanho-avermelhado, pendurados como cortinas que balançavam com a brisa. Idaho sabia que aquela área era quase toda de alojamentos para as jovens Oradoras Peixe. Ele reconheceu uma sala de reuniões, com depósitos para estoque de armas, cozinha, uma sala de jantar e as oficinas de manutenção. Ele também havia visto outras coisas por trás da privacidade inadequada das cortinas, coisas que alimentavam sua raiva.

Moneo se virou com a chegada de Idaho. A mulher com a qual Moneo conversava se retirou e deixou a cortina se fechar, mas não antes que Idaho visse um rosto mais velho com ar de quem comanda. Idaho não reconheceu aquela comandante em particular.

Moneo assentiu quando Idaho parou a dois passos.

— As guardas disseram que você esteve procurando por mim — disse Moneo.

— Onde ele está, Moneo?

— Onde quem está?

Moneo fitou de cima a baixo a figura de Idaho, notando o uniforme Atreides antiquado, negro com um gavião vermelho no peitilho, as botas de cano alto brilhando de tão bem engraxadas. Havia uma aparência *ritual* no homem.

Idaho inspirou de modo curto e rápido e falou entre dentes cerrados.

— Não comece esse jogo comigo!

Moneo tirou sua atenção da faca embainhada na cintura de Idaho. Parecia uma peça de museu com aquele cabo ornado com joias. Onde Idaho a teria encontrado?

— Se você estiver falando do Imperador Deus... — começou Moneo.
— Onde?

Moneo manteve a voz suave quando retrucou:
— Por que está tão ansioso para morrer?
— Disseram-me que você estava com ele.
— Isso foi mais cedo.
— Eu o encontrarei, Moneo!
— Não neste exato momento.

Idaho colocou a mão em sua faca.
— Precisarei usar a força para fazer com que você fale?
— Não aconselharia isso.
— Onde... ele... está?
— Se você insiste, está fora, no deserto com Siona.
— Com sua filha?
— Há outra Siona?
— O que estão fazendo?
— Ela está sendo testada.
— Quando retornarão?

Moneo encolheu os ombros e então questionou:
— Por que essa raiva inadequada, Duncan?
— Que teste é esse de sua...
— Não sei. Agora, por que está tão perturbado?
— Estou farto deste lugar! Oradoras Peixe! — Ele virou a cabeça e cuspiu.

Moneo olhou para baixo, para o corredor atrás de Idaho, relembrando a aproximação do homem. Conhecendo os Duncan, era fácil reconhecer o que nutria aquela raiva atual.

— Duncan — disse Moneo —, é perfeitamente normal que mulheres adolescentes, assim como homens, sintam atração física por membros de seu próprio sexo. A maioria delas superará isso no futuro.
— Deveria ser proibido!
— Mas é parte de nossa herança!

— Proibido! E não é...

— Ah, pare. Se você tentar suprimir isso, apenas aumentará sua força.

Idaho o fitou e perguntou:

— E você diz que não sabe o que está acontecendo lá em cima, com sua própria filha?

— Siona está sendo testada, já lhe disse.

— E o que *isso* deveria significar?

Moneo colocou a mão sobre seus olhos e suspirou. Baixou a mão, perguntando a si mesmo por que tinha que suportar esse humano tolo, perigoso e *antiquado*.

— Significa que ela pode morrer lá fora.

Idaho ficou sem jeito, um pouco de sua raiva já esfriando.

— Como você é capaz de permitir...

— Permitir? Você pensa que tenho escolha?

— Todo homem tem uma escolha!

Um sorriso amargo se formou nos lábios de Moneo.

— Como é possível que você seja ainda mais tolo que os outros Duncan?

— Outros Duncan! — disse Idaho. — Como esses outros morreram, Moneo?

— Da forma como todos morremos. O tempo deles se esgotou.

— Você mente. — Idaho falou com os dentes cerrados, os nós de seus dedos brancos contra o punho da faca.

Ainda falando de maneira suave, Moneo comentou:

— Tome cuidado. Existem limites até mesmo daquilo que posso relevar, especialmente neste exato momento.

— Este lugar é podre! — disse Idaho. Ele gesticulou com a mão livre para o corredor atrás dele. — Há certas coisas que eu jamais aceitarei!

Moneo fitou o corredor vazio sem prestar muita atenção.

— Você *deve* amadurecer, Duncan. Você deve.

A mão de Idaho segurou a faca com mais força.

– O que isso quer dizer?

– Estes são tempos sensíveis. Qualquer coisa que o perturbe, *qualquer coisa*... deve ser evitada.

Idaho se segurou no limiar da violência, sua raiva contida apenas por algo intrigante na postura de Moneo. Entretanto, palavras que não podiam ser ignoradas foram ditas.

– Não sou uma maldita criança imatura que você pode...

– Duncan! – Essa fora a ênfase mais alta que Idaho ouvira do sempre equilibrado Moneo. A surpresa reteve as mãos de Idaho conforme Moneo continuava: – Se as demandas de sua carne são pela maturidade, mas algo o retém na adolescência, um comportamento assaz torpe se desenvolve. Desapegue.

– Você... está... me... acusando... de...

– Não! – Moneo fez um gesto para o corredor. – Oh, eu sei o que você deve ter visto ali atrás, mas...

– Duas mulheres em um beijo apaixonado! Você pensa que não é...

– Não é importante. A juventude explora seus potenciais de várias formas.

Idaho se equilibrava na beira de uma explosão, inclinando-se para a frente sobre os dedos dos pés.

– Fico satisfeito por aprender isso sobre você, Moneo.

– Sim, bem, aprendi sobre você, *inúmeras* vezes.

Moneo observou o efeito dessas palavras enquanto elas se retorciam através de Idaho, enredando-o. Os gholas não podiam evitar uma fascinação com *os outros* que o haviam precedido.

– O que você aprendeu? – Idaho falou em um murmúrio rouco.

– Você me ensinou coisas valiosas – disse Moneo. – Todos nós tentamos evoluir, mas, se algo nos bloqueia, podemos transferir nosso potencial para a dor: procurando-a ou fornecendo-a. Adolescentes são particularmente vulneráveis.

Idaho se inclinou mais perto de Moneo ao redarguir:

— Estou falando de sexo!
— Claro que está.
— Você está me acusando de adolescente...
— Isso mesmo.
— Eu devia cortar seu...
— Ora, cale a boca!

A resposta de Moneo não tinha nenhuma nuance do treinamento Bene Gesserit de controle da Voz, mas tinha uma vida inteira de comando por trás. Algo em Idaho fez com que ele só fosse capaz de obedecer.

— Desculpe-me – disse Moneo. – Estou distraído pelo fato de que minha filha única... – Ele interrompeu e encolheu os ombros.

Idaho inspirou de modo profundo duas vezes.

— Vocês são loucos, todos vocês! Diz que sua filha pode estar morrendo e mesmo assim você...

— Seu tolo! – Moneo o repreendeu. – Você faz ideia de como suas preocupações parecem fúteis para mim?! Suas perguntas tolas e seu egoísmo... – Ele interrompeu, balançando a cabeça.

— Vou tolerar porque você está enfrentando problemas pessoais – disse Idaho. – Mas se você...

— Tolerar? *Você* tolerando? – Moneo inspirou de modo trêmulo. Isso passava dos limites!

— Posso perdoá-lo por... – Idaho falou com arrogância.

— Você! Você vem com essa conversa pueril sobre sexo e perdão e dor e... pensa que você e Hwi Noree...

— Deixe-a fora disso!

— Ah, claro. Deixe-a de fora. Deixe de fora *essa* dor! Você compartilha o sexo com ela e *nunca* pensa na despedida. Diga-me, tolo, de que forma você se doa diante *disso*?

Envergonhado, Idaho inspirou profundamente. Ele não havia suspeitado de tal paixão oculta no quieto Moneo, mas esse ataque, não podia ser...

— Pensa que sou cruel? — perguntou Moneo. — Faço você pensar sobre coisas que prefere evitar. Ha! Coisas mais cruéis foram feitas ao Senhor Leto por nenhum outro motivo que não fosse a crueldade.

— Você o defende? Você...

— Eu o conheço melhor!

— Ele o usa!

— Para quais fins?

— Diga-me você!

— Ele é nossa melhor esperança para perpetuar...

— Pervertidos não perpetuam!

Moneo falou em um tom tranquilizador, mas suas palavras chocaram Idaho:

— Vou falar apenas uma vez. Homossexuais têm sido os melhores guerreiros de nossa história, os *berserkers* de último recurso. Também foram nossos melhores sacerdotes e sacerdotisas. Celibato não era acidental nas religiões. Também não é acidente que adolescentes sejam os melhores soldados.

— Isso é perversão.

— Você tem toda a razão. Comandantes militares conhecem a compensação pervertida de sexo em dor há milhares e milhares de séculos.

— É *isso* o que o Grande Senhor Leto está fazendo?

Ainda em um tom brando, Moneo respondeu:

— Violência requer que se inflija dor ou a sofra. É muito mais fácil manejar uma força militar dirigida pelos impulsos mais íntimos.

— Ele também fez de você um monstro!

— Você sugeriu que ele me usa — disse Moneo. — Eu permito porque sei que o preço que ele paga é muito maior do que pede de mim.

— Mesmo sua filha?

— *Ele* não retém nada. Por que eu deveria? Oh, acho que disso você entende sobre os Atreides. Os Duncan sempre são bons *nisso*.

— Os Duncan! Maldito seja, não serei...

– Você simplesmente não tem coragem de pagar o preço que ele está pedindo – Moneo interrompeu.

Em um momento turvo, Idaho sacou a faca da bainha e a apontou para Moneo. Por mais rápido que ele tenha se movido, Moneo fora ainda mais rápido: saltando de lado, passando uma rasteira em Idaho, lançando-o de cara no chão. Idaho tropeçou para a frente, rolou e tentou ficar de pé, então hesitou, compreendendo que havia de fato tentado atacar um Atreides. Moneo era um Atreides. O choque deixou Idaho imóvel.

Moneo permaneceu sem se mover, olhando para baixo até ele. Havia um curiosa expressão de tristeza no rosto do senescal.

– Se pretende me matar, Duncan, é melhor fazê-lo pelas costas, esgueirando-se – disse Moneo. – Você pode ser mais bem-sucedido dessa forma.

Idaho se equilibrou em um joelho, colocando a sola de um dos pés no chão, mas permaneceu ali, ainda segurando sua faca. Moneo havia se movido tão rapidamente e com tanta graça; tão... naturalmente! Idaho pigarreou.

– Como você...

– Ele tem nos reproduzido por um longo tempo, Duncan, reforçando muitas coisas em todos nós. Ele nos gerou em virtude da rapidez, inteligência, autocontrole, sensibilidade. Você é... você é apenas um modelo antigo.

VOCÊ SABE O QUE AS GUERRILHAS DIZEM COM FREQUÊNCIA? ELAS REIVINDICAM QUE SUAS REBELIÕES SÃO INVULNERÁVEIS À GUERRA ECONÔMICA PORQUE NÃO TÊM ECONOMIA, SÃO PARASITAS DAQUELES QUE DESEJAM DERRUBAR. OS TOLOS SIMPLESMENTE FALHAM EM AVALIAR A MOEDA COM A QUAL ELES DEVERÃO INEVITAVELMENTE PAGAR. O PADRÃO É INEXORÁVEL EM SUAS FALHAS DEGENERATIVAS. VOCÊ O VÊ REPETIDO EM SISTEMAS DE ESCRAVIDÃO, GOVERNOS ASSISTENCIALISTAS, NAS RELIGIÕES ESTRATIFICADAS, DE BUROCRACIAS SOCIALISTAS... EM QUALQUER SISTEMA QUE CRIE E MANTENHA DEPENDÊNCIAS. PARASITE POR MUITO TEMPO E NÃO SERÁ CAPAZ DE EXISTIR SEM UM HOSPEDEIRO.

— Os Diários Roubados

Leto e Siona permaneceram o dia todo à sombra das dunas, movendo-se apenas quando o sol se movia. Ele a ensinou como se proteger debaixo de um cobertor de areia no calor do meio-dia; nunca ficava muito quente na camada rochosa entre as dunas.

À tarde, Siona rastejou para perto do calor de Leto, um calor que ele sabia ter em excesso nestes dias.

Eles conversavam esporadicamente. Leto contou a ela sobre os encantos dos fremen que um dia haviam dominado aquela região. Ela sondava por conhecimentos secretos dele.

Certa vez, ele chegou a dizer:

— Você pode achar estranho, mas aqui fora é onde posso ser mais humano.

Suas palavras não foram capazes de torná-la completamente consciente de sua própria vulnerabilidade humana e do fato de que ela podia morrer lá fora. Mesmo quando não estava falando, ela não colocava a aba facial de seu trajestilador.

Leto reconheceu a motivação inconsciente por trás dessa falha, mas conhecia a futilidade de uma abordagem direta.

No final da tarde, com o frio da noite começando a se insinuar sobre a terra, ele começou a entretê-la com músicas da Longa Jornada, as quais não haviam sido salvas pela História Oral. Ele apreciou o fato de ela ter preferido uma de suas favoritas, "A Marcha de Liet".

— A música é muito antiga — ele comentou —, uma coisa pré-espacial da velha Terra.

— O Senhor poderia cantá-la novamente?

Ele escolheu um dos seus melhores barítonos, um artista morto havia muito tempo, que lotara diversas vezes uma sala de concertos.

"A muralha do passado-além-das-recordações
Esconde-me de uma cascata antiga
Onde todas as águas são correntes
E brincam de borrifar
Escavam cavernas em argila
Sob o estrondo das torrentes."

Quando terminou, ela ficou em silêncio por um momento, mas logo o quebrou:

— É uma música estranha para marchar.

— Eles gostavam porque podiam dissecá-la.

— Dissecá-la?

— Antes que nossos ancestrais fremen viessem a este planeta, a noite era a hora de contar histórias, músicas e poesias. Nos dias de Duna, contudo, o hábito foi reservado para a falsa escuridão, as trevas do dia no sietch. A noite era quando eles podiam emergir e se mover... exatamente como o fazemos agora.

— Mas o Senhor disse *dissecar*.

— O que essa música significa? — ele perguntou.

— Oh. É apenas... apenas uma música.

— Siona!

Ela captou a raiva na voz dele e permaneceu em silêncio.

— Esse planeta é o filho do verme — ele a alertou — e *eu* sou esse verme.

Ela respondeu com uma indiferença surpreendente.

— Então diga-me o que significa.

— O inseto não tem mais liberdade de sua colmeia do que temos liberdade de nosso passado — disse ele. — As cavernas estão lá e todas as mensagens escritas nos borrifos das torrentes.

— Prefiro músicas para dançar — disse ela.

Era uma resposta frívola, mas Leto decidiu encará-la como motivo para mudança de assunto. Contou a ela sobre a dança de casamento das mulheres fremen, retrocedendo os passos até sua origem no rodopio dos demônios do vento. Leto tinha muito orgulho em saber como contar uma boa história. Ficava claro a partir da atenção extasiada dela que Siona era capaz de ver as mulheres, seus longos cabelos negros esvoaçando em movimentos antigos, perdendo-se pelas faces mortas há tanto tempo.

A escuridão estava quase sobre eles quando terminaram.

— Venha — disse ele. — A manhã e a tarde ainda são as horas das silhuetas. Vejamos se alguém divide nosso deserto.

Siona o seguiu até a crista de uma duna e ambos fitaram todo o deserto ao redor, que escurecia. Havia apenas um grande pássaro no alto, bem acima de suas cabeças, atraído pelos movimentos deles. De acordo com as fendas na disposição das penas nas pontas das asas e por seu formato, Leto sabia que era um abutre. Ele o apontou para Siona.

— Mas o que eles comem? — perguntou ela.

— Qualquer coisa que esteja morta ou quase morta.

A afirmação golpeou Siona e ela fitou o último vestígio do sol tingindo de dourado as penas esvoaçantes do pássaro solitário.

— Algumas pessoas ainda se aventuram no meu Sareer — Leto insistiu. — Às vezes, um fremen de museu começa a vagar e se perde.

Eles só servem mesmo para os rituais. E também existem as bordas do deserto e os restos de alguma coisa que meus lobos deixam.

Depois dessa fala, Siona virou-se de modo brusco para longe dele, mas não antes que ele visse que a paixão ainda a consumia. Siona estava sendo duramente testada.

— Há pouca graciosidade diurna no deserto — ele observou. — Há outra razão para viajarmos durante a noite. Para um fremen, a imagem do dia era aquela da areia soprada pelo vento, cobrindo seus rastros.

Os olhos dela brilharam com lágrimas não derramadas quando se virou de volta para ele, mas suas feições estavam comedidas.

— O que vive aqui agora? — ela perguntou.

— Os abutres, algumas criaturas da noite, vestígios ocasionais de vida vegetal dos velhos dias, coisas que se enterram.

— Isso é tudo?

— Sim.

— Por quê?

— Porque este é o lugar onde essas coisas nasceram e não permito que conheçam nada melhor.

Era quase noite, com aquela súbita luz brilhante que seu deserto adquiria naquele determinado momento. Leto estudou Siona naquele instante luminoso, reconhecendo que ela ainda não havia compreendido sua outra mensagem. Entretanto, ele sabia que a mensagem ficaria retida ali, até ulcerar nela.

— Silhuetas — ela disse, lembrando-o. — O que o Senhor esperava encontrar quando veio até aqui?

— Talvez pessoas a distância. Nunca se pode estar certo.

— Que pessoas?

— Eu já lhe contei.

— O que o Senhor teria feito se tivesse visto alguém?

— O costume fremen era tratar as pessoas distantes como hostis até que elas jogassem areia no ar.

À medida que falava, a escuridão caía sobre ele como uma cortina.

Siona se tornou um movimento fantasmagórico sob a luz das estrelas repentinas.

— Areia? — ela perguntou.

— Jogar areia é um gesto profundo. Ele diz: "Compartilhamos o mesmo fardo. A areia é nossa única inimiga. Isso é o que bebemos. A mão que segura areia não porta armas". Você entende?

— Não! — ela o provocou com uma falsidade desafiadora.

— Você entenderá – disse ele.

Sem dizer palavra, ela caminhou ao longo do arco da duna, indo para longe dele, com um excesso raivoso de energia. Leto se permitiu ficar atrás dela, interessado no fato de que ela havia instintivamente escolhido a direção certa. Podia-se sentir as memórias fremen se agitando dentro dela.

Siona esperou por ele no local onde uma duna se inclinava para encontrar a outra. Ele viu que a aba facial de seu trajestilador permanecia aberta e solta. Ainda não era a hora de repreendê-la por isso. Algumas atitudes inconscientes deviam seguir seu curso natural.

Enquanto ele se aproximava, Siona perguntou:

— Essa é uma direção tão boa quanto qualquer outra?

— Se você se mantiver nela – disse ele.

Ela olhou para as estrelas e Leto notou enquanto Siona identificava as Indicadoras, as Flechas fremen que haviam indicado o caminho para seus ancestrais por aquele terreno. Ele podia ver, contudo, que o reconhecimento dela era, acima de tudo, intelectual. Ela ainda não havia começado a aceitar as outras coisas que exercem influência dentro dela.

Leto levantou os segmentos frontais para espreitar o que estava à frente, sob a luz das estrelas. Eles estavam se movendo um pouco para o noroeste, em uma trilha que antes levava pela Colina de Habbanya e Caverna dos Pássaros dentro do erg abaixo da Falsa Muralha Oeste e o caminho do Desfiladeiro do Vento. Nenhum desses marcos permanecia. Ele inalou uma brisa fresca cheia de odor de pederneira e com mais umidade do que considerava agradável.

Mais uma vez, Siona partiu, mais devagar dessa vez, guiando seu percurso de acordo com olhares frequentes para as estrelas. Ela confiara em Leto para confirmar o caminho, mas agora ela era sua própria guia. Ele sentiu o turbilhão sob os pensamentos cautelosos dela e conhecia as coisas que estavam emergindo. Ela começava a sentir aquela lealdade intensa para com os companheiros de viagem que as pessoas do deserto sempre tinham.

Sabemos, ele pensou. *Se você está separado dos seus companheiros, está perdido entre dunas e rochas. O viajante solitário no deserto está morto. Apenas o verme vive sozinho aqui fora.*

Ele deixou que ela seguisse bem à sua frente, onde o som do raspar da areia provocado por sua passagem não fosse muito proeminente. Ela tinha de pensar com sua própria humanidade. Ele contava que a lealdade trabalhasse a seu favor. Ainda assim, Siona era frágil, cheia de uma raiva reprimida, mais do que qualquer rebelde que ele já havia testado.

Leto deslizou atrás dela, pensando no plano de reprodução, formulando as decisões necessárias para uma substituição caso ela falhasse.

Conforme a noite progredia, Siona se movia cada vez mais devagar. A primeira lua estava muito alta no céu e a segunda lua bem acima do horizonte antes que ela parasse para descansar e comer.

Leto ficou feliz com a pausa. A fricção havia estabelecido uma dominação do verme, o ar ao redor dele cheio de exalações químicas devido aos ajustes de sua temperatura. Aquilo que ele identificava como seu *supercarregador de oxigênio* dava uma vazão constante, tornando-o intensamente consciente das fábricas de proteínas e dos recursos de aminoácidos que seu eu-verme havia adquirido para acomodar a relação placentária com suas células humanas. O deserto acelerava os movimentos em direção a sua metamorfose final.

Siona parou perto da crista de uma duna-estrela.

– É verdade que o Senhor come areia? – ela perguntou, ao mesmo tempo que pedia para que ele se aproximasse.

– É verdade.

Ela fitou tudo ao redor do horizonte banhado pela luz fria da lua.

– Por que não trouxemos um dispositivo sinalizador?

– Porque eu queria que você aprendesse sobre posses.

Ela se virou na direção de Leto. Ele sentiu o hálito dela próximo à face. Siona perdia muita umidade no ar seco. Ainda assim, ela não se lembrava do conselho de Moneo. Seria uma lição amarga, sem dúvida.

– Eu não entendo o Senhor de forma alguma – disse ela.

– Ainda assim, você está comprometida a fazer exatamente isso.

– Estou?

– De que outra forma você poderia me dar alguma coisa valiosa em retribuição ao que lhe dou?

– O que o Senhor me dá? – toda a amargura estava lá, com uma pitada de especiaria de sua comida desidratada.

– Eu lhe dou essa oportunidade de ficar sozinha comigo, de compartilhar comigo, e você passa esse tempo sem a menor preocupação. Você o desperdiça.

– O que devo aprender sobre posses? – indagou ela.

Ele ouviu a fadiga na voz dela, a mensagem da água começando a gritar dentro dela.

– Eles eram magnificamente vivos nos tempos antigos, aqueles fremen – ele contou. – E a visão de beleza deles era limitada àquilo que era útil. Jamais encontrei um fremen ganancioso.

– O que isso deveria significar?

– Nos antigos dias, tudo que você levava ao deserto era uma necessidade e era só isso que você levava. Sua vida não é mais livre de posses, Siona, ou você não teria perguntado sobre um dispositivo sinalizador.

— Por que um dispositivo sinalizador não é necessário?

— Ele nada lhe ensinaria.

Leto se moveu ao redor dela seguindo a trilha apontada pelas Indicadoras:

— Venha. Vamos usar esta noite em nosso proveito.

Ela veio se apressando para caminhar ao lado de sua face emoldurada.

— O que acontece se eu não aprender sua maldita lição?

— Você provavelmente morrerá – ele respondeu.

Isso a silenciou por um tempo. Ela marchava ao lado de Leto, apenas ocasionalmente arriscando algumas olhadelas para o lado, ignorando o corpo-verme, concentrando-se nos resquícios visíveis de sua humanidade. Depois de um tempo, ela falou:

— As Oradoras Peixe me disseram que o Senhor ordenou o acasalamento pelo qual eu nasci.

— É verdade.

— Elas dizem que o Senhor mantém relatórios e que ordena esses cruzamentos dos Atreides por suas próprias razões.

— Isso também é verdade.

— Então a História Oral está correta.

— Pensei que você acreditasse na História Oral sem questioná-la.

Ela estava, porém, com um pensamento fixo.

— O que acontece se algum de nós se recusar quando o Senhor ordena uma fecundação?

— Permito uma latitude bem ampla, desde que haja as crianças que encomendei.

— Encomendou? – ela se sentia ultrajada.

— É o que faço.

— O Senhor não pode se arrastar em cada quarto ou seguir todo mundo a cada minuto de nossa vida! Como sabe se suas *ordens* são obedecidas?

— Eu sei.

– Então o Senhor sabe que não vou obedecê-lo.

– Você está com sede, Siona?

Ela ficou assustada:

– O quê?

– Pessoas sedentas falam de água, não de sexo.

Ela ainda não havia selado sua aba facial e ele pensou: *as paixões dos Atreides sempre corriam fortes, mesmo à custa da razão.*

Dentro de duas horas, eles desceram das dunas até uma superfície plana de seixos, fustigada pelo vento. Leto se moveu por essa extensão, Siona bem ao seu lado. Ela olhava frequentemente para as Indicadoras. Agora, ambas as luas estavam baixas no horizonte e suas luzes lançavam sombras longas atrás de cada pedregulho.

De alguma forma, Leto achava aqueles lugares mais confortáveis de atravessar do que a areia. A rocha sólida conduzia melhor o calor do que a areia. Ele podia achatar o corpanzil sobre a rocha e facilitar o trabalho das fábricas químicas. Nem seixos nem rochas de tamanho considerável lhe eram impedimentos.

Mas Siona enfrentou mais problemas ali do que ele, e quase torceu o tornozelo várias vezes.

A superfície plana podia ser bastante traiçoeira para os humanos desacostumados com ela, ele pensou. Se eles permanecessem perto do solo, veriam apenas o grande vazio, um local lúgubre, especialmente à luz da lua: dunas a distância, uma distância que parecia não mudar conforme o viajante se movia, nada em lugar algum, exceto por um vento aparentemente eterno, algumas rochas e, quando olhavam para cima, estrelas sem misericórdia. Esse era o deserto do deserto.

– Foi aqui que a música fremen adquiriu sua solidão eterna – ele disse. – Não lá em cima das dunas. Aqui é onde você realmente aprende a pensar que o paraíso se parece com o som de água corrente e de alívio... qualquer alívio... para aquele vento sem fim.

Mesmo isso não fez com que ela se lembrasse da aba facial. Leto começou a se desesperançar.

A manhã os encontrou bem longe, sobre a superfície plana.

Leto parou ao lado de três grandes rochas, empilhadas uma contra a outra, uma delas mais alta até mesmo que suas costas. Siona se reclinou contra ele por um momento, um gesto que, de certa forma, restaurava as esperanças a Leto. Logo, ela se empurrou para longe e escalou sobre o pedregulho mais alto. Ele a observou enquanto Siona surgia lá no topo, examinando o cenário.

Mesmo sem olhar, Leto sabia o que ela estava vendo: areia soprada que se assemelhava à névoa no horizonte que obscurecia o sol nascente. Quanto ao resto, havia apenas o plano e o vento.

A rocha estava fresca sob Leto, com a temperatura baixa da manhã do deserto. O frio tornava o ar muito mais seco e ele o achou mais agradável. Sem Siona, ele poderia ter continuado, mas ela estava visivelmente exausta. Quando ela desceu da rocha, inclinou-se mais uma vez contra ele e levou quase um minuto antes que Leto percebesse que ela estava escutando.

– O que você ouve? – perguntou ele.

– O Senhor ribomba por dentro – ela respondeu com voz de sono.

– O fogo nunca se apaga totalmente.

Isso interessava a ela. Ela se afastou dele e deu a volta para olhar em sua face.

– Fogo?

– Cada ser vivo possui um fogo dentro de si, alguns mais lentos, outros mais rápidos. O meu é mais quente do que a maioria.

Ela se abraçou para se proteger do frio.

– Então o Senhor não está com frio aqui?

– Não, mas percebo que você está. – Ele ocultou o rosto parcialmente dentro de sua moldura e criou uma depressão na porção mais baixa do arco de seu primeiro segmento. – É quase como uma rede – ele comentou, olhando para baixo. – Se você se enrolar ali, ficará quente.

Sem hesitação, ela aceitou o convite.

Apesar de ele tê-la preparado para isso, a resposta confiante o tocou. Ele tinha que lutar contra um sentimento de pena, mais forte do que qualquer outro que ele tivesse experimentado antes de conhecer Hwi. Mas não poderia haver lugar para a piedade ali, ele disse a si mesmo. Siona estava dando indícios de que muito provavelmente morreria ali. Ele tinha que se preparar para o desapontamento.

Siona protegeu o próprio rosto com um braço, fechou os olhos e dormiu.

Ninguém jamais teve tantos ontens quanto eu tive, ele se lembrou.

Sob o ponto de vista popular dos humanos, Leto sabia que as coisas que fizera ali poderiam parecer cruéis e insensíveis. Naquele momento, ele era forçado a se fortalecer, retraindo-se em suas memórias, selecionando deliberadamente os *equívocos de nosso passado comum*. Acesso em primeira mão aos equívocos humanos era, agora, sua grande força. Conhecimento de equívocos lhe ensinou que ele estava sempre ciente das consequências. Se as consequências fossem perdidas ou ocultas, lições eram perdidas.

Porém, quanto mais próximo ele ficava de se transformar em um verme da areia, descobria que ficava mais difícil tomar decisões que outros considerariam desumanas. No passado, ele o havia feito com facilidade. Enquanto sua humanidade desvanecia, contudo, ele se via cada vez mais repleto de preocupações humanas.

> NO BERÇO DE NOSSO PASSADO, RECOSTO-ME EM UMA CAVERNA TÃO CURTA QUE APENAS CONSIGO PENETRÁ-LA ME CONTORCENDO, NÃO ME RASTEJANDO. LÁ, SOB A LUZ BRUXULEANTE DE UMA TOCHA DE RESINA, DESENHEI SOBRE PAREDES E TETO AS CRIATURAS DE CAÇA E AS ALMAS DO MEU POVO. QUÃO ESCLARECEDOR É PERSCRUTAR, RETROCEDENDO ATRAVÉS DE UM CÍRCULO PERFEITO, ÀQUELA ANTIGA LUTA PELO MOMENTO VISÍVEL DA ALMA. TODO O TEMPO REVERBERA ÀQUELE CHAMADO: "AQUI ESTOU!". COM UMA MENTE INSTRUÍDA PELOS ARTISTAS GIGANTES QUE VIERAM DEPOIS, ESPREITEI AS IMPRESSÕES DAS MÃOS E MÚSCULOS QUE FLUÍAM DESENHADOS SOBRE A ROCHA, COM CARVÃO E TINTAS VEGETAIS. SOMOS MUITO MAIS DO QUE MEROS EVENTOS MECÂNICOS! E MEU *SELF* ANTICIVIL QUESTIONA: "POR QUE SERÁ QUE ELES NÃO QUEREM SAIR DA CAVERNA?".
>
> — Os Diários Roubados

O convite para encontrar Moneo em seu escritório chegou a Idaho no final da tarde. Durante todo o dia, Idaho havia se mantido sentado sobre o sofá de seu alojamento, pensando. Cada pensamento se irradiava a partir da facilidade com que Moneo o lançara sobre o chão do corredor naquela manhã.

Você é apenas um modelo antigo.

A cada pensamento, Idaho se sentia diminuído. Ele sentia o desejo de viver esvanecendo, deixando cinzas onde sua raiva havia se consumido.

Sou o portador de um esperma útil e nada além disso, pensou ele.

Era um pensamento que convidava à morte ou ao hedonismo. Ele se sentiu trespassado por um espinho do acaso, com forças irritantes que o bicavam por todos os lados.

A jovem mensageira, em seu elegante uniforme azul, era mera irritação. Ela entrou depois de Idaho responder em voz baixa ao toque na porta e parou debaixo do portal arqueado de sua antessala, hesitando até que tivesse avaliado o humor dele.

Como palavras, notícias viajam rápido, pensou ele.

Ele a viu lá, emoldurada pelo portal, uma projeção da essência das Oradoras Peixe: mais voluptuosa que algumas, mas não mais obviamente sexual. O uniforme azul não escondia seus quadris graciosos, os seios firmes. Ele olhou para cima, em direção ao rosto malicioso sob um tufo de cabelos louros: o corte das acólitas.

– Moneo me enviou para procurar o senhor – disse ela. – Ele pede que senhor o encontre em seu escritório.

Idaho havia visitado aquele escritório inúmeras vezes, mas ainda se lembrava melhor da primeira vez que o vira. Ele soubera, ao entrar ali, que aquele era o lugar onde Moneo passava a maior parte do seu tempo. Havia uma mesa de madeira marrom-escura listrada por filigranas douradas, com cerca de dois metros por um metro, que se apoiava sobre pernas curtas cercadas de almofadas cinza. A mesa parecera a Idaho como sendo algo raro e caro, escolhida por sua singularidade. Ela e as almofadas, as quais eram do mesmo tom acinzentado que o chão, paredes e teto, eram as únicas mobílias.

Considerando o poder do ocupante, a sala era pequena, não mais que cinco metros por quatro metros, mas com pé-direito alto. A luz vinha de duas janelas delicadas, opostas uma à outra nas paredes mais estreitas. As janelas davam para fora, em uma altura considerável, uma para a periferia noroeste do Sareer e o verde fronteiriço da Floresta Proibida, a outra provendo uma vista do sudeste sobre as dunas onduladas.

Contraste.

A mesa impunha um realce interessante nesse pensamento inicial. A superfície aparecia como um arranjo demonstrando a ideia de *bagunça*. Finas folhas de papel cristal jaziam espalhadas sobre a superfície, deixando apenas alguns relances da madeira filigranada por baixo. Belas impressões cobriam alguns dos papéis. Idaho reconhecera palavras em galach e em quatro outros idiomas, incluindo a rara língua transitória de Perth. Várias folhas de papel revelavam desenhos de projetos e algumas estavam rabiscadas com pinceladas escuras no estilo negritado das Bene Gesserit. Mais interessante que tudo eram os quatro tubos brancos enrolados com cerca de um metro de comprimento: impressões tridimensionais de um computador ilegal. Ele suspeitara de que o terminal estava oculto atrás de algum painel em uma das paredes.

A jovem mensageira de Moneo pigarreou para acordar Idaho de seu devaneio.

— Que resposta devo dar a Moneo? — perguntou ela.

Idaho a encarou e perguntou:

— Você gostaria que eu a engravidasse?

— Comandante! — Ela estava obviamente chocada não tanto pela sugestão, mas por aquela intrusão *non sequitur*.

— Ahhh, sim — murmurou Idaho. — Moneo. O que devemos dizer a Moneo?

— Ele espera por sua resposta, Comandante.

— Há algum propósito em respondê-lo?

— Moneo pediu que eu lhe informasse de que ele deseja conferenciar com o senhor e Lady Hwi, juntos.

Idaho sentiu um vago despertar de interesse.

— Hwi está com ele?

— Ela foi convocada, Comandante. — A mensageira pigarreou mais uma vez. — O Comandante gostaria que eu o visitasse esta noite?

— Não. Mas, de todo modo, obrigado. Mudei de ideia.

Ele achou que ela havia escondido seu desapontamento muito bem, mas sua voz saiu extremamente formal.

— Devo dizer que o senhor vai ao encontro de Moneo?

— Faça isso. — Ele fez um gesto para que ela fosse embora.

Depois que ela saíra, ele considerou simplesmente ignorar a convocação. Mas a curiosidade crescia dentro dele. Moneo queria conversar com ele enquanto Hwi estava presente? Por quê? Ele pensava que isso traria Idaho correndo? Ele engoliu em seco. Quando pensava sobre Hwi, o vazio em seu peito se preenchia. Uma mensagem como aquela não podia ser ignorada. Algo de um poder terrível o ligava a Hwi.

Idaho se levantou, seus músculos rígidos depois da longa inatividade. A curiosidade e aquela força de ligação o impeliram. Ele saiu pelo corredor, ignorou os olhares curiosos das guardas pelas quais ele passava, seguindo aquela força interna que o compelia até o escritório de Moneo.

Hwi já estava lá quando Idaho entrou na sala. Ela estava do lado oposto a Moneo em sua mesa desordenada, seus pés em sandálias vermelhas repousando sobre a almofada cinza onde ela se sentara. Idaho viu apenas que ela vestia um longo traje marrom com um cinto verde trançado, depois ela se virou e ele não podia ver nada a não ser o rosto dela. Sua boca formou o nome dele, sem pronunciá-lo.

Até ela ouvira, ele pensou.

De maneira estranha, esse pensamento o fortaleceu. Os pensamentos daquele dia começavam a desenhar novas formas em sua mente.

– Por favor, sente-se, Duncan – Moneo disse. Ele apontou para uma almofada ao lado de Hwi. Sua voz transmitia um tom curioso, hesitante, de uma forma que poucas pessoas além de Leto já haviam observado nele. Moneo manteve o olhar direcionado para baixo, sobre a superfície repleta de papéis de sua mesa. A luz do sol, àquela hora da tarde, lançava uma trama de sombras após atingir um peso de papel dourado na forma de uma árvore fantástica com frutas em pedraria, tudo montado sobre uma montanha de cristal-chama.

Idaho se dirigiu à almofada indicada, assistindo ao olhar de Hwi, que o seguiu até que estivesse completamente sentado. Então, ela se voltou para Moneo e ele pensou ter notado raiva na expressão dela. O uniforme todo branco de Moneo estava aberto na garganta, revelando um pescoço enrugado e um pouco de papada. Idaho fitou os olhos do homem, preparado para esperar, forçando Moneo a iniciar a conversação.

Moneo retornou o olhar, percebendo que Idaho ainda trajava o uniforme negro de seu encontro matutino. Havia, inclusive, um pequeno vestígio de sujeira na frente, presente no chão do corredor onde Moneo o derrubara. Idaho, entretanto, não portava mais a antiga faca Atreides. Aquilo deixara Moneo preocupado.

— O que fiz esta manhã foi imperdoável — disse Moneo. — Sendo assim, não peço que me perdoe. Peço que simplesmente tente entender.

Hwi não parecia surpresa com essa abertura do discurso, notou Idaho. Revelava muito sobre o que os dois haviam discutido antes de sua chegada.

Quando Idaho não respondeu, Moneo continuou:

— Eu não tinha o direito de fazê-lo se sentir inadequado.

Idaho se percebeu passando por uma curiosa reação diante das palavras e dos modos de Moneo. Havia também a sensação de que o estariam manobrando e que seria rebaixado, de estar longe demais de seu próprio tempo, mas ele não suspeitava mais que Moneo estava brincando com ele. Algo havia reduzido o senescal a um substrato arenoso de honestidade. A percepção colocava o universo de Leto, a eroticidade fatal das Oradoras Peixe, a candura inegável de Hwi, *tudo*, sob uma nova perspectiva, uma forma que Idaho sentia que compreendia. Era como se eles três naquele escritório fossem os últimos humanos verdadeiros no universo inteiro. Ele falou com um tom de autodepreciação desvirtuada:

— Você teve todo o direito de se proteger quando o ataquei. Agradou-me o fato de você ser tão capaz.

Idaho se virou em direção a Hwi, mas, antes que pudesse falar, Moneo tomou a palavra.

— Você não precisa pleitear por mim. Acho que a desaprovação dela em relação a minha pessoa está bem decidida.

Idaho balançou a cabeça.

— Todos aqui sabem o que vou falar antes que eu o diga, o que vou sentir antes que eu sinta?

— Uma de suas admiráveis qualidades – disse Moneo – é o fato de você não esconder seus sentimentos. Nós... – ele deu de ombros – somos necessariamente mais circunspectos.

Idaho olhou para Hwi.

— Ele fala por você?

Ela pousou sua mão sobre a de Idaho.

— Falo por mim mesma.

Moneo esticou o pescoço para espiar as mãos entrelaçadas, mas depois se afundou em sua almofada. Ele suspirou.

— Vocês não devem.

Idaho segurou a mão ainda mais forte, sentindo que ela correspondia.

— Antes que algum de vocês pergunte – Moneo emendou –, minha filha e o Imperador Deus ainda não retornaram do teste.

Idaho sentiu o esforço de Moneo para falar de maneira calma. Hwi também ouvira sobre isso.

— É verdade o que as Oradoras Peixe dizem? – perguntou ela. – Siona morrerá se falhar?

Moneo permaneceu em silêncio, mas seu rosto era como uma rocha.

— É parecido com o teste Bene Gesserit? – perguntou Idaho. – Muad'Dib disse que a Irmandade testa para descobrir se determinado indivíduo é humano.

A mão de Hwi começou a tremer. Idaho sentiu e olhou para ela.

— Elas a testaram?

— Não – Hwi respondeu –, mas ouvi as jovens falando sobre isso. Elas dizem que você deve passar por agonia sem perder o senso de identidade.

Idaho retornou sua atenção para Moneo, notando o princípio de um espasmo ao lado do olho esquerdo do senescal.

— Moneo — Idaho exalou, dominado por uma compreensão repentina. — Ele testou você!

— Não quero discutir testes — disse Moneo. — Estamos aqui para decidir o que deve ser feito sobre vocês dois.

— Isso não cabe a nós? — perguntou Idaho. Ele sentiu a mão de Hwi escorregadia com a perspiração.

— Isso cabe ao Imperador Deus — retrucou Moneo.

— Mesmo se Siona falhar? — Idaho perguntou.

— Principalmente se Siona falhar!

— Como ele o testou? — perguntou Idaho.

— Ele me mostrou um pequeno relance do que é ser o Imperador Deus.

— E?

— Vi tanto quanto sou capaz de ver.

A mão de Hwi se apertou convulsivamente na de Idaho.

— Então é verdade que um dia você foi um rebelde — Idaho comentou.

— Comecei com amor e prece — Moneo falou. — Voltei-me para raiva e rebelião. Fui transformado nisto que você vê à sua frente. Reconheço meus deveres e os cumpro.

— O que ele fez a você? — insistiu Idaho.

— Ele citou a prece da minha infância: "Dou minha vida em dedicação à maior glória de Deus" — Moneo recontou em voz meditativa.

Idaho percebeu a quietude de Hwi, seu olhar fixado no rosto de Moneo. O que ela estaria pensando?

— Admiti que essa havia sido a minha prece — Moneo continuou. — E o Imperador Deus me perguntou de que eu desistiria se minha vida não fosse o suficiente. Ele gritou para mim: "O que é sua vida quando você retém o maior dom?".

Hwi assentiu, mas Idaho sentiu apenas confusão.

— Eu fui capaz de ouvir a verdade na voz dele — disse Moneo.

— Você é um Proclamador da Verdade? — perguntou Hwi.

– Sob o poder do desespero, sim – afirmou Moneo. – Mas só assim. Juro que ele me disse a verdade.

– Alguns Atreides tinham o poder da Voz – murmurou Idaho.

Moneo meneou a cabeça.

– Não, era verdade. Ele me disse: "Olho para você agora e, se eu pudesse, verteria lágrimas. Considere o desejo como a ação!".

Hwi oscilou para a frente, quase tocando a mesa.

– Ele não pode chorar? – ela questionou.

– Vermes da areia – sussurrou Idaho.

– O quê? – Hwi se virou na direção dele.

– Os fremen matavam vermes da areia com água – disse Idaho. – A partir do afogamento deles, produzia-se a essência de especiaria para suas orgias religiosas.

– Mas o Senhor Leto ainda não é um verme da areia por inteiro – disse Moneo.

Hwi balançou-se para trás sobre sua almofada e olhou para Moneo.

Idaho franziu os lábios, pensando. Então Leto tinha a proibição fremen contra as lágrimas? Quão perplexos os fremen eram sobre o desperdício de umidade! *Dar água aos mortos*.

Moneo se dirigiu a Idaho:

– Eu esperava que vocês pudessem chegar a um entendimento. O Senhor Leto falou. Você e Hwi devem se separar e não devem mais se encontrar.

Hwi retirou a mão da de Idaho.

– Nós sabemos.

Idaho falou com amargura resignada:

– Conhecemos o poder dele.

– Mas vocês não o compreendem – disse Moneo.

– Não quero nada além disso – Hwi disse. Ela colocou a mão no braço de Idaho para silenciar o protesto dele. – Não, Duncan. Nossos desejos privados não têm vez aqui.

– Talvez você deva *rezar* para ele – disse Idaho.

Ela se virou e olhou para ele, fitando-o sem parar até Idaho baixar os olhos. Quando ela falou, sua voz tinha uma cadência que Idaho jamais ouvira antes.

— Meu tio Malky sempre dizia que o Senhor Leto nunca respondia a preces. Segundo ele, o Senhor Leto via preces como uma tentativa de coerção, uma forma de violência contra o deus escolhido, dizendo ao imortal o que ele deveria fazer. *Dê-me um milagre, Deus, ou não acreditarei em você!*

— Preces como *húbris* – disse Moneo. – Intercessão por demanda.

— Como ele pode ser um deus? – perguntou Idaho. – Ele mesmo admite que não é imortal.

— Vou citar o Senhor nessa questão – disse Moneo. – "Sou todo o Deus que precisa ser visto. Sou a palavra convertida em milagre. Sou todos os meus ancestrais. Isso não é milagre o suficiente? Pergunte-se: onde há um milagre maior?"

— Palavras vazias – Idaho desdenhou.

— Eu também desdenhei – disse Moneo. – Devolvi com suas próprias palavras, retiradas da História Oral: "Doe para a grande glória de Deus!".

Hwi ofegou.

— Ele riu de mim – disse Moneo. – Ele riu e perguntou como eu podia doar algo que já pertencia a Deus.

— Você estava irritado? – perguntou Hwi.

— Oh, sim. Ele reparara e dissera que me ensinaria a doar àquela glória. Dissera ele: "Você pode observar que és, em toda a tua composição, um milagre tão grande quanto o milagre que sou". – Moneo se virou e olhou para a janela à esquerda. – Temo que minha irritação tenha me deixado surdo e que eu estava totalmente despreparado.

— Ohhh, ele é esperto – disse Idaho.

— Esperto? – Moneo fitou Idaho. – Eu acho que não, não da forma que você quer dizer. Penso que o Senhor Leto talvez seja tão esperto como eu, nesse aspecto.

— Despreparado para quê? – perguntou Hwi.

— O risco — respondeu Moneo.

— Mas você se arriscou muito com sua irritação — disse ela.

— Não tanto quanto ele. Posso ver em seus olhos, Hwi, que você entende isso. O corpo dele lhe causa repugnância?

— Não mais — disse ela.

Idaho cerrou os dentes em frustração.

— Ele me enoja!

— Amor, você não deve dizer essas coisas — disse Hwi.

— E você não deve mais chamá-lo de "amor" — contrapôs Moneo.

— Você prefere que ela aprenda a amar alguém mais nojento e perverso do que qualquer Barão Harkonnen jamais sonhou em se tornar — retrucou Idaho.

Moneo virou os lábios para dentro e para fora, então disse:

— O Senhor Leto me contou sobre esse homem cruel da sua época, Duncan. Não acho que você compreendeu seu inimigo.

— Ele era um gordo, monstruoso...

— Ele era um caçador de sensações — disse Moneo. — A gordura era um efeito colateral, talvez algo para experimentar por si mesmo pois ofendia as pessoas, e ele gostava de ofender.

— O Barão só consumiu alguns planetas — disse Idaho. — Leto consome o universo.

— Amor, por favor! — protestou Hwi.

— Deixe-o discursar — disse Moneo. — Quando eu era jovem e ignorante, assim como minha Siona e esse pobre tolo, eu dizia coisas similares.

— Foi por isso que você deixou sua filha sair para morrer?

— Amor, isso é crueldade — disse Hwi.

— Duncan, incitar histeria sempre foi um dos seus defeitos — disse Moneo. — Aviso a você que ignorância prospera na histeria. Seus genes proporcionam vigor e você pode inspirar algumas dentre as Oradoras Peixe, mas você é um mau líder.

— Não tente me irritar — disse Idaho. — Sei que não devo atacá-lo, mas não me provoque a esse ponto.

Hwi tentou pegar a mão de Idaho, mas ele a recolheu.

— Conheço meu lugar — Idaho prosseguiu —, sou um seguidor útil. Posso portar o estandarte dos Atreides. O verde e o negro estão em minhas costas!

— Aqueles que não merecem mantêm o poder promovendo a histeria — disse Moneo. — A arte dos Atreides é a arte de governar sem histeria, a arte de ser responsável pelos usos do poder.

Idaho se impulsionou para trás e se pôs de pé.

— Quando foi que seu maldito Imperador Deus se responsabilizou por alguma coisa?

Moneo baixou o olhar para sua mesa em desordem e falou sem se virar para cima.

— Ele é responsável pelo que fez a si mesmo. — Moneo ergueu o rosto, com um olhar gélido. — Você não tem estômago, Duncan, para aprender por que ele fez isso a si próprio!

— E você tem?

— Quando estive no auge do ódio e ele se viu pelos meus olhos — disse Moneo —, o Senhor me disse: "Como ousa ficar ofendido comigo?". Foi então que... — Moneo engoliu em seco — ele me fez testemunhar o horror... o horror que ele havia visto. — Lágrimas brotaram dos olhos de Moneo e escorreram por sua face. — E eu só pude me sentir grato por não ter que tomar a mesma decisão que ele... que eu podia me contentar sendo apenas um seguidor.

— Eu o toquei — sussurrou Hwi.

— Então você sabe? — Moneo perguntou a ela.

— Sem testemunhar, eu sei — ela confirmou.

Em voz baixa, Moneo continuou:

— Quase morri por aquela experiência. Eu... — Ele estremeceu, então olhou para Idaho. — Você não deve...

— Malditos sejam todos vocês! — Idaho rugiu. Ele se virou e disparou para fora do escritório.

Hwi o seguiu com o olhar, seu rosto tomado pela angústia.

— Ohhhh, Duncan — ela sussurrou.

— Percebe? — perguntou Moneo. — Você estava errada. Nem você, nem as Oradoras Peixe o acalmaram. Mas você, Hwi, apenas contribuiu para a destruição dele.

Hwi virou sua angústia em direção a Moneo.

— Não o verei de novo — disse ela.

Para Idaho, o caminho até seu alojamento foi um dos percursos mais difíceis de que podia se lembrar. Ele tentou imaginar que seu rosto era uma máscara de açoplás, que se mantinha imóvel para esconder o turbilhão dentro dele. Não podia permitir que alguma das guardas pelas quais ele passou visse sua dor. Ele não sabia que a maioria delas dava palpites certeiros sobre suas emoções e compartilhavam uma compaixão por ele. Todas haviam assistido a palestras sobre os Duncan e aprenderam a ler muito bem o que ele sentia.

No corredor, próximo a seus alojamentos, Idaho encontrou Nayla caminhando vagarosamente em sua direção. Algo no rosto dela, uma expressão de indecisão e perda, chegou a interrompê-lo por um momento e quase o tirou de sua concentração interna.

— Amiga? — ele falou quando estava apenas a alguns passos dela.

Ela olhou para ele, com reconhecimento óbvio e repentino em sua face quadrada.

Que mulher de aparência curiosa, pensou ele.

— Não sou mais Amiga — ela disse, e passou por ele no corredor.

Idaho girou sobre um calcanhar e fitou as costas dela conforme se afastava: aqueles ombros pesados, a sensação lenta de músculos terríveis.

Para que ela foi gerada?, ele se perguntou.

Foi apenas um pensamento passageiro. Suas próprias preocupações voltaram mais fortes do que antes. Ele percorreu os poucos passos que restavam até sua porta e seu alojamento.

Uma vez lá dentro, Idaho parou por um momento com punhos cerrados ao lado do corpo.

Não tenho mais ligações com qualquer *tempo*, pensou ele. E como era estranho que esse pensamento não fosse libertador. Idaho sabia, contudo, que havia feito algo que começava a libertar Hwi de seu amor por ele. Ele fora diminuído. Ela logo pensaria nele como um tolo pequeno e petulante, sujeito apenas às suas próprias emoções. Ele podia sentir-se desvanecendo das preocupações imediatas dela.

E aquele pobre Moneo.

Idaho pressentiu o formato das coisas que tinham estruturado o complacente mordomo. *Dever e responsabilidade*. Que refúgio seguro eles eram em um tempo de decisões difíceis.

Fui assim um dia, pensou Idaho, *mas em outra vida, outra época.*

ÀS VEZES OS DUNCAN ME PERGUNTAM SE COMPREENDO AS IDEIAS EXÓTICAS DO NOSSO PASSADO. SE EU AS COMPREENDO, POR QUE NÃO CONSIGO EXPLICÁ-LAS? OS DUNCAN CREEM QUE O CONHECIMENTO RESIDE APENAS NAS MINÚCIAS. TENTO DIZER A ELES QUE TODAS AS PALAVRAS SÃO PLÁSTICAS. OS SEMBLANTES DAS PALAVRAS COMEÇAM A SE DISTORCER NO MOMENTO EM QUE SÃO PRONUNCIADAS. IDEIAS INCUTIDAS EM UM IDIOMA REQUEREM AQUELA PRÓPRIA LINGUAGEM PARA SUA EXPRESSÃO. ESSA É A ESSÊNCIA MAIS PURA DO SIGNIFICADO DA PALAVRA "EXÓTICO". VOCÊ VÊ COMO JÁ COMEÇOU A SE DISTORCER? A TRADUÇÃO SE RETRAI NA PRESENÇA DO EXÓTICO. O GALACH QUE UTILIZO SE IMPÕE. É UM ESCOPO EXTERNO DE REFERÊNCIA, UM SISTEMA ESPECÍFICO. PERIGOS ESPREITAM A PARTIR DE TODOS OS SISTEMAS. SISTEMAS INCORPORAM AS CRENÇAS NÃO EXAMINADAS DE SEUS CRIADORES. ADOTE UM SISTEMA, ACEITE SUAS CRENÇAS E ASSIM VOCÊ AJUDARÁ A FORTALECER A RESISTÊNCIA À MUDANÇA. SERVE-ME DE ALGUM PROPÓSITO DIZER AOS DUNCAN QUE NÃO EXISTEM IDIOMAS PARA ALGUMAS COISAS? AHHHH, MAS OS DUNCAN ACREDITAM QUE TODOS OS IDIOMAS SÃO MEUS.

— Os Diários Roubados

Por dois dias e duas noites completos, Siona se esqueceu de selar sua aba facial, perdendo água preciosa a cada respiração. Foi necessária uma advertência fremen para as crianças antes que Siona se lembrasse das palavras de seu pai. Leto finalmente havia falado com ela, no frio da terceira manhã de sua travessia, quando pararam sob a sombra de uma rocha na superfície varrida pelo vento do erg.

— Guarde cada exalar, pois eles carregam o calor e a umidade de sua vida — ele dissera.

Ele sabia que ainda haveria mais três dias no erg e, além disso, mais três noites antes que eles encontrassem água. Eles estavam na quinta manhã desde que partiram da torre da Pequena Cidadela. Durante a noite eles haviam entrado em um terreno de montes rasos de areia, não dunas, mas estas podiam ser avistadas logo adiante deles e até mesmo os vestígios da Colina de Habbanya eram uma linha fina e quebrada a distância, se você soubesse olhar. Agora, Siona só retirava a aba facial de seu trajestilador para conversar com clareza. E ela falava com lábios negros e sangrentos.

Ela está com a sede do desespero, Leto pensou, enquanto deixava seus próprios sentidos esquadrinharem os arredores. *Logo chegará aos momentos de crise*. Seus sentidos lhe disseram que ainda estavam sozinhos ali na orla da planície. O amanhecer estava a poucos minutos atrás deles. A luz fraca criava barreiras com o reflexo de pó que se contorcia, erguia e caía com o vento incessante. Seus sentidos filtraram o vento para que ele pudesse ouvir outras coisas: a respiração pesada de Siona, a queda de um pequeno monte de areia das rochas ao lado deles, seu próprio corpanzil roçando a cobertura fina de areia.

Siona colocou sua aba facial ao lado, mas a segurou na mão para reposicioná-la logo.

— Quanto tempo até acharmos água? — perguntou ela.

— Três noites.

— Existe alguma direção melhor a seguir?

— Não.

Ela começara a prezar a economia fremen com informações importantes. Sorveu pequenas gotas de sua bolsa coletora com avidez.

Leto reconhecera a mensagem de seus movimentos: gestos familiares para os fremen *in extremis*. Agora Siona tinha a percepção completa de uma experiência comum entre seus ancestrais: *patiyeh*, a sede à beira da morte.

As poucas gotas de sua bolsa coletora tinham acabado. Ele a escutou sugando ar. Ela recolocou a aba facial e falou em voz abafada.

— Não vou conseguir, não é mesmo?

Leto mirou os olhos dela, vendo ali a clareza de pensamento trazida pela proximidade da morte, uma percepção penetrante poucas vezes adquirida de outra forma. Ela amplificava somente o que era requerido para sobrevivência. Sim, ela estava bem na *tedah riagrimi*, a agonia que abre a mente. Logo, Siona teria que tomar aquela decisão derradeira, a qual ela ainda acreditava que já havia tomado. Leto sabia, pelos sinais, que deveria tratar Siona naquele momento com extrema cortesia. Ele deveria responder a cada pergunta com sinceridade, pois em cada pergunta se escondia um julgamento.

— Não é verdade? — ela insistiu.

Ainda havia um traço de esperança no desespero de Siona.

— Nada é certo — disse ele.

A resposta a afundou no desespero.

Não era intenção de Leto, mas ele sabia que acontecia com frequência: uma resposta precisa, apesar de ambígua, era considerada uma confirmação dos medos mais profundos.

Ela suspirou.

Sua voz abafada pela aba facial o sondou mais uma vez.

— O Senhor tinha uma intenção especial para mim em seu programa de reprodução.

Não fora uma pergunta.

— Todos têm intenções — ele falou.

— Mas o Senhor queria que eu entrasse integralmente em acordo.

— Isso é verdade.

— Como podia esperar um acordo quando sabe que odeio tudo a seu respeito? Seja honesto comigo.

— As três pernas do acordo-trípode são desejo, dados e dúvida. Precisão e necessidade têm pouco a ver com isso.

— Por favor, não discuta comigo. O Senhor sabe que estou morrendo.

— Respeito-a por demais para discutir com você.

Ele levantou os segmentos frontais levemente e, então, examinou o vento. Ele já começava a trazer o calor do dia, mas ainda havia muita umidade nele para o gosto de Leto. Lembrou-se de que, quanto mais ele ordenasse que o clima fosse controlado, mais as coisas exigiam controle. Ordens absolutas apenas o colocavam mais próximo de incertezas.

— O Senhor diz que não está discutindo, mas...

— A discussão fecha as portas dos sentidos — ele interrompeu, colocando-se de volta à superfície. — Ela sempre mascara a violência. Continuada por muito tempo, a discussão tende a levar à violência. Não tenho nenhuma intenção violenta em relação a você.

— O que o Senhor quer dizer... desejo, dados e dúvida?

— Desejo une os participantes. Dados estabelecem os limites de seu diálogo. A dúvida molda as questões.

Ela se aproximou para olhar diretamente em seu rosto, a menos de um metro de distância.

Que estranho, ele pensou, que o ódio pudesse se misturar tão bem com esperança, medo e admiração.

— O Senhor poderia me salvar?

— Há uma forma.

Siona assentiu e Leto sabia que ela tinha chegado à conclusão errada.

— O Senhor quer trocar *isso* para que eu aceite o acordo! — acusou ela.

— Não.

— Se eu passar no seu teste...

— Não é meu teste.

— De quem é?

— Deriva-se dos nossos ancestrais em comum.

Siona sentou pesadamente sobre a rocha fria e permaneceu em silêncio; ainda não estava pronta para pedir que ele abrisse a morna aba de seu segmento frontal para que ela pudesse descansar. Leto pensou que podia ouvir o grito suave esperando na garganta de Siona. Agora, as dúvidas dela estavam agindo. Siona começava a se perguntar se ele realmente se encaixava na imagem de Tirano Definitivo que ela mesma formara. Olhou para ele com aquela clareza terrível que Leto já havia identificado.

— O que o impulsiona a fazer o que o Senhor faz?

A pergunta foi bem formulada. Ele respondeu.

— Minha necessidade de salvar o povo.

— Que povo?

— Minha definição é muito mais ampla do que aquela geralmente usada... até mesmo a das Bene Gesserit, que pensam ter definido o que é ser humano. Refiro-me à linha eterna de toda humanidade, sob qualquer definição.

— O Senhor está tentando me dizer que... — Sua boca ficou muito seca para falar. Ela tentava acumular saliva. Ele via os movimentos dentro da aba facial. Mas sua pergunta era óbvia, e ele não esperou.

— Sem mim, a essa altura não haveria ninguém, ninguém em lugar nenhum. E o caminho para tal extinção era mais hediondo do que quaisquer alternativas mais desvairadas da sua imaginação.

— Sua *suposta* presciência — ela desdenhou.

— O Caminho Dourado jaz aberto — disse ele.

— Não acredito no Senhor.

— Porque não somos iguais?

— Sim!

— Mas somos interdependentes.

— Para que o Senhor precisa de mim?

Ahhhh, o grito da juventude insegura de seu nicho. Ele sentiu a força dentro dos laços secretos de dependência e se forçou a ser duro. *A dependência alimenta a fraqueza!*

— Você é o Caminho Dourado — disse ele.

— Eu? — ela indagou em um sussurro.

— Você leu aqueles diários que roubou de mim — disse ele. — Estou neles, mas onde você está? Observe o que criei, Siona. E você, você nada mais pode criar a não ser a si própria.

— Palavras, mais palavras traiçoeiras.

— Não sofro por ser adorado, Siona. Sofro por jamais ter sido apreciado. Talvez... Não, não ouso ter esperanças por você.

— Qual o objetivo daqueles diários?

— Uma máquina ixiana os grava. Eles serão encontrados em um dia longínquo. Farão com que as pessoas pensem.

— Uma máquina ixiana. O Senhor desafia o jihad!

— Nisso também há uma lição. O que tais máquinas realmente fazem? Aumentam o número de coisas que podemos fazer sem pensar. Coisas que fazemos sem pensar... esse é o verdadeiro perigo. Veja quanto tempo você caminhou pelo deserto sem pensar em sua aba facial.

— O Senhor podia ter me alertado!

— E aumentado sua dependência.

Ela o fitou por um momento e então perguntou:

— Por que o Senhor gostaria que eu comandasse suas Oradoras Peixe?

— Você é uma mulher Atreides, engenhosa e capaz de pensamentos independentes. Pode ser honesta pelo próprio bem da verdade como você a vê. Você foi reproduzida e treinada para o comando... o que significa liberdade da dependência.

O vento fez com que pó e areia girassem ao redor deles enquanto Siona media suas palavras.

— E se eu concordar, você me salvará?

— Não.

Ela estava tão certa de que a resposta seria o oposto que levou vários segundos antes que pudesse compreender aquela única palavra. Àquela altura, o vento diminuiu levemente, expondo um panorama por sobre as dunas até os vestígios da Colina de Habbanya. O ar subitamente se tornara gélido, com aquele frio que roubava a umidade da carne da mesma forma que a luz do sol mais quente o fazia. Parte da percepção de Leto detectou uma oscilação no controle do clima.

— Não? — Ela estava ao mesmo tempo intrigada e ultrajada.

— Não faço acordos sangrentos com pessoas nas quais devo confiar.

Ela balançou a cabeça lentamente de um lado para o outro, mas seu olhar permaneceu fixo no rosto dele.

— O que fará o Senhor me salvar?

— Nada me fará salvá-la. Por que você acha que poderia fazer comigo aquilo que não farei a você? Esse não é o caminho da interdependência.

Os ombros dela desabaram.

— Se eu não puder barganhar com o Senhor ou forçá-lo a...

— Então você deve escolher outro caminho.

Que coisa maravilhosa é observar o crescimento explosivo da percepção, pensou ele. As feições expressivas de Siona não escondiam nada dele. Ela focou seus olhos e fitou-os como se estivesse buscando se mover completamente dentro dos pensamentos dele. Novas forças entraram em sua voz abafada.

— O Senhor me deixaria saber de tudo a seu respeito? Até mesmo cada uma de suas fraquezas?

— Você roubaria aquilo que eu lhe daria abertamente?

A luz da manhã incidia de modo severo sobre o rosto dela.

— Não lhe prometo nada!

— Nem requeiro isso!

— Mas o Senhor me dará... água se eu pedir?

— Não é apenas água.

Ela assentiu, dizendo:

— E eu sou uma Atreides.

As Oradoras Peixe não haviam escondido a lição daquela suscetibilidade especial nos genes Atreides. Siona sabia de onde a especiaria se originava e o que faria a ela. As professoras na escola das Oradoras Peixe nunca haviam falhado para com ele. E as gentis adições de mélange na comida desidratada de Siona também haviam feito seu trabalho.

– Essas pequenas dobras curvadas ao lado do meu rosto – ele indicou. – Mexa nelas gentilmente com um dedo e elas produzirão gotas de umidade, pesadamente carregadas com essência de especiaria.

Ele notou o reconhecimento nos olhos dela. Memórias que Siona não reconhecia como memórias falavam consigo mesma. Ela era o resultado de várias gerações durante as quais a sensibilidade dos Atreides havia sido aumentada.

Mesmo a urgência de sua sede ainda não a movia.

Para acalmá-la durante essa crise, ele lhe contou sobre as crianças fremen procurando trutas da areia na beira de um oásis, retirando a umidade de dentro delas para uma revitalização rápida.

– Mas eu sou Atreides – ela argumentou.

– A História Oral diz que é verdade – ele confirmou.

– Então eu poderia morrer em virtude disso.

– Eis o teste.

– Você faria de mim uma fremen de verdade!

– De que outra forma você poderia ensinar aos seus descendentes como sobreviver aqui depois que eu tiver partido?

Ela retirou a aba facial e moveu seu rosto até ficar a um palmo dele. Um dedo se levantou e tocou uma das dobras curvadas de seu invólucro.

– Massageie gentilmente.

Sua mão obedeceu não à voz dele, mas a algo dentro de si mesma. Os movimentos do dedo eram precisos, fazendo com que memórias do próprio Leto viessem à tona, algo passado de criança a criança a criança... da maneira que muitas informações e desinformações sobreviveram. Ele virou o rosto ao limite e relanceou o rosto de Siona próximo ao seu. Gotas de um azul-pálido começaram a se formar na ponta da dobra. Um cheiro rico de canela as envolvia. Ela se inclinou em direção às gotas. Ele viu os poros na lateral do nariz dela, notando a forma como sua língua se movia enquanto ela bebia.

Logo Siona se afastou, não completamente satisfeita, mas levada pela cautela e suspeita, da forma como Moneo agira: *tal pai, tal filha*.

— Quanto tempo até começar o efeito?

— Já está em ação.

— Quero dizer...

— Um minuto ou mais.

— Não devo nada ao Senhor por isso!

— Não cobrarei pagamento.

Ela selou a aba facial.

Ele viu as distâncias leitosas se pronunciarem nos olhos de Siona. Sem pedir permissão, ela tocou os segmentos frontais de Leto, demandando que ele preparasse a "rede" tépida de sua carne. Ele obedeceu. Ela se colocou na curva gentil. Forçando o olhar para baixo, ele era capaz de vê-la. Os olhos de Siona permaneciam abertos, mas não viam mais aquele lugar. Ela se contraiu abruptamente e começou a tremer como uma criatura pequena e moribunda. Ele conhecia essa experiência, mas não podia mudar nenhuma parte dela. Nenhuma presença ancestral permaneceria em sua consciência, mas ela carregaria para o resto de seus dias a claridade das visões, dos sons e dos cheiros. As máquinas buscadoras estariam ali, o cheiro de sangue e entranhas, os humanos encolhidos em suas tocas, percebendo apenas que não poderiam escapar... e, durante todo o tempo, o movimento mecânico se aproximava, mais próximo, mais próximo e mais próximo... mais alto... mais alto!

Onde quer que ela procurasse, encontraria o mesmo. Nenhuma saída, em lugar nenhum.

Ela sentiu sua vida se esvaindo. *Lute contra a escuridão, Siona.* Isso era aquilo que os Atreides faziam. Eles lutavam pela vida. E agora ela lutava por outras vidas que não eram a dela. Mas Leto sentiu o obscurecimento... O escoamento terrível da vitalidade. Ela afundava cada vez mais na escuridão, mais fundo do que qualquer um já havia seguido. Ele começou a balançá-la gentilmente, movendo seu segmento frontal como se fosse um berço. Aquilo, ou a linha fina e quente da determinação, talvez ambas, prevaleceu. Por volta do começo da tarde, a carne dela havia tremido, seguindo seu caminho até alguma coisa que se parecia com um sono real. Apenas uma ocasional falta de ar traía os ecos de suas visões. Ele a embalou com gentileza, ondulando de um lado para o outro.

Seria possível que ela conseguisse voltar daquelas profundezas? Ele sentia os sinais vitais lhe reassegurando. A força que havia nela!

Ela acordou no final da tarde, uma quietude vindo sobre si de modo abrupto, o ritmo de respiração modificado. Seus olhos se abriram de uma só vez. Ela o espiou, depois rolou para fora da "rede", ficando de pé com as costas viradas para ele por quase uma hora de pensamento silencioso.

Moneo fizera o mesmo. Era um novo padrão nesses Atreides. Alguns dos antecessores haviam vociferado com ele. Outros correram, tropeçando e o encarando, forçando-o a segui-los, contorcendo-se e raspando-se contra os seixos. Alguns deles se agacharam e olharam para o chão. Nenhum deles virara as costas para ele. Leto tomara este novo desenvolvimento como um sinal esperançoso.

— Você está começando a obter alguma noção de até onde minha família se estende — ele comentou.

Ela se virou, sua boca uma linha empertigada, mas não encontrou seu olhar. Ele podia apenas vê-la aceitando, contudo, a percepção de que alguns humanos podiam partilhar como ela partilhara... sua multidão singular fazia de toda a humanidade sua família.

— O Senhor podia ter salvado meus amigos na floresta — ela acusou.

— Você também podia tê-los salvado.

Ela cerrou os punhos e pressionou-os contra suas têmporas enquanto o fitava.

— Mas o Senhor sabe *tudo*.

— Siona!

— Tive que aprender dessa forma? — ela sussurrou.

Leto permaneceu em silêncio forçando-a a responder por si mesma. Ela tinha que reconhecer que a consciência primária dele trabalhava de uma maneira fremen e, assim como as terríveis máquinas da visão apocalíptica, o predador podia seguir qualquer criatura que deixasse rastros.

— O Caminho Dourado — ela murmurou. — Posso *senti-lo*. — Depois, o fitou. — É tão cruel!

— A sobrevivência sempre foi cruel.

— Eles não podiam se esconder — ela sussurrou. Depois, mais alto: — O que o Senhor fez comigo?

— Você tentou ser uma fremen rebelde — disse ele. — Os fremen tinham habilidades quase incríveis de ler sinais no deserto. Podiam ler até mesmo o tênue tracejado do vento na areia.

Notou o começo do remorso dentro dela, memórias de seus companheiros mortos flutuando em sua percepção. Ele prosseguiu depressa, sabendo que a culpa viria com rapidez e depois a raiva contra ele.

— Você teria acreditado em mim se eu simplesmente tivesse a trazido e lhe contado?

O remorso ameaçava dominá-la. Ela abriu a boca atrás da aba facial e ofegou.

— Você ainda não sobreviveu ao deserto — ele lembrou a ela.

Lentamente, o estremecimento de Siona cessou. Os instintos fremen que haviam começado a trabalhar nela fizeram seu trabalho.

— Sobreviverei — ela afirmou. Seu olhar encontrou o dele. — O Senhor nos lê através de nossas emoções, não é?

— Os dispositivos de ignição do pensamento — disse ele. — Posso reconhecer a menor das nuances comportamentais por meio de suas origens emocionais.

Ele a viu aceitar seu próprio desamparo, assim como Moneo aceitara o dele, com medo e ódio. Era de pouca importância. Ele sondou o futuro. Sim, ela *sobreviveria* ao deserto dele porque os rastros dela estavam na areia ao seu lado... mas ele não viu sinal da carne dela nesses rastros. Entretanto, logo depois de seus rastros ele viu uma abertura repentina onde as coisas estiveram ocultas. O grito de morte de Anteac ecoou pela sua percepção presciente... e um enxame de Oradoras Peixe atacando.

Malky está vindo, pensou ele. *Vamos nos ver de novo, Malky e eu.*

Leto abriu seus olhos exteriores e viu Siona ainda o fitando.

– Eu ainda o odeio! – disse ela.

– Você odeia a crueldade necessária do predador.

– Mas vi outra coisa – ela exclamou com elação venenosa. – O Senhor não pode seguir meus rastros.

– É por isso que você deve se reproduzir e preservar isso.

Enquanto ele falava, começou a chover. A escuridão repentina causada pela aparição da nuvem e a chuva se precipitando sobre ambos ocorreram simultaneamente. Apesar do fato de que ele havia sentido oscilações no controle do clima, Leto ficou chocado pela pancada violenta. Ele sabia que às vezes chovia no Sareer, um aguaceiro que era rapidamente dispersado porque a água se esgotava e evaporava. As poucas poças evaporariam assim que o sol retornasse. Na maioria das vezes, a água nunca tocava o solo; era uma chuva fantasma, vaporizada quando atingia a camada de ar superaquecida logo acima da superfície do deserto, depois dispersada pelo vento. Mas esse aguaceiro o deixou encharcado.

Siona retirou sua aba facial e ergueu o rosto avidamente em direção à água, sem perceber o efeito sobre Leto.

Assim que a primeira rajada se infiltrou por trás das camadas de trutas da areia, ele se enrijeceu e curvou-se em um emaranhado de agonia. Impulsos separados vindos das trutas da areia e do verme da areia produziram um novo sentido para a palavra *dor*. Ele sentiu que estava sendo rasgado em dois. As trutas da areia queriam correr para a água e encapsulá-la. O verme da areia sentia o toque do escoamento mortal. Vestígios de uma fumaça azul se desprendiam de cada lugar onde a chuva o tocava. O funcionamento interno de seu corpo começou a produzir a verdadeira essência de especiaria. Fumaça azul se levantava de onde ele jazia em poças d'água. Ele se contorcia e gemia.

As nuvens passaram e só após alguns momentos Siona sentiu a perturbação dele.

— O que há de errado com o Senhor?

Ele não conseguia responder. A chuva tinha ido embora, mas a água permanecia nas pedras e em poças, ao redor e abaixo dele. Não havia por onde escapar.

Siona viu a fumaça azul saindo de cada lugar que a água tocara.

— É a água!

Havia uma saliência um pouco mais alta de terra logo à direita onde a água não se acumulara. Dolorosamente, ele se dirigiu até lá, gemendo a cada nova poça. A saliência estava quase seca quando ele a alcançou. A agonia se dissipava lentamente e ele percebeu que Siona parara diretamente em frente a ele. Ela o sondou com palavras de falsa preocupação.

— Por que a água o machuca?

Machuca? Que palavra inadequada! Mas não havia como se evadir das perguntas dela. Ela tinha conhecimento suficiente agora para procurar pela resposta. Essa resposta podia ser encontrada. De forma hesitante, ele explicou a relação entre a truta e o verme da areia com a água. Ela o ouviu em silêncio.

— Mas a umidade que o Senhor me deu...

— Está saturada e mascarada pela especiaria.

— Então por que o Senhor corre risco aqui fora sem seu coche?

— Não se pode ser um fremen na Cidadela ou sobre um coche.

Ela assentiu.

Ele viu a chama da rebelião voltar aos olhos de Siona. Ela não se sentia culpada nem dependente. Ela não era mais capaz de evitar a crença em seu Caminho Dourado, mas que diferença isso fazia? As crueldades dele não podiam ser perdoadas. Ela podia rejeitá-lo, negar a ele um lugar na família. Ele não era humano, nada parecido com ela. E sabia o segredo da ruína dele! Cercá-lo de água, destruir seu deserto, imobilizá-lo em um fosso de agonia. Ela pensava que esconderia seus pensamentos dele apenas se virando para trás?

E o que posso fazer a esse respeito?, ele se perguntava. *Agora ela deve viver, enquanto devo demonstrar não violência.*

Agora que ele sabia algo sobre a natureza de Siona, como era fácil se render, se afundar cegamente em seus próprios pensamentos. Era sedutora a tentação de viver apenas dentro das memórias, mas seus *filhos* ainda requeriam outra lição por exemplos se quisessem escapar da última ameaça do Caminho Dourado.

Que decisão dolorosa! Ele experimentou uma nova simpatia pelas Bene Gesserit. Seu dilema se assemelhava àquele que elas haviam experimentado quando se confrontaram com o fato de Muad'Dib. *O objetivo definitivo do programa de reprodução: meu pai... e também elas não podiam contê-lo.*

Uma vez mais fenda adentro, caros amigos,[*] ele pensou, e suprimiu um sorriso deturpado ante sua própria histrionice.

---

[*] Leto se utiliza de uma citação da peça *Henrique V*, do dramaturgo inglês William Shakespeare. [N. de T.]

DADO TEMPO SUFICIENTE ÀS GERAÇÕES PARA EVOLUIR, O PREDADOR PRODUZ ADAPTAÇÕES DE SOBREVIVÊNCIA ESPECÍFICAS EM SUA PRESA, A QUAL, PELA OPERAÇÃO CIRCULAR DE RETROALIMENTAÇÃO, GERA MUDANÇAS NO PREDADOR, QUE NOVAMENTE ALTERA A PRESA *ET CETERA ET CETERA ET CETERA ET CETERA*... VÁRIAS FORÇAS PODEROSAS FAZEM O MESMO. PODEM-SE INCLUIR AS RELIGIÕES ENTRE TAIS FORÇAS.

— Os Diários Roubados

— O Senhor ordenou que eu lhe informasse que sua filha está viva.

Nayla entregou a mensagem a Moneo em uma voz monótona, olhando através da mesa do escritório para a figura do senescal ali sentada, no meio de um caos de notas, papéis e instrumentos de comunicação.

Moneo pressionou suas palmas juntas firmemente e olhou para baixo, em direção à sombra alongada que a luz do sol do final da tarde, através da árvore de pedrarias de seu peso de papel, desenhava sobre sua mesa.

Sem olhar para a figura atarracada de Nayla parada com a devida atenção a ele, perguntou:

— Ambos retornaram à Cidadela?

— Sim.

Moneo olhou pela janela à sua esquerda, sem de fato notar a linha escura de fronteira pederneira que jazia no horizonte do Sareer, nem os ventos gananciosos, coletando grãos de areia em cada topo de duna.

— O problema que discutimos antes? — ele questionou.

— Tudo foi providenciado.

— Muito bem. — Ele acenou para dispensá-la, mas Nayla permaneceu na frente dele. Surpreso, Moneo voltou sua atenção à mulher pela primeira vez desde que ela havia entrado.

— É requerido que eu vá pessoalmente a esse... — ela engoliu em seco — casamento?

— Assim comandou o Senhor Leto. Você será a única armada com uma armalês. É uma honra.

Ela permaneceu em posição, seu olhar fixo em algum lugar sobre a cabeça de Moneo.

— Sim? — perguntou ele.

O grande queixo proeminente de Nayla movia-se convulsivamente.

— Ele é Deus e eu sou mortal. — Ela se virou e saiu do escritório.

Moneo se perguntou vagamente o que incomodava aquela Oradora Peixe desajeitada, mas seus pensamentos se moveram como uma flecha de bússola para Siona.

Ela sobreviveu, como eu fiz. Siona agora tinha um sentido interior que lhe informava que o Caminho Dourado permanecia intacto. *Como eu tenho.* Ele não encontrou um sentido de compartilhamento nisso, nada que o fizesse se sentir mais perto de sua filha. Era um fardo e inevitavelmente tolheria sua natureza rebelde. Nenhum Atreides podia ir contra o Caminho Dourado. Leto havia se assegurado disso!

Moneo lembrou-se de seus próprios dias de rebelde. Toda noite uma nova cama e a urgência constante para correr. As quimeras de seu passado se agarraram a sua mente, ficando ali não importando quão duramente ele tentasse mandar aquelas memórias problemáticas embora.

Siona fora enjaulada. Como eu fora enjaulado. Como o pobre Leto fora enjaulado.

O toque do sino marcando o cair da noite se imiscuiu em seus pensamentos e ativou as luzes de seu escritório. Ele olhou para baixo, em direção ao trabalho ainda a fazer para a preparação do casamento entre o Imperador Deus e Hwi Noree. Tanto trabalho! Então pressionou um botão de chamada e pediu à acólita Oradora Peixe que apareceu ao seu chamado para trazer um copo d'água e que depois chamasse Duncan Idaho ao escritório.

Ela retornou rapidamente com a água e colocou o copo na mesa, próximo à mão esquerda de Moneo. Ele notou os dedos longos, os dedos de alguém que tocava alaúde, mas não olhou para sua face.

— Mandei uma pessoa atrás de Idaho — ela disse.

Ele assentiu e continuou com seu trabalho. Escutou-a partir e apenas nessa hora olhou para cima, para beber a água.

Alguns vivem a vida como mariposas de verão, ele pensou, *mas eu tenho fardos sem fim.*

A água tinha um gosto insípido. Ela pesou seus sentidos, fazendo seu corpo se sentir entorpecido. Ele olhou para fora, em direção às cores do pôr do sol no Sareer à medida que elas eram envolvidas pela escuridão, pensando que ele deveria reconhecer a beleza naquela sensação familiar, mas tudo que ele conseguia pensar era que a luz havia mudado seus próprios padrões. *Não é, em absoluto, movida por mim.*

Com a escuridão total, o nível da luz de seu escritório aumentou automaticamente, trazendo consigo clareza de pensamento. Ele se sentiu bastante preparado para Idaho. Ele tinha que ser ensinado sobre as necessidades, e rápido.

A porta de Moneo se abriu, a acólita de novo.

— O senhor vai comer agora?

— Mais tarde. — Ele levantou a mão conforme ela começou a sair. — Gostaria que a porta fosse deixada aberta.

Ela franziu as sobrancelhas.

— Você pode praticar sua música — disse ele. — Quero escutar.

Ela tinha uma face macia, redonda, quase juvenil, que ficou radiante quando sorriu. Com o sorriso ainda nos lábios, ela saiu.

Logo ele ouviu os sons de um alaúde *biwa* na saleta externa do escritório. Sim, aquela jovem acólita tinha talento. As cordas graves eram como chuva batendo no topo de um telhado, um sussurro de cordas médias de contraponto. Talvez ela pudesse mudar para o baliset algum dia. Ele reconheceu a música: uma memória que zunia profundamente com o vento do outono em algum planeta distante, onde eles nunca haviam conhecido um deserto. Música triste, música piedosa e ainda assim maravilhosa.

É o brado dos enjaulados, pensou ele. *A memória da liberdade*. Esse pensamento o golpeou fortemente. Era sempre o caso que a liberdade requeria rebelião?

O alaúde ficou em silêncio. Ouviram-se os sons de vozes baixas. Idaho entrou no escritório. Moneo observou conforme ele entrava. Um truque da luz deu a Idaho um rosto que parecia uma máscara com um esgar de olhos encovados. Sem convite, ele se sentou em frente ao Duncan e o truque se dissipou. *Apenas outro Duncan*. Ele havia mudado para um uniforme completamente negro, sem insígnia.

— Estive me perguntando uma questão peculiar – comentou Idaho. – Estou feliz que você tenha me convocado. Tenho uma pergunta a lhe fazer. O que foi, Moneo, que meu antecessor não aprendeu?

Rígido em virtude da surpresa, Moneo se sentou reto. Que pergunta mais não Duncan. Será que, afinal, poderia haver alguma peculiar diferença tleilaxu neste aqui?

— O que provoca essa pergunta?

— Estive pensando como um fremen.

— Você não era fremen.

— Estive mais perto de ser do que você imagina. Stilgar, o Naib, certa vez disse que eu provavelmente havia nascido fremen sem saber, até vir para Duna.

— O que acontece quando você pensa como um fremen?

— Você se lembra de que nunca se deve estar na companhia daqueles com quem você não deseja morrer junto.

Moneo colocou as palmas de suas mãos para baixo, sobre a superfície da mesa. Um sorriso lupino desenhou-se no rosto de Idaho.

— Então o que está fazendo aqui? – perguntou Moneo.

— Suspeito que você seja boa companhia, Moneo. E me pergunto por que Leto o escolheria como sua companhia mais próxima.

— Passei no teste.

— O mesmo que sua filha passou?

Então ele ficou sabendo que eles estão de volta. Significa que algumas das Oradoras Peixe estão se reportando a ele... a não ser que o Imperador Deus tenha convocado o Duncan... *Não, eu teria sido informado*.

— Os testes nunca são idênticos — disse Moneo. — Tive de entrar sozinho em uma caverna labirinto com nada além de uma sacola de comida e um frasco de essência de especiaria.

— Qual deles você escolheu?

— O quê? Oh... se você for testado, aprenderá.

— Esse é um Leto que não conheço — Idaho comentou.

— Eu não lhe contei isso?

— E existe um Leto que você não conhece — emendou Idaho.

— Porque ele é a pessoa mais solitária que este universo já viu — contrapôs Moneo.

— Não brinque com jogos de humor comigo tentando despertar minha simpatia — Idaho falou.

— Jogos de humor, sim. Essa é muito boa. O humor do Imperador Deus é como um rio: com a superfície lisa se nada o obstrui, espumante e violento à mínima sugestão de uma barreira. Ele não deve ser obstruído.

Idaho olhou ao redor do escritório bem iluminado, voltou sua atenção para a escuridão mais além e pensou sobre o curso domado do rio *Idaho* em algum lugar lá fora. Voltando sua atenção para Moneo, perguntou:

— O que você sabe sobre rios?

— Em minha juventude, viajava para o Imperador Deus. Cheguei até a confiar minha vida a uma embarcação que era mais uma concha flutuante em um rio, e depois em um mar cujos litorais se perdiam na travessia.

Enquanto ele falava, Moneo sentiu ter esbarrado em alguma pista sobre uma verdade profunda acerca do Senhor Leto. A sensação fez com que Moneo entrasse em um devaneio, pensando naquele planeta longínquo onde ele havia atravessado o mar de uma costa à outra. Houvera uma tempestade na primeira noite daquela travessia e em algum lugar profundo dentro do navio, um irritante *sug-sug-sug--sug* sem direção, feito pelas máquinas em funcionamento. Ele ficara no convés com o capitão. Sua mente insistia em focar no som das máquinas, dispersando e voltando a ele como o ressurgir das montanhas de água verde-negra que passavam e vinham, repetidas vezes. Cada golpe da quilha abria a carne do mar como se fosse um punho a socar. Era um movimento insano, uma sacudidela encharcada para cima... para cima, para baixo! Seus pulmões ardiam com medo reprimido. As estocadas do navio e do mar tentando afundá-los... explosões selvagens sobre água sólida, hora após hora, borbulhas brancas de água se derramando pelos conveses, depois outro mar e outro...

Tudo isso era uma pista sobre o Imperador Deus.

Ele é tanto o navio como a tempestade.

Moneo se concentrou em Idaho, sentado do outro lado da mesa em relação a ele sob a luz fria do escritório. Nenhum tremor no homem, mas havia um anseio lá.

— Então você não vai me ajudar a aprender o que os outros Duncan Idaho não aprenderam – disse Idaho.

— Mas vou ajudá-lo.

— Então, o que sempre falhei em aprender?

— Como confiar.

Idaho afastou-se da mesa e fitou Moneo. Quando a voz de Idaho saiu, era dura e áspera.

— Eu diria que confiei demais.

Moneo retrucou de modo implacável:

— Mas como você confia?

— O que você quer dizer?

Moneo colocou as mãos no próprio colo e respondeu:

— Você escolhe suas companhias masculinas pela habilidade de lutar e morrer ao lado do certo bem como você as vê. Você escolhe mulheres que possam complementar sua visão masculina de si mesmo. Você não permite diferenças que podem vir de vontade própria.

Alguma coisa se moveu na porta do escritório de Moneo. Ele olhou para cima a tempo de ver Siona entrar. Ela parou, com uma das mãos no quadril.

— Muito bem, pai, aprontando seus velhos truques.

Idaho se virou bruscamente para encarar a interlocutora.

Moneo a estudou, procurando por sinais de mudança. Ela havia tomado um banho e vestido um uniforme limpo, o negro e dourado do comando das Oradoras Peixe, mas seu rosto e mãos ainda traziam evidências de sua provação no deserto. Ela havia perdido peso e suas maçãs do rosto estavam pronunciadas. Unguentos não ajudaram a esconder as rachaduras nos lábios. As veias das mãos estavam saltadas. Seus olhos pareciam antigos e sua expressão era de alguém que havia experimentado sobras amargas.

— Estive ouvindo vocês dois — Siona comentou. Ela deixou a mão cair de seu quadril e entrou um pouco mais no escritório.

— Como ousa falar de vontade própria, pai?

Idaho notou o uniforme. Ele contraiu os lábios em pensamento. *Comando das Oradoras Peixe? Siona?*

— Entendo sua amargura — disse Moneo. — Tive sentimentos parecidos certa vez.

— É mesmo? — Ela se aproximou, parando bem ao lado de Idaho, que continuava a fitá-la com um olhar especulativo.

— Estou cheio de felicidade por vê-la viva — disse Moneo.

— Quão gratificante para você me ver em segurança no Serviço do Imperador Deus. — Ela se virou lentamente para mostrar o uniforme. — Comandante das Oradoras Peixe. Comandante de uma tropa de uma pessoa só, ainda assim uma comandante.

Moneo forçou sua voz até que ficasse fria e profissional.

— Sente-se.

— Prefiro ficar de pé. — Ela olhou para baixo, na direção do rosto virado para cima de Idaho. — Ah, Duncan Idaho, meu parceiro prometido. Não acha que seja interessante, Duncan? O Senhor Leto me diz que serei *encaixada* na estrutura de comando das Oradoras Peixe no devido tempo. Por enquanto, tenho apenas um soldado. Você conhece aquela chamada Nayla, Duncan?

Idaho assentiu.

— É mesmo? Penso que talvez *eu* não a conheça. — Siona olhou para Moneo. — Eu a conheço, pai?

Moneo encolheu os ombros.

— Mas você fala de confiança, pai — disse Siona. — Em quem o poderoso ministro, Moneo, confia?

Idaho se virou para ver o efeito daquelas palavras no senescal. O rosto do homem parecia frágil com emoções reprimidas. *Raiva? Não... alguma outra coisa*.

— Confio no Imperador Deus — disse Moneo. — E, na esperança de que isso ensinará algo aos dois, estou aqui para transmitir os desejos dele a vocês.

— Os *desejos* dele! — Siona ironizou. — Ouviu essa, Duncan? As ordens do Imperador Deus agora são desejos.

— Fale o que tem a dizer — disse Idaho. — Sei que tenho pouca escolha, seja o que for.

— Você sempre tem uma escolha — disse Moneo.

— Não o ouça — disse Siona. — Ele é cheio de truques. Ele espera que nos atiremos nos braços um do outro e reproduzamos mais pessoas como meu pai. Seu descendente, meu pai!

A face de Moneo ficou pálida. Ele agarrou a ponta da mesa de trabalho com ambas as mãos e se inclinou para a frente.

— Vocês são dois tolos! Mas tentarei salvá-los. Apesar de vocês serem assim, vou tentar salvá-los.

Idaho viu as bochechas de Moneo tremerem, a intensidade do olhar do homem e sentiu-se estranhamente tocado por isso.

— Não sou seu reprodutor, mas o escutarei.

— Sempre um erro — murmurou Siona.

— Fique quieta, mulher — disse Idaho.

Ela mirou o topo da cabeça de Idaho e retrucou:

— Não fale comigo desse jeito ou vou envolver seu pescoço com seus próprios calcanhares.

Idaho enrijeceu o corpo e começou a se virar.

Moneo se permitiu um esgar e fez um sinal com a mão para que Idaho continuasse sentado.

— Aviso a você, Duncan, que ela é capaz de fazer isso. Não sou páreo para ela, e você se recorda da sua última tentativa de violência contra mim?

Idaho inalou um suspiro profundo e rápido e exalou lentamente, e então disse:

— Diga o que tem a dizer.

Siona foi se empoleirar na ponta da mesa de Moneo e olhou para baixo em direção a ambos.

— Muito melhor — disse ela. — Deixe-o falar, mas não o escute.

Idaho pressionou os lábios com força.

Moneo soltou as mãos da ponta da mesa. Inclinou-se para trás e olhou de Idaho até Siona.

— Quase completei os preparativos do casamento do Imperador Deus com Hwi Noree. Durante as festividades, quero vocês dois fora do caminho.

Siona enviou um olhar inquisidor a Moneo.

— Sua ideia ou dele?

— Minha! — Moneo devolveu o olhar da filha. — Você não tem senso de honra nem de dever? Você não aprendeu nada andando com ele?

— Ah, aprendi o que você aprendeu, pai. E dei minha palavra, a qual manterei.

— Então você comandará as Oradoras Peixe?

— Qualquer coisa que ele *confie* a mim para comandar. Você sabe, pai, ele é sempre muito mais astucioso do que você.

— Para onde está nos mandando? – perguntou Idaho.

— Dado que aceitemos ir – disse Siona.

— Existe uma vila dos fremen de museu no limiar do Sareer – disse Moneo. – É chamado de Tuono. A vila é relativamente agradável. Fica à sombra da Muralha com o rio, logo além da Muralha. Existe um poço e a comida é boa.

Tuono?, perguntou-se Idaho. O nome parecia familiar.

— Havia uma Bacia Tuono no caminho para Sietch Tabr – disse ele.

— E as noites são longas e não há nada para fazer – completou Siona.

Idaho relanceou com censura na direção dela, que devolveu o olhar.

— Ele quer que nos reproduzamos e que o Verme fique satisfeito – disse ela. – Ele quer bebês na minha barriga, novas vidas para deturpar e distorcer. Eu o verei morto antes de fazer isso por ele.

Idaho olhou de volta para Moneo com uma expressão pensativa.

— E se nos recusarmos a ir?

— Creio que vocês vão – disse Moneo.

Os lábios de Siona se contorceram, e ela disse:

— Duncan, você já visitou alguma dessas vilas do deserto? Sem conforto, sem...

— Eu conheço a vila de Tabur – disse Idaho.

— Estou certa de que era uma metrópole se compararmos com Tuono. Nosso Imperador Deus não celebraria suas núpcias em um conglomerado qualquer de barracos de lama. Ah, não. Tuono será um conjunto de cabanas de lama e sem amenidades, mais parecido com os fremen originais quanto for possível.

Idaho manteve sua atenção em Moneo quando falou:

— Os fremen não viviam em barracos de lama.

— Quem se importa onde eles conduziam seus jogos cultuais? – ela ironizou.

Ainda olhando para Moneo, Idaho completou.

— Os verdadeiros fremen tinham apenas um culto, o culto da honestidade pessoal. Eu me preocupo mais com a honestidade do que com o conforto.

— Não espere obter conforto de mim! — refutou Siona.

— Não espero nada de você — disse Idaho. — Quando devemos sair para Tuono, Moneo?

— Você vai? — perguntou ela.

— Estou considerando aceitar a gentileza de seu pai — Idaho retrucou.

— Gentileza! — Ela olhou de Idaho até Moneo.

— Vocês devem partir imediatamente — disse Moneo. — Reservei um destacamento de Oradoras Peixe sob o comando de Nayla para escoltá-los e providenciar o que for necessário em Tuono.

— Nayla? — perguntou Siona. — Mesmo? Ela ficará conosco?

— Até o dia do casamento.

Siona assentiu, vagarosamente:

— Então aceitamos.

— Aceite por si mesma! — redarguiu Idaho.

Siona abriu um sorriso.

— Desculpe. Posso requerer formalmente que o grande Duncan Idaho acompanhe a mim nessa primitiva guarnição onde ele manterá suas mãos longe de minha pessoa?

Idaho a espiou por debaixo das sobrancelhas.

— Não tema sobre onde vou manter minhas mãos — ele olhou para Moneo. — Você está sendo gentil, Moneo? É por isso que está me mandando para longe?

— É uma questão de confiança — Siona disse. — Em quem ele confia?

— Serei obrigado a partir com sua filha? — insistiu Idaho.

Siona ficou de pé e falou:

— Ou aceitamos ou as tropas vão nos amarrar e nos levar da forma mais desconfortável possível. Pode-se ler isso no rosto dele.

— Então eu realmente não tenho escolha — disse Idaho.

— Você tem a escolha que todos têm – disse Siona. — Morra agora ou depois.

Idaho, ainda encarando Moneo, perguntou:

— Suas reais intenções, Moneo? Você não poderia satisfazer minha curiosidade?

— A curiosidade manteve muitas pessoas vivas quando todas as outras coisas falharam – disse Moneo. — Estou tentando mantê-lo vivo, Duncan. Nunca fiz isso antes.

FORAM NECESSÁRIOS QUASE MIL ANOS ATÉ QUE A POEIRA DO ANTIGO DESERTO PLANETÁRIO DE DUNA DEIXASSE A ATMOSFERA E ELE FOSSE CONVERTIDO EM SOLO FÉRTIL E ÁGUA. O VENTO CHAMADO DE *TURBILHÃO DE AREIA* NÃO TEM SIDO VISTO EM ARRAKIS HÁ CERCA DE DOIS MIL E QUINHENTOS ANOS. VINTE BILHÕES DE TONELADAS DE POEIRA PODIAM SER ERGUIDAS PELO VENTO EM UMA ÚNICA DAQUELAS TEMPESTADES. COM FREQUÊNCIA O CÉU ADQUIRIA UMA TONALIDADE PRATEADA NESSAS OCASIÕES. OS FREMEN DIZIAM: "O DESERTO É UM CIRURGIÃO CORTANDO A PELE PARA EXPOR O QUE ESTÁ DEBAIXO". O PLANETA E AS PESSOAS TINHAM CAMADAS. ERA POSSÍVEL VÊ-LAS. MEU SAREER É APENAS UM ECO FRACO DAQUILO QUE UM DIA FOI. HOJE DEVO SER O TURBILHÃO DE AREIA.

— Os Diários Roubados

— Você os mandou para Tuono sem me consultar? Que surpreendente de sua parte, Moneo! Há tempos você não faz algo de maneira tão independente.

Moneo estava de pé a cerca de dez passos de Leto no centro sombrio da cripta, com a cabeça inclinada, usando cada artifício que conhecia para não tremer, cônscio de que até isso podia ser visto e interpretado pelo Imperador Deus. Era quase meia-noite. Leto havia mantido o senescal esperando e esperando.

— Rezo para que não tenha ofendido o Senhor – disse Moneo.

— Você me divertiu, mas não se preocupe com isso. Ultimamente não tenho sido mais capaz de separar o cômico do triste.

— Perdoe-me, Senhor – sussurrou Moneo.

— Que perdão é esse que você pede? Você tem sempre a necessidade de julgamentos? O seu universo não pode simplesmente *ser?*

Moneo levantou o olhar para aquela tremenda face emoldurada. *Ele é tanto o navio como a tempestade. O pôr do sol existe por si mesmo.*

Moneo sentiu que estava à beira de revelações aterradoras. Os olhos do Imperador Deus se cravaram nele, queimando-o e esquadrinhando-o. – Senhor, o que quer de mim?

– Que você tenha fé em si mesmo.

Sentindo que algo iria explodir dentro dele, Moneo falou:

– Então, o fato de não tê-lo consultado antes...

– Que iluminado de sua parte, Moneo! Almas pequenas que buscam poder sobre outras primeiro destroem a fé que as outras possam ter em si mesmas.

As palavras foram esmagadoras para Moneo. Ele sentiu acusação nelas, confissão. Sentiu sua consideração sobre algo temeroso mas infinitamente desejável se enfraquecendo. Tentou encontrar as palavras para chamá-la de volta, mas sua mente permanecia vazia. Talvez se ele perguntasse ao Imperador Deus...

– Senhor, se pudesse ao menos contar seus pensamentos sobre...

– Meus pensamentos desaparecem com o contato!

Leto fitou Moneo. Como eram estranhos os olhos do senescal, empoleirados sobre aquele nariz de gavião dos Atreides... olhos sem compasso que não combinavam em uma face de metrônomo. Será que Moneo ouvia aquele pulso ritmado: *Malky está vindo! Malky está vindo! Malky está vindo!*

Moneo queria gritar de angústia. Aquilo que ele havia sentido... tudo se fora! Ele cobriu a boca com ambas as mãos.

– Seu universo não passa de uma ampulheta bidimensional – acusou Leto. – Por que você tenta conter a areia?

Moneo abaixou as mãos e suspirou.

– Quer ouvir sobre os preparativos para seu casamento, Senhor?

– Não seja tão cansativo! Onde está Hwi?

– As Oradoras Peixe estão preparando-a para...

– Você a consultou sobre os preparativos?

– Sim, Senhor.

– Ela aprovou?

— Sim, Senhor, mas ela me acusou de viver pela quantidade de atividades e não pela qualidade.

— Ela não é maravilhosa, Moneo? Ela notou a inquietação entre as Oradoras Peixe?

— Creio que sim, Senhor.

— A ideia de meu casamento as perturba.

— Foi por isso que mandei o Duncan para outro lugar, Senhor.

— Claro que foi e Siona com ele para...

— Sei que o Senhor a testou e ela...

— Ela sente o Caminho Dourado tão profundamente quanto você, Moneo.

— Então por que a temo, Senhor?

— Porque você coloca a razão acima de qualquer coisa.

— Mas não sei a razão do meu medo!

Leto sorriu. Era como fazer com que dados rolassem em uma tigela infinita. As emoções eram interpretadas como uma peça maravilhosa neste palco. Quão próximo da borda ele caminhava sem vê-la!

— Moneo, por que insiste em retirar peças do *continuum*? – perguntou Leto. – Quando vê um espectro, você prefere uma cor a todas as outras?

— Não compreendo o Senhor!

Leto fechou os olhos, relembrando as inúmeras vezes que ouvira essa exclamação. As faces compunham uma mistura inseparável. Ele abriu os olhos para apagá-las.

— Enquanto um humano permanecer vivo para vê-las, as cores não sofrerão uma *mortis* linear mesmo que você morra, Moneo.

— O que significa essa conversa sobre cores, Senhor?

— O *continuum*, o que jamais acaba, o Caminho Dourado.

— Mas o Senhor vê coisas que não vemos, Senhor!

— Porque se recusam a vê-las!

Moneo afundou o queixo no peito.

— Senhor, sei que evoluiu além do resto de nós. É por isso que nós o adoramos e...

— Maldito seja, Moneo.

Rapidamente, Moneo levantou a cabeça e encarou Leto, aterrorizado.

— Civilizações perecem quando seus poderes ultrapassam suas religiões! — disse Leto. — Por que você não consegue ver isso? Hwi consegue.

— Ela é ixiana, Senhor. Talvez ela...

— Ela é uma Oradora Peixe! Ela foi criada desde o nascimento para me servir. Não! — Leto levantou uma de suas pequenas mãos ao mesmo tempo que Moneo tentava falar — As Oradoras Peixe estão irrequietas porque eu as chamo de minhas noivas e agora veem uma estranha, que não foi treinada em Siaynoq, que o compreende melhor que elas.

— Como pode ser, Senhor, quando suas Oradoras...

— O que você está dizendo? Cada um de nós começa a existir sabendo quem é e o que deve fazer.

Moneo abriu a boca, mas fechou sem dizer nada.

— Crianças pequenas sabem — Leto comentou. — É somente depois que os adultos as confundem que essas crianças escondem esse conhecimento, até de si mesmas. Moneo! Descubra-se!

— Senhor, não consigo! — As palavras foram arrancadas de Moneo. Ele tremia com angústia. — Não tenho seus poderes, seu conhecimento de...

— Basta!

Moneo caiu em silêncio. Seu corpo estremeceu.

Leto falou suavemente com ele.

— Está tudo bem, Moneo. Pedi muito de você e posso notar sua fadiga.

Lentamente, o tremor de Moneo desapareceu. Ele inspirou profundamente, sorvendo o ar.

Leto falou.

— Ainda haverá algumas mudanças em meu casamento fremen. Não usaremos os hidroanéis de minha irmã, Ghanima. Usaremos, em vez disso, os anéis de minha mãe.

— De Lady Chani, Senhor? Mas onde eles estão?

Leto contorceu seu corpanzil no coche e apontou para a interseção de dois túneis cavernosos à sua esquerda, onde a luz fraca revelava os primeiros nichos sepulcrais dos Atreides em Arrakis.

— Em sua tumba, no primeiro nicho. Você removerá os anéis, Moneo, e os levará para a cerimônia.

Moneo fitou através da distância sombria da cripta.

— Senhor... isto não é uma profanação à...

— Você se esquece, Moneo, daqueles que vivem em mim. — Então falou com a voz de Chani: — Posso fazer o que eu quiser com meus hidroanéis!

Moneo se encolheu.

— Sim, Senhor. Eu os levarei comigo para a vila de Tabur quando...

— Vila de Tabur? — perguntou Leto em sua voz usual. — Mas eu mudei de ideia. Nós nos casaremos na vila de Tuono.

A MAIOR PARTE DAS CIVILIZAÇÕES SE BASEIA NA COVARDIA.
É TÃO FÁCIL CIVILIZAR ENSINANDO A COVARDIA. VOCÊ
PODE MANDAR EMBORA OS PADRÕES QUE LEVARIAM À
BRAVURA. VOCÊ RESTRINGE A VERDADE. VOCÊ REGULA OS
APETITES. VOCÊ CERCA OS HORIZONTES. VOCÊ DETERMINA
UMA LEI PARA CADA MOVIMENTO. VOCÊ NEGA A EXISTÊNCIA
DO CAOS. VOCÊ ENSINA TODAS AS CRIANÇAS A RESPIRAR
VAGAROSAMENTE. VOCÊ DOMA.

— Os Diários Roubados

Idaho parou, horrorizado com seu primeiro olhar próximo à vila de Tuono. *Aquilo* era o reduto dos fremen?

A tropa de Oradoras Peixe os levara da Cidadela ao nascer do sol, Idaho e Siona colocados em um grande ornitóptero escoltado por duas pequenas naves de guarda. O voo fora lento, quase três horas. Eles desembarcaram em um hangar de plaspedra plano e redondo a quase um quilômetro da vila, separado dela por velhas dunas iguais em forma, com grama-dos-pobres e alguns arbustos raquíticos. À medida que eles desembarcavam, a muralha diretamente atrás da aldeia parecia crescer mais e mais para o alto, a aldeia se encolhendo sob tal imensidão.

— Os fremen de museu são comumente mantidos descontaminados de tecnologias vindas de fora do planeta — Nayla explicara quando a escolta selara os tópteros no hangar baixo. Uma integrante da tropa já havia seguido trotando em direção a Tuono com o anúncio da chegada deles.

Siona tinha permanecido em silêncio durante a maior parte do voo, mas tinha estudado Nayla com uma intensidade dissimulada.

Por um tempo durante a marcha através das dunas banhadas pela luz da manhã, Idaho tentara imaginar que estava de volta aos velhos dias. Podia-se ver a areia entre as plantas e, nos vales entre dunas, havia terra ressequida, grama amarela e os arbustos que se assemelhavam a varetas. Três urubus, suas asas com pontas fendidas, voavam livremente, circulando na abóbada do céu... os fremen chamavam de "a busca elevada". Idaho tentou explicar isso para Siona, enquanto ela andava ao lado dele. Deviam se preocupar com os comedores de carniça só quando começassem a descer.

– Já me contaram sobre os abutres – ela retrucou, sua voz fria.

Idaho tinha notado o suor no lábio superior dela. Sentia-se um cheiro pungente de suor ao redor deles, vindo da tropa que os cercava.

A imaginação dele não estava à altura da tarefa de separar as diferenças entre o passado e esta época. O modelo dos trajestiladores que usavam servia mais para ostentar do que para fazer uma coleta eficiente de água do corpo. Nenhum fremen verdadeiro teria confiado sua vida a um desses modelos, nem mesmo aqui, onde o ar cheirava a água nas proximidades. Além disso, as Oradoras Peixe da tropa de Nayla não caminhavam em silêncio fremen. Elas conversavam entre si como crianças.

Siona marchava ao lado dele em um retraimento taciturno, sua atenção voltada com frequência às costas largas musculosas de Nayla, que caminhava alguns passos à frente da tropa.

O que havia entre essas duas mulheres?, Idaho se perguntou. Nayla parecia devotada a Siona, prestando atenção a cada palavra, obedecendo a todos os caprichos dela... exceção feita ao ponto que Nayla não se desviaria das ordens que trouxeram todos à vila de Tuono. Ainda assim, Nayla deferia a Siona e a chamava de "Comandante". Havia algo de profundo entre as duas, algo que despertava fascínio e medo em Nayla.

Eles finalmente chegaram a um declive que levava à vila e à muralha atrás dela. Do alto, Tuono parecera um amontoado de retângulos brilhantes logo além da sombra da muralha. Entretanto, desse ângulo mais próximo, notava-se que havia sido reduzida a um conjunto de cabanas decadentes, ainda mais lamentáveis pelas tentativas de decorar o lugar. Pedaços de minerais brilhantes e fragmentos de metal incrustados para formar arabescos se alojavam nas paredes das construções. Uma esfarrapada bandeira verde tremulava em um poste de metal no topo de uma estrutura mais alta. Uma brisa intermitente trazia o cheiro de lixo e de fossas descobertas às narinas de Idaho. A rua central da vila se estendia na direção da tropa pela areia, com algumas plantas esparsas, terminando em um limiar irregular onde a pavimentação estava quebradiça.

Uma delegação de pessoas envoltas em mantos esperava ansiosamente perto do edifício de bandeira verde, ao lado da mensageira Oradora Peixe que Nayla havia enviado na frente. Idaho contou oito integrantes na delegação, todos homens, trajando o que pareciam ser vestes fremen autênticas em castanho-escuro. Uma faixa verde podia ser vislumbrada cingida na cabeça por debaixo do capuz de um integrante da delegação: o naib, sem dúvida. As crianças esperavam de um lado, segurando flores. Mulheres de capuz negro podiam ser avistadas espiando pelas ruas laterais no plano de fundo. Idaho achou toda a cena angustiante.

– Vamos acabar logo com isso – disse Siona.

Nayla assentiu e conduziu o caminho encosta abaixo em direção à rua. Siona e Idaho se mantiveram poucos passos atrás dela. O resto da tropa os seguiu, agora em silêncio e olhando ao redor com uma curiosidade indisfarçável.

À medida que Nayla se aproximava da delegação, o homem que usava a faixa verde se adiantou e fez uma reverência. Ele se movia como um idoso, mas Idaho notou que não era tão velho, mal havia entrado na meia-idade, as maçãs do rosto regular e sem rugas, um nariz curto e grosso, sem cicatrizes de tubos de filtros nasais, e os olhos! Os olhos revelavam pupilas definidas, não o azul completo do vício em especiarias. Eram olhos castanhos. Olhos castanhos em um fremen!

– Eu sou Garun – disse o homem quando Nayla parou na frente dele. – Sou o naib deste lugar. Eu lhes dou as boas-vindas fremen a Tuono.

Nayla gesticulou por cima do ombro para Siona e Idaho, que tinham parado logo atrás dela, perguntando:

— Alojamentos foram preparados para seus convidados?

— Nós, fremen, somos conhecidos por nossa hospitalidade — disse Garun. — Tudo está pronto.

Idaho sentiu os odores acres e os sons daquele lugar. Olhou através das janelas abertas do edifício com a bandeira no topo, à sua direita. Seria a bandeira Atreides esvoaçando ali? A janela abria-se para um auditório com teto baixo, uma concha acústica na extremidade oposta, encerrando uma plataforma pequena. Ele viu fileiras de assentos, carpetes marrons no chão. Tudo tinha a aparência de cenário montado sobre um palco, um lugar para entreter turistas.

O som de pés se arrastando trouxe a atenção de Idaho de volta para Garun. As crianças estavam seguindo para a frente da delegação, estendendo um amontoado de flores vermelhas extravagantes em suas mãos encardidas. As flores estavam murchas.

Garun dirigiu-se a Siona, identificando corretamente a insígnia dourada do Comandante das Oradoras Peixe em seu uniforme.

— A senhora gostaria de uma apresentação de nossos rituais fremen? — ele perguntou. — Música, talvez? Dança?

Nayla aceitou um punhado de flores de uma das crianças, cheirou-o e espirrou.

Outra criança maltrapilha estendeu flores para Siona, fitando-a com um par de olhos arregalados. Ela aceitou as flores, sem olhar para a criança. Idaho apenas acenou para que ficassem de lado quando se aproximaram dele. Eles hesitaram, olhando para ele, e, em seguida, correram em volta deles na direção do resto da tropa.

Garun falou para Idaho:

— Se você lhes der algumas moedas, eles não vão incomodá-lo.

Idaho estremeceu. Este era o treinamento dado às crianças fremen?

Garun voltou sua atenção para Siona. Com Nayla atenta, Garun começou a explicar a disposição da aldeia.

Idaho se afastou deles pela rua, notando como os rostos se viravam rapidamente para ele e depois evitavam seu olhar. Ele se sentiu profundamente ofendido com as decorações de superfície sobre os edifícios, nenhuma delas disfarçando as evidências de decadência. Ele fitou o auditório por uma porta aberta. Havia uma severidade em Tuono, *algo* lutando por trás das flores murchas e do tom servil da voz de Garun. Em outro tempo e em outro planeta, esta seria uma vila de burros-pela-rua: camponeses com cintos de corda andando com petições. Ele podia ouvir o tom lamurioso de súplica na voz de Garun. Estes não eram fremen! Essas pobres criaturas viviam na marginalidade, tentando manter partes de uma totalidade antiga. E, enquanto isso, aquela realidade perdida escapava cada vez mais para além de seu alcance. O que Leto havia criado ali? Estes fremen *de museu* haviam perdido tudo, exceto por uma existência vazia e o hábito de pronunciar antigas palavras que eles não compreendiam e que nem sequer pronunciavam corretamente!

Voltando até onde estava Siona, Idaho se inclinou para estudar o corte do manto marrom de Garun, vendo que ele estava apertado, sinal da necessidade de poupar tecido. Um vestígio cinzento de um trajestilador podia ser visto debaixo do manto, exposto à luz solar, de uma forma que nenhum fremen de verdade ousaria deixar seu trajestilador. Idaho olhou para o resto da delegação, notando o mesmo tratamento parcimonioso de tecido. Isso demonstrava o pendor emocional em que viviam. Aquelas roupas não permitiam gestos expansivos, nenhuma liberdade de movimento. As vestes eram apertadas e confinadas, da mesma forma que era todo aquele povo!

O asco impeliu Idaho, que avançou abruptamente. Rasgou o manto de Garun para ver o trajestilador. Exatamente como ele suspeitava! O traje era outra farsa: não havia mangas nem bombas nas botas!

Garun retrocedeu, colocando a mão no punho da faca que Idaho havia exposto no cinto do homem.

— Ora! O que você está fazendo? — Garun perguntou, sua voz queixosa. — Não se toca em um fremen deste modo!

— Você, um fremen? — perguntou Idaho. — Eu vivi com os fremen! Eu lutei ao lado deles contra os Harkonnen! Eu morri com os fremen! Você? Você é uma farsa!

Os nós dos dedos de Garun ficaram brancos no punho da faca. Ele se dirigiu a Siona.

— Quem é este homem?

Nayla tomou a iniciativa:

— Este é Duncan Idaho.

— O ghola? — Garun se virou para olhar o rosto de Idaho. — Nunca vimos um de vocês aqui antes.

Idaho sentiu-se quase sobrepujado pelo desejo de purificar este lugar, mesmo que lhe custasse a vida, esta vida diminuída que podia ser repetida incessantemente por pessoas que não se preocupavam de verdade com ele. *Um modelo mais antigo, de fato!* Mas estes não eram fremen.

— Saque essa faca ou tire a mão dela — disse Idaho.

Garun afastou a mão da faca com rapidez.

— Não é uma faca de verdade — ele explicou. — Apenas para decoração. — Sua voz tornou-se ávida. — Mas nós temos facas de verdade, até dagacrises! Nós as mantemos trancadas em vitrines para preservá-las.

Idaho não se conteve. Ele jogou a cabeça para trás em uma gargalhada. Siona sorriu, mas Nayla olhou pensativa e o resto da tropa Oradora Peixe se formou em círculo fechado e atento ao redor deles.

A risada produziu um efeito estranho em Garun. Ele abaixou a cabeça e juntou suas mãos, apertando uma contra a outra com firmeza, mas não antes de Idaho perceber que elas estavam tremendo. Quando Garun olhou para cima mais uma vez, ele observou Idaho por debaixo de sobrancelhas pesadas. Idaho se sentiu abruptamente temperado. Era como se alguma terrível botina tivesse esmagado o ego de Garun em uma espécie de subserviência temerosa. Havia uma espera vigilante nos olhos do homem. E sem uma razão que pudesse explicar, Idaho se lembrou de uma passagem da Bíblia Católica de Orange. Ele perguntou a si mesmo: *são estes os humildes que sobreviverão a todos nós e herdarão o universo?*

Garun pigarreou e, em seguida, disse:

— Talvez o ghola Duncan Idaho possa testemunhar nossos caminhos e nossos rituais e os julgará?

Idaho sentiu-se envergonhado pelo pedido em forma de lamento. Ele falou sem pensar.

— Vou ensinar-lhe tudo o que eu sei sobre os fremen — ele olhou para cima e viu Nayla o encarando. — Ajudará a passar o tempo — ele disse. — E, quem sabe, pode ser que isso devolva algo dos verdadeiros fremen a esta terra.

— Não há motivos para participarmos de antigos jogos cultuais — Siona contrapôs. — Leve-nos para os nossos alojamentos.

Nayla abaixou a cabeça, envergonhada, e falou sem olhar para Siona:

— Comandante, há uma coisa que não me atrevi a lhe contar.

— Que você deve garantir que ficaremos neste lugar imundo — redarguiu Siona.

— Oh, não! — Nayla olhou para o rosto de Siona. — Aonde poderiam ir? A muralha não pode ser escalada e, de qualquer maneira, além dela existe apenas o rio. E na outra direção, é o Sareer. Oh, não... é outra coisa — Nayla balançou a cabeça.

— Então fale! — gritou Siona.

— Recebi ordens estritas, Comandante, as quais não me atrevo a desobedecer — Nayla lançou uma olhadela às outras integrantes da tropa e, em seguida, voltou-se para Siona. — A senhora e o... Duncan Idaho serão alojados juntos.

— Ordens de meu pai?

— Senhora Comandante, estas palavras chegaram a mim como ordens do próprio Imperador Deus e não ousaremos desobedecer.

Siona olhou direto para Idaho.

— Você se lembra do meu aviso, Duncan, da última vez em que conversamos na Cidadela?

— Minhas mãos são minhas para fazer o que eu quiser — Idaho rosnou. — Eu não acho que você tenha alguma dúvida sobre meus desejos!

Ela afastou-se dele depois de um breve aceno de cabeça e olhou para Garun.

— De que importa onde vamos dormir neste lugar nojento? Leve-nos aos nossos alojamentos.

Idaho achou a resposta de Garun fascinante: ele virou a cabeça na direção do ghola, escondendo o rosto por trás do capuz fremen, então lançou-lhe uma piscadela secreta e conspiratória. Só então Garun os conduziu pelas ruas sujas.

QUAL É O PERIGO MAIS IMEDIATO PARA A MINHA ADMINISTRAÇÃO? VOU LHES DIZER. É UM VERDADEIRO VISIONÁRIO, UMA PESSOA QUE TENHA ESTADO NA PRESENÇA DE DEUS, COM PLENO CONHECIMENTO DE ONDE ESTAVA. O ÊXTASE VISIONÁRIO LIBERA ENERGIAS QUE SÃO SIMILARES ÀS ENERGIAS DE SEXO: INDIFERENTE PARA QUALQUER COISA, EXCETO A CRIAÇÃO. UM ATO DE CRIAÇÃO PODE SER MUITO PARECIDO COM OUTRO. TUDO DEPENDE DA VISÃO.

— Os Diários Roubados

Leto estava deitado sem o seu coche na alta varanda protegida da torre de sua Pequena Cidadela, dominando uma irascibilidade que ele sabia vir dos atrasos necessários que adiaram a data de seu casamento com Hwi Noree. Ele olhou para o sudoeste. Em algum lugar lá fora, além do horizonte que escurecia, Duncan, Siona e seu grupo já tinham estado por seis dias na vila de Tuono.

Os atrasos são por minha própria culpa, pensou Leto. *Fui eu quem mudou o local do casamento, fazendo com que o pobre Moneo precisasse rever todos os preparativos.*

E agora, é claro, havia a questão de Malky.

Nenhuma dessas necessidades poderia ser explicada para Moneo, que podia ser ouvido se mexendo dentro da câmara central do retiro, preocupando-se com o seu afastamento do posto de comando, de onde ele dirigia as preparações *festivas*. Moneo era tão preocupado!

Leto olhou na direção do sol poente. O disco solar pairava baixo no horizonte, esvanecido em um tom alaranjado-escuro em virtude de uma tempestade recente. Agora, a chuva estava instalada baixo nas nuvens ao sul, além do Sareer. Em um silêncio prolongado, Leto havia assistido à chuva cair lá por um tempo que se estendera sem começo nem fim. As nuvens haviam crescido a partir de um céu cinzento e opressivo, com a chuva seguindo em linhas visíveis. Ele se sentiu trajando memórias que vinham espontaneamente. Era difícil se livrar desse humor e, sem pensar, ele murmurou os versos que recordou de um poema antigo.

– O Senhor disse algo? – a voz de Moneo veio bem de perto, ao lado de Leto. Limitando-se a virar os olhos, Leto pôde ver o fiel senescal esperando de pé, com atenção.

Leto traduziu a citação para galach:

– O rouxinol cria seus ninhos na ameixeira, mas o que ele fará com o vento?

– Isso é uma pergunta, Senhor?

– Uma pergunta antiga. A resposta é simples. Deixe o rouxinol ficar com suas flores.

– Eu não entendo, Senhor.

– Pare de me atestar o óbvio, Moneo. Incomoda-me quando você faz isso.

– Perdoe-me, Senhor.

– O que mais eu posso fazer? – Leto estudou as feições abatidas de Moneo. – Você e eu, Moneo, não importa o que façamos, damos um bom teatro.

Moneo olhou para o rosto de Leto.

– Senhor?

– Os rituais do festival religioso de Baco foram as sementes do teatro grego, Moneo. A religião costuma levar ao teatro. Eles farão um bom teatro conosco. – Uma vez mais, Leto se virou e olhou para o horizonte ao sudoeste.

Agora havia um vento acumulando as nuvens naquela região. Leto pensou que era capaz de ouvir a areia impulsionada ribombando ao longo das dunas, mas só havia uma quietude ressonante na torre do retiro, uma quietude com um leve traço do silvo do vento no plano de fundo.

– As nuvens – ele sussurrou. – Gostaria de tomar uma vez mais uma xícara de luar, uma antiga barca marítima sob meus pés, nuvens finas agarradas ao meu céu sombrio, o manto azul-cinzento em volta dos meus ombros e cavalos relinchando por perto.

— O Senhor está preocupado – disse Moneo. A compaixão em sua voz condoeu Leto.

— As sombras resplandecentes de meus passados – comentou Leto. – Elas nunca me deixam em paz. Ouvi um som tranquilizador, o sino de uma cidade de interior ao cair da noite, e ele apenas me contou que eu sou o som e a alma deste lugar.

Conforme ele falava, a escuridão se fechou sobre a torre. Luzes automáticas se acenderam ao redor deles. Leto manteve sua atenção dirigida para fora, onde a primeira lua se destacava acima das nuvens como uma fina fatia de melão, com a luz planetária alaranjada revelando o círculo completo do satélite.

— Senhor, por que viemos aqui? – perguntou Moneo. – Por que não me conta?

— Eu queria o benefício de sua surpresa – respondeu Leto. – Uma nave da Guilda pousará aqui fora, ao nosso lado, em breve. Minhas Oradoras Peixe trazem Malky até mim.

Moneo inspirou rapidamente e segurou o fôlego por um momento antes de expirar.

— O tio de... Hwi? Esse Malky?

— Você está surpreso por não ter sido avisado disso – observou Leto.

Moneo sentiu um arrepio por todo o corpo.

— Senhor, quando deseja manter as coisas em segredo de...

— Moneo? – Leto falou num tom baixinho, persuasivo. – Eu sei que Malky ofereceu-lhe maiores tentações que qualquer outro...

— Senhor! Eu nunca...

— Sei disso, Moneo. – Leto continuou ainda naquele tom suave: – Mas a surpresa causou um choque capaz de reanimar suas memórias. Você está armado para qualquer coisa que eu possa exigir de você.

— O que... o que meu Senhor...

— Talvez tenhamos que nos livrar de Malky. Ele é um problema.

— Eu? O Senhor deseja que eu ...
— Talvez.

Moneo engoliu em seco e então disse:

— A Reverenda Madre...

— Anteac está morta. Ela me serviu bem, mas está morta. Houve violência extrema quando minhas Oradoras Peixe atacaram o... *lugar* onde Malky estava escondido.

— Estamos melhor sem Anteac — Moneo comentou.

— Aprecio a sua desconfiança em relação às Bene Gesserit, mas eu gostaria que Anteac tivesse nos deixado de outra forma. Ela foi fiel a nós, Moneo.

— A Reverenda Madre foi...

— Tanto Bene Tleilax como a Guilda queriam o segredo de Malky — prosseguiu Leto. — Quando eles perceberam nossa investida contra os ixianos, atacaram antes das minhas Oradoras Peixe. Anteac... bem, ela só podia atrasá-los um pouco, mas foi o suficiente. Minhas Oradoras Peixe sitiaram o lugar...

— O *segredo* de Malky, Senhor?

— Quando uma coisa desaparece — disse Leto —, transmite a mesma mensagem de quando alguma coisa aparece de súbito. Os espaços vazios são sempre dignos de nosso estudo.

— O que o meu Senhor quer dizer, *espaços vazios*...

— Malky não morreu! Certamente eu teria sabido disso. Para onde ele foi quando desapareceu?

— Desapareceu... do Senhor? Quer dizer que os ixianos...

— Eles aperfeiçoaram um dispositivo que me deram há muito tempo. Eles o melhoraram de forma lenta e sutil, camadas escondidas dentro de camadas escondidas, mas notei as sombras. Fiquei surpreso. Fiquei satisfeito.

Moneo pensou sobre isso. Um *dispositivo que escondia... Ahhh*! O Imperador Deus tinha mencionado algo em várias ocasiões, uma maneira de esconder os pensamentos que ele gravava. Moneo falou:

— E Malky traz o segredo...

— Oh, sim! Mas esse não é o verdadeiro segredo de Malky. Ele traz outra coisa consigo que ele não sabe que eu suspeito.

— Outra... mas se eles podem se esconder até mesmo do Senhor...

— Muitos são capazes de fazer isso agora, Moneo. Eles se dispersaram quando minhas Oradoras Peixe atacaram. O segredo do dispositivo ixiano está espalhado por toda parte.

Os olhos de Moneo se arregalaram, alarmados.

— Senhor, se alguém...

— Se eles aprenderam a ser espertos, não deixarão rastros — concluiu Leto. — Diga-me, Moneo, o que Nayla diz sobre o Duncan? Será que ela se ressente de se reportar diretamente a você?

— O que meu Senhor ordena... — Moneo pigarreou. Ele não conseguia entender por que seu Imperador Deus falava de rastros escondidos, do Duncan e de Nayla ao mesmo tempo.

— Sim, claro — concordou Leto. — Tudo que ordeno, Nayla obedece. E o que ela diz sobre o Duncan?

— Ele não tentou se reproduzir com Siona, se isso é o que meu Senhor...

— Mas o que ele faz com Garun, meu naib marionete, e os outros fremen de museu?

— Ele lhes fala dos velhos costumes, das guerras contra os Harkonnen, dos primeiros Atreides aqui em Arrakis.

— Em Duna!

— Duna, sim.

— É porque não há mais Duna que não há mais fremen — disse Leto. — Você já transmitiu minha mensagem para Nayla?

— Por que adicionar mais perigo contra o Senhor?

— Você transmitiu minha mensagem?

— A mensageira foi enviada para Tuono, mas ainda posso chamá-la de volta.

— Você *não* vai chamá-la de volta!

— Mas, Senhor...

— O que ela vai dizer para Nayla?

— Que... que o Senhor ordena que Nayla continue em obediência absoluta e inquestionável de minha filha, exceto à medida que... Senhor! Isso é perigoso!

— Perigoso? Nayla é uma Oradora Peixe. Ela vai me obedecer.

— Mas Siona... Senhor, eu temo que minha filha não o sirva com todo o seu coração. E Nayla é...

— Nayla não deve desviar-se.

— Senhor, realizemos seu casamento em outro lugar.

— Não!

— Senhor, sei que a sua visão revelou...

— O Caminho Dourado perdura, Moneo. Você sabe tão bem quanto eu.

Moneo suspirou.

— O infinito é seu, Senhor. Eu não questiono o... — ele se interrompeu quando um rugido monstruoso e estrondoso sacudiu a torre, cada vez mais alto.

Ambos se viraram em direção ao som: uma labareda de luz descendente, em uma tonalidade azul-alaranjada repleta de ondas de choque circulares, pousou no deserto a menos de um quilômetro de distância ao sul.

— Ahhh, meu convidado chegou — disse Leto. — Você deve ir até lá embaixo em meu coche, Moneo. Traga apenas Malky de volta com você. Diga aos homens da Guilda que foram dignos de meu perdão e depois mande-os embora.

— Seu per... sim, Senhor. Mas se eles têm o segredo de...

— Eles servem ao meu propósito, Moneo. Você deve fazer o mesmo. Traga Malky até mim.

Obediente, Moneo seguiu até o coche, que estava em sombras no lado oposto da câmara do retiro. Ele subiu no veículo, vendo a boca da noite se escancarando sobre a Muralha. A plataforma de pouso se projetou em direção àquela noite. O coche deslizou para fora, leve como uma pluma, e flutuou de maneira angular até a areia ao lado da nave da Guilda, que estava em pé como uma miniatura distorcida da torre da Pequena Cidadela.

Leto assistiu da varanda, com os segmentos frontais ligeiramente levantados para lhe proporcionar um ângulo de melhor visualização. Sua visão aguçada identificou o borrão branco da figura de Moneo em pé no coche sob a luz do luar. Serviçais da Guilda, com pernas compridas, saíram com uma liteira a qual deslizou para o coche, ficaram de pé alguns instantes, em conversa com Moneo. Quando saíram, Leto fechou a bolha de proteção do coche e viu o luar refletido nela. De acordo com o pensamento projetado do Imperador Deus, o coche e sua carga retornaram à plataforma de pouso. A nave da Guilda se levantou com seu ronco barulhento enquanto Leto trazia o coche até as luzes da câmara, fechando a entrada logo atrás. Leto abriu a bolha de proteção. Areia foi raspada debaixo dele ao mesmo tempo que se movia até a liteira e erguia-se sobre seus segmentos frontais para espiar Malky, que jazia como se estivesse dormindo, atado à liteira com amplas faixas elásticas cinzentas. O rosto do homem estava pálido sob o cabelo cinza-escuro.

Como ele envelheceu, pensou Leto.

Moneo desceu do coche e olhou para o ocupante da liteira.

— Ele está ferido, Senhor. Eles queriam enviar assistência médica...

— Eles queriam enviar um espião.

Leto estudou Malky: a pele escura e enrugada, as maçãs do rosto encovadas, aquele nariz afilado em grande contraste com o oval acentuado de seu rosto. As sobrancelhas grossas estavam quase totalmente brancas. Se não fosse por toda uma vida inteira de testosterona... sim.

Os olhos de Malky se abriram. Que choque encontrar o mal naqueles olhos castanhos como os de uma corça! Um sorriso se insinuou na boca de Malky.

— Senhor Leto. — A voz de Malky não passava de um sussurro rouco. Seus olhos se voltaram para a direita, focando sobre o senescal — E Moneo. Queiram me perdoar por não ser capaz de me levantar para a ocasião.

— Você está com dor? — perguntou Leto.

— Às vezes. — Os olhos de Malky se moveram para estudar o entorno. — Onde estão as *huris*?

— Temo que devo negar-lhe esse prazer, Malky.

— Melhor assim — Malky resmungou com a voz rouca. — Eu realmente não me sinto à altura das exigências delas. Aquelas que você mandou atrás de mim não foram *huris*, Leto.

— Elas foram profissionais em sua obediência a mim — retrucou Leto.

— Elas eram caçadoras sanguinárias!

— Anteac era a caçadora. Minhas Oradoras Peixe eram apenas a equipe de limpeza.

Moneo voltou sua atenção de um interlocutor para o outro, para a frente e para trás. Havia conotações perturbadoras nessa conversa. Apesar da rouquidão, Malky soava quase petulante... mas, pensando bem, ele sempre tinha sido assim. Um homem perigoso!

— Pouco antes de sua chegada — Leto comentou —, Moneo e eu estávamos discutindo o Infinito.

— Pobre Moneo — murmurou Malky.

Leto sorriu e perguntou:

— Você se lembra, Malky? Certa vez você me pediu para demonstrar o Infinito.

— Você disse que não existia Infinito a ser demonstrado. — Malky passou o olhar em direção a Moneo. — Leto gosta de jogar com o paradoxo. Ele conhece todos os truques de linguagem já descobertos.

Moneo conteve uma onda de raiva. Ele se sentiu excluído dessa conversa, um objeto de diversão de dois seres superiores. Malky e o Imperador Deus eram quase como dois velhos amigos revivendo os prazeres de um passado comum.

— Moneo me acusa de ser o único possuidor do Infinito — Leto falou. — Se recusa a acreditar que ele possua tanto do Infinito como eu o tenho.

Malky fitou Leto e observou:

— Você vê, Moneo? Vê como ele é astuto com as palavras?

— Conte-me sobre sua sobrinha, Hwi Noree — disse Leto.

— É verdade, Leto, o que dizem? Que você vai se casar com a gentil Hwi?

— É verdade.

Malky riu. Em seguida, fez uma careta de dor.

— Elas me causaram danos terríveis, Leto — ele sussurrou e em seguida: — Diga-me, verme velho...

Moneo ofegou.

Malky levou um momento para recuperar-se da dor, então continuou:

— Diga-me, verme velho, há um pênis monstruoso escondido nesse seu corpo monstruoso? Que choque para a gentil Hwi!

— Eu lhe contei a verdade sobre esse assunto há muito tempo — redarguiu Leto.

— Ninguém diz a verdade — Malky falou com a voz rouca.

— Você sempre me disse a verdade — contrapôs Leto. — Mesmo quando não a conhecia.

— Isso porque você é mais inteligente do que o resto de nós.

— Você vai me contar sobre Hwi?

— Eu acho que você já sabe disso.

— Quero ouvir de você — disse Leto. — Você obteve ajuda dos Tleilaxu?

— Eles nos deram conhecimento, nada mais. Fizemos todo o resto nós mesmos.

— Pensei que não era um feito dos Tleilaxu.

Moneo já não podia conter sua curiosidade.

— Senhor, o que é isso sobre Hwi e os Tleilaxu? Por que o Senhor...

— Ora, velho amigo Moneo — Malky interrompeu, virando o olhar para o mordomo. — Você não sabe o que ele...

— Eu nunca fui seu amigo! — Moneo vociferou.

— Então, companheiro entre as *huris* — Malky se corrigiu.

— Senhor — disse Moneo, voltando-se para Leto —, por que fala de...

— Shhh, Moneo — disse Leto. — Estamos cansando seu velho companheiro e ainda tenho coisas a descobrir com ele.

— Você já se perguntou, Leto — questionou Malky —, por que Moneo nunca tentou tirar toda a transação de você?

— O *quê?* — Moneo indagou.

— Outro dos termos arcaicos de Leto — disse Malky. — Transa e ação. É perfeito. Por que você não muda o nome do Império, Leto? A Grande Transação!

Leto ergueu uma das mãos para silenciar Moneo.

— Você vai me contar, Malky? Sobre Hwi?

— Apenas algumas pequenas células de meu corpo — Malky falou. — Então, o crescimento cuidadosamente cultivado e a educação: tudo um oposto exato de seu velho amigo, Malky. Nós fizemos tudo em uma não sala onde você não pode ver!

— Mas eu percebo quando algo desaparece — disse Leto.

— Não sala? — Moneo perguntou, então, conforme o significado das palavras de Malky finalmente penetrou em sua mente, ele indagou: — Você? Você e Hwi...

— Essa é a forma que vi nas sombras — anuiu Leto.

Moneo olhou direto para o rosto de Leto e falou:

— Senhor, vou cancelar o casamento. Vou dizer que...

— Você não fará nada disso!

— Mas, Senhor, se ela e Malky são...

— Moneo — Malky falou em voz rouca. — Seu Senhor ordena e você deve obedecer!

Aquele tom de zombaria! Moneo olhou para Malky.

— O oposto de Malky — frisou Leto. — Será que você não o escutcu?

— O que poderia ser melhor? — perguntou Malky.

— Mas, com certeza, Senhor, se já sabe ...

— Moneo — Leto disse —, você está começando a me incomodar.

Moneo caiu em silêncio, envergonhado.

Leto recomeçou:

— Assim é melhor. Você sabia, Moneo, que certa vez, há dezenas de milhares de anos atrás, quando eu era outra pessoa, cometi um erro?

— Você, um erro? — zombou Malky.

Leto apenas sorriu e prosseguiu:

— Meu erro foi agravado pela bela maneira em que o expressei.

— Astúcia com palavras — Malky provocou.

— De fato! Eis o que eu disse: "O presente é a distração; o futuro, um sonho; só a memória pode desvendar o sentido da vida". Não são palavras bonitas, Malky?

— Primorosas, verme velho.

Moneo levou uma das mãos até a boca.

— Mas as minhas palavras eram uma mentira tola — disse Leto. — Eu sabia disso àquela altura, mas estava cegamente apaixonado por *belas* palavras. A não memória desvenda nenhum significado. Sem a agonia do espírito, que é uma experiência sem palavras, não há significados em nenhum lugar.

— Não consigo perceber o significado da agonia causada a mim por suas Oradoras Peixe sanguinárias — comentou Malky.

— Você não está sofrendo nenhuma agonia — disse Leto.

— Se estivesse neste corpo, você...

— Isso é apenas a dor física — Leto contrapôs. — Vai acabar em breve.

— Então, quando eu vou conhecer a agonia? — perguntou Malky.

— Talvez mais tarde.

Leto flexionou os segmentos frontais, afastando-se de Malky, e encarou Moneo.

– Você realmente serve ao Caminho Dourado, Moneo?

– Ahhh, o Caminho Dourado – provocou Malky.

– O Senhor sabe que sirvo – Moneo confirmou.

– Então, você deve me prometer que o que você ouviu aqui nunca deve sair de seus lábios – Leto falou. – Não revelará por palavra nem sinal.

– Eu prometo, Senhor.

– Ele promete, Senhor – Malky desdenhou.

Uma das pequenas mãos de Leto fez um gesto na direção de Malky, que estava deitado e olhando para o grande perfil do rosto dentro de sua moldura cinza.

– Em virtude da minha admiração antiga e... muitas outras razões, não posso matar Malky. Eu nem posso pedir isso a você... no entanto, ele deve ser eliminado.

– Ohhh, como você é inteligente! – Malky exclamou.

– Se o senhor fizer a bondade de esperar na extremidade oposta da câmara – sugeriu Moneo –, talvez, quando voltar, Malky já não será um problema.

– Ele vai mesmo fazer isso – Malky falou em voz rouca. – Deuses das profundezas! Ele vai mesmo fazer isso.

Leto foi se arrastando até o limite sombreado da câmara, mantendo sua atenção no arco tênue de uma linha que se tornaria uma abertura para a noite, caso ele simplesmente convertesse o desejo em um pensamento de comando. Que longa queda seria: apenas rolar pela beira da plataforma de pouso. Ele duvidava que até mesmo seu corpo sobreviveria. Mas não havia água na areia sob sua torre e ele podia sentir o Caminho Dourado piscando para dentro e para fora da existência meramente porque ele se permitiu pensar em tal fim.

– Leto! – Malky chamou, atrás do Imperador Deus.

Leto ouviu a liteira raspando na areia que o salpicara no chão de seu retiro.

Mais uma vez, Malky chamou:

– Leto, você é o melhor. Não há mal neste universo que possa superar...

Um soco repentino calou a voz de Malky. *Um golpe na garganta*, pensou Leto. Sim, Moneo o conhece. Logo, veio o som do escudo transparente da varanda se abrindo, o raspar da liteira no parapeito, depois o silêncio.

Moneo terá que enterrar o corpo na areia, Leto pensou. *Ainda não existe nenhum verme para vir e devorar as provas.* Então, Leto se virou e olhou através da câmara. Moneo estava inclinado sobre o parapeito, olhando para baixo... para baixo... para baixo...

Eu não posso rezar por você, Malky, nem por você, Moneo, pensou Leto. *Posso ser a única consciência religiosa no Império porque estou realmente sozinho... portanto não posso rezar.*

> NÃO SE PODE ENTENDER A HISTÓRIA A MENOS QUE SE ENTENDAM SEUS FLUXOS, SUAS CORRENTEZAS E AS FORMAS COMO OS LÍDERES SE MOVEM DENTRO DE TAIS FORÇAS. UM LÍDER TENTA PERPETUAR AS CONDIÇÕES QUE DEMANDAM POR SUA LIDERANÇA. ASSIM, O LÍDER PRECISA DE UM *INTRUSO*. EU LHES ACONSELHO A ANALISAR MINHA CARREIRA COM CUIDADO. EU SOU TANTO O LÍDER COMO O INTRUSO. NÃO COMETA O ERRO DE SUPOR QUE EU APENAS CRIEI A IGREJA QUE FOI O ESTADO. ESSA ERA A MINHA FUNÇÃO COMO LÍDER E EU TINHA MUITOS MODELOS HISTÓRICOS PARA USAR COMO PADRÃO. PARA OBTER UMA PISTA SOBRE O MEU PAPEL COMO INTRUSO, OLHE PARA AS ARTES DO MEU TEMPO. AS ARTES SÃO BÁRBARAS. A POESIA FAVORITA? ÉPICA. O IDEAL DRAMÁTICO POPULAR? HEROÍSMO. DANÇAS? COMPLETAMENTE ABANDONADAS. DO PONTO DE VISTA DE MONEO, ELE ESTÁ CORRETO QUANDO DESCREVE ISSO COMO PERIGOSO. ESTIMULA A IMAGINAÇÃO. FAZ COM QUE AS PESSOAS SINTAM A FALTA DAQUILO QUE TIREI DELAS. O QUE EU TIREI DELAS? O DIREITO DE PARTICIPAR DA HISTÓRIA.
>
> — Os Diários Roubados

Idaho se espreguiçou em seu catre com os olhos fechados, ouviu um peso cair no outro catre. Sentou-se em meio à luz do meio da tarde que se insinuava em um ângulo agudo através da única janela do quarto, refletindo-se no chão de azulejos brancos e incidindo nas paredes amarelo-claras. Siona, ele reparou, havia entrado e estendera-se em seu próprio catre. Ela já estava lendo um dos livros que carregara consigo em um pacote de tecido verde.

Por que livros?, ele se perguntou.

Ele baixou os pés até o chão e olhou ao redor do quarto. Como essa *caixa* espaçosa de pé-direito alto podia ser considerada, ainda que remotamente, como algo fremen? Uma grande mesa/escrivaninha de alguma espécie de plástico local em um tom marrom-escuro separava os dois catres. Havia duas portas. Uma abria-se diretamente ao lado externo, através de um jardim. A outra levava a um banheiro luxuoso cujos azulejos de uma tonalidade azul-pálida brilhavam sob uma claraboia ampla. O banheiro continha, entre suas várias funcionalidades, uma banheira de imersão e um chuveiro, cada um com pelo menos dois metros quadrados. A porta para esse espaço sibarítico permanecia aberta e Idaho podia ouvir água escorrendo para fora da banheira. Parecia que Siona, curiosamente, gostava de tomar banho com excesso de água.

Stilgar, o naib, dos dias antigos de Idaho em Duna, teria olhado aquele cômodo com desprezo. "Vergonhoso!", ele teria dito. "Decadente! Fraco!" Stilgar teria usado muitas palavras de desprezo em relação a toda essa aldeia, que ousava se comparar com um verdadeiro sietch fremen.

Papel farfalhou quando Siona virou uma página. Ela estava com a cabeça apoiada em dois travesseiros, um fino manto branco cobrindo seu corpo. O traje ainda revelava certa umidade do banho.

Idaho meneou a cabeça. O que havia naquelas páginas que prendiam o interesse dela de tal maneira? Ela as tinha lido e relido desde a sua chegada a Tuono. Os volumes eram finos, mas em grande quantidade, tendo apenas números em suas lombadas negras. Idaho tinha visto um número *nove*.

Lançando os pés no chão, ele se levantou e foi até a janela. Havia um velho lá fora a certa distância, cavando flores. O jardim era protegido por edifícios em três lados. As flores brotavam grandes botões vermelhos por fora, mas, quando eles se abriam, eram brancos no centro. Os cabelos grisalhos descobertos do velho eram uma espécie de florescência ondulando entre o branco floral e as joias-brotos. Idaho sentiu o cheiro de folhas mofadas e de terra revirada contra um perfume de fundo, floral e pungente.

Um fremen cuidando de flores a céu aberto!

Siona não oferecera nenhuma informação sobre seu curioso material de leitura. *Ela está me provocando*, pensou Idaho. *Ela quer que eu pergunte*.

Ele tentou não pensar em Hwi. A ira ameaçava engoli-lo quando ele o fazia. Lembrou-se da palavra fremen para essa emoção intensa: *kanawa*, o anel de ferro do ciúme. Onde está Hwi? O que ela estaria fazendo naquele momento?

A porta do jardim abriu sem que nela batessem e Teishar, um assessor de Garun, entrou. Teishar tinha uma tonalidade tétrica no rosto cheio de rugas escuras. Seus olhos encovados eram de um amarelo-pálido em torno das pupilas. Vestia uma túnica marrom. Tinha o cabelo como grama velha, que havia sido deixado de lado para apodrecer. Ele parecia desnecessariamente feio, como um tenebroso espírito elemental. Ele fechou a porta e ficou ali olhando para eles.

A voz de Siona veio de trás de Idaho:

— Pois bem, o que foi?

Foi então que Idaho percebeu como Teishar parecia estranhamente animado e vibrante.

— O Imperador Deus... — Teishar pigarreou e começou de novo. — O Imperador Deus virá a Tuono!

Siona sentou-se na cama, dobrando seu manto branco sobre os joelhos. Idaho relanceou para ela e, em seguida, mais uma vez para Teishar.

— Ele vai se casar aqui, aqui em Tuono! — Teishar exclamou. — Será feito da antiga maneira fremen! O Imperador Deus e sua noiva serão hóspedes em Tuono!

Totalmente envolvido por *kanawa*, Idaho olhou para ele, com os punhos cerrados. Teishar balançou a cabeça brevemente, virou-se e saiu, fechando a porta com força.

— Deixe-me ler uma coisa para você, Duncan — Siona falou.

Idaho precisou de alguns instantes para compreender suas palavras. Com os punhos cerrados ainda ao seu lado, ele se virou e olhou para Siona. Ela se sentou na beira de seu catre, um livro no colo. Ela interpretou sua atenção como anuência.

— "Alguns acreditam que se deve conciliar a integridade com certa quantidade de trabalho sujo antes que se possa colocar o gênio para trabalhar" — Siona leu. — "Dizem que tal concessão começa quando se sai do *sanctus* com a intenção de realizar seus ideais. Moneo diz que minha solução é ficar dentro do *sanctus*, e enviar outros para fazerem o meu trabalho sujo."

Ela olhou para Idaho.

— O Imperador Deus... suas próprias palavras.

Lentamente, Idaho relaxou os punhos. Ele sabia que precisava dessa distração e lhe interessava que Siona havia emergido de seu silêncio.

— Que livro é esse? — ele perguntou.

Resumidamente, Siona contou como ela e seus companheiros haviam roubado os mapas da Cidadela e as cópias dos diários de Leto.

— Claro que você já sabia sobre isso — disse ela. — Meu pai deixou claro que os espiões traíram nossa incursão.

Idaho viu as lágrimas brotando nos olhos dela.

— Nove de vocês mortos pelos lobos?

Ela assentiu.

— Você é uma péssima comandante! — ele comentou.

Ela se irritou, mas, antes que pudesse falar, Idaho perguntou:

— Quem os traduziu para você?

— Isto é de Ix. Eles dizem que a Guilda encontrou o código para decifrar.

— Nós já sabíamos que nosso Imperador Deus se permite tais conveniências — disse Idaho. — É tudo o que ele tem a dizer?

— Leia por si mesmo. — Siona remexeu em sua mochila ao lado do catre e sacou o primeiro volume da tradução, que jogou em frente ao catre dele. Quando Idaho voltou para a cama, ela indagou: — O que você quis dizer quando falou que sou uma péssima comandante?

— Perder nove dos seus amigos daquela maneira.

— Seu tolo! — Ela balançou a cabeça. — Você, obviamente, nunca viu aqueles lobos!

Idaho pegou o livro e descobriu que era pesado, percebendo, então, que ele havia sido impresso em papel cristal.

— Você deviam ter se armado contra os lobos — ele disse, abrindo o volume.

— Que armas? Qualquer arma que tivéssemos obtido teria sido inútil!

— Armaleses? — ele perguntou, virando uma página.

— Toque em uma armalês em Arrakis e o Verme descobre!

Ele virou outra página e resmungou:

— Seus amigos acabaram conseguindo armaleses.

— E veja o que aconteceu com eles!

Idaho leu uma linha, e então falou:

— Havia venenos à disposição.

Ela engoliu em seco.

— Você envenenou os lobos depois de tudo, não foi? — Idaho deduziu, erguendo os olhos na direção dela.

Sua voz saiu quase como um sussurro:

— Sim.

— Então por que não fez isso com antecedência? — ele perguntou.

— Nós... não... sabíamos... que... podíamos.

— Mas vocês não testaram — observou Idaho. Ele se voltou para o volume aberto. — Uma péssima comandante.

— Ele é tão desonesto! — Siona exclamou.

Idaho leu uma passagem do volume antes de voltar sua atenção para Siona.

— Isso dificilmente o descreve. Você já leu tudo isso?

— Cada palavra! Alguns deles diversas vezes.

Idaho olhou para a página aberta e leu em voz alta:

— "Eu criei o que pretendia: uma poderosa tensão espiritual que se espalha por todo o meu Império. Poucos sentem sua força. Com quais energias criei essa condição? Eu não sou tão forte. O único poder que possuo é o controle da prosperidade individual. Essa é a soma de todas as coisas que eu faço. Então por que as pessoas procuram a minha presença por outras razões? O que poderia levá-los à morte certa que é a inútil tentativa de chegar a minha presença? Será que eles querem ser santos? Será que eles pensam que *assim* ganham a visão de Deus?"

— Ele é o derradeiro cínico — disse Siona, com a voz evidentemente embargada.

— Como ele testou você? — perguntou Idaho.

— Ele me mostrou um... Ele me mostrou o seu Caminho Dourado.

— Isso é conveniente...

— É real o suficiente, Duncan. — Ela olhou para ele, seus olhos brilhando com lágrimas não derramadas. — Mas se *alguma vez* foi uma justificativa para o nosso Imperador *Deus*, não é uma justificativa para o que ele se tornou.

Idaho respirou profundamente, então:

— Os Atreides chegaram a esse ponto!

— O Verme deve partir! — Siona exclamou.

— Fico me perguntando quando ele chegará — disse Idaho.

— O pequeno amigo rato de Garun não disse.

— Devemos perguntar — Idaho sugeriu.

— Não temos armas — disse Siona.

— Nayla tem uma armalês — disse ele. — Nós temos facas... cordas. Eu vi cordas em um dos depósitos de Garun.

— Contra o Verme? — ela questionou. — Mesmo que conseguíssemos a armalês de Nayla, você sabe que não vai atingi-lo.

— Mas será que o coche dele é à prova de armalês? — perguntou Idaho.

— Não confio em Nayla — contrapôs Siona.

— Ela lhe obedece?

— Sim, mas...

— Vamos avançar um passo de cada vez – disse Idaho. – Pergunte a Nayla se ela usaria sua armalês contra o coche do Verme.

— E se ela se recusar?

— Mate-a.

Siona ficou de pé, jogando o livro ao seu lado.

— Como o Verme virá a Tuono? – indagou Idaho. – Ele é muito grande e pesado para um tóptero comum.

— Garun vai nos dizer – disse ela. – Mas eu acho que ele virá como costuma viajar. – Ela olhou para o teto que escondia o perímetro da muralha do Sareer. – Acho que ele virá em peregrinação com toda a sua corte. Seguirá pela Estrada Real e descerá aqui sobre os suspensores. – Ela olhou para Idaho. – O que você acha de Garun?

— Um homem estranho – disse Idaho. – Ele quer desesperadamente ser um fremen de verdade. Ele sabe que não é nada parecido com o que eles foram na minha época.

— Como eles eram na sua época, Duncan?

— Eles tinham um ditado que os descreve – disse Idaho. – "Nunca se deve estar na companhia daqueles com quem você não deseja morrer junto."

— Você disse isso a Garun? – ela perguntou.

— Sim.

— E a resposta dele?

— Disse que eu era a única pessoa que correspondia a essa descrição que ele já conhecera.

— Garun pode ser mais sábio do que qualquer um de nós – ela observou.

O PODER, EM SUA OPINIÃO, PODE SER A MAIS INSTÁVEL DE TODAS AS CONQUISTAS HUMANAS? ENTÃO O QUE DIZER DAS EXCEÇÕES APARENTES À TAL INSTABILIDADE INERENTE? ALGUMAS FAMÍLIAS PERDURAM. BUROCRACIAS RELIGIOSAS MUITO PODEROSAS SÃO CONHECIDAS POR PERDURAREM. CONSIDERE A RELAÇÃO ENTRE FÉ E PODER. ELES SÃO MUTUAMENTE EXCLUSIVOS, QUANDO UM DEPENDE DO OUTRO? AS BENE GESSERIT ESTIVERAM RAZOAVELMENTE SEGURAS DENTRO DAS PAREDES LEAIS DA FÉ POR MILHARES DE ANOS. MAS ONDE FOI PARAR SEU PODER?

— Os Diários Roubados

Moneo falou em tom petulante:
— Eu gostaria que o Senhor tivesse me dado mais tempo.
Ele estava de pé, fora da Cidadela, nas sombras curtas do meio-dia. Leto estava diretamente à sua frente em seu Coche Real, com sua bolha de proteção retraída. Ele estivera passeando pelos arredores com Hwi Noree, que ocupava um assento recém-instalado dentro do perímetro da bolha de proteção e bem ao lado do rosto de Leto. Hwi parecia apenas superficialmente curiosa sobre toda a animação que estava começando a aumentar em torno deles.

Como ela é calma, Moneo pensou. Ele reprimiu um tremor involuntário com o que tinha aprendido sobre ela com Malky. O Imperador Deus estava certo. Hwi era exatamente o que parecia ser: o ser humano derradeiro em termos de doçura e sensibilidade. *Será que ela realmente teria consentido em acasalar comigo?*, Moneo se perguntou.

Distrações desviaram sua atenção para longe dela. Enquanto Leto levara Hwi para visitar os arredores da Cidadela sobre os suspensores do coche, uma grande tropa de cortesãos e Oradoras Peixe tinha se reunido ali, todos os membros da corte em elegantes trajes festivos, com predominância dos vermelhos brilhantes e dourados. As Oradoras Peixe vestiam seus melhores azul-escuros, que se distinguiam apenas pelas cores diferentes das fímbrias e dos gaviões. A caravana de bagagem em trenós suspensores tinha sido colocada na retaguarda com Oradoras Peixe para puxá-la. O ar estava cheio de poeira, de sons e cheiros de excitação. A maioria dos cortesãos tinha reagido com desalento quando souberam o destino. Alguns foram imediatamente comprar suas próprias tendas e pavilhões. Estes tinham sido enviados na frente junto com outros objetos, que agora se empilhavam nas cercanias de Tuono. As Oradoras Peixe da comitiva não estavam encarando a situação com um temperamento festivo. Elas haviam reclamado em voz alta quando foram ordenadas a não levar armaleses.

— Só *um pouco* mais de tempo, Senhor — Moneo estava dizendo. — Eu ainda não sei como vamos...

— Não há nenhum substituto para o tempo na resolução de vários problemas — declarou Leto. — No entanto, você coloca muita confiança nele. Não posso aceitar mais atrasos.

— Serão necessários pelo menos três dias só para chegar lá — queixou-se Moneo.

Leto pensou sobre esse tempo: a rápida caminhada-trote-caminhada da peregrinação... 180 quilômetros. Sim, três dias.

— Tenho certeza de que você fez bons preparativos para as paradas no caminho — disse Leto. — Bastante água quente para cãibras?

— Teremos relativo conforto — disse Moneo —, mas não gosto de deixar a Cidadela neste momento! E o Senhor sabe o porquê!

— Temos dispositivos de comunicação, assistentes leais. A Guilda foi adequadamente disciplinada. Acalme-se, Moneo.

— Nós poderíamos realizar a cerimônia na Cidadela!

Como resposta, o Imperador Deus fechou a bolha de proteção, isolando-se com Hwi ao seu lado.

— Há perigo, Leto? — perguntou ela.

— Sempre há perigo.

Moneo suspirou, voltou-se e seguiu na direção onde a Estrada Real começava sua longa subida para o leste antes de inclinar-se para o sul, contornando o Sareer. Leto acelerou seu coche para seguir o senescal, ouvindo a tropa heterogênea iniciar sua marcha atrás deles.

— Estamos todos em movimento? – perguntou Leto.

Hwi olhou para trás em torno dele.

— Sim. – Ela virou-se em direção ao rosto dele. – Por que Moneo está sendo tão implicante?

— Moneo descobriu que o instante que acaba de passar por ele está fora do seu alcance para todo o sempre.

— Ele tem estado muito mal-humorado e distraído desde que vocês voltaram da Pequena Cidadela. Ele não é mais o mesmo, em absoluto.

— Ele é um Atreides, meu amor, e você foi projetada para agradar aos Atreides.

— Não é isso. Eu saberia se esse fosse o caso.

— Sim... bem, creio que Moneo também descobriu a realidade da morte.

— Como é na Pequena Cidadela quando você está lá com Moneo? – ela questionou.

— É o lugar mais solitário do meu Império.

— Penso que você evita as minhas perguntas – ela redarguiu.

— Não, amor. Eu compartilho sua preocupação com Moneo, mas nenhuma explicação de minha parte vai ajudá-lo agora. Moneo está preso em uma armadilha. Ele aprendeu que é difícil viver o presente, que não há propósito em viver no futuro e que é impossível viver no passado.

— Eu acho que foi você quem o colocou nessa armadilha, Leto.

— Mas ele deve libertar a si mesmo.

— Por que você não pode libertá-lo?

— Porque ele acha que minhas memórias são a chave para a liberdade. Ele acha que estou construindo nosso futuro a partir do nosso passado.

— Não é sempre dessa forma, Leto?

— Não, querida Hwi.

— Então, como é?

— Muitos acreditam que um futuro satisfatório requer um retorno a um passado idealizado, um passado que nunca de fato existiu.

— E você, com todas as suas memórias, sabe que não é assim.

Leto virou o rosto dentro de sua moldura para olhar para ela, sondando... lembrando. A partir das multidões dentro dele, ele poderia formar um composto, uma sugestão genética de Hwi, mas a sugestão ficava muito aquém da carne viva. Isso foi o suficiente, é claro. O passado se tornou fileira-após-fileira de olhos fitando para fora, como os olhos de peixes ofegantes, mas Hwi era a vida pulsante. Sua boca fora desenhada com curvas gregas, projetadas para um cântico délfico, mas ela não entoava sílabas proféticas. Ela estava contente em viver, uma pessoa desabrochando como uma flor perpetuamente se desdobrando em um botão fragrante.

— Por que você está me olhando desse jeito? — perguntou ela.

— Eu estava desfrutando de seu amor.

— O amor, sim. — Ela sorriu. — Acho que, uma vez que não podemos compartilhar o amor da carne, devemos partilhar o amor da alma. Você compartilharia isso comigo, Leto?

Ele foi pego de surpresa.

— Você pergunta sobre minha alma?

— Certamente outros já perguntaram.

Ele foi sucinto ao responder:

— A minha alma digere suas experiências, nada mais.

— Pedi demais de você? — ela perguntou.

— Acho que você não pode pedir demais de mim.

— Então, abusarei de nosso amor para discordar de você. Meu tio Malky falava sobre a sua alma.

Ele descobriu que não poderia responder. Ela interpretou o silêncio dele como um convite para continuar.

— Meu tio disse que você era o artista derradeiro em sondar a alma, sua própria alma.

— Mas seu tio Malky negava que ele mesmo possuía uma alma!

Ela captou a aspereza na voz de Leto, mas não se intimidou.

— Ainda assim, creio que ele estava certo. Você é o gênio da alma, o radiante.

— Só é necessária a perseverança inexorável da duração — ele contrapôs. — Nenhuma radiância.

Naquele momento, eles estavam bem avançados na longa subida até o topo da Muralha perimetral do Sareer. Leto baixou as rodas de coche e desativou os suspensores.

Hwi falou baixinho, com a voz quase inaudível sobre o rangido das rodas do coche e dos pés correndo ao redor deles:

— Afinal, posso chamá-lo de amor?

Ele falou com um aperto da memória em uma garganta que já não era completamente humana:

— Sim.

— Eu nasci uma ixiana, amor — disse ela. — Por que não sou capaz de partilhar a visão mecânica deles do nosso universo? Você conhece meu ponto de vista, Leto, meu amor?

Ele só foi capaz de olhar para ela.

— Eu sinto o sobrenatural em cada curva — ela comentou.

A voz de Leto saiu abrasiva, parecendo irritada até mesmo para ele:

— Cada um cria seu próprio sobrenatural.

— Não fique com raiva de mim, amor.

Novamente, aquela horrível voz abrasiva.

— É impossível, para mim, ter raiva de você.

— Mas, certa vez, algo aconteceu entre você e Malky — disse ela. — Ele nunca me contou o que era, embora tenha me dito que muitas vezes se perguntava por que você o poupara.

— Devido ao que ele me ensinou.

— O que aconteceu entre vocês dois, amor?

— Prefiro não falar sobre Malky.

— Por favor, amor. Eu sinto que é importante que eu saiba.

– Sugeri a Malky que podia haver algumas coisas que os homens não deveriam inventar.

– E isso é tudo?

– Não. – Ele respondeu com relutância. – Minhas palavras o enfureceram. Ele disse: "Você acha que, em um mundo sem pássaros, homens não inventariam naves aéreas?! Que tolo você é! Os homens podem inventar qualquer coisa!".

– Ele o chamou de tolo? – A voz de Hwi transparecia seu choque.

– Ele estava certo. E ele, embora tenha negado, falara a verdade. Malky me ensinou que havia uma razão para fugir de invenções.

– Então você teme os ixianos?

– Claro que sim! Eles podem inventar catástrofe.

– E aí o que você poderia fazer?

– Correr mais rápido. A história é uma corrida constante entre invenção e catástrofe. A educação ajuda, mas nunca é suficiente. Você também deve correr.

– Você está compartilhando sua alma comigo, amor. Sabia disso?

Leto afastou o olhar dela e se concentrou nas costas de Moneo, nos movimentos do senescal, as dissimulações ocultas tão aparentes ali. A procissão tinha saído do primeiro aclive suave. A comitiva virou-se agora para começar a subir na Muralha Circular Oeste. Moneo se movia como sempre o fizera, um pé à frente do outro, ciente do terreno onde colocaria cada passo, mas havia algo de novo no senescal. Leto podia sentir o homem se afastando, não mais satisfeito em marchar ao lado do rosto emoldurado de seu Senhor, não mais se colocando a par do destino de seu mestre. Para o leste, o Sareer esperava. Para o oeste, havia o rio e as plantações. Moneo não olhou nem para a esquerda nem para a direita. Ele tinha visto outro destino.

– Você não me respondeu – insistiu Hwi.

– Você já sabe a resposta.

— Sim. Eu estou começando a entender algo a seu respeito – disse ela. – Posso pressentir alguns de seus medos. E acho que já sei onde você vive.

Ele lançou um olhar espantado para ela e descobriu-se preso pelo olhar de Hwi. Foi surpreendente. Ele não conseguia tirar seus olhos dela. Um medo profundo o percorreu e ele sentiu que suas mãos começaram a se contorcer.

— Você vive onde o medo de ser e o amor de ser são combinados, tudo em uma só pessoa – ela declarou.

Ele não era capaz de piscar.

— Você é um místico – ela prosseguiu –, gentil consigo mesmo apenas pelo fato de que você está no meio deste universo olhando para fora, de maneiras que outros não são capazes. Você tem medo de compartilhar isso, ainda assim você quer partilhar acima de qualquer outra coisa.

— O que você viu? – ele sussurrou.

— Eu não tenho olho interior, nem vozes interiores – ela respondeu. – Mas já vi meu Senhor Leto, cuja alma eu amo, e *compreendo* a única coisa que você de fato entende.

Ele desviou olhar, com medo do que ela poderia dizer. O tremor de suas mãos podia ser sentido por todo o seu segmento frontal.

— Amor, é isso que você entende – ela falou. – Amor, e isso é tudo.

As mãos de Leto pararam de tremer. Uma lágrima rolou pelas maçãs de seu rosto. Quando as lágrimas tocaram sua moldura, nuvens de fumaça azul emergiram. Ele sentiu a queimação e estava grato pela dor.

— Você tem fé na vida – prosseguiu Hwi. – Eu sei que apenas a coragem do amor pode residir nesta fé.

Ela estendeu a mão esquerda e enxugou as lágrimas do rosto dele. Ele se surpreendeu com o fato de a moldura não ter reagido com o seu reflexo comum de evitar o toque.

— Você sabia que, desde que me transformei nisso, você é a primeira pessoa que toca meu rosto? – ele perguntou.

— Mas eu sei o que você é e o que você foi – ela retrucou.

— O que eu era... ahhh, Hwi. O que eu era se tornou apenas este rosto, e todo o restante se perdeu nas sombras da memória... escondido... perdido.

— Não está escondido de mim, amor.

Ele olhou diretamente para ela, já sem temer fixar seu olhar nela.

— É possível que os ixianos saibam o que eles criaram em você?

— Eu lhe asseguro, Leto, amor da minha alma, que eles não sabem. Você é a primeira pessoa, a única pessoa a quem eu me revelei completamente.

— Sendo assim, não vou lamentar por aquilo que poderia ter sido – ele concluiu. – Sim, meu amor, vou compartilhar minha alma com você.

CONSIDERE ISSO MEMÓRIA PLÁSTICA, ESTA FORÇA EM SEU INTERIOR QUE DIRIGE VOCÊ E SEUS COMPANHEIROS NA DIREÇÃO DAS FORMAS TRIBAIS. ESSA MEMÓRIA PLÁSTICA BUSCA O RETORNO A SUA FORMA ANCESTRAL, A SOCIEDADE TRIBAL. ESTÁ EM TUDO AO SEU REDOR, O FEUDATÁRIO, A DIOCESE, A CORPORAÇÃO, O PELOTÃO, O CLUBE DESPORTIVO, AS TRUPES DE DANÇA, A CÉLULA REBELDE, O CONSELHO DE PLANEJAMENTO, O GRUPO DE ORAÇÃO... CADA UM COM SEU MESTRE E SERVOS, SEU HOSPEDEIRO E PARASITAS. E A INFINIDADE DE DISPOSITIVOS DE ALIENAÇÃO (INCLUINDO ESTAS PRÓPRIAS PALAVRAS!) TENDE, NO FIM, A ALISTAR-SE NO ARGUMENTO PARA UM RETORNO "ÀQUELES TEMPOS MELHORES". PERCO AS ESPERANÇAS DE ENSINAR-LHES OUTROS CAMINHOS. VOCÊS TÊM PENSAMENTOS QUADRADOS QUE RESISTEM A CÍRCULOS.

— Os Diários Roubados

Idaho descobrira que podia lidar com a escalada sem ter de se concentrar. Aquele corpo produzido pelos Tleilaxu lembrava-se de coisas que os Tleilaxu nem suspeitavam. Sua juventude original podia ter se perdido nos éons, mas seus músculos eram jovens graças aos Tleilaxu e ele podia enterrar sua infância no esquecimento conforme subia. Naquela infância, ele tinha aprendido a sobrevivência com a fuga pelos altos rochedos de seu planeta natal. Não importava se essas rochas à sua frente haviam sido trazidas por homens, elas também tinham sido moldadas pelo efeito de anos sob o clima.

O sol da manhã aquecia as costas de Idaho. Ele podia ouvir os esforços de Siona para alcançar a posição de apoio relativamente simples em uma plataforma estreita muito abaixo de onde ele estava. A posição era praticamente inútil para Idaho, mas tinha sido o argumento que havia, finalmente, convencido Siona de que eles deviam tentar essa escalada.

Eles.

Ela havia objetado que ele deveria tentar isso sozinho.

Nayla, três de suas assessoras Oradoras Peixe, Garun e três escolhidos dentre os fremen de museu esperavam na areia no sopé da Muralha que cercava o Sareer.

Idaho não pensava na altura da Muralha. Considerava apenas qual seria o próximo lugar para colocar uma mão ou um pé. Ele pensava sobre o rolo de corda leve ao redor de seus ombros. A corda era da mesma *altura* desta Muralha. Ele a havia medido no chão, triangulando-a pela areia, sem contar seus passos. Quando a corda estivesse longa o suficiente seria longa o suficiente. A Muralha era tão alta quanto a corda era longa. Qualquer outra forma de pensar só poderia embotar sua mente.

Procurando por apoios que não podia ver, Idaho tateou seu caminho sobre a face vertical... bem, não completamente vertical. Vento e areia e até mesmo um pouco de chuva, as forças de frio e calor, tinham conduzido seu trabalho erosivo aqui por mais de três mil anos. Durante um dia inteiro, Idaho se sentara na areia abaixo da Muralha e estudara o que havia sido realizado pelo Tempo. Ele tinha fixado certos padrões em sua mente: uma sombra oblíqua, uma linha fina, uma protuberância esfacelada, uma pequena reentrância na rocha aqui e outra ali.

Seus dedos se contorceram para cima até uma rachadura em ângulo agudo. Ele testou seu peso com suavidade sobre o apoio. Sim. Ele descansou brevemente, pressionando seu rosto contra o calor da rocha sem olhar para cima nem para baixo. Ele apenas estava *aqui*. Tudo era uma questão de ritmo. Ele não podia permitir que seus ombros se cansassem cedo demais. O peso devia ser distribuído entre os pés e os braços. Dedos levavam danos inevitáveis, mas enquanto ossos e tendões resistissem, a pele podia ser ignorada.

Mais uma vez, ele se impulsionou para cima. Uma porção de rocha se quebrou em sua mão; pó e estilhaços caíram pela sua bochecha direita, mas ele nem sequer os sentiu. Cada fração de sua percepção concentrava-se em sua mão tateante, o equilíbrio de seus pés no mais ínfimo de saliências. Ele era um grão de areia, uma partícula que desafiava a gravidade... um dedo segurando aqui, um pé de apoio ali, agarrando-se à superfície da rocha às vezes pela pura força de vontade.

Nove pitons improvisados ocupavam um de seus bolsos, mas ele resistia a usá-los. O igualmente improvisado martelo pendia de seu cinto em uma corda curta cujo nó seus dedos haviam memorizado.

Nayla tinha sido obstinada. Ela não abriria mão de sua armalês. No entanto, ela cedeu à ordem direta de Siona para acompanhá-los. Que mulher estranha... estranhamente obediente.

— Você não jurou me obedecer? — Siona demandara.

A relutância de Nayla desaparecera.

Mais tarde, Siona comentara:

— Ela sempre obedece às minhas ordens diretas.

— Então, talvez não precisemos matá-la — dissera Idaho.

— Eu prefiro não tentar. Creio que você não faz a menor ideia da força e rapidez dela.

Garun, o fremen de museu que sonhava se tornar um "verdadeiro naib à moda antiga", tinha definido o local para a subida, respondendo à pergunta de Idaho:

— Como o Imperador Deus virá a Tuono?

— Da mesma forma que ele escolheu para uma visita durante o tempo do meu bisavô.

— E isso foi? — Siona questionou.

Eles haviam se sentado nas sombras poeirentas do lado de fora da casa de hóspedes, abrigando-se do sol da tarde, no dia do anúncio de que o Senhor Leto se casaria em Tuono. Um semicírculo de assessores de Garun se agachara ao redor da casa, onde Siona e Idaho estavam com Garun. Duas Oradoras Peixe descansavam perto, escutando. Nayla devia chegar logo.

Garun apontara para a Muralha alta, atrás da aldeia, com sua orla fulgurando como ouro distante à luz do sol.

— A Estrada Real passa por ali e o Imperador Deus tem um dispositivo que o trará aqui para baixá-lo suavemente a partir do topo.

— É embutido em seu coche — observou Idaho.

— Suspensores — Siona concordou. — Eu os vi.

— Meu bisavô contou que eles vieram ao longo da Estrada Real, uma grande comitiva. O Imperador Deus deslizou para baixo até a praça de nossa aldeia com seu dispositivo. Os outros desceram em cordas.

— Cordas — Idaho murmurara de modo pensativo.

— Por que eles vieram? — perguntara Siona.

— Para assegurar que o Imperador Deus não havia esquecido seus fremen. Ao menos foi o que meu bisavô disse. Era uma grande honra, mas não tão grande como este casamento.

Idaho se levantara enquanto Garun ainda estava falando. Podia-se ter uma visão clara da Muralha alta bem perto dali: direto pela rua central, um panorama a partir da base na areia ao topo sob a luz solar. Idaho caminhara até a esquina da casa de hóspedes e saíra para a rua central. Ele parara ali, virando-se e perscrutando a Muralha. O primeiro olhar confirmara por que todos diziam que não era possível subir esta face. Ainda assim, ele resistira a pensar em qual seria sua altura. Podia ser quinhentos metros ou cinco mil metros. O que importava era que um estudo mais minucioso revelaria: pequenas rachaduras transversais, lugares quebrados, até mesmo uma plataforma estreita cerca de vinte metros acima da areia trazida pelo vento no sopé... e outra plataforma cerca de dois terços do caminho na face da rocha.

Ele sabia que uma parte inconsciente de si, uma porção antiga e confiável, estava fazendo as medições necessárias, dimensionando-as com a extensão de seu próprio corpo: tantos comprimentos-Duncan até chegar àquele lugar. Um apoio para a mão aqui, outro ali. Suas próprias mãos. Ele já podia se sentir escalando.

A voz de Siona viera de perto de seu ombro direito enquanto ele estava nesse primeiro exame.

— O que você está fazendo? — Ela tinha vindo silenciosamente, fitando o lugar que ele analisava.

— Eu posso escalar aquela parede — dissera Idaho. — Se eu levar uma corda leve, poderia puxar uma corda mais pesada. Depois o resto de vocês poderia escalá-la com facilidade.

Garun se juntara a eles a tempo de ouvir isso e indagara:

— Por que você quer escalar a Muralha, Duncan Idaho?

Siona respondera por ele, sorrindo para Garun:

— Para oferecer uma recepção adequada ao Imperador Deus.

Isso tinha sido antes de ela começar a duvidar, antes que seus próprios olhos e a ignorância de tal subida tivessem começado a corroer aquele primeiro senso de confiança.

Com aquela exaltação inicial, Idaho perguntara:

— Qual a largura da Estrada Real lá em cima?

— Eu nunca vi — confessara Garun. — Mas me contaram que é bem larga. Uma grande tropa pode marchar lado a lado ao longo dela, é o que dizem. E há pontes, lugares para ver o rio e... e... oh, é uma maravilha.

— Por que você nunca subiu para ver por si mesmo? — questionara Idaho.

Garun apenas deu de ombros e apontou para a Muralha.

Nayla chegou em seguida e a discussão sobre a escalada já começara. Idaho se recordava dessa conversa conforme subia. Que estranha a relação entre Nayla e Siona! Eram como duas conspiradoras... ao mesmo tempo não conspiradoras. Siona ordenava e Nayla obedecia. Mas Nayla era uma Oradora Peixe, a *Amiga* em quem Leto confiara para fazer uma análise inicial do novo ghola. Ela admitira que fizera parte da Polícia Real desde a infância. Tanta força nela! Dada essa força, havia algo impressionante sobre a forma como ela se curvara à vontade de Siona. Era como se Nayla escutasse vozes secretas que lhe diziam o que fazer. *Então*, ela obedecia.

Idaho tateou para cima em busca de outro apoio. Seus dedos se dobravam ao longo da rocha, para cima e mais para a direita, finalmente encontrando uma rachadura invisível onde pudessem entrar. Sua memória fornecia a linha de subida natural, mas apenas seu corpo podia aprender o caminho, seguindo essa linha. Seu pé esquerdo havia encontrado um ponto de apoio... subindo... subindo... devagar, testando. Agora, a mão esquerda... nenhuma rachadura, mas uma plataforma. Seus olhos e, em seguida, seu queixo passaram pela alta plataforma que ele avistara lá de baixo. Ele forçou seu caminho com o cotovelo, rolou e descansou, olhando apenas para o horizonte, nem para cima, nem para baixo. Era uma extensão de areia lá fora, uma brisa com poeira que limitava a vista. Ele tinha visto muitos desses horizontes na época de Duna.

Então, ele se virou para enfrentar a Muralha, pôs-se de joelhos, com as mãos tateando para cima, e retomou a escalada. A imagem da Muralha permanecia em sua mente conforme ele a tinha visto do sopé. Ele só tinha que fechar os olhos e o padrão estava lá, fixado da forma como ele tinha aprendido a fazer quando era criança, se escondendo de caçadores de escravos dos Harkonnen. As pontas dos dedos encontraram uma rachadura onde podiam se firmar. Ele galgou seu caminho para o alto.

Assistindo lá de baixo, Nayla experimentava uma crescente afinidade com o alpinista. Idaho tinha sido reduzido pela distância a uma forma pequena e solitária sobre a Muralha. Ele devia saber como era estar só em momentos decisivos.

Eu gostaria de ter um filho dele, ela pensou. *Nosso filho seria forte e engenhoso. O que Deus poderia querer de uma criança que fosse fruto da união de Siona com este homem?*

Nayla havia despertado antes do amanhecer e caminhara até o topo de uma duna baixa na periferia da vila para pensar sobre a proposta de Idaho. Tinha sido um amanhecer de cal acompanhado de uma familiar e trêmula camada de poeira na distância, e então um dia de aço e a imensidão agourenta do Sareer. Ela sabia, naquela ocasião, que essas questões certamente haviam sido antecipadas por Deus. O que poderia ser escondido de Deus? Nada podia ser escondido, nem mesmo a figura remota de Duncan Idaho tateando em busca de um caminho até a beirada do céu.

À medida que observava a escalada de Idaho, a mente de Nayla pregou uma peça nela, inclinando a Muralha na horizontal. Idaho tornou-se uma criança engatinhando através de uma superfície quebrada. Quão pequeno ele parecia... e cada vez menor.

Uma auxiliar ofereceu água a Nayla, que por sua vez a aceitou. A água devolveu à Muralha sua verdadeira perspectiva.

Siona estava agachada na primeira plataforma, inclinando-se para fora, olhando para cima.

– Se você falhar, eu tentarei – Siona havia prometido a Idaho. Nayla achara que essa era uma estranha promessa. Por que ambos queriam tentar o impossível?

Idaho não conseguira dissuadir Siona da promessa impossível.

É o destino, Nayla pensara. *É a vontade de Deus.*

Eles eram a mesma coisa.

Um pouco de rocha caiu do lugar onde Idaho se agarrava. Isso acontecera várias vezes. Nayla observou a rocha cair. Demorou um bom tempo até chegar lá embaixo, batendo e quicando na face da Muralha, demonstrando que os olhos não diziam a verdade quando identificavam a Muralha como totalmente vertical.

Ele pode ser bem-sucedido ou não, Nayla pensou. *Aconteça o que acontecer, é a vontade de Deus.*

Mas ela podia sentir o próprio coração martelando. A aventura de Idaho era como sexo, ela considerou. Não era passivamente erótico, mas semelhante a uma magia extraordinária pela forma como tomava conta dela. Nayla tinha que ficar lembrando a si mesma que Idaho não era para ela.

Ele é para Siona. Caso sobreviva.

E se ele falhasse, Siona tentaria. Ela seria bem-sucedida ou não. Nayla se perguntava, porém, se ela experimentaria um orgasmo caso Idaho chegasse ao topo. Ele estava tão perto agora.

Idaho respirou fundo várias vezes depois de deslocar a rocha. Foi um mau momento e ele precisou de tempo para se recuperar, agarrando-se em três pontos de apoio na Muralha. Quase por vontade própria, sua mão livre voltou a tatear para cima, contorcendo-se para se desviar do lugar quebradiço em direção à outra rachadura fina. Lentamente, ele transferiu o peso para aquela mão. Lentamente... lentamente. Seu joelho esquerdo sentiu um ponto de apoio que poderia ser alcançado. Ele levantou o pé para aquele lugar, testando. A memória lhe dizia que o topo estava próximo, mas ele colocou a lembrança de lado. Havia apenas a escalada e o conhecimento de que Leto chegaria amanhã.

Leto e Hwi.

Ele também não podia pensar nisso. Mas esse fato não ia embora. *O topo... Hwi... Leto... amanhã...*

Cada pensamento alimentava seu desespero e o lançava à força até a lembrança imediata das escaladas de sua infância. Quanto mais ele se lembrava conscientemente, mais suas habilidades eram bloqueadas. Ele foi forçado a fazer uma pausa e respirar profundamente na tentativa de centrar-se, para voltar aos caminhos *naturais* de seu passado.

Mas aqueles caminhos eram *naturais*?

Havia um bloqueio em sua mente. Ele podia sentir intrusões, uma finalidade... a *fatalidade* do que poderia ter sido e agora nunca mais seria.

Leto chegaria até ali amanhã.

Idaho sentiu o suor escorrer pelo rosto, rodeando o lugar onde apertava a maçã do rosto contra a rocha.

Leto.

Vou derrotá-lo, Leto. Vou derrotá-lo por mim, não por Hwi, mas apenas por mim mesmo.

Uma sensação de purificação começou a se espalhar por seu corpo. Era como aquilo que havia acontecido naquela noite, enquanto ele se preparava mentalmente para a escalada. Siona tinha pressentido sua insônia. Ela começara a falar com ele, contando-lhe os menores detalhes da sua desesperada fuga pela Floresta Proibida e seu juramento à margem do rio.

— Agora eu prestei um juramento para comandar as Oradoras Peixe dele — ela falara. — Honrarei esse juramento, mas espero que não aconteça da forma que ele quer.

— O que ele quer? — perguntara Idaho.

— Ele tem diversos motivos e eu não posso ver todos. Quem poderia *entendê-lo*? Eu só sei que nunca vou perdoá-lo.

Esta memória devolveu a Idaho a sensação da rocha da Muralha contra sua maçã do rosto. Sua transpiração tinha secado na brisa leve e ele sentiu um calafrio, mas tinha encontrado o seu centro.

Nunca perdoe.

Idaho sentiu os fantasmas de todos os seus outros eus, os gholas que morreram a serviço de Leto. Será que ele poderia acreditar nas suspeitas de Siona? Sim. Leto era capaz de matar com seu próprio corpo, suas próprias mãos. Os boatos que Siona repassara continham uma sensação de verdade. E Siona, também, era Atreides. Leto havia se tornado outra coisa... não mais Atreides, nem mesmo humano. Ele não tinha se tornado apenas uma criatura viva, mas um fato brutal da natureza, opaco e impenetrável, com todas as suas experiências seladas dentro de si mesmo. E Siona se opunha a ele. A verdadeira Atreides se afastara dele.

Assim como eu.

Um fato brutal da natureza, nada mais. Assim como esta Muralha.

A mão direita de Idaho tateou para cima e encontrou uma plataforma afiada. Ele não conseguia sentir nada acima da plataforma e tentou se lembrar de uma grande rachadura neste lugar no padrão. Ele não ousava se permitir a acreditar que tinha alcançado o topo...

ainda não. A plataforma afiada cortou seus dedos conforme ele apoiava seu peso sobre ela. Idaho elevou a mão esquerda até aquele nível, encontrou um ponto vantajoso e puxou-se lentamente para cima. Seus olhos atingiram o nível de suas mãos. Ele fitou um espaço plano que se estendia para longe... para longe, até o céu azul. A superfície onde suas mãos se agarraram mostrava antigas rachaduras climáticas. Ele arrastou os dedos por aquela superfície, uma das mãos por vez, em busca de rachaduras, arrastando o torso para cima... sua cintura... seus quadris. Então se virou, retorcendo-se e rastejando até que a Muralha estivesse bem atrás dele. Só então ficou de pé e confirmou a si mesmo o que seus sentidos relatavam.

O topo. E ele não precisara dos pitons nem do martelo.

Um som fraco o alcançou. Uma ovação?

Ele voltou para a borda e olhou para baixo, acenando para eles. Sim, eles estavam ovacionando. Virando-se, ele caminhou para o centro da estrada, deixando a elação acalmar o tremor de seus músculos, diminuir a dor em seus ombros. Lentamente, ele descreveu um círculo completo, examinando o topo, enquanto permitia que suas memórias, por fim, estimassem a altura daquela escalada.

Novecentos metros... no mínimo.

A Estrada Real lhe interessava. Não era como o que tinha visto no caminho para Onn. Era larga, bem larga... pelo menos quinhentos metros. O leito da estrada era de um cinza suave, ininterrupto, com as laterais a cerca de cem metros da beirada da Muralha. Pilares de rocha da altura de um homem marcavam as laterais da estrada, estendendo-se como sentinelas ao longo do caminho que Leto usaria.

Idaho caminhou até o outro lado da Muralha, oposta ao Sareer, e olhou para baixo. Longe, nas profundidades, um trecho violento do rio esverdeado se chocava nas rochas do contraforte, formando espuma. Ele olhou para a direita. Leto viria dali. Estrada e Muralha se viravam suavemente para a direita, a curva começando cerca de trezentos metros do local onde Idaho estava. Ele retornou à estrada e caminhou ao longo de sua borda, seguindo a curva até que ela descreveu um "S", estreitando-se e inclinando-se ligeiramente para baixo. Ele parou e olhou para o que lhe era revelado, vendo o novo padrão tomar forma.

Cerca de três quilômetros de distância abaixo da encosta suave, a estrada se estreitava e atravessava a garganta do rio sobre uma ponte cujas treliças etéreas pareciam insubstanciais e, àquela distância, se assemelhavam a um brinquedo. Idaho lembrou-se de uma ponte semelhante na estrada para Onn, a sensação substancial debaixo de seus pés. Ele confiava em sua memória, considerando as pontes como um líder militar era forçado a considerá-las: passagens ou armadilhas.

Movendo-se para sua esquerda, ele olhou para baixo e além, para outra Muralha alta, na extremidade oposta da ponte surreal. A estrada continuava por lá, virando suavemente até que se tornasse uma linha reta em direção ao norte. Lá, seguiam duas Muralhas e o rio entre elas. O rio despencava em um abismo criado pelo homem, a umidade que ele deixava era confinada e canalizada em uma ventaneira que rumava para o norte enquanto a própria água fluía em direção ao sul.

Idaho, então, ignorou o rio. Estava lá e estaria lá amanhã. Fixou a sua atenção na ponte, deixando seu treinamento militar examiná-la. Ele assentiu uma vez para si mesmo antes de voltar pelo caminho pelo qual tinha vindo, retirando a corda leve de seus ombros enquanto caminhava.

Foi só quando Nayla viu a corda serpenteando para baixo que teve seu orgasmo.

O QUE ESTOU ELIMINANDO? A OBSESSÃO BURGUESA PELA CONSERVAÇÃO PACÍFICA DO PASSADO. ESTA É UMA FORÇA RESTRITIVA, ALGO QUE MANTÉM A HUMANIDADE EM UMA UNIDADE VULNERÁVEL, APESAR DE SEPARAÇÕES ILUSÓRIAS ATRAVÉS DOS PARSECS DO ESPAÇO. SE EU POSSO ENCONTRAR OS PEDAÇOS ESPALHADOS, OUTROS TAMBÉM PODEM ENCONTRÁ-LOS. QUANDO VOCÊS ESTÃO JUNTOS, PODEM COMPARTILHAR UMA CATÁSTROFE COMUM. PODEM SER EXTERMINADOS JUNTOS. ASSIM, DEMONSTRO O TERRÍVEL PERIGO DE UMA MEDIOCRIDADE SEM PAIXÃO E PASSAGEIRA, UM MOVIMENTO SEM AMBIÇÕES OU OBJETIVOS. MOSTRO QUE CIVILIZAÇÕES INTEIRAS PODEM FAZER ISSO. DOU-LHES ÉONS DE VIDA QUE DESLIZAM SUAVEMENTE EM DIREÇÃO À MORTE, SEM CONFUSÃO OU AGITAÇÃO, SEM SEQUER PERGUNTAR "POR QUÊ?". MOSTRO A FALSA FELICIDADE E A CATÁSTROFE-SOMBRIA CHAMADA LETO, O IMPERADOR DEUS. SERÁ QUE AGORA VOCÊS APRENDERÃO A VERDADEIRA FELICIDADE?

— Os Diários Roubados

Depois de ter passado a noite com um breve cochilo, Leto estava acordado quando Moneo surgiu a partir da casa de hóspedes, ao amanhecer. O Coche Real estava estacionado no centro de um pátio triangular. O dossel do coche havia sido ajustado para opacidade unilateral, ocultando seu ocupante, e fora hermeticamente selado contra a umidade. Leto era capaz de ouvir a agitação fraca dos ventiladores que pulsavam seu ar através de um ciclo de secagem.

Os pés de Moneo roçavam contra o calçamento do pátio conforme se aproximava do coche. A luz do amanhecer rebordava o telhado da casa de hóspedes com um tom laranja, acima do senescal.

Leto abriu o dossel do coche quando Moneo parou à sua frente. Havia um cheiro de estrume em fermentação no ar e o acúmulo de umidade na brisa era doloroso.

— Devemos chegar a Tuono por volta de meio-dia – disse Moneo. – Eu gostaria que o Senhor me deixasse trazer tópteros para guardar o céu.

— Eu não quero tópteros – disse Leto. – Podemos descer até Tuono em suspensores e cordas.

Leto ficou maravilhado com as imagens plásticas nesta breve troca. Moneo nunca gostara de peregrinações. Sua juventude como rebelde lhe deixara com suspeitas de tudo que ele não podia ver ou rotular. Ele permanecia um acúmulo de julgamentos latentes.

— O Senhor sabe que eu não quero tópteros para o transporte – insistiu Moneo. – Quero que eles guardem...

— Sim, Moneo.

Moneo olhou além de Leto, em direção à extremidade do pátio que se abria para o desfiladeiro do rio. A aurora queimava a geada que vinha com a névoa das profundezas. Ele pensou em quão fundo o desfiladeiro caía... um corpo se contorcendo, girando conforme caía. Na noite anterior, Moneo se sentira incapaz de ir à margem do desfiladeiro para espreitar seu interior. A queda era de tamanha... tamanha tentação.

Com aquele poder perspicaz que enchia Moneo com reverência, Leto falou:

— Há uma lição em cada tentação, Moneo.

Sem palavras, Moneo virou para fitar diretamente os olhos de Leto.

— Veja a lição em minha vida, Moneo.

— Senhor? – A pergunta saiu como um mero sussurro.

— Primeiro eles me tentam com o mal; em seguida, com o bem. Cada tentação é moldada com atenção requintada às minhas suscetibilidades. Diga-me, Moneo, se eu escolher o bem, isso me torna bom?

— É claro que sim, Senhor.

— Talvez você nunca perca o hábito de julgamento – murmurou Leto.

Moneo desviou o olhar mais uma vez e fitou a borda do precipício. Leto conduziu seu corpo para perscrutar onde Moneo fitava.

Pinheiros anões tinham sido cultivados ao longo da borda do desfiladeiro. Lá estavam penduradas gotas de orvalho sobre os espinhos úmidos, cada um deles representava uma promessa de dor a Leto. Ele desejava fechar a cobertura do coche, mas havia um imediatismo naquelas joias que atraía suas memórias ao mesmo tempo que repelia seu corpo. A sincronia oposta ameaçou enchê-lo como um turbilhão.

– Eu só não gosto de andar a pé – confessou Moneo.

– É a forma fremen – Leto o lembrou.

Moneo suspirou e informou:

– Os outros estarão prontos em poucos minutos. Hwi estava tomando o desjejum quando saí.

Leto não respondeu. Seus pensamentos estavam perdidos nas memórias da noite... aquela que havia acabado de passar e as outras, milenares, que povoavam seus passados: nuvens e estrelas, as chuvas e o bolsão de escuridão cravejado com flocos brilhantes de um retalho do cosmos, um universo de noites, com uma abundância que se assemelhava aos próprios batimentos cardíacos de Leto.

De repente, Moneo perguntou:

– Onde estão suas guardas?

– Mandei-as comer.

– Eu não gosto que elas deixem o Senhor desprotegido!

O som da voz cristalina de Moneo soou nas memórias de Leto, transmitindo as coisas que não haviam sido expressas em palavras. Moneo temia um universo onde não houvesse Imperador Deus. Ele preferia morrer a ver tal Universo.

– O que vai acontecer hoje? – indagou Moneo.

Era uma pergunta dirigida não ao Imperador Deus, mas ao profeta.

– Uma semente soprada hoje pelo vento pode ser o salgueiro de amanhã – disse Leto.

– O Senhor conhece o nosso futuro! Por que não o compartilha? – Moneo beirava a histeria... recusando qualquer coisa que seus sentidos imediatos não captassem.

Leto virou-se para encarar o senescal, um olhar tão obviamente prenhe de emoções reprimidas que Moneo recuou dele.

— Assuma o controle de sua própria existência, Moneo!

Moneo deu um longo e vacilante suspiro.

— Senhor, eu não quis ofender. Busquei apenas...

— Olhe para cima, Moneo!

Involuntariamente, o senescal obedeceu, olhando para o céu sem nuvens, onde a luz da manhã aumentava.

— O que é, Senhor?

— Não há um teto tranquilizador sobre sua cabeça, Moneo. Apenas um céu aberto, cheio de mudanças. Dê boas-vindas a ele. Todos os sentidos que você possui são instrumentos para reagir às mudanças. Isso não lhe diz nada?

— Eu apenas saí para perguntar quando o Senhor estaria pronto para continuarmos.

— Moneo, peço que seja verdadeiro comigo.

— Eu sou verdadeiro, Senhor!

— Mas se você vive em má-fé, mentiras vão parecer verdades para você.

— Senhor, se eu minto... então não o sei.

— Isso soa verdadeiro. Mas eu sei o que você receia e não vou dizer.

Moneo começou a tremer. O Imperador Deus estava no mais terrível dos humores, uma ameaça profunda em cada palavra.

— Você receia o imperialismo da consciência — Leto declarou —, e você está certo em temê-lo. Envie Hwi aqui imediatamente!

Moneo girou e fugiu de volta para a casa de hóspedes. Era como se a sua entrada tivesse despertado uma colônia de insetos. Em poucos segundos, Oradoras Peixe surgiram e cercaram o Coche Real. Cortesãos espiaram pelas janelas das casas de hóspedes ou saíram e ficaram sob beirais extensos, com medo de se aproximar dele. Em contraste com essa excitação, Hwi logo emergiu a partir da ampla entrada central e afastou-se das sombras, movendo-se lentamente em direção a Leto, com a face erguida, seu olhar em busca da face do Imperador Deus.

Leto sentiu que ficava mais calmo quando olhava para ela. Hwi usava um vestido dourado que ele nunca tinha visto antes, decorado com prata e jade no pescoço e nos punhos das mangas compridas. A barra, quase se arrastando no chão, tinha uma trança verde pesada para delinear os detalhes em vermelho-profundo.

Hwi sorriu quando parou na frente dele.

— Bom dia, amor — ela falou baixinho. — O que você fez para deixar o pobre Moneo tão perturbado?

Acalmado pela presença e pela voz de Hwi, ele sorriu e respondeu:

— Eu fiz o que sempre espero fazer. Produzi um efeito.

— Você certamente o fez. Ele disse às Oradoras Peixe que estava com um humor irritado e aterrorizante. Você está aterrorizante, amor?

— Só para aqueles que se recusam a viver por suas próprias forças.

— Ahhh, sim. — Em seguida, ela deu uma volta para Leto, exibindo seu novo traje. — Você gosta dele? Suas Oradoras Peixe o deram para mim. Elas mesmas o decoraram.

— Meu amor — disse ele, um tom de aviso em sua voz —, decoração! Essa é a forma de se preparar o sacrifício.

Ela foi até a borda do coche e se inclinou sobre ele, logo abaixo do rosto de Leto, com uma expressão solene e dissimulada em seus lábios.

— Então elas vão me sacrificar?

— Algumas delas gostariam.

— Mas você não permitirá.

— Nossos destinos estão entrelaçados — disse ele.

— Sendo assim, não temerei. — Ela estendeu a mão e tocou a pele prateada de uma das mãos de Leto, mas retraiu-se com brusquidão quando os dedos dele começaram a tremer. — Perdoe-me, amor. Esqueço que estamos unidos na alma e não na carne — disse ela.

A pele de trutas da areia ainda estremecia em virtude do toque de Hwi.

— A umidade no ar me faz excessivamente sensível — ele explicou.

Lentamente, o tremor diminuiu.

— Eu me recuso a me arrepender de algo que não pode ser — ela sussurrou.

— Seja forte, Hwi, pois sua alma é minha.

Ela se virou em razão de um som vindo da casa de hóspedes.

— Moneo retorna — ela observou. — Por favor, amor, não o assuste.

— Moneo também é seu amigo?

— Somos amigos de estômago. Ambos gostamos de iogurte.

Leto ainda estava rindo quando Moneo parou ao lado de Hwi. O senescal arriscou um sorriso, lançando um olhar intrigado para a mulher. Havia gratidão no trejeito do senescal e algo da subserviência que ele estava acostumado a mostrar para Leto, mas que agora estava dirigida a Hwi.

— Lady Hwi. Está tudo bem com a senhora?

— Tudo está bem comigo.

— Na hora do estômago, amizades do estômago devem ser estimuladas e cultivadas — Leto comentou. — Vamos retomar nossa jornada, Moneo. Tuono nos aguarda.

Moneo virou e bradou ordens para as Oradoras Peixe e cortesãos. Leto sorriu para Hwi.

— Não banco o noivo impaciente com certo estilo?

Ela saltou com leveza até o leito do coche, segurando a saia com uma das mãos. Ele desdobrou o assento de Hwi. Apenas quando já havia se sentado, os olhos nivelados com Leto, ela respondeu, com uma voz aguda dirigida somente aos ouvidos dele:

— Amor da minha alma, capturei outro de seus segredos.

— Liberte-o de seus lábios — disse ele, brincando nesta nova intimidade que havia entre eles.

— Você raramente precisa de palavras — ela observou. — Você fala diretamente para os sentidos com sua própria vida.

Um tremor percorreu toda a extensão de seu corpo. Levou um tempo antes que pudesse dizer algo e, então, com uma voz que Hwi teve de se esforçar para ouvir acima do burburinho do cortejo que se reunia, ele falou:

— Entre o super-humano e o inumano, tenho tido pouco espaço em que pudesse ser humano — ele confessou. — Agradeço, gentil e amável Hwi, por este pequeno espaço.

EM TODO O MEU UNIVERSO, NÃO VI NENHUMA *LEI DA NATUREZA*, IMUTÁVEL E INEXORÁVEL. ESTE UNIVERSO APRESENTA APENAS RELAÇÕES MUTÁVEIS QUE ÀS VEZES SÃO VISTAS COMO LEIS PELAS PERCEPÇÕES DE VIDAS CURTAS. ESTES SENSORES CARNAIS QUE CHAMAMOS DE *SELF* SÃO EFÊMEROS, DEFINHANDO NAS CHAMAS DO INFINITO, COM UMA PERCEPÇÃO FUGAZ DAS CONDIÇÕES TEMPORÁRIAS AS QUAIS CONFINAM NOSSAS ATIVIDADES E MUDAM CONFORME NOSSAS ATIVIDADES MUDAM. SE VOCÊ DEVE ROTULAR O *ABSOLUTO*, USE O NOME APROPRIADO: *TEMPORÁRIO*.

— Os Diários Roubados

Nayla foi a primeira a vislumbrar o cortejo se aproximando. Suando muito no calor do meio-dia, ela estava perto de um dos pilares de rocha que demarcavam as laterais da Estrada Real. O súbito lampejo de um reflexo distante chamara sua atenção. Ela olhou naquela direção, apertando os olhos, percebendo com uma percepção vibrante de que ela vira o brilho do sol no dossel do coche do Imperador Deus.

— Eles se aproximam! – ela chamou.

Então ela sentiu fome. Com a emoção e o foco em um único propósito, nenhum deles havia levado alimentos. Somente os fremen tinham trazido água, e isso porque "os fremen sempre carregam água quando deixam o sietch". Fizeram isso de forma mecânica.

Nayla tocou com um dedo na coronha da armalês no coldre em seu quadril. A ponte estava menos de vinte metros à frente dela, sua estrutura surreal arqueando por sobre o abismo como um capricho alienígena ligando uma superfície estéril com outra.

Isso é loucura, ela pensou.

Mas o Imperador Deus reforçara seu comando. Ele havia requerido a sua Nayla que obedecesse a Siona em todos os aspectos.

As ordens de Siona haviam sido explícitas, não deixando nenhuma brecha para evasões. E, ali, Nayla não tinha como consultar seu Imperador Deus. Siona dissera:

— Quando seu coche estiver no meio da ponte... assim!

— Mas por quê?

Eles haviam se posicionado bem longe dos outros durante a fria aurora lá no topo da Muralha, com Nayla sentindo-se precariamente isolada, remota e vulnerável.

Não se podia negar as características sombrias de Siona, sua voz baixa e intensa.

— Você acha que pode ferir Deus?

— Eu... — Nayla só fora capaz de encolher os ombros.

— Você *deve* me obedecer!

— Eu devo — Nayla concordara.

Nayla estudava a aproximação do cortejo distante, observando as cores usadas pelos cortesãos, as espessas marcações azuis de suas irmãs Oradoras Peixe... a superfície brilhante do coche de seu Senhor.

Era mais um teste, ela decidira. O Imperador Deus saberia. Ele saberia da devoção no coração de Nayla. Era um teste. As ordens do Imperador Deus devem ser obedecidas em todos os aspectos. Essa fora a lição mais antiga de sua infância como Oradora Peixe. O Imperador Deus dissera que Nayla devia obedecer a Siona. Era um teste. O que mais poderia ser?

Ela olhou na direção dos quatro fremen. Eles haviam sido posicionados por Duncan Idaho diretamente na estrada, bloqueando parte da saída na extremidade de cá da ponte. Estavam sentados de costas para ela e olhavam por sobre a ponte, quatro montículos vestidos de marrom. Nayla ouvira as palavras de Idaho para eles.

— Não deixem este lugar. Vocês devem saudá-los a partir daqui. Fiquem de pé quando ele se aproximar e façam uma reverência.

Saudar, sim.

Nayla assentiu para si mesma.

As outras três Oradoras Peixe que tinham subido a parede da Muralha com ela tinham sido enviadas para o centro da ponte. Tudo o que sabia era o que Siona lhes tinha dito na presença de Nayla. Deviam aguardar até que o Coche Real estivesse a apenas alguns passos delas, então deviam se virar e dançar, afastando-se do coche, conduzindo-o com a procissão até o ponto de observação acima de Tuono.

Se eu cortar a ponte com minha armalês, as três morrerão, pensou Nayla. *Assim como todos os outros que vêm com o nosso Senhor.*

Nayla inclinou o pescoço, olhando desfiladeiro abaixo. Ela não podia ver o rio de onde estava, mas podia ouvir seu murmúrio distante, um movimento de rochas.

Todos eles morreriam!

A menos que Ele opere um milagre.

Era isso. Siona tinha definido o cenário para um Milagre Divino. O que mais Siona poderia tencionar agora que havia sido testada, agora que usava o uniforme do Comando das Oradoras Peixe? Siona tinha feito seu juramento ao Imperador Deus. Ela tinha sido testada por Deus, os dois sozinhos no Sareer.

Nayla virou apenas os olhos para a direita, fitando os arquitetos desta saudação. Siona e Idaho estavam ombro a ombro na estrada, cerca de vinte metros à direita de Nayla. Eles estavam em profunda conversação, olhando um para o outro e, de vez em quando, assentindo.

Naquele momento, Idaho tocou o braço de Siona; um gesto estranhamente possessivo. Ele acenou com a cabeça uma vez e caminhou em direção à ponte, parando no canto do contraforte bem à frente de Nayla. Ele olhou para baixo e, em seguida, foi para o outro canto, perto da ponte. Mais uma vez, ele olhou para baixo e ficou ali, de pé, por vários minutos antes de retornar a Siona.

Que estranha criatura aquele ghola, Nayla pensou. Depois daquela subida impressionante, ela já não pensava nele como um humano.

Ele era outra coisa, um demiurgo que estava ao lado de Deus. Mas ele podia se reproduzir.

Um grito distante chamou a atenção de Nayla. Ela se virou e olhou por sobre a ponte. O cortejo seguia o trote familiar de uma peregrinação real. Naquele momento, eles estavam desacelerando para uma velocidade tranquila de caminhada, a uma breve distância da ponte. Nayla reconheceu Moneo marchando na vanguarda, seu reluzente uniforme branco, o mesmo caminhar indefectível com seu olhar para a frente. O dossel do coche do Imperador tinha sido selado. Ele brilhava como um espelho devido a sua opacidade conforme rolava sobre suas rodas atrás de Moneo.

O mistério de tudo aquilo arrebatou Nayla.

Um milagre estava prestes a acontecer!

Nayla olhou à direita para Siona, que relanceou em sua direção e assentiu uma vez. Nayla sacou a armalês do coldre e apoiou-a contra o pilar de rocha conforme mirava com ela. Primeiro o cabo da esquerda, em seguida o cabo da direita e, por fim, a treliça surreal de açoplás à esquerda. Nayla sentia a armalês fria e como algo alienígena em sua mão. Ela inspirou de modo trêmulo para restaurar a calma.

Devo obedecer. É um teste.

Ela viu Moneo levantar o olhar da estrada e, sem mudar o curso, virou-se para bradar algo para o coche ou para quem vinha atrás dele. Nayla não foi capaz de compreender as palavras. Moneo olhou para a frente mais uma vez. Nayla se firmou, como uma parte do pilar de rocha que escondia a maior parte de seu corpo.

Um teste.

Moneo tinha visto as pessoas na ponte e na extremidade oposta. Ele identificou os uniformes das Oradoras Peixe e a primeira coisa a lhe passar pela cabeça foi se perguntar quem ordenara aquela recepção. Ele se virou e dirigiu uma pergunta ao Imperador Deus, mas o dossel permaneceu opaco, escondendo Hwi e Leto dentro dele.

Moneo estava sobre a ponte, com o coche atrás de si protestando pela areia que havia sido soprada pelo vento, antes de reconhecer Siona e Idaho na distância, em pé na extremidade oposta. Ele identificou quatro fremen de museu sentados na estrada. As dúvidas começaram a se contorcer pela mente de Moneo, mas ele não conseguia mudar o padrão. Arriscou um olhar para baixo, em direção ao rio: lá jazia um mundo de platina incidindo a luz do meio-dia. O som do coche era alto atrás de si. O fluxo do rio, o fluxo do cortejo, a avassaladora importância dessas coisas nas quais ele desempenhava um papel... tudo isso arrebatou sua mente em uma vertiginosa sensação do inevitável.

Nós não somos pessoas passando por este caminho, pensou. *Somos elementos primais ligando uma fração do Tempo a outra. E, quando tivermos passado, tudo atrás de nós cairá no antissom, um lugar como a não sala dos ixianos; ainda assim as coisas nunca mais serão do jeito que eram antes de existirmos.*

Um trecho de uma das canções da tocadora de alaúde adejou pela memória de Moneo e seus olhos perderam o foco para se concentrar na lembrança. Ele conhecia a canção por suas ânsias, um desejo de que tudo se acabasse, tudo fosse passado, todas as dúvidas banidas, a tranquilidade retornada. A canção melancólica vagueava por sua percepção como fumaça, torcendo e impelindo:

"O rumor dos insetos nas raízes dos capins-dos-pampas".

Moneo cantarolava a canção para si mesmo:

"O rumor dos insetos marca o fim.
Outono e minha música são a cor
das últimas folhas
nas raízes dos capins-dos-pampas".

Moneo anuiu com a cabeça para o refrão:

"O dia terminou,
Os visitantes se foram.
O dia terminou.
Em nosso sietch,
O dia terminou.
Ventos de tempestade soam.
O dia terminou.
Os visitantes se foram".

Moneo decidiu que a canção da tocadora de alaúde devia ser, de fato, uma velha canção fremen, sem dúvida alguma. E lhe dizia algo sobre si mesmo. Ele desejava que os visitantes realmente se fossem, que o tumulto acabasse, que tudo voltasse a ficar em paz mais uma vez. A paz estava tão perto... ainda assim ele não podia abandonar seus deveres. Ele pensara em toda a bagagem empilhada lá adiante, na areia nas cercanias de Tuono. Logo eles veriam tudo de novo: tendas, comida, mesas, pratos dourados, facas incrustadas com joias, luciglobos moldados no formato dos arabescos de lâmpadas antigas... tudo exuberante e cheio de expectativas, advindas de vidas completamente diferentes.

Eles nunca mais seriam os mesmos em Tuono.

Certa vez, Moneo tinha passado duas noites em Tuono, em uma viagem de inspeção. Lembrou-se dos cheiros de suas fogueiras para cozinhar: arbustos aromáticos queimando e flamejando no escuro. Eles não usavam fornos de sol porque "essa não era a forma mais ancestral".

Mais ancestral!

Havia pouco cheiro de mélange em Tuono. A doçura acre e os óleos almiscarados dos arbustos dos oásis dominavam os odores. Sim... e as latrinas e o fedor de lixo em decomposição. Moneo relembrou o comentário do Imperador Deus quando ele havia concluído os relatórios sobre essa viagem:

— Esses fremen não sabem o que foi perdido em suas vidas. Eles acreditam que mantêm a essência dos velhos modos. Esta é uma falha de todos os museus. Algo desvanece; se esgota pelas exposições e some. Aqueles que administram o museu e aqueles que vêm para curvar-se e olhar dentro dos expositores... poucos sentem isso que está faltando. Fazia funcionar o motor da vida em épocas anteriores. Quando a vida se esvai, isso se esvai.

Moneo se concentrou nas três Oradoras Peixe que estavam à sua frente na ponte. Elas lançaram os braços para o alto e começaram a dançar, girando e saltitando para longe dele, a poucos passos de distância.

Que estranho, ele pensou. *Já vi outras pessoas dançando a céu aberto, mas nunca Oradoras Peixe. Elas só dançam na privacidade de seus aposentos, na intimidade da sua própria companhia.*

Esse pensamento ainda estava em sua mente quando ele ouviu o primeiro terrível zunido da armalês e sentiu a ponte balançar sob seus pés.

Isso não está acontecendo, sua mente lhe disse.

Moneo ouviu o Coche Real derrapar de lado sobre o leito da estrada; em seguida, o ruído do dossel do coche sendo aberto. Uma confusão de gritos e choros iniciou-se atrás de si, mas ele não podia virar. A estrada na ponte havia se inclinado acentuadamente para a direita de Moneo, fazendo-o escorregar por sua superfície enquanto ele deslizava em direção ao abismo. Ele agarrou um pedaço de cabo cortado para não cair. O cabo cedeu, e tudo fazia barulho de atrito contra o véu de areia espalhada que cobria o leito da estrada. Moneo se agarrou ao cabo com as duas mãos, girando com ele. Então, viu o Coche Real. O veículo derrapava para a lateral da ponte, com o dossel aberto. Hwi estava ali, uma mão estabilizando-a no banco dobrável enquanto ela olhava além de Moneo.

Uma horrível algazarra de metais encheu o ar quando o leito da estrada se inclinou ainda mais. Ele viu as pessoas do cortejo caindo, as bocas abertas, os braços sendo agitados. Algo tinha atingido o cabo de Moneo. Seus braços estavam esticados sobre a cabeça quando ele se virou mais uma vez, rodopiando. Ele sentiu as mãos, lubrificadas pela transpiração de medo, deslizando ao longo do cabo.

Mais uma vez, seu olhar deu a volta até pousar no Coche Real. Ele ficara preso contra os tocos de vigas quebradas. Ao mesmo tempo que Moneo olhava, as mãos inúteis do Imperador Deus tateavam em busca de Hwi Noree, mas não conseguiam alcançá-la. Ela caiu da extremidade aberta do coche, em silêncio, o vestido dourado chicoteando para cima, revelando seu corpo estendido como uma flecha.

Um gemido profundo e retumbante veio do Imperador Deus.

Por que ele não ativa os suspensores?, Moneo se perguntou. *Os suspensores vão sustentá-lo.*

Mas a armalês ainda estava zunindo e, conforme as mãos de Moneo escorregavam da ponta cortada do cabo, ele viu chamas lancinantes atingindo as bolhas suspensoras do coche, perfurando uma após a outra em erupções de fumaça dourada. Moneo estendeu as mãos sobre a cabeça enquanto ele mesmo caía.

A fumaça! A fumaça dourada!

Seu manto chicoteou para cima, fazendo-o girar até que seu rosto apontou para o fundo do abismo. Com seu olhar nas profundezas, ele reconheceu um turbilhão de corredeiras fervilhantes, o espelho de sua vida: fluxos precipitosos e corredeiras, todo o movimento reunindo toda a substância. As palavras de Leto revolveram por sua mente em um traçado de fumaça dourada: "*A cautela é o caminho para a mediocridade. A mediocridade, transitória e desapaixonada, é tudo o que a maioria das pessoas acredita que pode atingir*". Então, Moneo caiu livremente no êxtase da percepção. O universo se abriu para ele como um vidro cristalino, tudo fluindo em um anti-Tempo.

A fumaça dourada!

– Leto! – Ele gritou. – Siaynoq! Eu acredito!

Em seguida, o manto se rasgou de seus ombros. Ele se virou com o vento do desfiladeiro e teve um último vislumbre do Coche Real se inclinando... se inclinando a partir do leito da estrada destruída. O Imperador Deus deslizou pela extremidade aberta.

Algo sólido esmagou as costas de Moneo... foi sua última sensação.

Leto sentiu-se deslizando do coche. Sua percepção só mantinha a imagem de Hwi atingindo o rio: a longínqua fonte de pérolas que marcava o mergulho dela para dentro dos mitos e dos sonhos de terminação. Suas últimas palavras, calmas e firmes, trespassaram todas as suas memórias:

– Seguirei adiante, amor.

Enquanto ele escorregava do coche, viu o arco em forma de cimitarra do rio, algo com bordas lascadas que brilhava em suas sombras mosqueadas, uma odiosa lâmina de um rio, afiada através da Eternidade e, agora, pronta para recebê-lo em sua agonia.

Eu não posso chorar, nem mesmo gritar, ele pensou. *Lágrimas não são mais possíveis. Elas são água. Terei água o suficiente em um momento. Eu só posso padecer em minha dor. Estou sozinho, mais sozinho do que nunca.*

Seu grande corpo ondulado se flexionava à medida que caía, contorcendo-se até que sua visão amplificada revelou Siona de pé na beira da ponte quebrada.

Agora, você aprenderá!, ele pensou.

Seu imenso corpo anelado continuava a girar. Ele assistiu à chegada do rio. A água era um sonho habitado por vislumbres de peixes, os quais acenderam uma memória ancestral de um banquete ao lado de uma piscina de granito: carne rosa seduzindo suas ânsias.

Uno-me a você, Hwi, no banquete dos deuses!

O clarão estrondoso de bolhas o circundou em agonia. Água, com sua correnteza cruel, o golpeava por todos os lados. Ele sentiu o ranger de rochas enquanto lutava para cima, para emergir em uma cascata torrencial, seu corpo se flexionando em um paroxismo de convulsões involuntárias que lançavam respingos ao redor. O desfiladeiro da Muralha, negra e úmida, passou rapidamente por seu olhar frenético. Destroços reluzentes do que havia sido sua pele explodiram para longe, uma chuva de prata a sua volta saltando para longe pelo rio, um movimento circular deslumbrante, como frágeis cequins: o brilho de escamas das trutas da areia deixando-o para começar a própria vida em colônia.

A agonia continuava. Leto se admirava que fosse capaz de permanecer consciente, que ele tivesse um corpo para se sentir.

O instinto o conduzia. Ele se agarrou a uma rocha em torno da qual a correnteza o havia arrastado, sentiu um dedo dobrado ser arrancado de sua mão antes que ele pudesse liberar seu aperto. A sensação era apenas como um tom menor em uma sinfonia de dor.

O curso do rio mudou para a esquerda, contornando o contraforte de um abismo e, como se estivesse dizendo que já estava farto de Leto, enviou seu corpo para a encosta acentuada de um banco de areia. Ele ficou ali por alguns instantes, a tintura azul da essência de especiaria escorrendo dele até a correnteza. A agonia o moveu, seu corpo-verme agindo por si mesmo, fugindo da água. Todas as trutas da areia que o recobriam tinham partido e ele sentia cada toque como algo mais imediato; um sentido perdido recobrado que só era capaz de transmitir dor. Ele não podia ver seu corpo, mas sentiu a coisa que seria um verme ao mesmo tempo que se debatia, rastejando para fora da água. Ele relanceou para cima através de olhos que viam tudo como camadas de labaredas a partir das quais as formas coalesciam com vontade própria. Finalmente, ele reconheceu o lugar. O rio o tinha despejado na curva em que abandonava o Sareer para sempre. Atrás dele estava Tuono e, a uma pequena distância Muralha abaixo, lá estava tudo o que restara da região de Sietch Tabr... o domínio de Stilgar, o lugar onde toda a especiaria de Leto tinha sido escondida.

Exalando fumaça azul, seu corpo agonizante se contorcia ruidosamente, abrindo caminho ao longo dos cascalhos de praia, criando uma trilha tingida de azul por entre pedregulhos quebrados e um buraco úmido, o qual deveria ter sido parte do sietch inicial. Agora era apenas uma caverna rasa, bloqueada na sua extremidade interior por um deslizamento de pedras. Suas narinas detectaram o cheiro de terra molhada e da pura essência de especiaria.

Sons se intrometeram em sua agonia. Ele se virou no confinamento da caverna e viu uma corda pendurada na entrada. Uma figura deslizou pela corda. Ele reconheceu Nayla. Ela pulou para o chão rochoso e agachou-se ali, perscrutando através das sombras em sua direção. As labaredas que eram a visão de Leto se partiram, revelando outra figura soltando a corda: Siona. Ela e Nayla se arrastaram em direção a ele por cima das rochas e pararam, olhando para ele. Uma terceira pessoa desceu pela corda: Idaho. Ele se moveu com ira desvairada, lançando-se sobre Nayla, gritando:

— Por que você a matou? Você não deveria ter matado Hwi!

Nayla derrubou-o com um golpe casual, quase indiferente, desferido com seu braço esquerdo. Ela se aproximou com dificuldade pelas rochas e parou, de gatinhas, para observar Leto.

— Senhor? Está vivo?

Idaho estava bem atrás dela, pegando a armalês do coldre da Oradora Peixe. Nayla se virou, surpresa, enquanto ele nivelava a arma e puxava o gatilho. A combustão começou no topo da cabeça de Nayla. O feixe a dividiu, os pedaços indo ao chão. Uma dagacris brilhante caiu de seu uniforme em chamas e se despedaçou contra as rochas. Idaho não viu. Com um esgar de raiva em seu rosto, ele continuou queimando e queimando os pedaços de Nayla até que a arma estivesse completamente descarregada. O arco flamejante desapareceu. Apenas pedaços molhados e fumegantes de carne e tecido estavam espalhados entre as rochas brilhantes.

Era o momento pelo qual Siona havia esperado. Ela se arrastou até lá e puxou a armalês inutilizada das mãos de Idaho. Ele girou em direção a ela e ela se preparou para subjugá-lo, mas toda a raiva havia se exaurido.

— Por quê? — ele sussurrou.

— Está feito — disse ela.

Eles se viraram, e olharam para as sombras da caverna na direção de Leto.

Leto não podia sequer imaginar o que eles viram. A pele de trutas da areia se fora, ele sabia. Devia haver algum tipo de superfície marcada com buracos deixados pelos cílios da pele que o havia abandonado. Quanto ao resto, ele só era capaz de retribuir o olhar para as duas figuras a partir de um universo sulcado pelo pesar. Através da visão de labaredas ele percebeu Siona como um demônio feminino. O nome do demônio veio espontaneamente às suas mentes e ele falou em voz alta, amplificada pela caverna e muito mais alto do que ele antecipara:

— Hanmya!

— O quê? — Ela deu mais um passo em direção a ele.

Idaho colocou as duas mãos sobre a própria face.

— Olha o que você fez ao pobre Duncan — disse Leto.

— Ele encontrará outros amores. — Como ela parecia insensível, um eco de sua própria juventude irascível.

— Você não sabe o que é amar — ele acusou. — O que você doou em toda a sua vida? — Ele só era capaz de contorcer as mãos, aquelas caricaturas que outrora haviam sido suas mãos. — Deuses das profundezas! O que eu doei!

Ela se arrastou para mais perto e estendeu a mão na direção dele, depois recuou.

— Eu sou a realidade, Siona. Olhe para mim. Eu existo. Você pode me tocar, se tiver coragem. Estenda sua mão. Faça-o!

Lentamente, ela estendeu a mão para o que tinha sido o segmento frontal de Leto, o lugar onde ela havia dormido no Sareer. Sua mão estava tingida de azul quando ela a retirou.

— Você me tocou e sentiu meu corpo — disse ele. — Não é a coisa mais estranha entre todas neste universo?

Ela começou a se virar.

– Não! Não dê as costas para mim! Olhe para o que você criou, Siona. Como você é capaz de me tocar, mas não consegue tocar a si mesma?

Ela se virou para longe dele.

– *Aí* está a diferença entre nós – disse ele. – Você é Deus encarnado. Você caminha dentro do maior milagre do universo, mas se recusa a tocá-lo ou a vê-lo ou a senti-lo ou a acreditar nele.

Então, a percepção de Leto começou a vagar até um local cercado pela noite, um lugar onde ele pensava que era capaz de ouvir a metálica canção insetoide de suas impressoras ocultas, trabalhando longe em seu quarto desalumiado. Havia uma completa ausência de radiação naquele cômodo, uma anticoisa ixiana que fazia dele um lugar de ansiedade e alienação espiritual, pois não tinha qualquer ligação com o resto do universo.

Mas haverá uma conexão.

Sentiu, então, que suas impressoras ixianas haviam sido colocadas em movimento, que elas estavam gravando seus pensamentos sem qualquer comando especial.

Lembrem-se daquilo que eu fiz! Lembrem-se de mim! Serei inocente outra vez!

As labaredas de sua visão se abriram para revelar Idaho na posição onde Siona estivera. Em algum lugar atrás de Idaho, havia um movimento gesticulando... ah, sim: era Siona acenando instruções para alguém no topo da Muralha.

– Você ainda está vivo? – perguntou Idaho.

A voz de Leto veio em suspiros sibilantes:

– Deixe que eles se dispersem, Duncan. Deixe-os fugir e se esconder em qualquer lugar que queiram, em qualquer universo que escolherem.

– Maldito seja! O que você está dizendo? Eu teria preferido deixá-la viver com você!

– Deixar? Eu não *deixei* nada.

— Por que você deixou Hwi morrer? — Idaho se queixou. — Nós não sabíamos que ela estava lá dentro com você.

A cabeça de Idaho caiu para a frente.

— Você será recompensado — Leto falou em voz rouca. — Minhas Oradoras Peixe vão escolher você em vez de Siona. Seja gentil com ela, Duncan. Ela é mais do que Atreides e carrega a semente de sua sobrevivência.

Leto afundou-se novamente em suas memórias. Agora, elas eram mitos delicados, mantidos de modo fugaz em sua percepção. Ele sentiu que poderia ter caído em um tempo que, devido à sua própria existência, havia mudado o passado. Entretanto, havia sons, e ele lutou para interpretá-los. *Alguém transitando sobre rochas?* As labaredas se partiram para revelar Siona de pé ao lado de Idaho. Eles estavam de mãos dadas, como duas crianças encorajando uma a outra antes de se aventurarem em um lugar desconhecido.

— Como ele pode viver assim? — Siona sussurrou.

Leto esperou a força para responder.

— Hwi me ajuda — disse ele. — Nós tivemos algo que poucos experimentaram. Éramos unidos em nossos pontos fortes, e não em nossas fraquezas.

— E veja o que isso lhe causou! — desdenhou Siona.

— Sim, e rezo para que você obtenha o mesmo — ele falou em voz rouca. — Talvez a especiaria lhe dê tempo.

— Onde está a sua especiaria? — ela questionou.

— Nas profundezas de Sietch Tabr — ele respondeu. — Duncan vai encontrá-la. Você conhece o lugar, Duncan. Hoje chama-se Tabur. Os contornos ainda estão lá.

— Por que você fez isso? — Idaho sussurrou.

— Minha dádiva — disse Leto. — Ninguém encontrará os descendentes de Siona. O Oráculo não pode vê-la.

— O quê? — eles falaram em uníssono, inclinando-se para ouvir a sua voz que esmorecia.

– Doo a vocês uma nova espécie de tempo sem paralelos – Leto declarou. – Ele sempre divergirá. Não há pontos concorrentes em suas curvas. Eu lhes doo o Caminho Dourado. Essa é a minha dádiva. Nunca mais vocês terão as espécies de concorrência que um dia tiveram.

As labaredas cobriram sua visão. A agonia estava desaparecendo, mas ainda era capaz de captar odores e ouvir sons com uma precisão terrível. Ambos, Idaho e Siona, estavam respirando de maneira rápida e superficial. Estranhas sensações cinestésicas começaram a urdir o seu caminho através de Leto: ecos de ossos e articulações que ele sabia não mais possuir.

– Olhe! – Siona exclamou.

– Ele está se desintegrando. – Esse era Idaho.

– Não. – Siona. – O exterior está se esfacelando. Veja! O Verme!

Leto sentiu partes de si mesmo se acomodando em uma suavidade acalorada. A agonia removeu a si própria.

– O que são aqueles buracos nele? – Siona.

– Eu acho que eram as trutas da areia. Você percebe as formas?

– Estou aqui para provar que um dos meus antepassados estava errado – Leto falou (ou pensou ter dito, que era a mesma coisa, no que dizia respeito a seus diários). – Nasci um homem, mas não morro um homem.

– Não consigo olhar! – Siona disse.

Leto ouviu ela se virando, um ruído de pedras.

– Você ainda está aí, Duncan?

– Sim.

Então eu ainda tenho uma voz.

– Olhe para mim – disse Leto. – Eu era um pedaço sangrento de polpa em um ventre humano, quase do tamanho de uma cereja. Olhe para mim, eu ordeno!

– Eu estou procurando. – A voz de Idaho estava esmaecendo.

– Você esperava um gigante e encontrou um gnomo – observou Leto. – Agora, você está começando a conhecer as responsabilidades que vêm como resultado de ações. O que você fará com o seu novo poder, Duncan?

Houve um longo silêncio, então a voz de Siona:

— Não dê ouvidos a ele! Ele era louco!

— É claro — concordou Leto. — Método na loucura, isso é genial.

— Siona, você entende isso? — perguntou Idaho. Quão melancólica, a voz do ghola.

— Ela compreende — respondeu Leto. — É humano ter sua alma levada a uma crise que não se antecipou. Essa é a maneira como sempre se dá com os seres humanos. Moneo entendeu, no final.

— Eu gostaria que ele morresse logo! — Siona disse.

— Eu sou o deus dividido e você preferiria me fazer inteiro — retrucou Leto. — Duncan? Acho que, de todos os meus Duncan, você é o que mais aprovo.

— Aprova? — Um pouco da ira voltou à voz de Idaho.

— Há mágica em minha aprovação — Leto declarou. — Tudo é possível em um universo mágico. *Sua* vida tem sido dominada pela fatalidade do Oráculo, não a minha. Agora, você vê os caprichos misteriosos e me pediria para que eu os dispersasse? Eu só queria aumentá-los.

Os *outros* dentro de Leto começaram a se reafirmar. Sem a solidariedade do grupo colonial para apoiar sua identidade, ele começou a perder o lugar entre eles. Eles começaram a falar a língua do constante "SE".

— Se você apenas tivesse...

— Se tivéssemos, mas...

Leto queria que eles ficassem em silêncio.

— Somente os tolos preferem o passado!

Leto não sabia se realmente gritara ou só pensara isso. A resposta foi um silêncio interior momentâneo, combinado a um silêncio exterior, e ele sentiu algumas das tramas de sua antiga identidade ainda intactas. Ele tentou falar e soube que era a realidade porque Idaho comentou:

— Veja, ele está tentando dizer alguma coisa.

— Não temam os ixianos — ele falou, e percebeu que a própria voz era um sussurro desaparecendo. — Eles podem criar as máquinas, mas não podem mais criar *arafel*. Eu sei. Eu estava lá.

Ele ficou em silêncio, reunindo suas forças, mas sentiu a energia escoando dele ao mesmo tempo que tentava segurá-la. Uma vez mais, o clamor surgiu dentro dele... vozes implorando e gritando.

— Parem com essa bobagem! — ele gritou, ou achava que havia gritado.

Idaho e Siona ouviram apenas um chiado ofegante.

Finalmente, Siona declarou:

— Eu acho que ele está morto.

— E todos pensavam que ele era imortal — retrucou Idaho.

— Você sabe o que a História Oral diz? — indagou Siona. — "Se você quer imortalidade, então negue a forma. Aquilo que tem forma tem mortalidade. Além da forma está o informe, o imortal."

— Isso soa como algo *dele* — acusou Idaho.

— Acho que sim — ela concordou.

— O que ele quis dizer sobre seus descendentes... escondendo, não encontrá-los? — Idaho perguntou.

— Ele criou uma nova espécie de *mimesis* — ela explicou —, uma nova imitação biológica. Ele sabia que tinha sido bem-sucedido. Ele não podia me ver em seus futuros.

— O que você é? — demandou Idaho.

— Eu sou os novos Atreides.

— Atreides! — Havia uma imprecação na voz de Idaho.

Siona olhou para o corpanzil desintegrado que certa vez tinha sido Leto Atreides II... e outra coisa. A outra *coisa* estava descamando em efêmeras nuvens de fumaça azul, onde o cheiro de mélange era mais forte. Poças de um líquido azul se formavam nas rochas abaixo do corpanzil que derretia. Somente formas vagas e indistintas do que um dia poderia ter sido humano permaneciam: uma massa rosada e espumante caída, uma porção de ossos rajados de vermelho que poderiam ter sustentado as formas das maçãs do rosto e da testa.

— Eu sou diferente, mas ainda assim sou o que ele era — Siona disse.

Idaho falou num sussurro:

— Os antepassados, todos os...

— A multidão está lá, mas ando silenciosamente entre eles e ninguém me vê. As imagens antigas se foram e só a essência permanece para iluminar o Caminho Dourado dele.

Siona se virou e tomou a mão fria de Idaho na dela. Cuidadosamente, conduziu-o para fora da caverna, em direção à luz onde a corda estava pendurada de modo convidativo lá de cima da Muralha, no lugar onde os fremen de museu apavorados esperavam.

Material de má qualidade para moldar um novo universo, ela pensou, mas teriam de servir. Idaho exigiria uma sedução gentil, uma afeição dentro da qual o amor *poderia* surgir.

Quando ela olhou rio abaixo, até onde o fluxo emergia de seu abismo feito pelo homem para se espalhar pelas terras verdes, ela notou que um vento do sul trazia nuvens escuras em sua direção.

Idaho tirou sua mão da dela, mas parecia mais calmo.

— O controle meteorológico está cada vez mais instável — ele observou. — Moneo acreditava que era obra da Guilda.

— Meu pai raramente se enganava sobre essas coisas — ela concordou. — Você terá que investigar.

Idaho experimentou uma súbita lembrança das formas prateadas que eram as trutas da areia se lançando para longe do corpo do Leto no rio.

— Eu ouvi o Verme — Siona comentou. — As Oradoras Peixe seguirão a você, não a mim.

Mais uma vez, Idaho sentiu a tentação do ritual de Siaynoq.

— Veremos — ele falou. Então, virou-se e olhou para Siona. — O que ele quis dizer quando disse que os ixianos não podem criar *arafel*?

— Você não leu todos os diários — disse ela. — Eu vou mostrá-los a você quando voltarmos a Tuono.

— Mas o que isso significa... *arafel*?

— É a nuvem-sombria do julgamento divino. É de uma velha história. Você vai encontrar tudo isso nos meus diários.

TRECHO DA SUMA SECRETA DE HADI BENOTTO SOBRE AS DESCOBERTAS EM DAR-ES-BALAT:

Eis o relatório da Minoria. Nós vamos, é claro, aceder com a decisão da maioria de aplicar um filtro, edição e censura cuidadosas sobre os diários de Dar-es-Balat, mas nossos argumentos devem ser ouvidos. Reconhecemos o interesse da Santa Igreja nessas questões e os perigos políticos não escapam de nossa atenção. Partilhamos o desejo da Igreja de que Rakis e a Reserva Sagrada do Deus Dividido não se tornem "uma atração para turistas boquiabertos".

Entretanto, agora que os diários estão em nossas mãos, autenticados e traduzidos, a forma óbvia do Projeto Atreides emerge. Como uma mulher treinada pelas Bene Gesserit para entender os modos de nossos ancestrais, tenho um desejo natural de compartilhar o padrão que expusemos: o qual é muito maior do que Duna para Arrakis para Duna, e a partir daí, para Rakis.

Nossos interesses em história e ciência devem ser servidos. Os diários lançam uma nova e valiosa luz sobre aquele acúmulo de recordações pessoais e biografias da Era dos Duncan, a Bíblia da Guarda. Não podemos nos esquecer das costumeiras imprecações: "Pelos Milhares de Filhos de Idaho!" e "Pelas Nove Filhas de Siona". O persistente Culto da Irmã Chenoeh assume um novo significado em virtude das revelações dos diários. Certamente, a caracterização da Igreja sobre Judas/Nayla merece uma reavaliação cuidadosa.

Nós, da Minoria, devemos recordar os censores políticos de que os pobres vermes da areia em sua Reserva Rakiana não são capazes de prover uma alternativa às Máquinas Ixianas de Navegação, nem que os pequenos aportes de mélange controlados pela Igreja sejam uma real ameaça ao comércio dos produtos dos tonéis dos Tleilaxu. Não! Nós argumentamos que os mitos, a História Oral, a Bíblia da Guarda e mesmo os Livros Sagrados do Deus

Dividido devem ser comparados com os diários de Dar-es-Balat. Cada referência histórica à Dispersão e aos Tempos da Penúria deve ser encontrada e reexaminada. O que temos a temer? Nenhuma máquina ixiana pode fazer o que nós, os descendentes de Idaho e Siona, fizemos. Quantos universos nós povoamos? Ninguém consegue arriscar um palpite. Ninguém jamais saberá. Será que a Igreja teme o profeta ocasional? Sabemos que os visionários não podem nos *ver* nem predizer nossas decisões. Nenhuma morte pode encontrar toda a espécie humana. Devemos nós, da Minoria, nos juntar a nossos companheiros da Dispersão antes de ser ouvidos? Devemos deixar o núcleo original da humanidade ignorante e desinformado? Se a Maioria nos afastar, sabemos que jamais seremos encontrados outra vez!

Não queremos sair! Somos mantidos aqui por aquelas *pérolas* na areia. Somos fascinados pelo uso que a Igreja faz da pérola como "o sol do entendimento". Certamente nenhum humano racional pode escapar das revelações dos diários a esse respeito. Os usos admitidamente efêmeros, porém vitais, da arqueologia têm seus dias contados! Bem como a máquina primitiva com a qual Leto II escondeu seus diários só é capaz de nos ensinar sobre a evolução de nossas máquinas, aquela percepção ancestral deve ter a permissão de falar conosco. Seria um crime contra a precisão histórica e científica se abandonarmos nossas tentativas de comunicação com aquelas "pérolas de percepção" as quais os diários localizaram. Será que Leto está perdido em seu sonho interminável ou poderia ele ser acordado novamente para os nossos tempos, trazido à consciência plena como um estoque de precisão histórica? Como pode a Santa Igreja temer a verdade?

Pela Minoria, não temos dúvidas de que os historiadores devam ouvir aquela voz de nossos princípios. Mesmo que seja apenas pelos diários, devemos ouvir. Devemos ouvir por, pelo menos, a mesma quantidade de anos em nosso futuro como os que esses diários ficaram escondidos em nosso passado. Não tentaremos prever as descobertas ainda a serem feitas naquelas páginas. Dizemos somente que elas devem ser feitas. Como podemos dar as costas à nossa herança mais importante? Como disse o poeta Lon Bramlis: "Somos a fonte das surpresas!".

Terminologia do Imperium

A

ABA: manto folgado usado pelas mulheres fremen; geralmente na cor preta.

ABOMINAÇÃO: termo usado pelas irmãs Bene Gesserit para descrever indivíduos que não podem controlar as memórias surgidas ou após o consumo da Água da Vida, ou através da herança genética direta em crianças pré-nascidas.

AÇOPLÁS: aço estabilizado com fibras de estravídio introduzidas em sua estrutura cristalina.

ARMALÊS: projetor laser de onda contínua. Seu emprego como arma é limitado numa cultura de escudos geradores de campos, por causa da pirotecnia explosiva (tecnicamente, uma fusão subatômica) criada quando seu raio encontra um escudo.

ARRAKINA: primeira povoação em Arrakis; sede de longa data do governo planetário.

ARRAKIS: o planeta conhecido como Duna; terceiro planeta de Canopus.

B

BALISET: um instrumento musical de nove cordas, a ser dedilhado, descendente direto da zithra e afinado na escala chusuk. Instrumento preferido dos trovadores imperiais.

BASHAR (GERALMENTE, BASHAR CORONEL): um oficial dos Sardaukar, uma fração acima de coronel na classificação militar padrão. Patente criada para o governante militar de um subdistrito planetário (bashar da corporação é um título de uso estritamente militar).

BENE GESSERIT: antiga escola de treinamento físico e mental para alunas do sexo feminino, fundada depois que o Jihad Butleriano destruiu as chamadas "máquinas pensantes" e os robôs.

BENE TLEILAX: grupo de seres humanos que habitavam Tleilax, o único planeta da estrela Thalim.

BÍBLIA CATÓLICA DE ORANGE: o "Livro Reunido", o texto religioso produzido pela Comissão de Tradutores Ecumênicos. Contém elementos de religiões antiquíssimas, entre elas o saari maometano, o cristianismo maaiana, o catolicismo zen-sunita e as tradições budislâmicas. Considera-se como seu mandamento supremo: "Não desfigurarás a alma".

C

CAÇADOR-BUSCADOR: fragmento voraz de metal sustentado por suspensores e teleguiado, tal qual uma arma, por um console controlador situado nas proximidades; dispositivo comum de assassínio.

CALADAN: terceiro planeta de Delta Pavonis; planeta natal de Paul Muad'Dib.

CALDEIRA: em Arrakis, qualquer região baixa ou depressão criada pelo afundamento do complexo subterrâneo subjacente.

CAPTADOR DE VENTO: um aparelho instalado na trajetória dos ventos predominantes e capaz de condensar a umidade do ar aprisionado em seu interior, geralmente por meio de uma queda nítida e brusca da temperatura dentro do captador.

CASA: expressão idiomática para o Clã Governante de um planeta ou sistema planetário.

CASAS MAIORES: detentores de feudos planetários; empresários interplanetários (*veja-se* Casa).

CHOAM: acrônimo para Consórcio Honnête Ober Advancer Mercantiles, a empresa de desenvolvimento universal controlada pelo imperador e pelas Casas Maiores, tendo a Guilda e as Bene Gesserit como sócios comanditários.

CORIOLIS, TEMPESTADE DE: qualquer grande tempestade de areia em Arrakis, onde os ventos, nas planícies desprotegidas, são amplificados pelo movimento de rotação do próprio planeta e atingem velocidades de até setecentos quilômetros por hora.

D

DAGACRIS: a faca sagrada dos fremen de Arrakis. É manufaturada em duas formas, a partir dos dentes retirados de carcaças de vermes da areia. As duas formas são a "estável" e a "instável". Uma faca instável precisa ser mantida perto do campo elétrico de um corpo humano para não se desintegrar. As facas estáveis são tratadas para que possam ser armazenadas. Todas têm cerca de vinte centímetros de comprimento.

DANÇARINOS FACIAIS: membros de uma raça criada pelos Bene Tleilax. A habilidade de imitar a aparência de outras pessoas os fez desempenhar importantes funções na sociedade, como a de espiões e assassinos. Podem assumir a forma sexual de homens ou mulheres, mas não têm habilidade de procriação.

DISPERSÃO: evento histórico que ocorreu no período caótico que se seguiu à morte de Leto Atreides II, o Imperador Deus.

E

ERG: uma área extensa de dunas, um mar de areia.

ESPECIARIA: *veja-se* mélange.

F

FREMEN: as tribos livres de Arrakis, habitantes do deserto, remanescentes dos Peregrinos Zen-sunitas ("piratas da areia", de acordo com o Dicionário Imperial).

G

GALACH: idioma oficial do Imperium. É um híbrido angloeslávico, com traços fortes de língua de cultura especializada, adotados durante a longa sucessão de migrações humanas.

GANCHOS DE CRIADOR: os ganchos usados para capturar, montar e pilotar um verme da areia de Arrakis.

GHANIMA: uma coisa adquirida em batalha ou combate singular. Comumente, um suvenir do combate, guardado apenas para estimular a memória.

GHOLA: humano criado artificialmente a partir de um indivíduo morto.

GIEDI PRIMO: o planeta de Ophiuchi B (36), terra natal da Casa Harkonnen. Um planeta de viabilidade mediana, com um espectro fotossinteticamente ativo reduzido.

GRANDE CONVENÇÃO: a trégua universal imposta pelo equilíbrio de poder mantido pela Guilda, pelas Casas Maiores e pelo Imperium. Sua principal lei proíbe o uso de armas atômicas contra alvos humanos. Todas as leis da Grande Convenção começam com: "As formalidades precisam ser obedecidas...".

GUILDA ESPACIAL (OU, SIMPLESMENTE, GUILDA): uma das pernas do tripé político que sustenta a Grande Convenção. A Guilda foi a segunda escola de treinamento físico-mental (*veja-se* Bene Gesserit) a surgir depois do Jihad Butleriano. O monopólio da Guilda sobre o transporte e as viagens espaciais, bem como sobre o sistema bancário internacional, é considerado o marco zero do Calendário Imperial.

H

HARKONNEN: foram uma grande casa durante o tempo dos Imperadores Padishah. Sua capital era Giedi Primo, um planeta altamente industrializado e com pouca vegetação.

I

IX: *veja-se* Richese.

J

JACURUTU: sietch lendário localizado no deserto profundo de Arrakis.

JIHAD: uma cruzada religiosa; cruzada fanática.

JIHAD BUTLERIANO: a cruzada contra os computadores, máquinas pensantes e robôs conscientes iniciada em 201 a.G. e concluída em 108 a.G. Seu principal mandamento continua na Bíblia C. O.: "Não criarás uma máquina para imitar a mente humana".

K

KWISATZ HADERACH: "encurtamento do caminho". É o nome dado pelas Bene Gesserit à incógnita para a qual elas procuram uma solução genética: a versão masculina de uma Bene Gesserit, cujos poderes mentais e orgânicos viriam a unir o espaço e o tempo.

L

LANDSRAAD: uma das principais instituições do Imperium. Mesmo dois milênios antes de CHOAM e Guilda se tornarem relevantes, o Landsraad já existia e servia como um corpo deliberativo para debates e disputas entre os governos participantes. O Landsraad tem o poder de influenciar até em uma discussão em que algum dos lados fere a disposição fundamental da lei universal.

LOBOS-D: caçadores geneticamente programados e guardiões de Leto II em Sareer.

LUCIGLOBO: dispositivo de iluminação sustentado por suspensores, que tem fornecimento de energia próprio (geralmente baterias orgânicas).

M

MÉLANGE: a "especiaria das especiarias", o produto que tem em Arrakis sua única fonte. A especiaria, célebre principalmente por suas características geriátricas, causa dependência moderada quando ingerida em pequenas quantidades, e dependência grave quando sorvida em quantidades superiores a dois gramas diárias a cada setenta quilos de peso corporal.

MENTAT: a classe de cidadãos imperiais treinados para realizar feitos supremos de lógica. "Computadores humanos".

MUAD'DIB: o rato-canguru adaptado a Arrakis, uma criatura associada, na mitologia fremen do espírito da terra, a um desenho visível na face da segunda lua do planeta. Essa criatura é admirada pelos fremen por sua habilidade de sobreviver no deserto aberto.

MURALHA-ESCUDO: um acidente geográfico montanhoso nos confins setentrionais de Arrakis, que protege uma pequena área da força total das tempestades de Coriolis do planeta.

N

NAIB: alguém que jurou nunca ser capturado vivo pelo inimigo; juramento tradicional de um líder fremen.

NAVEGADORES DA GUILDA: membros do alto escalão de humanos artificialmente modificados da Guilda Espacial. Têm a capacidade de presciência adquirida pelo consumo e exposição a quantidades maciças de mélange.

O

ORADORAS PEIXE: exército inteiramente composto por mulheres. O único papel dos homens para elas é o de maridos.

ORNITÓPTERO (COMUMENTE, TÓPTERO): qualquer aeronave capaz de voo sustentado por meio do bater de asas, como fazem as aves.

P

PAQUETE: principal cargueiro do sistema de transporte da Guilda Espacial.

PAZ DE LETO: período de paz forçada colocada em vigor por Leto Atreides II durante o seu reinado como Imperador Deus.

PRIMEIRA LUA: o principal satélite natural de Arrakis, a primeira a nascer à noite; destaca-se por apresentar o desenho distinto de um punho humano em sua superfície.

PROCLAMADORA DA VERDADE: uma Reverenda Madre qualificada a entrar no transe da verdade e detectar a falta de sinceridade ou a mentira.

R

REVERENDA MADRE: originariamente, uma censora das Bene Gesserit, alguém que já transformou um "veneno de iluminação" dentro de seu corpo, elevando-se a um estado superior de percepção. Título adotado pelos fremen para suas próprias líderes religiosas que chegaram a uma "iluminação" semelhante.

RICHESE: quarto planeta de Eridani A, classificado, juntamente com Ix, como o suprassumo da cultura das máquinas. Célebre pela miniaturização. (Pode-se encontrar um estudo mais pormenorizado de como Richese e Ix escaparam aos efeitos mais graves do Jihad Butleriano em *O último jihad*, de Sumer e Kautman.)

S

SALUSA SECUNDUS: terceiro planeta de Gama Waiping; designado como planeta-prisão do imperador após a remoção da Corte Real para Kaitain. Salusa Secundus é o planeta natal da Casa Corrino e a segunda parada na migração dos Peregrinos Zen-sunitas. A tradição fremen afirma que eles foram escravos em S. S. durante nove gerações.

SARDAUKAR: os fanáticos-soldados do imperador padixá. Eram homens criados num ambiente de tamanha ferocidade que seis a cada treze pessoas morriam antes de chegar aos treze anos de idade. Seu treinamento militar enfatizava a desumanidade e uma desconsideração quase suicida pela segurança pessoal. Eram ensinados desde a infância a usar a crueldade como arma-padrão, enfraquecendo os oponentes com o terror. No auge de sua hegemonia sobre o universo, dizia-se que sua habilidade com a espada se equiparava à dos Ginaz de décimo nível e que sua astúcia no combate corpo a corpo seria quase equivalente à de uma iniciada Bene Gesserit. Qualquer um deles era considerado páreo para os recrutas normais das forças armadas do Landsraad. À época de Shaddam IV, apesar de ainda serem formidáveis, sua força tinha sido minada pelo excesso de confiança, e a mística que nutria sua religião guerreira havia sido profundamente solapada pelo ceticismo.

SAREER: último deserto de Arrakis durante o tempo de Leto Atreides II.

SEGUNDA LUA: o menor dos dois satélites naturais de Arrakis, digno de nota pela figura do rato-canguru que aparece em sua superfície.

SHADOUT: "aquela que retira a água do poço", um título honorífico dos fremen.

SHAI-HULUD: o verme da areia de Arrakis, o "Velho do Deserto", o "Velho Pai Eternidade" e o "Avô do Deserto". É significativo que o nome, quando pronunciado com uma certa entonação ou escrito com iniciais maiúsculas, designe a divindade da terra nas superstições domésticas dos fremen. Os vermes da areia ficam enormes (já foram avistados espécimes com mais de quatrocentos metros de comprimento nas profundezas do deserto) e chegam a idades muito avançadas, a menos que sejam mortos por outro verme ou afogados em água, que é um veneno para eles. Atribui-se a existência da maior parte da areia de Arrakis à ação dos vermes.

SHAITAN: Satã.

SIAYNOQ: experiência religiosa orgástica e de êxtase sexual envolvendo a líder das Oradoras Peixe.

SIETCH: na língua fremen, "lugar de reunião em tempos perigosos". Como os fremen viveram tanto tempo em perigo, o termo veio a designar, por extensão de sentido, qualquer caverna labiríntica habitada por uma de suas comunidades tribais.

SIHAYA: na língua fremen, a primavera do deserto, com insinuações religiosas que implicam o tempo da fertilidade e "o paraíso que ainda virá".

SUSPENSOR: fase secundária (baixo consumo) de um gerador de campo de Holtzman. Anula a gravidade dentro de certos limites prescritos pelo consumo relativo de massa e energia.

T

TANQUE AXOLOTLE: são os meios pelos quais Bene Tleilax produzem os gholas.

TANZEROUFT: o deserto profundo de Arrakis.

TRUTAS DA AREIA: forma larval dos vermes de areia. Nessa fase, as trutas são parecidas com grandes sanguessugas, bolhas amorfas ou lesmas.

V

VERME DA AREIA: *veja-se* Shai-hulud.

Sobre o autor

Franklin Patrick Herbert Jr. nasceu em Tacoma, Washington. Trabalhou nas mais diversas áreas – operador de câmera de TV, comentarista de rádio, pescador de ostras, instrutor de sobrevivência na selva, psicólogo, professor de escrita criativa, jornalista e editor de vários jornais – antes de se tornar escritor em tempo integral. Em 1952, publicou seu primeiro conto de ficção, "Looking For Something?", na revista *Startling Stories*, mas a consagração ocorreu apenas em 1965, com a publicação de *Duna*. Herbert também escreveu mais de vinte outros títulos, incluindo *The Jesus Incident* e *Destination: Void*, antes de falecer em 1986.

IMPERADOR DEUS DE DUNA

TÍTULO ORIGINAL:
God Emperor of Dune

CAPA:
María Medem

PREPARAÇÃO DE TEXTO:
Marcos Fernando de Barros Lima

MONTAGEM DE CAPA:
Desenho Editorial

REVISÃO:
Renato Ritto

PROJETO GRÁFICO E DIAGRAMAÇÃO:
Desenho Editorial

DADOS INTERNACIONAIS DE CATALOGAÇÃO NA PUBLICAÇÃO
(CIP) DE ACORDO COM ISBD

H536i Herbert, Frank
Imperador Deus de Duna / Frank Herbert ; traduzido por Christiane Almeida. – 2. ed. - São Paulo : Aleph, 2021.
576 p. ; 12cm x 17cm. – (Duna ; v.4)

Tradução de: God Emperor of Dune
ISBN: 978-65-86064-98-8

1. Literatura norte-americana. 2. Ficção científica norte-americana. 3. Frank Herbert. I. Almeida, Christiane. II. Título. III. Série.

2021-2936   CDD 813
                     CDU 821.111(73)-3

ELABORADO POR VAGNER RODOLFO DA SILVA - CRB-8/9410

ÍNDICES PARA CATÁLOGO SISTEMÁTICO:

1. Literatura americana : Ficção 813
2. Literatura americana : Ficção 821.111(73)-3

Copyright © Herbert Properties LLC., 1981
Copyright © Editora Aleph, 2017
(edição em língua portuguesa para o Brasil)

"Introdução" de Brian Herbert (Copyright © DreamStar, Inc., 2008)

Todos os direitos reservados.
Proibida a reprodução, no todo ou em parte, através de quaisquer meios.

Rua Bento Freitas, 306 - Conj. 71 - São Paulo/SP
CEP 01220-000 • TEL 11 3743-3202
www.editoraaleph.com.br

 @editoraaleph

 @editora_aleph